हैरी पॉटर

और अज़्काबान का क़ैदी

मंजुल पब्लिशिंग हाउस द्वारा हिन्दी में प्रकाशित
जे. के रोलिंग की अन्य पुस्तकें

हैरी पॉटर और पारस पत्थर
हॉगवर्ट्स में पहला वर्ष

हैरी पॉटर और रहस्यमयी तहख़ाना
हॉगवर्ट्स में दूसरा वर्ष

हैरी पॉटर और आग का प्याला
हॉगवर्ट्स में चौथा वर्ष

हैरी पॉटर और मायापंछी का समूह
हॉगवर्ट्स में पाँचवाँ वर्ष

हैरी पॉटर और हाफ़-ब्लड प्रिंस
हॉगवर्ट्स में छटवाँ वर्ष

हैरी पॉटर और मौत के तोहफ़े
हॉगवर्ट्स में सातवाँ वर्ष

हैरी पॉटर

और अज़्काबान का क़ैदी

जे.के. रोलिंग

अनुवाद : डॉ. सुधीर दीक्षित

MANJUL
मंजुल पब्लिशिंग हाउस

MANJUL

मंजुल पब्लिशिंग हाउस

कॉरपोरेट एवं संपादकीय कार्यालय

• द्वितीय तल, उषा प्रीत कॉम्प्लेक्स, 42 मालवीय नगर, भोपाल-462 003

विक्रय एवं विपणन कार्यालय

• सी-16, सेक्टर 3, नोएडा, उत्तर प्रदेश, 201301

वेबसाइट : www.manjulindia.com

वितरण केन्द्र

अहमदाबाद, बेंगलुरू, कोच्चि, कोलकाता, चेन्नई,
हैदराबाद, मुम्बई, नई दिल्ली, पुणे

जे.के. रोलिंग द्वारा लिखित मूल अंग्रेजी पुस्तक
हैरी पॉटर ऐंड द प्रिज़नर ऑफ़ अज़्काबान का हिन्दी अनुवाद

Harry Potter and the Prisoner of Azkaban by J. K. Rowling – Hindi edition

इस प्रकाशन के सभी चरित्र और घटनाएँ (जो सार्वजनिक क्षेत्र में आते हैं उन्हें छोड़कर) काल्पनिक हैं तथा उनकी किसी भी जीवित अथवा मृत व्यक्ति से समानता मात्र एक संयोग होगा

यह हिन्दी संस्करण 2006 में पहली बार प्रकाशित
11वीं आवृत्ति 2025

ISBN 978-81-8322-030-9

अनुवाद : डॉ. सुधीर दीक्षित

मुद्रण व जिल्दसाज़ी : थॉमसन प्रेस (इंडिया) लिमिटेड

समर्पण

जिल प्रुएट और एन काइली को,
जो स्विंग की गॉडमदर हैं

अध्याय एक

उल्लू ख़त लेकर आए

हैरी पॉटर कई मायनों में बहुत ही असामान्य बच्चा था। एक बात तो यह थी कि उसे गर्मी की छुट्टियाँ बहुत बुरी लगती थीं। दूसरी बात यह थी कि वह सचमुच अपना होमवर्क करना चाहता था, लेकिन उसे रात में सबसे छिपाकर चोरी से अपना होमवर्क करना पड़ता था। और सबसे बड़ी बात यह थी कि वह एक जादूगर था।

लगभग आधी रात का समय था। हैरी पेट के बल अपने बिस्तर पर लेटा हुआ था। उसके सिर के ऊपर कंबल किसी टेंट की तरह पड़े थे। उसके एक हाथ में टॉर्च थी और वह चमड़े के जैकेट वाली एक बड़ी सी पुस्तक (बाथिल्डा बैगशॉट की *जादू का इतिहास*) पढ़ रहा था, जो तकिये से टिकी थी। हैरी ने बाज के पंख वाली अपनी क़लम को पेज पर घुमाया। वह पुस्तक में ऐसी लाइनें ढूँढ़ रहा था, जिससे उसे अपना निबंध लिखने में मदद मिले। निबंध का विषय था, 'चौदहवीं सदी में जादूगरनियों को जलाना पूरी तरह अर्थहीन था : विवेचना कीजिए।'

उसकी क़लम एक अच्छे दिखने वाले पैराग्राफ़ पर ठहर गई। हैरी ने अपने गोल चश्मे को नाक के ऊपर धकेला, अपनी टॉर्च को पुस्तक के पास ले गया और पढ़ने लगा :

> *जादू न जानने वाले लोग (जिन्हें आम तौर पर मगलू नाम से जाना जाता है) मध्य युग में जादू से बहुत डरते थे, परंतु उन्हें उसकी सही पहचान नहीं थी। वे असली जादूगर या जादूगरनी को कभी-कभार ही पकड़ पाते थे। और जब ऐसा होता था, तब भी उस पर जलाने का*

कोई असर नहीं होता था। जादूगर या जादूगरनी एक आसान आग-रोधक मंत्र पढ़ देते थे और फिर दर्द से चीखने का नाटक करते थे, जबकि उन्हें सिर्फ़ हल्की सी गुदगुदी महसूस होती थी। दरअसल वेंडेलिन नामक जादूगरनी को तो जलाया जाना इतना पसंद था कि उसने ख़ुद को विभिन्न वेशों में सैंतालीस बार पकड़वाया।

हैरी ने क़लम अपने दाँतों के बीच में रख ली। इसके बाद उसने तकिये के नीचे रखी दवात और चर्मपत्र की तरफ़ हाथ बढ़ाया। धीरे-धीरे और बहुत सावधानी से उसने दवात का ढक्कन खोला, उसमें अपनी क़लम डुबाई और लिखना शुरू किया। वह थोड़ी-थोड़ी देर में रुककर सुन लेता था, क्योंकि अगर डर्स्ली परिवार के किसी सदस्य ने बाथरूम जाते समय उसकी क़लम की आवाज़ सुन ली, तो उसकी ख़ैर नहीं थी। उसे शायद पूरी छुट्टियों में सीढ़ियों के नीचे वाली अलमारी में बंद कर दिया जाएगा।

प्रिविट ड्राइव के मकान नंबर चार में रहने वाले डर्स्ली परिवार के कारण ही हैरी को गर्मी की छुट्टियाँ बहुत बुरी लगती थीं। वरनॉन अंकल, पेटूनिया आंटी और उनका पुत्र डडली हैरी के इकलौते जीवित रिश्तेदार थे। वे मगलू थे और जादू के प्रति उनका नज़रिया चौदहवीं सदी के लोगों जैसा ही था। हैरी के माता-पिता जादूगर थे, लेकिन डर्स्ली परिवार में उनके नाम का ज़िक्र तक नहीं होता था। पेटूनिया आंटी और वरनॉन अंकल को आशा थी कि अगर उन्होंने हैरी को दबाकर रखा, तो उसका जादू बाहर नहीं आ पाएगा। बहरहाल, उनकी चाल कामयाब नहीं हुई, जिससे वे बहुत ग़ुस्से में थे। अब उनके मन में यह दहशत थी कि कहीं किसी को यह पता न चल जाए कि हैरी पिछले दो साल से हॉगवर्ट्स जादू और तंत्र के विद्यालय में पढ़ रहा है। अब डर्स्ली दंपति ज़्यादा से ज़्यादा बस इतना ही कर सकते थे कि गर्मी की छुट्टियाँ शुरू होते ही हैरी की जादू की किताबें, छड़ी, कड़ाही तथा झाड़ू को ताले में बंद कर दें और उसे पड़ोसियों से बातें न करने दें।

अपनी जादू की किताबों के ताले में बंद हो जाने से हैरी बहुत परेशान था, क्योंकि हॉगवर्ट्स के टीचर्स ने छुट्टियों के लिए उसे ढेर सारा होमवर्क दिया था। हैरी के सबसे कम प्रिय टीचर प्रोफ़ेसर स्नेप ने उसे एक बहुत मुश्किल निबंध दिया था, जो सिकोड़ने वाले काढ़े पर था। अगर हैरी ने स्नेप का होमवर्क पूरा नहीं किया, तो उन्हें मज़ा आ जाएगा और हैरी को एक महीने की सज़ा देने का बहाना मिल जाएगा। इसलिए जब छुट्टियों के बाद पहले ही सप्ताह में हैरी को

मौक़ा मिला, तो उसने उसका लाभ उठा लिया था। उस वक़्त वरनॉन अंकल, पेटूनिया आंटी और डडली सामने वाले बगीचे में थे। वे वहाँ पर वरनॉन अंकल को कंपनी से मिली कार देखने गए थे (जिसकी उन्होंने बहुत तेज़ आवाज़ों में तारीफ़ की, ताकि पड़ोसी सुन लें और उसे देख लें)। हैरी ने देर नहीं की। वह बग़ैर आवाज़ किए जल्दी से नीचे गया, सीढ़ियों के नीचे वाली अलमारी का ताला तोड़ा, उसमें से अपनी कुछ पुस्तकें निकालीं और उन्हें अपने बेडरूम में छिपा लिया। जब तक कि चादरों पर स्याही के निशान न रहें, तब तक डर्स्ली दंपति को यह कभी पता नहीं चल पाएगा कि वह रात में जादू की पढ़ाई कर रहा है।

हैरी उस समय अपने अंकल-आंटी से कोई पंगा मोल नहीं लेना चाहता था, क्योंकि वे पहले ही उससे उखड़े हुए थे। इसका कारण यह था कि स्कूल की छुट्टियाँ शुरू होने के कुछ दिन बाद ही उसके एक जादूगर मित्र ने उसे फ़ोन किया था।

रॉन वीज़्ली हॉगवर्ट्स में हैरी के सबसे अच्छे दोस्तों में से एक था। उसके परिवार में सभी जादूगर थे। इसका मतलब यह था कि वह ऐसी बहुत सी चीज़ें जानता था, जो हैरी को नहीं मालूम थीं, लेकिन उसने इससे पहले कभी टेलीफ़ोन का इस्तेमाल नहीं किया था। यह बहुत दुर्भाग्यपूर्ण था कि उसका फ़ोन वरनॉन अंकल ने उठाया।

'वरनॉन डर्स्ली बोल रहा हूँ।'

संयोग से हैरी उस समय उसी कमरे में था। दूसरी तरफ़ से रॉन की आवाज़ आते सुनकर वह किसी पत्थर की मूर्ति की तरह खड़ा रह गया।

'हैलो? हैलो? क्या आपको मेरी आवाज़ सुनाई दे रही है? मैं - हैरी - पॉटर - से - बात - करना - चाहता - हूँ!'

रॉन इतनी जमकर चिल्ला रहा था कि वरनॉन अंकल उछल पड़े। रिसीवर को अपने कान से एक फ़ुट दूर रखकर वे उसे ग़ुस्से और दहशत भरे भाव से घूरते रहे।

फिर वे रिसीवर की तरफ़ मुँह करके दहाड़े, **'कौन है? तुम कौन हो?'**

'रॉन - वीज़्ली!' दूसरी तरफ़ से रॉन गरजा। उसकी आवाज़ इतनी तेज़ थी, जैसे वह और वरनॉन अंकल फ़ुटबॉल के मैदान के विपरीत छोरों से बात कर रहे हों। **'मैं - हैरी - का - स्कूल - का - दोस्त - हूँ।'**

वरनॉन अंकल की छोटी आँखें हैरी को घूरने लगीं, जो उसी जगह पर मूर्ति की तरह खड़ा था।

फिर उन्होंने गरजते हुए कहा, **'यहाँ कोई हैरी पॉटर नहीं रहता है!'**

इस समय उन्होंने रिसीवर को एक हाथ दूर पकड़ रखा था, मानो उन्हें यह डर हो कि इसमें विस्फोट हो सकता है। **'मैं नहीं जानता कि तुम किस स्कूल का ज़िक्र कर रहे हो! अब दोबारा कभी फ़ोन मत करना! कभी मेरे घर-परिवार के आस-पास भी नज़र मत आना!'**

फिर उन्होंने रिसीवर को टेलीफ़ोन पर इस तरह पटका, जैसे वे किसी जहरीली मकड़ी को पटक रहे हों।

उसके बाद जो फ़साद हुआ, वह बहुत भयानक था।

अंकल वरनॉन ने गरजते हुए और हैरी पर थूक की बौछार करते हुए कहा, **'*अपने जैसे* लोगों को यह नंबर देने की तुम्हारी हिम्मत कैसे हुई!'**

ज़ाहिर है, रॉन समझ गया था कि उसके फ़ोन की वजह से हैरी मुसीबत में फँस गया होगा, इसलिए उसने दोबारा फ़ोन नहीं किया। हॉगवर्ट्स में हैरी की एक और अच्छी मित्र हर्माइनी ग्रेंजर ने भी उसे फ़ोन नहीं किया। हैरी को लग रहा था कि रॉन ने हर्माइनी को फ़ोन न करने की सलाह दे दी होगी। यह दुखद था, क्योंकि हर्माइनी हैरी की क्लास की सबसे चतुर जादूगरनी थी, उसके माता-पिता मगलू थे और वह अच्छी तरह जानती थी कि टेलीफ़ोन का इस्तेमाल कैसे किया जाता है ... और वह शायद इतनी समझदार भी थी कि वह यह नहीं कहती कि वह हॉगवर्ट्स में पढ़ती है।

इस तरह हैरी को पाँच सप्ताह तक अपने जादूगर मित्रों की कोई ख़बर नहीं मिली। इस साल की गर्मी की छुट्टियाँ भी पिछले साल जितनी ही बुरी बीत रही थीं। सिर्फ़ एक छोटा सा सुधार हुआ था : हैरी को इस बात की इज़ाज़त मिल गई थी कि वह अपनी उल्लू हेडविग को रात में बाहर छोड़ दिया करे। बहरहाल, इसके लिए उसे यह वादा करना पड़ा था कि वह उसके माध्यम से अपने दोस्तों को ख़त नहीं भेजेगा। वरनॉन अंकल ने यह इज़ाज़त मजबूरी में दी थी, क्योंकि अगर हेडविग को चौबीसों घंटे पिंजरे में बंद रखा जाता, तो वह बहुत हुड़दंग मचा देती।

वेंडेलिन नामक जादूगरनी के बारे में लिखने के बाद हैरी एक बार फिर यह सुनने के लिए रुका कि कहीं कोई जाग तो नहीं गया। अँधेरे घर की ख़ामोशी में सिर्फ़ उसके मोटे मौसेरे भाई डडली के खुर्राटों की आवाज़ दूर सुनाई दे रही थी। उसने सोचा, बहुत रात हो गई होगी। हैरी की आँखें थकान के मारे जल रही थीं। शायद वह इस निबंध को कल रात को पूरा कर लेगा...

उसने अपनी दवात का ढक्कन बंद किया और अपने बिस्तर के नीचे से तकिये का एक पुराना कवर निकाला। फिर उसने टॉर्च, *जादू का इतिहास,* अपना निबंध, क़लम और दवात उस तकिये के कवर में भरे। इसके बाद वह बिस्तर से

उतरा और सारा सामान बिस्तर के नीचे वाले फ़र्श पर रखे एक उखड़े हुए बोर्ड के नीचे रख दिया। फिर वह उठकर खड़ा हुआ, हाथ फैलाकर अंगड़ाई ली और बिस्तर के पास वाली टेबल पर रखी चमकने वाली अलार्म घड़ी में समय देखा।

रात के एक बज चुके थे। हैरी के पेट में एक अजीब सी हलचल हुई। उसे पता भी नहीं चला था कि वह पूरे एक घंटे पहले तेरह साल का हो गया था।

हैरी के बारे में एक और असामान्य बात यह थी कि उसे अपने जन्मदिनों से बहुत कम उम्मीदें रहती थीं। उसे ज़िंदगी में कभी कोई बर्थडे कार्ड नहीं मिला था। डर्स्ली दंपति दो सालों से हैरी के जन्मदिन को पूरी तरह अनदेखा कर रहे थे और उसके पास यह मानने का कोई कारण नहीं था कि वे इस जन्मदिन को याद रखेंगे।

हैरी अँधेरे कमरे में हेडविग के बड़े ख़ाली पिंजरे के पास से होता हुआ खुली खिड़की के पास पहुँचा। वह उसकी चौखट पर झुका। उसे अपने चेहरे पर रात की ठंडी हवा महसूस हुई। कंबलों के भीतर काफ़ी देर तक रहने के बाद उसे यह हवा बहुत अच्छी लग रही थी। हेडविग दो रातों से ग़ायब थी, लेकिन हैरी इस बात से परेशान नहीं था। वह पहले भी कई बार लंबे समय तक ग़ायब रह चुकी थी। बहरहाल, हैरी चाहता था कि हेडविग जल्दी लौट आए। इस घर में वही थी, जो उसे देखकर नाक-भौं नहीं सिकोड़ती थी।

हैरी अपनी उम्र के हिसाब से अब भी थोड़ा छोटा और दुबला दिखता था, लेकिन पिछले एक साल में वह कुछ इंच लंबा हो गया था। बहरहाल, उसके काले बाल अब भी पहले जैसे ही थे। उसकी लाख कोशिशों के बाद भी वे हमेशा बिखरे रहते थे। मोटे चश्मे के नीचे उसकी आँखें चमकदार हरी थीं। इसके अलावा, उसके माथे पर एक पतला सा निशान भी था, जिसका आकार बिजली चमकने की तरह था।

हैरी की तमाम असामान्य चीज़ों में यह निशान सबसे असाधारण बात थी। डर्स्ली दंपति दस साल तक उससे यह झूठ बोलते आए थे कि यह उस कार दुर्घटना में बना था, जिसमें उसके माता-पिता की मौत हुई थी। जबकि सच्चाई तो यह थी कि लिली और जेम्स पॉटर की मौत कार दुर्घटना में नहीं हुई थी। उनकी हत्या हुई थी। इस सदी के सबसे भयावह शैतानी जादूगर लॉर्ड वोल्डेमॉर्ट ने उन्हें मार डाला था। उसने हैरी को भी मारने की कोशिश की थी, लेकिन हैरी बच निकला। वोल्डेमॉर्ट के शाप से उसके माथे पर सिर्फ़ यह निशान बना और इसके बाद वोल्डेमॉर्ट के शाप ने पलटकर उसी पर हमला कर दिया। वोल्डेमॉर्ट को जान के लाले पड़ गए और वह भाग खड़ा हुआ ...

हॉगवर्ट्स में हैरी की उससे फिर मुठभेड़ हुई। अँधेरी खिड़की के पास

खड़े-खड़े जब हैरी ने वोल्डेमॉर्ट से अपनी आख़िरी मुठभेड़ याद की, तो उसको यह मानना पड़ा कि अपने तेरहवें जन्मदिन तक पहुँचना उसकी ख़ुशक़िस्मती थी।

हेडविग को तलाशने की कोशिश करते हुए उसने तारों भरे आसमान को ग़ौर से देखा। शायद वह अपनी चोंच में कोई मरा हुआ चूहा लटकाती हुई उसके पास आ जाए और शाबाशी की उम्मीद करे। वह छतों के ऊपर के आसमान को यूँ ही देख रहा था कि तभी उसे एक बहुत अजीब चीज़ दिखी। उसे स्थिति को समझने में थोड़ा वक़्त लगा।

चाँदनी में हैरी को एक बड़ा और अजीब सा जीव दिखा, जो हर पल बड़ा होता जा रहा था और अपने पंख फड़फड़ाते हुए उसकी तरफ़ आ रहा था। हैरी एकदम चुपचाप खड़े-खड़े उसे नीचे, और नीचे आते देखता रहा। एक पल के लिए वह झिझका। उसने अपने हाथ खिड़की के हैंडल की तरफ़ बढ़ाए। वह इसे बंद करने के बारे में सोचने लगा। लेकिन तभी वह विचित्र जीव प्रिविट ड्राइव की स्ट्रीटलाइट के ऊपर पहुँचा, जिसकी रोशनी में हैरी को पूरी बात समझ में आ गई। वह तत्काल एक तरफ़ हो गया।

खिड़की में से तीन उल्लू अंदर आए। उनमें से दो उल्लुओं ने तीसरे को पकड़ रखा था, जो बेहोश लग रहा था। वे हलकी सी *धम्म* की आवाज़ के साथ हैरी के बिस्तर पर उतरे। बीच वाला बड़ा और भूरा उल्लू स्थिर पड़ा रहा। उसके पैर में एक बड़ा पार्सल बँधा था।

हैरी ने बेहोश उल्लू को तुरंत ही पहचान लिया – उसका नाम एरल था और वह वीज़्ली परिवार का था। हैरी तत्काल बिस्तर की तरफ़ भागा। उसने एरल के पैर में बँधी रस्सियाँ खोलकर पार्सल को अलग किया और एरल को हेडविग के पिंजरे की तरफ़ ले गया। एरल ने धीरे से एक आँख खोलकर धन्यवाद की धीमी सी आवाज़ निकाली और पानी पीने लगा।

हैरी बाक़ी बचे उल्लुओं की तरफ़ मुड़ा। उनमें से एक उसकी अपनी हेडविग थी, जो बड़ी और सफ़ेद रंग की थी। वह भी एक पार्सल लाई थी और बहुत ख़ुश दिख रही थी। हैरी ने जब उसका पार्सल खोला, तो उसने हैरी को अपनी चोंच से प्रेम से कुतरा और फिर वह कमरे में उड़ती हुई एरल के पास जाकर बैठ गई।

हैरी तीसरे उल्लू को नहीं पहचान पाया, जो सुंदर और छोटा था। बहरहाल, वह तुरंत समझ गया कि यह कहाँ से आया था, क्योंकि तीसरे पार्सल के साथ ही हॉगवर्ट्स की मोहर वाला खत भी था। जब हैरी ने उल्लू का पार्सल निकालकर उसे मुक्त किया, तो उसने महत्वपूर्ण दिखते हुए अपने पंख फड़फड़ाए और खिड़की से बाहर उड़ गया।

हैरी अपने बिस्तर पर बैठ गया। उसने झपटकर एरल वाले पार्सल को उठाया और उस पर लिपटे भूरे काग़ज़ को फाड़ा। अंदर सुनहरे वर्क में एक तोहफ़ा लिपटा था और उसे मिलने वाला पहला बर्थडे कार्ड भी था। काँपती उँगलियों से उसने लिफ़ाफ़ा खोला, जिसमें से दो काग़ज़ बाहर निकले - एक पत्र और एक अख़बार की कटिंग।

यह साफ़ था कि कटिंग जादूगरों के अख़बार *दैनिक जादूगर* की थी, क्योंकि श्वेत-श्याम तस्वीरों में लोग हिल-डुल रहे थे। हैरी ने कटिंग उठाई और उसकी तह खोलकर उसे पढ़ा :

जादू मंत्रालय के कर्मचारी ने बड़ा पुरस्कार जीता

जादू मंत्रालय के मगलू वस्तु दुरुपयोग विभाग के प्रमुख आर्थर वीज़्ली ने दैनिक जादूगर का वार्षिक ग्रांड प्राइज़ गैलियन ड्रॉ जीता है।

ख़ुशी से झूम रहे मिस्टर वीज़्ली ने दैनिक जादूगर को बताया, 'हम इस पैसे से मिस्र में गर्मी की छुट्टियाँ मनाने जाएँगे, जहाँ हमारा सबसे बड़ा बेटा बिल जादूगरों के बैंक ग्रिनगॉट में शाप-नाशक है।'

वीज़्ली परिवार मिस्र में एक महीने तक ही रहेगा, क्योंकि इस परिवार के पाँच बच्चे हॉगवर्ट्स में पढ़ते हैं और उन्हें स्कूल के नए सत्र की शुरुआत के लिए सितंबर में वहाँ पहुँचना है।

हिलती तस्वीर को देखकर हैरी के चेहरे पर मुस्कान आ गई, क्योंकि वीज़्ली परिवार के सभी सदस्य एक बड़े पिरामिड के सामने खड़े होकर उसकी तरफ़ ज़ोर-ज़ोर से हाथ हिला रहे थे। तस्वीर में मोटी और नाटी मिसेज़ वीज़्ली के साथ गंजे हो रहे लंबे मिस्टर वीज़्ली खड़े थे। उनके साथ उनके छह बेटे और एक बेटी भी थी। हालाँकि श्वेत-श्याम तस्वीर में यह नज़र नहीं आ रहा था, परंतु उन सबके बाल बहुत लाल थे। तस्वीर में एकदम बीच में रॉन खड़ा था। उसका पालतू चूहा स्कैबर्स उसके कंधे पर था और रॉन की बाँह अपनी छोटी बहन जिनी की कमर में लिपटी थी।

हैरी को लग रहा था कि वीज़्ली परिवार को इतना बड़ा इनाम मिलना ही चाहिए था, क्योंकि वे लोग बहुत अच्छे होने के बावज़ूद बहुत ग़रीब थे। फिर उसने रॉन का ख़त उठाया और उसे खोलकर पढ़ने लगा :

प्रिय हैरी,

हैप्पी बर्थडे!

देखो, मुझे उस फ़ोन वाली घटना के लिए बहुत अफ़सोस है। मुझे उम्मीद है कि मगलुओं ने तुम्हें ज़्यादा तंग नहीं किया होगा। मैंने डैडी से पूछा था, और उनका अंदाज़ा यह है कि शायद मुझे चिल्लाना नहीं चाहिए था।

मिस्र का मौसम बहुत अच्छा है। बिल हमें पिरामिडों में घुमाने ले गया था और तुम यक़ीन नहीं कर सकते कि प्राचीन मिस्र के जादूगरों ने उन पर कितने सारे मंत्रों का इस्तेमाल किया है। मम्मी जिनी को आख़िरी मक़बरे में नहीं जाने दे रही थीं। वहाँ पर चोरी से अंदर घुसने वाले मगलुओं के कंकाल पड़े थे, जिनके बहुत से सिर और अंग उग गए थे।

जब डैडी ने दैनिक जादूगर का इनाम जीता, तो मुझे तो विश्वास ही नहीं हुआ। सात सौ गैलियन! ज़्यादातर पैसे तो इन छुट्टियों पर ही ख़र्च हो गए, लेकिन मम्मी-डैडी मेरे लिए नई जादुई छड़ी ख़रीदने वाले हैं।

हैरी को वह घटना बहुत अच्छी तरह याद थी, जब रॉन की पुरानी छड़ी टूट गई थी। यह तब हुआ था, जब वे कार उड़ाकर हॉगवर्ट्स जा रहे थे और उनकी कार स्कूल के मैदान में लगे लड़ाकू पेड़ से टकरा गई थी।

हम सत्र शुरू होने के लगभग एक सप्ताह पहले

लौटेंगे। इसके बाद मेरी जादुई छड़ी और हमारी नई पुस्तकें लेने के लिए हम लोग लंदन जाएँगे। क्या तुम्हारे वहाँ मिलने की कोई संभावना है?

मगलुओं की बातों से निराश मत होना।

लंदन आने की कोशिश करना,

रॉन

पुनश्चः पर्सी हेड बॉय बन गया है। उसे पिछले हफ़्ते यह सूचना मिली थी।

हैरी ने तस्वीर को एक बार फिर देखा। हॉगवर्ट्स में सातवें और अंतिम वर्ष में पढ़ने वाला पर्सी बहुत ख़ुश दिख रहा था। उसने अपने हेड बॉय का बैज अपने टोप पर लगा रखा था, जो उसके बालों पर खुशनुमा ढंग से रखा था। सींग के घेरे वाला उसका चश्मा मिस्र की धूप में चमक रहा था।

हैरी अब तोहफ़े की तरफ़ मुड़ा और उसे खोलने लगा। अंदर उसे एक ऐसी चीज़ दिखी, जो काँच के छोटे लट्टू की तरह दिख रही थी। इसके नीचे रॉन की एक और चिट्ठी थी।

हैरी - इसे मुख़बिर यंत्र कहते हैं। अगर आसपास कोई अविश्वसनीय व्यक्ति हो, जो कोई ग़लत काम कर रहा हो, तो यह चमकने और घूमने लगेगा। बिल कहता है कि यह बेकार है और इसे सिर्फ़ जादूगर पर्यटकों से पैसे ऐंठने के लिए बेचा जाता है। वह कहता है कि इसका भरोसा नहीं किया जा सकता, क्योंकि पिछली रात को डिनर के वक़्त यह पूरे समय चमकता रहा और शोर मचाता रहा। लेकिन वह यह नहीं जानता था कि फ़्रेड और जॉर्ज ने उसके सूप में बीटल्स डाल दिए थे।

विदा - रॉन

हैरी ने मुख़बिर यंत्र को अपने बिस्तर के पास वाली टेबल पर रख दिया। वह यंत्र

बिलकुल स्थिर खड़ा रहा और घड़ी की सुइयों का प्रतिबिंब दिखाता रहा। कुछ सेकंड तक इसकी तरफ़ ख़ुशी-ख़ुशी देखने के बाद हैरी ने वह पार्सल उठाया, जो हेडविग लाई थी।

इसके अंदर भी तोहफ़ा, बर्थडे कार्ड और एक पत्र था। यह पार्सल हर्माइनी ने भेजा था।

प्रिय हैरी,

रॉन ने मुझे पत्र लिखकर बताया था कि तुम्हारे वरनॉन अंकल से उसने फ़ोन पर किस तरह बात की थी। मैं आशा करती हूँ कि तुम सही-सलामत होगे।

मैं इस वक़्त फ़्रांस में छुट्टियाँ मना रही हूँ, इसलिए मुझे समझ में नहीं आ रहा था कि मैं तुम्हारा तोहफ़ा कैसे भेजूँ। मुझे डर था कि कहीं कस्टम वाले तो इसे नहीं खोल लेंगे? - लेकिन तभी हेडविग आ गई! मुझे लगता है, वह चाहती थी कि तुम्हें इस बार तो जन्मदिन पर कोई तोहफ़ा मिल ही जाए। मैंने उल्लू के माध्यम से ऑर्डर देकर तुम्हारा तोहफ़ा ख़रीदा है। मैंने दैनिक जादूगर में इसका विज्ञापन देखा था (मैं यहाँ भी वह अख़बार ले रही हूँ। जादूगरों की दुनिया की नवीनतम जानकारी रखना अच्छी बात है)। क्या तुमने एक सप्ताह पहले इसमें रॉन और उसके परिवार की तस्वीर देखी थी? मैं शर्त लगा सकती हूँ कि वह बहुत कुछ सीख रहा होगा। मुझे उससे सचमुच ईर्ष्या होती है, क्योंकि प्राचीन मिस्र के जादूगर बहुत बढ़िया थे।

यहाँ पर भी मुझे जादूगरी का रोचक स्थानीय इतिहास मिला है। यहाँ सीखी गई बातों को शामिल करने के लिए मुझे जादू का इतिहास का पूरा निबंध दोबारा लिखना पड़ा। मुझे आशा है कि यह ज़्यादा लंबा नहीं होगा, क्योंकि प्रोफ़ेसर बिन्स ने निबंध में

जितने चर्मपत्र लिखने को कहे थे, उससे दो चर्मपत्र ज़्यादा हो गए हैं।

रॉन कह रहा था कि वह छुट्टियों के आख़िरी हफ़्ते में लंदन जाएगा। क्या तुम उस समय वहाँ आ सकते हो? क्या तुम्हारे अंकल-आंटी तुम्हें आने देंगे? काश तुम आ सको! अगर ऐसा नहीं होता है, तो हम एक सितंबर को हॉगवर्ट्स एक्सप्रेस पर मिलेंगे!

प्रेम सहित,

हर्माइनी

पुनश्चः रॉन ने बताया है कि पर्सी हेड बॉय बन गया है। मैं दावे से कह सकती हूँ कि पर्सी तो ख़ुशी से फूला नहीं समा रहा होगा। वैसे रॉन इस बारे में ज़्यादा ख़ुश नहीं है।

हैरी ने हँसते हुए हर्माइनी का ख़त एक तरफ़ रखा और उसका तोहफ़ा उठाया। यह बहुत भारी था। वह हर्माइनी को जानता था, इसलिए उसे पूरा विश्वास था कि उसने ज़रूर कोई किताब भेजी होगी, जिसमें बहुत से मुश्किल मंत्र होंगे - लेकिन ऐसी बात नहीं थी। जब उसने काग़ज़ फाड़ा, तो उसका दिल उछल पड़ा, क्योंकि अंदर काले चमड़े के एक चिकने केस पर ये सफ़ेद शब्द लिखे थे : *उड़ने वाली झाड़ू की सर्विसिंग किट।*

'वाह, हर्माइनी!' हैरी फुसफुसाया और किट को देखने के लिए केस को खोला।

उसमें फ़्लीटवुड हाई-फ़िनिश में हैंडल पॉलिश का एक डिब्बा था। इसके अलावा झाड़ू की पूँछ की सींकों को तराशने के लिए चाँदी की चमकदार कैंची थी और लंबी यात्रा के लिए झाड़ू पर लगाने वाला पीतल का दिशासूचक यंत्र था। साथ में *अपनी झाड़ू की बेहतरीन देखभाल ख़ुद कैसे करें* की मार्गदर्शक पुस्तिका भी थी।

हैरी को हॉगवर्ट्स के अपने दोस्तों की याद तो आती ही थी, उसे क्विडिच की भी बहुत याद आती थी। क्विडिच जादू की दुनिया का सबसे लोकप्रिय खेल

था, जो बेहद ख़तरनाक और बहुत रोमांचक था तथा झाड़ूओं पर उड़कर खेला जाता था। हैरी बेहतरीन क्विडिच खिलाड़ी था। वह पिछले सौ सालों में हॉगवर्ट्स की किसी भी हाउस टीम में शामिल होने वाला सबसे कम उम्र का खिलाड़ी था। अपनी निम्बस 2000 झाड़ू को हैरी अपनी सबसे बहुमूल्य चीज़ों में से एक मानता था।

हैरी ने चमड़े के केस को एक तरफ़ रख दिया और आख़िरी पार्सल को उठाया। भूरे काग़ज़ पर घसीटा छाप लिखाई देखकर वह तत्काल समझ गया कि इसे हैग्रिड ने भेजा था, जो हॉगवर्ट्स का गेमकीपर था। जब उसने काग़ज़ की ऊपरी परत फाड़ी, तो उसे अंदर किसी चमड़े जैसी हरी चीज़ की झलक दिखी। बहरहाल इसके पहले कि वह उसे पूरी तरह खोल पाता, पार्सल ने उसे एक अजीब सा झटका दिया। उसके अंदर जो भी चीज़ थी, ऐसा लग रहा था जैसे वह अपने दाँत किटकिटा रही हो।

हैरी किसी मूर्ति की तरह स्थिर खड़ा रहा। हालाँकि वह यह बात जानता था कि हैग्रिड जान-बूझकर उसे कभी कोई ख़तरनाक चीज़ नहीं भेजेगा, लेकिन दिक्क़त यह थी कि हैग्रिड को यह समझ में ही नहीं आता था कि क्या ख़तरनाक है और क्या नहीं है। हैग्रिड विशालकाय मकड़ियों से दोस्ती करता था, शराबख़ाने में अजनबियों से तीन सिर वाले दुष्ट कुत्ते ख़रीदता था और अपने घर में ग़ैर-क़ानूनी ड्रैगन के अंडे रखता था।

हैरी ने घबराकर पार्सल में उँगली डाली। अंदर वाली चीज़ ने फिर ज़ोर से दांत किटकिटाए। हैरी ने अपने बिस्तर के पास वाली टेबल पर रखे लैंप को एक हाथ में कसकर पकड़ा और उसे अपने सिर के ऊपर उठा लिया, ताकि अंदर की ख़तरनाक चीज़ पर तत्काल वार कर सके। फिर उसने अपने दूसरे हाथ से बाक़ी का काग़ज़ खींचकर हटा दिया।

और उसमें से निकलकर बिस्तर पर गिरी - एक किताब। हैरी ने इसके सुंदर हरे कवर पर लिखे सुनहरे शब्द पढ़े - *भयानक जानवरों की भयानक किताब।* इसके बाद उसे कुछ देखने का मौक़ा ही नहीं मिला, क्योंकि बाहर आते ही किताब किसी बदमाश केकड़े की तरह बिस्तर पर तिरछी चलने लगी।

'ओह, ओह,' हैरी बुदबुदाया।

किताब धम्म की आवाज़ के साथ बिस्तर से नीचे कूदी और तेज़ी से कमरे के पार चल दी। हैरी चोरी से उसके पीछे गया। किताब उसकी मेज़ के नीचे किसी अँधेरी जगह में छिप गई थी। हैरी ने यह प्रार्थना की कि डर्स्ली दंपति गहरी नींद में हों। इसके बाद वह घुटनों के बल बैठा और किताब की तरफ़ हाथ बढ़ाया।

'आह!'

किताब ने उसके हाथ पर काट लिया और फिर उसके पास से होती हुई गुज़र गई। वह किताब अपने कवर के बल चल रही थी। हैरी झपटकर पलटा, किताब पर छलाँग लगाई और किसी तरह उसे क़ाबू में करने में कामयाब हो गया। दूसरे कमरे में वरनॉन अंकल ने नींद में एक ज़ोरदार आवाज़ निकाली।

हेडविग और एरल इस घटना को बहुत दिलचस्पी से देख रहे थे। हैरी ने छटपटाती किताब को कसकर पकड़ा। फिर उसने ड्रॉअर से एक पुराना बेल्ट बाहर निकाला, जिसे उसने किताब पर कसकर बाँध दिया। *भयानक जानवरों की भयानक किताब* ग़ुस्से से थरथराने लगी। चूँकि, अब यह चल भी नहीं सकती थी और काट भी नहीं सकती थी, इसलिए हैरी ने उसे बिस्तर पर पटककर हैग्रिड का कार्ड उठा लिया।

प्रिय हैरी,

हैप्पी बर्थडे!

हम सोचते हैं कि यह पुस्तक इस साल तुम्हारे काम आएगी। हम ख़त में ज़्यादा कुछ नहीं लिखेंगे। तुमसे मिलने पर ही सारी बात बताएँगे।

आशा करते हैं कि मगलू तुम्हारे साथ अच्छा व्यवहार कर रहे होंगे।

शुभकामनाओं सहित,
हैग्रिड

हैरी को यह बात हज़म नहीं हुई कि यह काटने वाली किताब उसके किस तरह काम आ सकती है। लेकिन उसने हैग्रिड के कार्ड को भी रॉन तथा हर्माइनी के कार्ड के पास रख लिया और मुस्कराने लगा। अब सिर्फ़ हॉगवर्ट्स का ख़त पढ़ना बाक़ी था।

आम तौर पर हॉगवर्ट्स से जो ख़त आते थे, यह ख़त उनसे मोटा था। इसलिए हैरी ने लिफ़ाफ़े को पेननाइफ़ से खोला और अंदर से चर्मपत्र के पहले पृष्ठ को निकालकर पढ़ा :

प्रिय मिस्टर पॉटर,

कृपया ध्यान दें कि स्कूल का नया वर्ष एक

सितंबर को शुरू होगा। हॉगवर्ट्स एक्सप्रेस ग्यारह बजे किंग्स क्रॉस स्टेशन के प्लेटफ़ॉर्म नंबर पौने दस से रवाना होगी।

थर्ड ईयर के विद्यार्थियों को कुछ सप्ताहांतों में हॉग्समीड गाँव में घूमने की अनुमति दी जाती है। कृपया अपने माता-पिता या अभिभावक से संलग्न अनुमति पत्र पर हस्ताक्षर करवा लें।

इस वर्ष की पुस्तकों की सूची संलग्न है।

आपकी
प्रोफ़ेसर एम. मैक्गॉनेगल
डिप्टी हेडमिस्ट्रेस

हैरी ने हॉग्समीड का अनुमति पत्र बाहर निकाल कर उसे देखा। अब उसके चेहरे की हँसी उड़ गई। हॉग्समीड में घूमने में बहुत मज़ा आएगा। उसे पता था कि हॉग्समीड में सिर्फ़ जादूगर ही रहते हैं, लेकिन वह कभी वहाँ जा नहीं पाया था। अब समस्या यह थी कि वह वरनॉन अंकल या पेटूनिया आंटी से इस अनुमति पत्र पर साइन कैसे करा सकता है।

उसने अलार्म घड़ी की तरफ़ देखा। रात के दो बज चुके थे।

हैरी ने यह फ़ैसला किया कि हॉग्समीड के अनुमति पत्र के बारे में वह सुबह उठने के बाद चिंता करेगा। इसके बाद वह बिस्तर पर पहुँचा और ऊपर लगे चार्ट पर एक और दिन काट दिया। यह चार्ट उसने अपने लिए बनाया था। इस चार्ट से उसे यह पता चलता था कि हॉगवर्ट्स लौटने में अभी कितने दिन बाक़ी हैं। फिर उसने अपना चश्मा उतारा और आँखें खोलकर लेट गया। इसके बाद वह अपने तीनों बर्थडे कार्ड्स की तरफ़ बहुत देर तक देखता रहा।

हालाँकि हैरी पॉटर बहुत ही असाधारण था, लेकिन इस पल उसे वैसा ही महसूस हो रहा था, जैसा सबको होता है : ज़िंदगी में पहली बार वह ख़ुश था कि आज उसका जन्मदिन है।

अध्याय दो

मार्ज आंटी की ग़लती

अगली सुबह जब हैरी नाश्ते के लिए नीचे गया, तो उसने देखा कि डर्स्ली परिवार पहले से ही किचन की टेबल के चारों तरफ़ बैठा हुआ था। वे नए टी.वी. पर न्यूज़ देख रहे थे। यह नया टी.वी. डडली के लिए गर्मियों में घर लौटने का तोहफ़ा था, क्योंकि वह इस बात पर हल्ला मचा रहा था कि फ्रिज और ड्रॉइंग रूम में रखे टी.वी. के बीच उसे बहुत लंबा फ़ासला तय करना पड़ता है। किचन में टी.वी. आने के बाद डडली अपनी गर्मी की छुट्टियों का ज़्यादातर समय वहीं गुज़ारने लगा। वहाँ वह अपनी सुअर जैसी छोटी आँखें स्क्रीन पर गड़ाए रहता था और उसकी पाँच ठुड्डियाँ लगातार हिलती रहती थीं, क्योंकि वह लगातार खाता रहता था।

हैरी डडली और वरनॉन अंकल के बीच में बैठ गया। वरनॉन अंकल मोटे थे, उनकी गर्दन बहुत छोटी थी और मूँछें काफ़ी घनी थीं। हैरी को हैप्पी बर्थडे कहना तो दूर रहा, किसी ने भी इस तरफ़ ध्यान नहीं दिया कि हैरी कमरे में आ गया था। बहरहाल हैरी को अब इस बात की इतनी आदत पड़ चुकी थी कि उसने इस बात को अनदेखा कर दिया। उसने ख़ुद एक टोस्ट उठाया और टी.वी. पर न्यूज़ पढ़ने वाले को देखने लगा, जो एक भागे हुए अपराधी के बारे में ख़बर पढ़ रहा था।

'... जनता को चेतावनी दी जाती है कि ब्लैक के पास हथियार है और वह बहुत ख़तरनाक अपराधी है। एक विशेष हॉटलाइन बनाई गई है। अगर ब्लैक दिखे, तो तत्काल हॉटलाइन पर सूचना दें।'

वरनॉन अंकल ने अपने अख़बार के ऊपर से भगौड़े क़ैदी को घूरते हुए कहा, 'हमें यह बताने की ज़रूरत नहीं है कि *वह* आवारा है। उसकी हालत तो देखो, गंदा, वहशी दरिंदा! उसके बाल तो देखो!'

उन्होंने हैरी की तरफ़ तमतमाती हुई तिरछी नज़र डाली, जिसके बिखरे बालों से वरनॉन अंकल को हमेशा चिढ़ होती थी। टेलीविज़न पर दिखने वाले अपराधी के लंबे बाल कंधे तक लटक रहे थे। उसकी तुलना में हैरी के बाल बहुत अच्छी हालत में थे।

न्यूज़ पढ़ने वाला एक बार फिर दिखाई देने लगा।

'कृषि और मत्स्य मंत्रालय आज यह घोषणा करने वाले हैं –'

'ज़रा रुको!' वरनॉन अंकल ने न्यूज़ पढ़ने वाले को ग़ुस्से से घूरते हुए कहा। 'तुमने हमें यह तो बताया ही नहीं कि वह दरिंदा भागा कहाँ से है! आधी-अधूरी जानकारी देने का क्या फ़ायदा है? हो सकता है कि वह पागल सामने वाली सड़क पर ही घूम रहा हो!'

उभरी हुई हड्डियों और घोड़े जैसे चेहरे वाली पेटूनिया आंटी ने घूमकर किचन की खिड़की के बाहर देखा। हैरी जानता था कि पेटूनिया आंटी को हॉटलाइन पर सूचना देने में बहुत ख़ुशी होगी। वे दुनिया की सबसे ज़्यादा इधर-उधर करने वाली महिला थीं और अपने नीरस तथा भले पड़ोसियों की जासूसी करने में अपनी ज़िंदगी का ज़्यादातर समय बिताती थीं।

वरनॉन अंकल ने टेबल पर मुक्का मारते हुए कहा, 'सरकार न जाने कब यह *सीखेगी* कि ऐसे लोगों से निबटने का इकलौता तरीक़ा यह है कि उन्हें फाँसी पर लटका दिया जाए?'

'बिलकुल सच कहा,' पेटूनिया आंटी ने कहा, जो अब भी पड़ोसियों के यहाँ लगे पेड़ों के पार घूर रही थीं।

वरनॉन अंकल ने चाय का कप नीचे रखा, अपनी घड़ी देखी और बोले, 'बेहतर होगा कि मैं अब एक मिनट में चल दूँ। मार्ज की ट्रेन दस बजे आती है।'

हैरी अपने कमरे में रखी उड़ने वाली झाड़ू की सर्विसिंग किट के बारे में सोच रहा था। वरनॉन अंकल के शब्द सुनकर उसे ज़ोर का झटका लगा।

'मार्ज आंटी?' उसके मुँह से निकला। 'वे – वे यहाँ तो नहीं आ रही हैं?'

मार्ज आंटी वरनॉन अंकल की बहन थीं। हालाँकि हैरी का (जिसकी माँ पेटूनिया आंटी की बहन थीं) उनसे ख़ून का रिश्ता नहीं था, लेकिन फिर भी उसे उन्हें मजबूरन 'आंटी' कहना पड़ता था। मार्ज आंटी देहात में एक बड़े बगीचे वाले घर में रहती थीं, जहाँ वे बुलडॉग पालती थीं। वे कभी-कभार ही प्रिविट ड्राइव में रहने आ पाती थीं, क्योंकि वे अपने प्रिय कुत्तों से दूर नहीं रह पाती थीं। बहरहाल, हैरी के दिमाग़ में उनकी हर यात्रा की भयानक यादें थीं।

डडली के पाँचवें जन्मदिन की पार्टी में मार्ज आंटी ने हैरी को अपनी

टहलने वाली छड़ी से पीटा था, ताकि वह म्यूज़िकल स्टैच्यू में डडली को हराना बंद कर दे। कुछ साल बाद जब वे क्रिसमस पर आई थीं, तो डडली के लिए एक कंप्यूटराइज़्ड रोबोट लाई थीं और हैरी के लिए कुत्तों के बिस्किट का डिब्बा। आख़िरी बार वे हैरी के हॉगवर्ट्स जाने से एक साल पहले आई थीं। उस समय हैरी का पैर ग़लती से उनके प्रिय कुत्ते रिपर के पंजे पर पड़ गया था। रिपर ने हैरी को बगीचे तक दौड़ा दिया था और पेड़ पर चढ़ने के लिए मजबूर कर दिया था। मार्ज आंटी ने आधी रात तक रिपर को वापस नहीं बुलाया। इस घटना की याद करके डडली अब भी इतनी ज़ोर से हँसता था कि उसकी आँखों में आँसू आ जाते थे।

वरनॉन अंकल ने कहा, 'मार्ज यहाँ एक हफ़्ते रहेगी। और चूँकि अब यह विषय निकल ही आया है,' उन्होंने हैरी की तरफ़ चेतावनी भरी मोटी उँगली उठाते हुए कहा, 'तो जाकर उन्हें लाने से पहले मैं कुछ बातें साफ़-साफ़ कहना चाहता हूँ।'

डडली मुस्कराया और उसने टी.वी. पर से आँखें हटा लीं। वरनॉन अंकल द्वारा हैरी को डपटते देखना डडली के मनोरंजन का प्रिय तरीक़ा था।

वरनॉन अंकल ने गरजते हुए कहा, 'सबसे पहली बात, तुम मार्ज से सभ्यता से बात करोगे।'

हैरी ने कटुता से कहा, 'ठीक है, पर पहले वे मुझसे सभ्यता से बात करें।'

'दूसरी बात,' वरनॉन अंकल ने ऐसा दिखाया, जैसे उन्होंने हैरी का जवाब सुना ही नहीं है, 'चूँकि मार्ज तुम्हारे *असामान्य* होने के बारे में कुछ भी नहीं जानती है, इसलिए मैं यह नहीं चाहता कि वह जब यहाँ रहे, तो कोई - कोई *अजीब* चीज़ हो। तुम उनसे ठीक से पेश आना, ठीक है?'

'पहले वे ठीक से पेश आएँ,' हैरी ने दाँत भींचकर कहा।

'और तीसरी बात,' वरनॉन अंकल के बैंगनी चेहरे पर उनकी छोटी आँखें अब और भी छोटी हो गई थीं, 'हमने मार्ज को बत*ाया है कि तुम लाइलाज अपराधी बच्चों हेतु सुरक्षित सेंट ब्रूटस स्कूल में* पढ़ने जाते हो।'

'क्या?' हैरी चीख़ा।

'और तुम्हें भी यही कहना है लड़के, वरना तुम मुश्किल में फँस जाओगे,' वरनॉन अंकल ने थूक उड़ाते हुए कहा।

हैरी का चेहरा सफ़ेद पड़ गया और वह बैठा हुआ ग़ुस्से से वरनॉन अंकल को घूरता रहा। उसे यक़ीन नहीं हो रहा था। मार्ज आंटी एक हफ़्ते के लिए आ रही थीं - यह तो डर्स्ली दंपति द्वारा दिया गया बर्थडे का अब तक का सबसे बुरा

तोहफ़ा था, जिसमें वरनॉन अंकल के पुराने मोज़े भी शामिल थे।

वरनॉन अंकल ने खड़े होते हुए कहा, 'तो पेटूनिया, मैं अब स्टेशन जाता हूँ। तुम्हें तो घूमने नहीं चलना है, डडली बेटा?'

'नहीं,' डडली ने कहा, जिसका ध्यान एक बार फिर टेलीविज़न पर लग गया था, क्योंकि अब वरनॉन अंकल ने हैरी को डाँटना बंद कर दिया था।

'डडली अपनी आंटी के स्वागत के लिए तैयार होगा,' पेटूनिया आंटी ने डडली के मोटे सुनहरे बालों पर हाथ फेरते हुए कहा। 'मम्मी ने उसके लिए एक सुंदर नई बो-टाई ख़रीदी है।'

वरनॉन अंकल ने डडली के मोटे कंधे को थपथपाया।

किचन से बाहर निकलते हुए वे बोले, 'तो फिर कुछ ही देर में मिलते हैं।'

दहशत में बैठे हैरी के मन में अचानक एक विचार आया। उसने अपना टोस्ट छोड़ा, तत्काल अपने क़दमों का इस्तेमाल किया और वरनॉन अंकल के पीछे-पीछे घर के सामने वाले दरवाज़े तक गया।

वरनॉन अंकल अपना कार कोट पहन रहे थे।

जब उन्होंने हैरी को बाहर आते हुए देखा, तो वे गुर्राकर बोले, 'मैं तुम्हें नहीं ले जा रहा हूँ।'

हैरी ने ठंडेपन से जवाब दिया, 'जैसे मैं आना चाहता हूँ। मैं तो आपसे सिर्फ़ कुछ पूछना चाहता हूँ।'

वरनॉन अंकल ने उसे शक भरी निगाह से देखा।

हैरी बोला, 'हॉग. . . मेरे स्कूल में थर्ड ईयर के बच्चों को कभी-कभी गाँव में घूमने जाने की छूट मिलती है।'

'तो?' वरनॉन अंकल ने दरवाज़े के पास वाले हुक से कार की चाबियाँ उठाते हुए कहा।

हैरी ने जल्दी से कहा, 'मुझे आपसे अनुमति पत्र पर साइन कराना है।'

वरनॉन अंकल ने चिढ़ाते हुए कहा, 'और मैं ऐसा क्यों करूँगा?'

हैरी ने बहुत सावधानी से शब्द चुनते हुए कहा, 'देखिए, मार्ज आंटी के सामने यह नाटक करना बहुत मुश्किल होगा कि मैं सेंट अमुक स्कूल ...'

'लाइलाज अपराधी बच्चों हेतु सुरक्षित सेंट ब्रूटस स्कूल!' वरनॉन अंकल दहाड़े और हैरी को ख़ुशी हुई कि उनकी आवाज़ में दहशत का भाव था।

'बिलकुल,' हैरी ने वरनॉन अंकल के बड़े, बैंगनी चेहरे की तरफ़ शांति से देखते हुए कहा। 'इतना बड़ा नाम याद रखना बहुत मुश्किल है। मुझे इसे

विश्वसनीय बनाना पड़ेगा, है ना ? मान लीजिए, अगर ग़लती से मेरे मुँह से कोई ग़लत बात निकल गई तो ?'

'तो तुम्हारी हड्डी-पसली तोड़ दी जाएगी,' वरनॉन अंकल अपनी मुट्ठी तानते हुए हैरी की तरफ़ बढ़े, लेकिन हैरी अपनी जगह पर बिना हिले खड़ा रहा।

उसने कहा, 'मेरी हड्डी-पसली तोड़ने से मार्ज आंटी वह बात थोड़े ही भूल जाएँगी, जो मैं उन्हें बता सकता हूँ।'

वरनॉन अंकल रुक गए। उनकी मुट्ठी अब भी हवा में उठी हुई थी और उनका चेहरा लाल हो गया था।

'लेकिन अगर आप मेरे अनुमति पत्र पर साइन कर देंगे,' हैरी ने जल्दी से कहा, 'तो मैं क़सम खाता हूँ कि मैं याद रखूँगा कि मुझे किस स्कूल में जाना चाहिए और इस तरह अभिनय करूँगा, जैसे मैं मगलू - जैसे मैं सामान्य हूँ।'

हैरी जानता था कि वरनॉन अंकल इस पर अच्छी तरह सोच-विचार कर रहे हैं, क्योंकि उनके दाँत खुले थे और उनके माथे की नस फड़क रही थी।

उन्होंने आख़िरकार कहा, 'ठीक है। मैं मार्ज की यात्रा के दौरान तुम्हारे व्यवहार को ग़ौर से देखूँगा। अगर तुमने सही व्यवहार किया और हमारा कहना माना, तो मार्ज के जाने के बाद मैं उस बेहूदा अनुमति पत्र पर साइन कर दूँगा।'

उन्होंने घूमकर दरवाज़ा खोला और जाते समय उसे इतनी तेज़ी से बंद किया कि उसके ऊपर लगा काँच निकलकर गिर गया।

हैरी लौटकर किचन में नहीं गया। वह ऊपर अपने बेडरूम में गया। अगर उसे सच्चे मगलू की तरह अभिनय करना था, तो बेहतर था कि वह यह काम अभी शुरू कर दे। दुखी मन से उसने धीरे-धीरे अपने सभी तोहफ़े और बर्थडे कार्ड इकट्ठे किए और उन सबको अपने बिस्तर के नीचे फ़र्श पर रखे उखड़े बोर्ड में होमवर्क के साथ रख दिया। फिर वह हेडविग के पिंजरे के पास गया। एरल अब ठीक हो चुका था। वह और हेडविग दोनों सो रहे थे तथा दोनों के सिर उनके पंखों के भीतर थे। हैरी ने आह भरते हुए उन्हें जगाया।

'हेडविग,' उसने उदासी से कहा, 'तुम्हें एक हफ़्ते के लिए यहाँ से जाना होगा। एरल के साथ चली जाओ, रॉन तुम्हारी देखभाल करेगा। मैं उसे पूरी बात बताते हुए एक पत्र लिख दूँगा। और मेरी तरफ़ इस तरह मत देखो' - हेडविग की बड़ी पीली आँखें उसे धिक्कार रही थीं - 'इसमें मेरी कोई ग़लती नहीं है। यही एक तरीक़ा है, जिससे मुझे रॉन और हर्माइनी के साथ हॉग्समीड जाने की अनुमति मिलेगी।'

दस मिनट बाद एरल और हेडविग (जिसके पैर में रॉन के नाम एक

चिट्ठी बँधी थी) खिड़की से बाहर निकले और ओझल हो गए। बुरी तरह दुखी हैरी ने ख़ाली पिंजरा अलमारी के अंदर रख दिया।

लेकिन हैरी को चिंता करने के लिए ज़्यादा समय नहीं मिला। थोड़ी ही देर में पेटूनिया आंटी चीख़ती हुई ऊपर आईं और हैरी से कहा कि वह नीचे आकर मार्ज आंटी का स्वागत करने के लिए तैयार हो जाए।

जब वह हॉल में पहुँचा, तो पेटूनिया आंटी ने उसे डाँटते हुए कहा, 'अपने बालों का कुछ करो!'

हैरी की यह समझ में नहीं आया कि उसके बाल सँवारने से क्या फ़ायदा होगा ? मार्ज आंटी को उसकी बुराई करना अच्छा लगता था, इसलिए वह जितना ज़्यादा गंदा दिखेगा, वे उतनी ही ज़्यादा ख़ुश होंगी।

बहुत जल्दी ही वरनॉन अंकल की कार गेट के अंदर आ गई। फिर गिट्टी पर टायरों के रुकने, कार के दरवाज़े बंद होने और बगीचे के रास्ते पर क़दमों की आवाज़ आई।

पेटूनिया आंटी ने फुफकारते हुए हैरी से कहा, 'दरवाज़ा खोलो!'

बहुत निराशा के साथ हैरी ने दरवाज़ा खोला।

चौखट पर मार्ज आंटी खड़ी थीं। वे काफ़ी हद तक वरनॉन अंकल की तरह दिखती थीं : लंबी, मोटी और बैंगनी चेहरे वाली। यहाँ तक कि उनकी मूँछ भी थी, हालाँकि अपने भाई जितनी घनी नहीं थी। उनके एक हाथ में बड़ा सा सूटकेस था तथा दूसरे हाथ के नीचे एक बूढ़ा और बदमिज़ाज बुलडॉग था।

'मेरा डडली कहाँ है ?' मार्ज आंटी गरजीं। 'मेरा भती...जा कहाँ है ?'

डडली हॉल से डोलता हुआ आया। उसके सुनहरे बाल उसके मोटे सिर पर चिपके हुए लग रहे थे और उसकी कई ठुड्डियों के नीचे बो-टाई मुश्किल से नज़र आ रही थी। मार्ज आंटी ने सूटकेस हैरी के पेट में घुसा दिया, जिससे उसकी हवा बाहर निकल गई। इसके बाद मार्ज आंटी ने डडली को एक हाथ से जकड़ लिया और उसके गाल पर एक बड़ी पप्पी ली।

हैरी अच्छी तरह जानता था कि डडली मार्ज आंटी से गले मिलना सिर्फ़ इसलिए बर्दाश्त करता है, क्योंकि इसके बदले में उसे काफ़ी पैसे मिलते हैं। और यह बात पूरी तरह सही साबित हुई, क्योंकि पप्पी के बाद जब वे अलग हुए तो डडली की मोटी मुट्ठी में बीस पौंड का कड़क नोट था।

मार्ज आंटी चीख़ीं, 'पेटूनिया!' और फिर वे हैरी को इस तरह अनदेखा करती हुई गुज़र गईं, जैसे वह कोई हैट-स्टैंड हो। मार्ज आंटी और पेटूनिया आंटी ने एक-दूसरे को चूमा, बल्कि यह कहा जाना चाहिए कि मार्ज आंटी ने अपना

बड़ा जबड़ा पेटूनिया आंटी के पतले गाल की हड्डी से टकराया।

वरनॉन अंकल अब तक अंदर आ चुके थे और दरवाज़ा बंद करते हुए मुस्करा रहे थे।

उन्होंने पूछा, 'चाय पियोगी, मार्ज ? और रिपर क्या लेगा ?'

'रिपर मेरी प्लेट में से ही थोड़ी चाय पी लेगा,' मार्ज आंटी बोलीं, जब वे सब किचन में गए। हैरी हॉल में मार्ज आंटी के सूटकेस के साथ अकेला रह गया था, लेकिन उसे इस बात से कोई शिकायत नहीं थी। वह तो चाहता ही था कि किसी न किसी बहाने से वह मार्ज आंटी से दूर रहे, इसलिए वह आराम-आराम से सूटकेस को घसीटता हुआ ऊपर वाले ख़ाली बेडरूम में ले जाने लगा।

जब हैरी किचन में लौटा, तब तक मार्ज आंटी को चाय और फ्रूटकेक मिल चुके थे। उनका कुत्ता रिपर एक कोने में सुड़-सुड़ करके चाय पी रहा था। हैरी ने देखा कि अपने साफ़ फ़र्श पर चाय और लार गिरती देखकर पेटूनिया आंटी काँप गईं। पेटूनिया आंटी जानवरों से नफ़रत करती थीं।

वरनॉन अंकल ने पूछा, 'मार्ज, बाक़ी कुत्तों को कौन सँभाल रहा है ?'

मार्ज आंटी ने ज़ोरदार आवाज़ में कहा, 'कर्नल फ़बस्टर। वे अब रिटायर हो चुके हैं। उनके पास भी तो करने के लिए कोई काम होना चाहिए। लेकिन मुझसे रिपर को वहाँ नहीं छोड़ा गया। यह मेरी जुदाई सहन नहीं कर पाता है।'

हैरी के बैठने पर रिपर गुर्राया। इससे मार्ज आंटी का ध्यान पहली बार हैरी की तरफ़ गया।

'तो!' उन्होंने गुर्राते हुए कहा, 'अब भी यहीं हो ?'

'हाँ,' हैरी ने कहा।

'तुम्हें इतना अकड़कर "हाँ" बोलने की ज़रूरत नहीं है,' मार्ज आंटी ने कहा। 'यह वरनॉन और पेटूनिया की मेहरबानी है कि तुम्हें यहाँ रख रहे हैं। मैं यह कभी नहीं करती। अगर तुम्हें *मेरी* चौखट पर छोड़ा गया होता, तो मैं तुम्हें सीधे अनाथालय भेज देती।'

हैरी की यह कहने की बहुत इच्छा थी कि डर्स्ली परिवार के साथ रहने के बजाय वह अनाथालय में रहना ज़्यादा पसंद करेगा, लेकिन हॉग्समीड के अनुमति पत्र के विचार ने उसे रोक दिया। उसने अपने चेहरे पर जबरन दर्द भरी मुस्कान लाने की कोशिश की।

मार्ज आंटी दहाड़ीं, 'मेरी तरफ़ देखकर फ़ालतू में मत हँसो। मुझे साफ़ दिख रहा है कि जब मैंने तुम्हें पिछली बार देखा था, तब से तुम ज़रा भी नहीं सुधरे हो। मुझे आशा थी कि स्कूल वाले तुम्हें थोड़ा तमीज़ सिखा देंगे।' उन्होंने

चाय का एक बड़ा घूँट लिया और अपनी मूँछ पोंछते हुए कहा, 'वरनॉन, तुम इसे किस स्कूल में भेजते हो ?'

वरनॉन अंकल ने तत्काल कहा, 'सेंट ब्रूटस में... लाइलाज अपराधियों के लिए वह सबसे अच्छा स्कूल है।'

मार्ज आंटी ने कहा, 'अच्छी बात है। क्या सेंट ब्रूटस में लड़कों पर छड़ी का इस्तेमाल होता है ?' उन्होंने टेबल के पार से हैरी से पूछा।

'अर-'

वरनॉन अंकल ने मार्ज आंटी के पीछे से धीरे से अपना सिर हिलाया।

हैरी ने कहा, 'हाँ।' फिर उसे महसूस हुआ कि यह बात ढंग से बोलना चाहिए, इसलिए उसने आगे जोड़ दिया, 'हर समय।'

'बहुत बढ़िया,' मार्ज आंटी बोलीं। 'मुझे यह बकवास अच्छी नहीं लगती है कि बच्चों की पिटाई नहीं होनी चाहिए। मैं अच्छी तरह से जानती हूँ कि कुछ बच्चे पिटे बिना सुधर ही नहीं सकते हैं। सौ में से निन्यानवे मामलों में तगड़ी पिटाई की ही ज़रूरत होती है। क्या *तुम्हारी* अक्सर पिटाई होती है ?'

हैरी बोला, 'हाँ, सैकड़ों बार।'

मार्ज आँटी की आँखें सिकुड़कर छोटी हो गईं।

'मुझे तुम्हारे बोलने का अंदाज़ अच्छा नहीं लग रहा है, लड़के,' उन्होंने कहा। 'अगर तुम अपनी पिटाई के बारे में इतने हल्के अंदाज़ में बोल रहे हो, तो यह बात साफ़ है कि तुम्हारी जमकर पिटाई नहीं होती है। पेटूनिया, अगर मैं तुम्हारी जगह होती, तो स्कूल वालों को एक पत्र लिखती। उन्हें साफ़-साफ़ बता दो कि इस बच्चे के मामले में तुम बुरी तरह पिटाई करने की सलाह देती हो।'

शायद वरनॉन अंकल चिंतित थे कि हैरी अपना वायदा भूल सकता है, इसलिए उन्होंने तत्काल विषय बदल दिया।

'मार्ज, आज सुबह की न्यूज़ सुनी थी ? उस भागे हुए क़ैदी के बारे में ?'

*

जब मार्ज आंटी वहाँ पर आराम से रहने लगीं, तो हैरी हसरत से सोचने लगा कि अगर वे यहाँ नहीं आतीं, तो कितना बढ़िया रहता। वरनॉन अंकल और पेटूनिया आंटी हैरी को आम तौर पर प्रोत्साहित करते थे कि वह उनके रास्ते से दूर रहे। हैरी को भी यह इंतज़ाम अच्छा लगता था। दूसरी तरफ़ मार्ज आंटी हैरी को हर समय अपनी आँखों के सामने रखना चाहती थीं, ताकि वे उसके सुधार के लिए सुझाव दे सकें। उन्हें हैरी और डडली की तुलना करने में मज़ा आता था। इसके

अलावा उन्हें डडली को महँगे तोहफ़े देना भी बहुत अच्छा लगता था। ऐसा करते समय वे हैरी को घूरती थीं, जैसे उसे यह पूछने के लिए उकसा रही हों कि उसे कोई तोहफ़ा क्यों नहीं मिला। वे बार-बार यह भी बताती रहती थीं कि हैरी इतना घटिया और बुरा क्यों है।

तीसरे दिन उन्होंने दोपहर का खाना खाते समय कहा, 'वरनॉन, यह लड़का अगर ग़लत रास्ते पर चला जाए, तो इसके लिए ख़ुद को दोषी मत मानना। अगर कोई चीज़ अंदर से ही सड़ी हुई हो, तो कोई भी कुछ नहीं कर सकता।'

हैरी ने अपना ध्यान भोजन पर केंद्रित करने की कोशिश की, लेकिन उसके हाथ थरथराने लगे और उसका चेहरा ग़ुस्से के मारे तमतमाने लगा। उसने ख़ुद को याद दिलाया, *अनुमति पत्र को याद रखो। हॉग्समीड के बारे में सोचो। कुछ मत बोलो। मत उठो -*

मार्ज आंटी ने शराब के गिलास की तरफ़ हाथ बढ़ाया।

वे बोलीं, 'यह पैदाइश के मूलभूत नियमों में से एक है। कुत्तों में भी ऐसा होता है। अगर कुतिया के साथ कुछ गड़बड़ होती है, तो पिल्ले के साथ भी कोई न कोई गड़बड़ ज़रूर होगी -'

मार्ज आंटी ने शराब के जिस गिलास को हाथ में पकड़ रखा था, वह उसी समय फूट गया। काँच के टुकड़े हर तरफ़ उड़ने लगे और मार्ज आंटी ने थूक निगलकर पलकें झपकाने लगीं। उनका बड़ा लाल चेहरा शराब में नहा गया था।

पेटूनिया आंटी चीख़ीं, 'मार्ज! मार्ज, तुम ठीक तो हो?'

मार्ज आंटी ने अपने चेहरे को नेपकिन से पोंछते हुए कहा, 'चिंता की कोई बात नहीं है। शायद गिलास थोड़ा कसकर पकड़ लिया होगा। कुछ दिन पहले कर्नल फ़बस्टर के यहाँ भी ऐसा ही हुआ था। पेटूनिया, बात का बतंगड़ मत बनाओ, मेरी पकड़ बहुत मज़बूत है ...'

लेकिन पेटूनिया आंटी और वरनॉन अंकल हैरी को शक भरी निगाहों से देख रहे थे, इसलिए उसने फ़ैसला किया कि बेहतर यही होगा कि वह पुडिंग को छोड़ दे और जितनी जल्दी हो सके, वहाँ से उठकर चला जाए।

बाहर निकलने के बाद वह हॉल की दीवार पर टिककर गहरी साँसें लेने लगा। बहुत लंबे समय बाद उसे ग़ुस्सा आया था और उसने किसी चीज़ को फोड़ा था। उसने सोचा, यह दोबारा नहीं होना चाहिए। सिर्फ़ हॉग्समीड के अनुमति पत्र का सवाल ही नहीं था - अगर वह इसी रास्ते पर चला, तो जादू मंत्रालय उसके लिए परेशानी खड़ी कर देगा।

हैरी अभी भी नाबालिग़ जादूगर था और जादूगरों के कानून के अनुसार उसे स्कूल के बाहर जादू करने की इजाज़त नहीं थी। उसका रिकॉर्ड भी साफ़-सुथरा नहीं था। पिछली गर्मियों में ही उसे एक आधिकारिक चेतावनी मिली थी, जिसमें यह बिलकुल साफ़ लिखा हुआ था कि अगर भविष्य में प्रिविट ड्राइव में जादू हुआ, तो हैरी को हॉगवर्ट्स से निकाल दिया जाएगा।

आवाज़ों से वह समझ गया कि डर्स्ली परिवार टेबल से उठ रहा है। वह उनके रास्ते से दूर हटकर जल्दी से ऊपर की सीढ़ियों पर चला गया।

*

अगले तीन दिनों तक जब भी मार्ज आंटी उससे ऐसी-वैसी बात कहती थीं, तो हैरी अपनी *झाड़ू की बेहतरीन देखभाल ख़ुद कैसे करें की मार्गदर्शक पुस्तिका* के बारे में सोचने लगता था। यह तरकीब बहुत सफल रही, क्योंकि इससे उसके चेहरे पर एक सपाट भाव आ जाता था। उसे देखकर मार्ज आंटी अब यह कहने लगी थीं कि वह मंदबुद्धि था।

आख़िरकार, मार्ज की यात्रा की आख़िरी शाम आ ही गई। पेटूनिया आंटी ने बेहतरीन डिनर तैयार किया और वरनॉन अंकल ने शराब की कई बोतलें खोल लीं। सूप और मछली के दौरान हैरी की ग़लतियों का कोई ज़िक्र नहीं हुआ। जब सब लोग लेमन मेरिंग पाई खा रहे थे, तो वरनॉन अंकल अपनी ड्रिल बनाने वाली कंपनी ग्रनिंग्स के बारे में विस्तार से बता सबको बोर करने लगे। फिर पेटूनिया आंटी ने कॉफ़ी बनाई और वरनॉन अंकल ब्रांडी की एक बोतल लेकर आ गए।

'मार्ज, तुम तो नहीं लोगी?'

मार्ज आंटी पहले ही काफ़ी शराब पी चुकी थीं और उनका बड़ा चेहरा बहुत लाल हो गया था।

'एकदम छोटा सा पैग,' उन्होंने हँसते हुए कहा। 'थोड़ा सा और ... थोड़ा सा और ... ये हुई न बात!'

डडली पाई का चौथा टुकड़ा खा रहा था। पेटूनिया आंटी अपनी छोटी उँगली बाहर निकालकर कॉफ़ी की चुस्कियाँ ले रही थीं। दरअसल हैरी अपने बेडरूम में छिप जाना चाहता था, लेकिन वरनॉन अंकल की ग़ुस्से भरी छोटी आँखें देखकर वह समझ गया कि उसे वहीं बैठकर यह झेलना पड़ेगा।

मार्ज आंटी ने अपने होंठ चाटते हुए और ब्रांडी के ख़ाली गिलास को रखते हुए कहा, 'बहुत बढ़िया, पेटूनिया। इससे थोड़ी ताक़त मिल जाती है। आख़िर बारह कुत्तों की देखभाल भी तो करना पड़ती है ...' उन्होंने लंबी डकार लेते हुए अपने मोटे पेट को थपथपाया। 'माफ़ करना। मुझे स्वस्थ बच्चे अच्छे

लगते हैं,' उन्होंने डडली की तरफ़ आँख मारते हुए कहा। 'तुम्हारा डील-डौल सही है डडली, बिलकुल अपने पिता की तरह। हाँ वरनॉन, मैं थोड़ी सी ब्रांडी और लूँगी ...'

'दूसरी तरफ़ यह बच्चा -'

उन्होंने हैरी की तरफ़ सिर हिलाते हुए कहा, जिसने अपने पेट में मरोड़ महसूस की। उसने जल्दी से सोचा, मार्गदर्शक पुस्तिका को याद करो।

'यह बच्चा तो छोटा और घटिया दिखता है। ऐसा कुत्तों के साथ भी होता है। अभी पिछले ही साल की बात है, मैंने कर्नल फ़बस्टर से एक कुत्ते को डुबाने को कहा था। बहुत छोटा कुत्ता था। कमज़ोर। उसका सही विकास नहीं हुआ था।'

हैरी अपनी पुस्तक के बारहवें पेज को याद करने की कोशिश कर रहा था, जिसमें जादुई झाड़ुओं की गड़बड़ियों को दूर करने का मंत्र लिखा था।

'ये सब ख़ून का असर है, जैसा मैं उस दिन कह रही थी। गंदा ख़ून आख़िर रहेगा गंदा ही। बुरा मत मानना पेटूनिया, मैं तुम्हारे परिवार की बुराई नहीं कर रही हूँ,' उन्होंने पेटूनिया आंटी के पतले हाथ पर अपना फावड़े जैसा हाथ रखते हुए कहा, 'परंतु सच तो यह है कि तुम्हारी बहन गड़बड़ थी। ऐसा अच्छे से अच्छे परिवारों में भी हो जाता है। फिर वह एक आवारा के साथ भाग गई और परिणाम हमारी आँखों के सामने है।'

हैरी अपनी प्लेट को घूर रहा था। उसके कानों में अजीब सी घंटी बज रही थी। उसने सोचा, *अपनी झाड़ू के निचले सिरे को कसकर पकड़ो।* लेकिन उसे याद नहीं आ रहा था कि इसके बाद क्या आता है। मार्ज आंटी की आवाज़ वरनॉन अंकल की ड्रिल की तरह उसके कानों में जा रही थी।

मार्ज आंटी ने ज़ोर से कहा, 'इसका बाप,' उन्होंने ब्रांडी की बोतल को पकड़ा और अपने गिलास में डालते समय टेबल क्लॉथ पर ब्रांडी छलकाते हुए बोलीं, 'तुमने मुझे कभी यह नहीं बताया कि इसका बाप क्या करता था?'

वरनॉन अंकल और पेटूनिया आंटी बहुत तनाव में दिख रहे थे। डडली ने अपने पाई से नज़रें हटाकर अपने मम्मी-डैडी को देखा।

वरनॉन अंकल ने हैरी की तरफ़ कनखियों से देखते हुए कहा, 'वह - काम नहीं करता था। बेरोज़गार था।'

'मुझे यही उम्मीद थी!' मार्ज आंटी ब्रांडी का बड़ा घूँट लेते हुए बोलीं। फिर उन्होंने अपनी आस्तीन से अपनी ठुड्डी पोंछते हुए कहा, 'निकम्मा, निठल्ला, आलसी, आवारा -'

'वे ऐसे नहीं थे,' हैरी अचानक बोला। टेबल पर एकदम ख़ामोशी छा गई। हैरी काँप रहा था। ज़िंदगी में उसे पहले कभी इतना ग़ुस्सा नहीं आया था।

वरनॉन अंकल का चेहरा सफ़ेद पड़ गया। वे चिल्लाए, '**और ब्रांडी लोगी!**' उन्होंने मार्ज आंटी के गिलास में पूरी बोतल डाल दी। फिर उन्होंने हैरी से गुर्राकर कहा, 'लड़के, तुम बिस्तर पर जाओ, चलो –'

'नहीं, वरनॉन,' मार्ज आंटी ने हिचकियाँ लेते हुए एक हाथ उठाया और उनकी छोटी लाल आँखें हैरी पर टिक गईं। 'आगे बोलो लड़के, आगे बोलो। तुम्हें अपने माता-पिता पर बड़ा घमंड है ? वे कार दुर्घटना में मर गए थे (मुझे लगता है शराब के नशे में धुत्त होंगे) –'

'वे कार दुर्घटना में नहीं मरे थे!' हैरी ने कहा, जो अब खड़ा हो चुका था।

'वे कार दुर्घटना में ही मरे थे, झूठे कहीं के! और तुम्हें अपने सज्जन, मेहनती रिश्तेदारों के सिर पर बोझ की तरह छोड़ गए!' मार्ज आंटी आवेश से फूलते हुए चीख़ीं 'तुम एक बुरे, घटिया –'

लेकिन मार्ज आंटी की अचानक बोलती बंद हो गई। एक पल के लिए तो ऐसा लगा, जैसे उन्हें शब्द नहीं मिल रहे हैं। ऐसा लग रहा था कि वे ग़ुस्से के कारण फूल रही थीं – परंतु उनका फूलना बंद नहीं हुआ। उनका बड़ा लाल चेहरा फैलने लगा, उनकी छोटी आँखें बाहर निकलने लगीं और उनका मुँह इतना खुल गया कि वे बोल नहीं सकती थीं। अगले ही पल उनके जैकेट के कुछ बटन टूट गए – वे किसी बड़े गुब्बारे की तरह फूल रही थीं, उनका पेट इतना फूल चुका था कि उनका बेल्ट टूटकर गिर गया, उनकी हर उँगली बेलन की तरह फूल रही थी ...

जब मार्ज आंटी का शरीर कुर्सी से छत की तरफ़ उठने लगा, तो वरनॉन अंकल और पेटूनिया आंटी एक साथ चीख़े, **'मार्ज!'** वे अब पूरी तरह गोलमटोल हो चुकी थीं और उनके हाथ-पैर मोटे हो गए थे। जब वे हवा में उठती हुईं ऊपर जा रही थीं, तो रिपर बुरी तरह भौंकता हुआ कमरे में आया।

'नहींहींहींहीं!'

वरनॉन अंकल ने मार्ज का पैर पकड़कर उन्हें नीचे खींचने की कोशिश की, लेकिन इस कोशिश में वे भी फ़र्श से ऊपर उठ गए। अगले ही पल रिपर ने झपटकर वरनॉन अंकल के पैर में अपने दाँत गड़ा दिए।

इससे पहले कि कोई उसे रोके, हैरी डाइनिंग रूम से दौड़कर बाहर आ गया। वह सीढ़ियों के नीचे बनी अलमारी की तरफ़ गया। उसके वहाँ पहुँचते ही अलमारी का दरवाज़ा जादू से अपने आप खुल गया। कुछ ही पल में वह अपने

संदूक को खींचकर घर के सामने वाले दरवाज़े तक ले आया। फिर वह सीढ़ियों पर दौड़कर चढ़ा और उसने बिस्तर के नीचे वाले फ़र्श पर रखे ढीले बोर्ड को खींचा। उसके भीतर से उसने अपनी पुस्तकों और जन्मदिन के तोहफ़ों वाले तकिये के कवर को झपटकर बाहर निकाला। कमरे से बाहर निकलते समय उसने हेडविग का ख़ाली पिंजरा भी उठा लिया। धड़धड़ाते हुए अभी वह अपने संदूक के पास पहुँचा ही था कि तभी वरनॉन अंकल डाइनिंग रूम से बाहर निकले; उनका एक पैर ख़ून में लथपथ था।

वे गरजे, **'वापस आओ! वापस आओ और उसे ठीक करो!'**

लेकिन हैरी तो जैसे ग़ुस्से से पागल हो चुका था। उसने अपने संदूक को लात मारकर खोला, उसमें से अपनी छड़ी निकाली और वरनॉन अंकल की तरफ़ कर दी।

हैरी ने बहुत तेज़-तेज़ साँस लेते हुए कहा, 'वे इसी लायक थीं... उन्हें जो सजा मिली, वे उसी लायक थीं। आप मुझसे दूर ही रहना।'

उसने दरवाज़े के हैंडल को पकड़ने के लिए हाथ पीछे बढ़ाए।

हैरी ने कहा, 'अब बहुत हो चुका है। मैं यह घर छोड़कर जा रहा हूँ।'

और अगले ही पल वह बाहर निकलकर अँधेरी शांत सड़क पर पहुँच गया। वह अपना भारी संदूक खींच रहा था और हेडविग का पिंजरा उसकी बाँह में दबा था।

अध्याय तीन

नाइट बस

हैरी काफ़ी दूर पैदल चला और फिर थककर मैग्नोलिया क्रेसेन्ट की एक नीची दीवार पर बैठ गया। भारी संदूक को खींचना बड़ा मुश्किल काम था, जिसकी वजह से वह हाँफने लगा था। वह कुछ देर तक एकदम स्थिर बैठा रहा और तूफ़ानी अंदाज़ में धड़कते दिल की आवाज़ सुनता रहा। ग़ुस्से का सैलाब अब भी उसके मन में घुमड़ रहा था।

लेकिन अँधेरी सड़क पर दस मिनट तक अकेले बैठने के बाद उसके मन पर एक बिलकुल नया भाव हावी हो गया : दहशत। उसने जिस दिशा में सोचा, यही पाया कि उसकी इससे बुरी हालत पहले कभी नहीं थी। वह मगलुओं की दुनिया में रात को बिलकुल अकेला सड़कों पर भटक रहा था और उसके पास जाने की कोई जगह नहीं थी। इससे भी ख़राब बात तो यह थी कि उसने अभी-अभी गंभीर जादू कर दिया था, जिसका मतलब था कि उसे निश्चित रूप से हॉगवर्ट्स से निकाल दिया जाएगा। उसने नाबालिग़ जादूगरी के नियमों को बुरी तरह तोड़ा था। उसे हैरानी हो रही थी कि उसके वहाँ बैठने के दौरान ही जादू मंत्रालय के प्रतिनिधि उस पर क्यों नहीं मंडरा रहे थे।

हैरी को कँपकँपी छूट गई और उसने कभी मैग्नोलिया क्रेसेन्ट के ऊपर के आसमान को, तो कभी सड़क को देखा। उसके साथ क्या होने वाला था? क्या उसे गिरफ़्तार किया जाएगा या उसे सिर्फ़ जादूगरों की दुनिया से निकाल दिया जाएगा? उसने रॉन और हर्माइनी के बारे में सोचा, जिससे वह और भी निराश हो गया। हैरी को विश्वास था कि चाहे वह अपराधी हो या न हो, रॉन और हर्माइनी उसकी मदद ज़रूर करेंगे। समस्या यह थी कि वे दोनों ही विदेश में थे और हेडविग के जाने के बाद वह उनसे संपर्क नहीं कर सकता था।

उसके पास मगलुओं के पैसे भी नहीं थे। उसके संदूक में एकदम नीचे रखे

पर्स में जादूगरों के कुछ सिक्के रखे थे, लेकिन उसकी बाक़ी की संपत्ति (जो हैरी के माता-पिता उसके लिए छोड़ गए थे) लंदन में जादूगरों के बैंक ग्रिनगॉट की तिजोरी में थी। उसने सोचा, वह अपने संदूक को खींचते हुए लंदन तक तो नहीं ले जा सकता, जब तक कि ...

उसने अपनी छड़ी को देखा, जिसे वह अब भी अपने हाथ में कसकर पकड़े हुए था। अगर उसे स्कूल से निकाल ही दिया जाएगा (यह सोचकर उसके दिल में दर्द भरी टीस उठी), तो थोड़ा और जादू करने में क्या बुराई है? उसके पास अदृश्य चोगा था, जो उसे अपने पिता से विरासत में मिला था - अगर वह अपने संदूक पर जादू करके उसे बहुत हलका बना ले, उसे अपनी झाड़ू से बाँध दे, चोगा पहन ले और लंदन तक उड़कर जाए? वहाँ पहुँचकर वह अपनी तिजोरी में से अपना बाक़ी धन निकाल सकता है और ... अपनी निर्वासित ज़िंदगी शुरू कर सकता है। यह विचार भयानक था। लेकिन वह इस दीवार पर ज़्यादा समय नहीं बैठ सकता था, वरना मगलू पुलिस उससे पूछताछ करेगी कि वह इतनी रात को जादू की पुस्तकों और जादुई झाड़ू के साथ संदूक लिए क्यों बैठा है।

हैरी ने दोबारा संदूक खोला और इसके सामान को एक तरफ़ धकेलते हुए अदृश्य चोगा खोजने लगा - लेकिन उसके मिलने से पहले ही वह अचानक चौंककर चारों तरफ़ देखने लगा।

उसको गर्दन के पिछले हिस्से में उसे एक अजीब सा एहसास हो रहा था। उसे लगा, जैसे कोई उसे देख रहा था। लेकिन ऐसा कैसे हो सकता था? सड़क पूरी तरह सुनसान नज़र आ रही थी और आस-पास के किसी घर में से रोशनी नहीं आ रही थी।

वह एक बार फिर अपने संदूक पर झुका, लेकिन लगभग तत्काल दोबारा खड़ा हो गया। उसने अपनी छड़ी को कसकर पकड़ लिया। उसे आवाज़ तो नहीं आई, परंतु उसने महसूस किया कि कोई व्यक्ति या वस्तु उसके पीछे की फ़ेंस और गैरेज के बीच की सँकरी जगह में खड़ी है। हैरी ने आँखें गड़ाकर अँधेरी गली की तरफ़ देखा। वह चाहे जो हो, उसके हिलने पर ही हैरी को यह पता चल सकता था कि वह कोई आवारा बिल्ली है या - कोई और है।

'प्रकाशित भव!' हैरी बुदबुदाया। तत्काल उसकी छड़ी के सिरे पर रोशनी हो गई, जिससे उसकी आँखें लगभग चौंधिया गईं। उसने छड़ी अपने सिर के ऊपर की, जिससे मकान नंबर दो की पत्थरों के निशान वाली दीवार चमकने लगी। गैरेज का दरवाज़ा भी दिखने लगा। रोशनी में हैरी को वहाँ किसी जानवर की विशाल आकृति नज़र आई, जिसकी आँखें चौड़ी थीं और चमक रही थीं।

हैरी उछलकर पीछे हटा, लेकिन इस कोशिश में उसके पैर संदूक से टकरा गए और वह लड़खड़ा गया। जब उसने गिरते समय अपना मुँह बचाने के लिए हाथ टेकने की कोशिश की, तो उसकी छड़ी हाथ से छूटकर गिर गई। इसके बाद वह भी ज़मीन पर गिर गया।

तभी एक कानफोड़ू **धमाका** हुआ। अचानक हैरी की आँखें रोशनी से चौंधिया गईं, जिससे बचने के लिए उसने अपने हाथ ऊपर उठा लिए ...

चीख़ते हुए उसने सड़क के किनारे की तरफ़ पलटी खाई, बिलकुल सही समय पर। पल भर बाद ही बड़े-बड़े पहिए और हेडलाइट्स ठीक उसी जगह पर ब्रेक लगाते हुए रुके, जहाँ हैरी गिरा हुआ था। सिर उठाने पर हैरी ने देखा कि वे पहिए और हेडलाइट्स एक तिमंज़िला बैंगनी बस के थे, जो हवा में से प्रकट हुई थी। विंडस्क्रीन के ऊपर सुनहरे शब्दों में लिखा था : *नाइट बस।*

एक पल के लिए तो हैरी को लगा कि शायद गिरने की वजह से उसका दिमाग़ चकरा गया है। तभी बैंगनी यूनिफ़ॉर्म वाला एक कंडक्टर बस में से कूदा और अँधेरे में तेज़ी से बोलने लगा :

'नाइट बस में आपका स्वागत है। यह बस मुसीबत में फँसे जादूगरों और जादूगरनियों के लिए आपातकालीन यातायात का साधन है। अपना छड़ी वाला हाथ उठाएँ, ऊपर चढ़ें और हम आपको आपकी मनचाही जगह पर पहुँचा देंगे। मेरा नाम स्टैन शनपाइक है और आज की शाम मैं आपका कंडक्टर हूँ –'

कंडक्टर बोलते-बोलते अचानक रुक गया, क्योंकि उसे हैरी उसी समय दिखा था, जो अब भी ज़मीन पर बैठा हुआ था। हैरी ने अपनी छड़ी दोबारा उठाई और लड़खड़ाते हुए खड़ा हुआ। क़रीब आने पर उसने देखा कि स्टैन शनपाइक उम्र में उससे कुछ ही साल बड़ा था। उसकी उम्र ज़्यादा से ज़्यादा अठारह या उन्नीस साल होगी। उसके लंबे कान जैसे लटक रहे थे और उसके चेहरे पर ढेर सारे मुँहासे थे।

स्टैन ने अपने व्यावसायिक अंदाज़ को छोड़ते हुए पूछा, 'नीचे क्यों बैठा हुआ है?'

हैरी बोला, 'गिर गया था।'

स्टैन ने हँसते हुए पूछा, 'खड़े-खड़े क्यों गिर गया था?'

'मैं जान-बूझकर नहीं गिरा था,' हैरी ने चिढ़कर कहा। उसकी जींस घुटने पर से फट गई थी। इसके अलावा, उसने गिरते समय बचने के लिए जिस हाथ का सहारा लिया था, उसमें से ख़ून निकल रहा था। उसे अचानक याद आया कि वह क्यों गिरा था और वह गैरेज तथा फ़ेंस के बीच की ख़ाली जगह को देखने के लिए तेज़ी से पलटा। नाइट बस की हैडलाइट के कारण वहाँ पर काफ़ी रोशनी

थी, लेकिन अब वहाँ कुछ भी नहीं था।

स्टैन ने पूछा, 'वहाँ पर क्या देख रहा है ?'

'वहाँ पर एक बड़ी काली सी चीज़ थी,' हैरी ने ख़ाली जगह की तरफ़ इशारा करते हुए कहा। 'किसी कुत्ते जैसी ... लेकिन बहुत बड़ी ...'

उसने स्टैन की तरफ़ मुड़कर देखा, जिसका मुँह थोड़ा खुला था। परेशानी से हैरी ने देखा कि स्टैन की निगाह अब उसके माथे के निशान पर पहुँच गई थी।

स्टैन ने अचानक पूछा, 'तुम्हारे माथे पर क्या है ?'

'कुछ नहीं,' हैरी ने तत्काल अपनी लट से निशान छिपाते हुए कहा। अगर जादू मंत्रालय के लोग उसकी तलाश कर रहे हैं, तो वह उनके काम को आसान नहीं बनाना चाहता था।

स्टैन ने आगे पूछा, 'तुम्हारा नाम क्या है ?'

'नेविल लॉंगबॉटम,' हैरी ने वह नाम बोल दिया, जो उसके दिमाग़ में सबसे पहले आया। फिर उसने स्टैन का ध्यान भटकाने के लिए पूछा, 'तो – तो यह बस *कहीं* भी जा सकती है ?'

'हाँ,' स्टैन ने गर्व से कहा, 'जहाँ भी तुम चाहो। शर्त यह है कि वह जगह ज़मीन पर होना चाहिए। यह बस पानी के अंदर नहीं जा सकती है।' फिर उसने शक भरी निगाह से देखते हुए कहा, 'तुमने हमें इशारा *किया* था, है ना ? अपनी छड़ी वाला हाथ आगे किया था, है ना ?'

'हाँ,' हैरी ने तत्काल कहा। 'सुनिए, यहाँ से लंदन का किराया कितना है ?'

स्टैन बोला, 'ग्यारह सिकल। लेकिन तेरह सिकल में तुम्हें गर्म चॉकलेट मिलेगी, जबकि पंद्रह सिकल में गर्म पानी की बोतल तथा अपने पसंदीदा रंग का टूथब्रश।'

हैरी ने एक बार फिर अपना संदूक खोला और उसमें से अपना पर्स निकालकर स्टैन को चाँदी के कुछ सिक्के दिए। फिर उसने और स्टैन ने उसका संदूक उठाया, जिस पर हेडविग का पिंजरा रखा था। दोनों ने मिलकर संदूक को बस की सीढ़ियों से ऊपर पहुँचा दिया।

बस में एक भी सीट नहीं थी। इसके बजाय वहाँ पर पीतल के आधा दर्जन पलंग थे, जो पर्दे वाली खिड़कियों के पास लगे थे। हर पलंग के पास मोमबत्ती जल रही थी, जिससे लकड़ी की पैनल वाली दीवारों पर रोशनी हो रही थी। बस के पिछले हिस्से में नाइटकैप पहनकर लेटा एक नाटा जादूगर बुदबुदाया, 'अभी नहीं, धन्यवाद, मैं घोंघों का अचार डाल रहा हूँ,' और फिर नींद में ही उसने

करवट बदल ली।

स्टैन ने फुसफुसाते हुए कहा, 'तुम्हारी जगह यह है।' उसने हैरी के संदूक को ड्राइवर के ठीक पीछे वाले बिस्तर के नीचे घुसा दिया। ड्राइवर स्टियरिंग व्हील के सामने एक कुर्सी पर बैठा था। फिर स्टैन बोला, 'यह हमारा ड्राइवर है, अर्नी प्रैंग। और अर्न, यह है नेविल लाँगबॉटम।'

अर्नी प्रैंग की उम्र कुछ ज़्यादा थी। वह बहुत मोटा चश्मा पहने था और उसने हैरी को देखकर सिर हिलाया, जिसने परेशान होकर एक बार फिर अपनी लट नीचे की और अपने बिस्तर पर बैठ गया।

अर्नी के पास वाली कुर्सी पर बैठते हुए स्टैन ने कहा, 'अब हवा की रफ़्तार से गाड़ी भगाओ, अर्न।'

एक ज़ोरदार **धमाका** हुआ और अगले ही पल हैरी बिस्तर पर लेटा हुआ था, क्योंकि नाइट बस की तेज़ गति के कारण वह पीछे फिंका गया था। धीरे-धीरे उठने की कोशिश करते हुए हैरी ने खिड़की से बाहर अँधेरे में देखा। वे अब एक दूसरी सड़क पर पहुँच गए थे। स्टैन हैरी के स्तब्ध चेहरे को बड़े मज़े से देख रहा था।

वह बोला, 'जब तुमने हमें इशारा किया था, तो हम यहाँ थे। हम कहाँ हैं, अर्न? वेल्स में कहीं पर?'

'हूँ,' अर्नी ने कहा।

'मगलुओं को इस बस की आवाज़ क्यों सुनाई नहीं देती है?' हैरी ने कहा।

'मगलू!' स्टैन ने थोड़ी हिक़ारत से कहा। 'सही तरीक़े से सुनते ही नहीं हैं, है ना? यहाँ तक कि सही तरह से देखते भी नहीं हैं। उन्हें कभी किसी चीज़ का पता ही नहीं चलता है, कभी नहीं।'

अर्न बोला, 'स्टैन, जाकर मैडम मार्श को जगा दो। हम एक मिनट में एबरगैवेनी पहुँच जाएँगे।'

स्टैन हैरी के बिस्तर के पास से गया और लकड़ी की एक सँकरी सीढ़ी पर चढ़कर ग़ायब हो गया। हैरी अब भी खिड़की के बाहर देख रहा था और उसकी परेशानी बढ़ती जा रही थी। ऐसा लगता था, जैसे अर्नी गाड़ी चलाने में ज़्यादा कुशल नहीं था। नाइट बस बार-बार फ़ुटपाथ पर चढ़ जाती थी, लेकिन वह किसी चीज़ से टकराती नहीं थी। इसके पास आते ही लैंपपोस्ट्स, लेटर बॉक्स और कूड़ेदान कूदकर इसके रास्ते से हट जाते थे और इसके गुज़रते ही वापस अपनी जगह पर आ जाते थे।

स्टैन एक बार फिर नीचे आ गया। उसके पीछे एक जादूगरनी आई, जिसने यात्रा करने वाला हरा चोगा पहन रखा था।

'ये आ गई आपके उतरने की जगह मैडम मार्श,' स्टैन ने ख़ुशी-ख़ुशी कहा। तभी अर्न ने ब्रेक लगाए और पलंग बस में एक फ़ुट आगे की तरफ़ आ गए। मैडम मार्श ने अपने मुँह पर एक रूमाल कसकर लगा रखा था और वे तत्काल सीढ़ियों पर से उतर गईं। स्टैन ने उनके उतरने के बाद पीछे से उनका बैग फेंका और दरवाज़ा लगा लिया। फिर एक और ज़ोरदार **धमाका** हुआ। अब वे देहाती इलाक़े में एक सँकरी गली में तूफ़ानी रफ़्तार से चले जा रहे थे और आस-पास के पेड़ उनके रास्ते से दूर हट रहे थे।

अगर बस इतनी ज़ोरदार आवाज़ नहीं कर रही होती और एक बार में सौ मील नहीं कूद रही होती, तब भी हैरी नहीं सो पाता। उसके पेट में हलचल होने लगी, जब वह पीछे गिरा और यह सोचने लगा कि उसके साथ जाने क्या होगा। उसने यह भी सोचा कि क्या डर्स्ली दंपति अब तक मार्ज आंटी को छत पर से नीचे उतार पाए होंगे।

स्टैन ने *दैनिक जादूगर* अख़बार निकाला और दाँतों में जीभ दबाकर उसे पढ़ने लगा। पहले पन्ने पर हैरी को लंबे बालों वाले एक निराश आदमी की बड़ी तस्वीर दिखी हैरी को वह तस्वीर जानी-पहचानी लगी।

'यह आदमी,' हैरी ने कहा और वह एक पल के लिए अपनी मुश्किलों को भूल गया। 'यह तो मगलुओं की न्यूज़ में भी दिखा था!'

स्टैन ने अख़बार पलटकर पहले पन्ने को देखा और मुस्कराया।

'सिरियस ब्लैक,' वह सिर हिलाते हुए बोला। 'ज़ाहिर है, वह मगलुओं की न्यूज़ में भी दिखा होगा, नेविल। तुम किस दुनिया में थे?'

हैरी के चेहरे पर सपाट भाव देखकर वह उसके अज्ञान पर हँसा और पहला पन्ना अलग करके हैरी को थमा दिया।

'नेविल, अख़बार पढ़ा करो।'

हैरी मोमबत्ती की रोशनी में अख़बार पढ़ने लगा :

ब्लैक अब तक फ़रार है

जादू मंत्रालय ने आज यह पुष्टि की है कि सिरियस ब्लैक, जो शायद अज़्काबान की जेल का सबसे ख़तरनाक क़ैदी है, अब तक फ़रार है।

जादू मंत्री कॉर्नेलियस .फ़ज ने आज सुबह कहा, 'हम ब्लैक को दोबारा पकड़ने की हर संभव कोशिश कर रहे हैं और हम जादूगर समुदाय से शांत रहने का आग्रह करते हैं।'

अंतर्राष्ट्रीय जादूगर संघ के कुछ सदस्यों ने .फ़ज की आलोचना करते हुए कहा कि उन्हें मगलू प्रधानमंत्री को इस संकट की जानकारी नहीं देनी चाहिए थी।

इस पर प्रतिक्रिया करते हुए .फ़ज ने चिढ़कर कहा, 'जानकारी देना ज़रूरी था। क्या आपको यह बात पता नहीं है कि ब्लैक पागल है। वह अपने रास्ते में आने वाले हर व्यक्ति के लिए .ख़तरा है, चाहे वह जादूगर हो या मगलू। मुझे प्रधानमंत्री ने आश्वासन दिया है कि वे ब्लैक की पहचान के बारे में किसी से एक शब्द भी नहीं कहेंगे। और मुद्दे की बात तो यह है - अगर वे कह भी दें, तो भी उनकी बात पर विश्वास कौन करेगा?'

हालाँकि मगलुओं को यह बताया गया है कि ब्लैक के पास एक रिवॉल्वर है (एक तरह की धातु की छड़ी, जिसका इस्तेमाल मगलू एक-दूसरे को मारने के लिए करते हैं), लेकिन जादुई समुदाय में यह दहशत फैली है कि कहीं ब्लैक बारह साल पहले जैसा कोई हत्याकांड न कर दे, जब उसने एक ही शाप से तेरह लोगों की हत्या कर दी थी।

हैरी ने सिरियस ब्लैक की धँसी हुई आँखों को देखा, जो उसके पिचके चेहरे का इकलौता जीवित हिस्सा लग रही थीं। हैरी कभी किसी ख़ून पीने वाले पिशाच से नहीं मिला था, लेकिन उसने गुप्त कलाओं से रक्षा की क्लास में उनकी तस्वीरें देखी थीं। सफ़ेद चेहरे वाला ब्लैक भी उन्हीं जैसा दिख रहा था।

'बहुत बड़ा खूनी है, है ना?' स्टैन ने कहा, जो हैरी को पढ़ते हुए देख रहा था।

'उसने *तेरह लोगों* को *एक ही शाप* से मार डाला था?' हैरी ने स्टैन को अख़बार वापस लौटाते हुए पूछा।

'हाँ,' स्टैन बोला। 'उस घटना के बहुत से चश्मदीद गवाह थे। वह हादसा भरी दोपहर में हुआ था। बहुत बड़ा हत्याकांड था, है ना, अर्न?'

'हूँ,' अर्न ने उदासी से कहा।

स्टैन अपनी कुर्सी पर घूमा और उसने अपने हाथ पीछे कर लिए, ताकि वह हैरी को ज़्यादा अच्छी तरह से देख सके।

फिर वह बोला, 'ब्लैक तुम-जानते-हो-कौन का बहुत बड़ा समर्थक था।'

'क्या, वोल्डेमॉर्ट का?' हैरी ने बिना सोचे-समझे कह दिया।

स्टैन के मुहाँसे तक सफ़ेद हो गए। अर्नी ने स्टियरिंग व्हील इतनी ज़ोर से घुमा दिया कि बस के रास्ते से हटने के लिए पूरे के पूरे फ़ार्महाउस को उछलकर पीछे हटना पड़ा।

स्टैन चीख़ा, 'तुम पागल तो नहीं हो गए हो! तुमने उसका नाम क्यों लिया?'

'माफ़ करना,' हैरी ने जल्दी से कहा। 'माफ़ करना, मैं – मैं भूल गया था –'

'भूल गया था!' स्टैन ने मरी हुई आवाज़ में कहा। 'मेरा दिल कितनी तेज़ी से धड़क रहा है ...'

'तो – तो ब्लैक तुम-जानते-हो-कौन का समर्थक था?' हैरी ने क्षमा माँगने के अंदाज़ में कहा।

'हाँ,' स्टैन अपना सीना मलते हुए बोला। 'हाँ, यह ठीक है। ऐसा कहा जाता है कि वह तुम-जानते-हो-कौन के बहुत क़रीब था ... बहरहाल, जब नन्हे हैरी पॉटर ने तुम-जानते-हो-कौन का बुरा हाल कर दिया' – हैरी ने अपनी लट को नीचे करके एक बार फिर अपने निशान को छिपाया – 'तो तुम-जानते-हो-कौन के सभी समर्थकों की शामत आ गई। है ना, अर्न? उनमें से ज़्यादातर यह समझ गए कि तुम-जानते-हो-कौन के जाने के बाद सब कुछ ख़त्म हो चुका है और वे चुपचाप सही राह पर आ गए। लेकिन सिरियस ब्लैक ने ऐसा नहीं किया। लोगों के अनुसार वह यह सोच रहा था कि जब तुम-जानते-हो-कौन दोबारा शक्तिशाली बनेगा, तो वह दूसरे स्थान पर रहेगा।

'बहरहाल, उन्होंने ब्लैक को मगलुओं से भरी सड़क पर घेर लिया। ब्लैक ने तत्काल अपनी छड़ी बाहर निकाली और पूरी सड़क को उड़ा डाला। इस विस्फोट में उसके रास्ते में आने वाला एक जादूगर और बारह मगलू मारे गए।

भयानक था, है ना ? और तुम जानते हो, इसके बाद ब्लैक ने क्या किया ?' स्टैन ने नाटकीय ढंग से फुसफुसाते हुए कहा।

'क्या ?' हैरी ने कहा।

'वह हँसने लगा,' स्टैन बोला। 'वह वहीं खड़े-खड़े हँसता रहा। जब जादू मंत्रालय का सुरक्षा दस्ता वहाँ पहुँचा, तो वह चुपचाप उनके साथ चल दिया। उस समय भी वह हँसता जा रहा था, क्योंकि वह पागल है, है ना अर्न ? क्या वह पागल नहीं है ?'

'अज़्काबान जाते वक़्त अगर वह पागल नहीं भी रहा होगा, तो अब तो ज़रूर हो गया होगा,' अर्न ने अपनी धीमी आवाज़ में कहा। 'अगर मुझे वहाँ क़दम रखना पड़े, तो उससे पहले मैं आत्महत्या कर लूँगा। उसे सही सज़ा मिली ... जो उसने किया था, उसके बाद ...'

स्टैन बोला, 'जादू मंत्रालय को इस घटना पर पर्दा डालने के लिए बहुत मेहनत करना पड़ी। है ना, अर्न ? पूरी सड़क उड़ गई थी और कई मगलू मर गए थे। उन्होंने क्या बहाना बनाया था, अर्न ?'

'बम विस्फोट,' अर्नी ने कहा।

'और अब ब्लैक बाहर आ चुका है,' स्टैन ने अख़बार में ब्लैक के दुबले चेहरे को देखते हुए कहा। 'वह अज़्काबान से भागने वाला पहला क़ैदी है, है ना, अर्न ? समझ में नहीं आता कि उसने ऐसा कैसे किया। डरावना है, है ना ? वैसे मुझे लगता है कि वह अज़्काबान के पहरेदारों से बच नहीं पाएगा, है ना, अर्न ?'

अर्न अचानक काँपा।

'किसी और चीज़ के बारे में बातें करो, स्टैन। अज़्काबान के पहरेदारों से मुझे दहशत होती है।'

स्टैन ने अनिच्छा से अख़बार को दूर रख दिया और हैरी पहले से भी ज़्यादा बुरा महसूस करते हुए नाइट बस की खिड़की से टिक गया। वह कल्पना करने लगा कि कुछ दिन बाद स्टैन अपने यात्रियों से शायद यह कहेगा :

'तुमने हैरी पॉटर के बारे में सुना ? उसने अपनी आंटी को फुला दिया था! वह उस रात को नाइट बस में था, है ना, अर्न ? वह भागने की कोशिश कर रहा था ...'

सिरियस ब्लैक की तरह ही हैरी ने भी जादूगरों का कानून तोड़ा था। क्या मार्ज आंटी को फुलाना इतना बड़ा अपराध है कि उसे अज़्काबान भेज दिया जाएगा ? हैरी जादूगरों की जेल के बारे में कुछ नहीं जानता था, हालाँकि उसने जितने भी लोगों से इसका नाम सुना था, वे सब इससे थर्राते थे। हॉगवर्ट्स के

गेमकीपर हैग्रिड ने पिछले ही साल वहाँ पर दो महीने की सज़ा काटी थी। जब हैग्रिड को जब यह बताया गया था कि उसे अज़्काबान ले जाया जा रहा है, तो उसके चेहरे पर जो दहशत का भाव आया था, उसे हैरी आसानी से नहीं भूल पाएगा। और हैग्रिड बहुत बहादुर था।

नाइट बस अँधेरे में चलती रही। उसकी वजह से झाड़ियाँ, टेलीफ़ोन बूथ और पेड़ इधर-उधर उछलते रहे। बहरहाल, हैरी चुपचाप, स्थिर और दुखी अपने पलंग पर लेटा रहा। कुछ समय बाद स्टैन को याद आया कि हैरी ने गर्म चॉकलेट के पैसे दिए थे, इसलिए उसने उसे गर्म चॉकलेट देने की कोशिश की। लेकिन तभी बस अचानक एंगलसी से एबरडीन पर कूदी, जिस वजह से स्टैन के हाथ से पूरी की पूरी चॉकलेट हैरी के तकिये पर फैल गई। ड्रेसिंग गाउन और स्लिपर्स पहने जादूगर और जादूगरनियाँ एक-एक करके ऊपरी मंज़िलों से नीचे आए और बस से उतरते गए। उतरते समय वे बहुत ख़ुश लग रहे थे।

अंत में, बस में हैरी के अलावा और कोई यात्री नहीं बचा था।

स्टैन ने ताली बजाते हुए कहा, 'अब बताओ नेविल, लंदन में कहाँ जाना है?'

हैरी ने कहा, 'छूमंतर गली।'

'ठीक है,' स्टैन बोला। 'कसकर पकड़ लो ...'

धमाका!

वे चेअरिंग क्रॉस रोड पर तेज़ी से बढ़ रहे थे। हैरी उठकर बैठ गया। उसने देखा कि इमारतें और बेंचें नाइट बस के रास्ते से दूर हटने के लिए सिकुड़ रही थीं। आसमान में हलकी-हलकी रोशनी होने लगी थी। वह कुछ घंटे तक छिपा रहेगा, फिर ग्रिनगॉट बैंक के खुलते ही, वहाँ जाकर पैसे निकालेगा, और फिर वह चल पड़ेगा - न जाने कहाँ।

अर्न ने कसकर ब्रेक लगाए। नाइट बस एक छोटे और गंदे से बियर बार *रिसती कड़ाही* के सामने फिसलती हुई रुक गई, जिसके पीछे छूमंतर गली का जादुई प्रवेश द्वार था।

'धन्यवाद,' हैरी ने अर्न से कहा।

वह सीढ़ियों से नीचे कूद गया। फिर संदूक तथा हेडविग के पिंजरे को उतारकर फ़ुटपाथ पर रखने में उसने स्टैन की मदद की।

'ठीक है,' हैरी ने कहा, 'अलविदा!'

लेकिन स्टैन का ध्यान उसकी तरफ़ नहीं था। वह बस के दरवाज़े पर खड़ा होकर *रिसती कड़ाही* के प्रवेश द्वार की तरफ़ देख रहा था।

'तो तुम आ गए, हैरी,' एक आवाज़ आई।

इससे पहले कि हैरी पलट पाए, किसी ने उसके कंधे पर एक हाथ रख दिया। उसी समय स्टैन चिल्लाया, 'ओहो! अर्न, यहाँ आओ! जल्दी आओ!'

हैरी ने देखा कि उसके कंधे पर किसका हाथ था। नज़रें उठाते ही उसे ऐसा महसूस हुआ जैसे उसके पेट में बाल्टी भर बर्फ़ भर गई हो - वह सीधे जादू मंत्री कॉर्नेलियस फ़ज से टकरा गया था।

स्टैन फ़ुटपाथ पर कूदकर उनके पास आ गया।

उसने रोमांचित होकर पूछा, 'मंत्रीजी, आपने नेविल को किस नाम से पुकारा?'

लंबे धारीदार चोगे में फ़ज थके-थके दिख रहे थे।

उन्होंने त्योरियाँ चढ़ाकर कहा, 'नेविल? यह तो हैरी पॉटर है।'

'मैं जानता था!' स्टैन ने ख़ुशी से चिल्लाकर कहा। 'अर्न! अर्न! ज़रा सोचो तो सही नेविल कौन है, अर्न! वह हैरी पॉटर है! मुझे उसका निशान भी दिख रहा है!'

'*हाँ,*' फ़ज ने थोड़े रूखे अंदाज़ में कहा। 'मुझे ख़ुशी है कि नाइट बस ने हैरी को बैठा लिया। बहरहाल, हाल-फ़िलहाल मुझे उसे *रिसती कड़ाही* में ले जाना है ...'

फ़ज ने हैरी के कंधे पर दबाव बढ़ा दिया और उसे बियर बार के भीतर ले जाने लगे। बार के पीछे से एक झुकी आकृति लालटेन हाथ में लेकर बाहर आई। यह आकृति बियर बार के मालिक टॉम की थी, जिसके चेहरे पर झुर्रियाँ थीं और मुँह में दाँत नहीं थे।

टॉम ने कहा, 'आपको वह मिल गया, मंत्री महोदय! क्या आपको कुछ चाहिए? बियर? ब्रांडी?'

'शायद चाय,' फ़ज ने कहा, जिन्होंने अब भी हैरी को पकड़ रखा था।

उन्हें अपने पीछे किसी चीज़ के घसीटने और पटकने की तेज़ आवाज आई। स्टैन और अर्न भी बियर बार में आ गए थे। वे हैरी का संदूक और हेडविग का पिंजरा उठाकर लाए थे तथा रोमांचित होकर चारों तरफ़ देख रहे थे।

स्टैन ने हँसते हुए हैरी से पूछा, 'तुमने हमें यह क्यों नहीं बताया कि तुम कौन हो, अह, नेविल?' अर्नी की उल्लू जैसी आँखें स्टैन के कंधे के ऊपर से दिलचस्पी से देखती रहीं।

'और एक *प्राइवेट* पार्लर भी, टॉम,' फ़ज ने चिढ़कर कहा।

जब टॉम ने फ़ज को बार से दूर वाले गलियारे की तरफ़ आने का इशारा किया, तो हैरी ने स्टैन और अर्न से दुखी स्वर में कहा, 'बाय-बाय।'

'बाय-बाय, नेविल!' स्टैन बोला।

फ़ज हैरी के साथ टॉम की लालटेन के पीछे चलते गए। वे सँकरे गलियारे से होते हुए एक छोटे पार्लर में पहुँच गए। टॉम ने अपनी उँगलियों से चुटकी बजाई, जिससे तत्काल अँगीठी में आग जल गई। इसके बाद टॉम ने सलाम करते हुए सिर झुकाया और बाहर चला गया।

फ़ज ने आग के पास वाली कुर्सी की तरफ़ इशारा करते हुए कहा, 'बैठ जाओ, हैरी।'

हैरी बैठ गया। आग की गर्मी के बावज़ूद उसे महसूस हुआ जैसे उसकी बाँहें अकड़ी हुई थीं। फ़ज ने अपने धारीदार चोगे को उतारकर एक तरफ़ रख दिया। इसके बाद वे अपने हरे सूट के पैंट को ऊपर खिसकाते हुए हैरी के सामने बैठ गए।

'मैं जादू मंत्री कॉर्नेलियस फ़ज हूँ, हैरी।'

हैरी यह बात पहले से जानता था। उसने फ़ज को एक बार पहले भी देखा था, लेकिन उस समय वह अपने पिता का अदृश्य चोगा पहने था, इसलिए फ़ज को पता नहीं चला था।

सराय का मालिक टॉम दोबारा नज़र आया। उसने अपनी नाइटशर्ट के ऊपर एक एप्रन पहन रखा था और उसके हाथ में चाय की ट्रे तथा ब्रैड स्लाइस थे। उसने फ़ज और हैरी के बीच की टेबल पर ट्रे रख दी। फिर पार्लर से बाहर जाते समय उसने दरवाज़ा बंद कर दिया।

'तो, हैरी,' फ़ज ने कप में चाय डालते हुए कहा, 'मुझे यह कहने में कोई संकोच नहीं है कि तुमने हम सबको बहुत परेशानी में डाल दिया था। इस तरह अपने अंकल-आंटी के घर से भागना बहुत ग़ैर-ज़िम्मेदाराना काम था! मैं तो यह सोचने लगा था ... लेकिन तुम सुरक्षित हो और यही सबसे बड़ी बात है।'

फ़ज ने अपनी ब्रैड पर बटर लगाया और हैरी की तरफ़ प्लेट बढ़ा दी।

'खाओ हैरी, तुम कमज़ोर दिख रहे हो ... तुम्हें यह सुनकर ख़ुशी होगी कि हम मिस मार्जरी डर्स्ली के फूलने की दुर्भाग्यपूर्ण घटना से निबट चुके हैं। हमने जादुई दुर्घटना बचाव विभाग के दो आदमी कुछ घंटे पहले प्रिविट ड्राइव भेजे। उन्होंने मिस डर्स्ली की सारी हवा निकाल दी और उनकी याददाश्त भी सुधार दी। अब इस घटना के बारे में उन्हें कुछ भी याद नहीं रहेगा। तो इस तरह बात ख़त्म हुई हैरी और किसी को कोई नुक़सान नहीं हुआ।'

फ़ज अपने चाय के कप के ऊपर से हैरी की तरफ़ देखकर मुस्कराए। वे उसे ऐसे देख रहे थे, जैसे कोई अंकल अपने प्रिय भतीजे को देख रहा हो। हैरी को अपने कानों पर यक़ीन नहीं हो रहा था। उसने बोलने के लिए अपना मुँह खोला, लेकिन उसे समझ में नहीं आया कि वह क्या बोले, इसलिए उसने मुँह बंद कर लिया।

'और अगर तुम अपने अंकल-आंटी की प्रतिक्रिया के बारे में चिंता कर रहे हो,' फ़ज ने कहा, 'तो मैं इस बात से इंकार नहीं करूँगा कि वे बहुत नाराज़ थे, लेकिन अगली गर्मी की छुट्टियों में वे तुम्हें अपने घर पर रखने के लिए तैयार हैं, बशर्ते तुम क्रिसमस और ईस्टर की छुट्टियों में हॉगवर्ट्स में रहो।'

हैरी ने अपने बंद मुँह को खोलते हुए कहा,

'मैं क्रिसमस और ईस्टर की छुट्टियों में *हमेशा* हॉगवर्ट्स में ही रहता हूँ। और मैं कभी प्रिविट ड्राइव वापस नहीं जाना चाहता।'

'अरे, अरे, मुझे विश्वास है कि जब तुम्हारा ग़ुस्सा ठंडा हो जाएगा, तो तुम्हारे विचार अलग होंगे,' फ़ज चिंतित अंदाज़ में बोले। 'आख़िर तुम सब एक ही परिवार के हो। मुझे विश्वास है कि तुम सब दिल की गहराई में एक-दूसरे से प्रेम करते हो।'

हैरी ने फ़ज की ग़लत राय को सुधारने की कोशिश नहीं की। वह अब भी यह सुनने का इंतज़ार कर रहा था कि उसके साथ क्या होगा।

फ़ज ने एक और ब्रैड स्लाइस पर बटर लगाते हुए कहा, 'तो अब यही निर्णय लेना है कि तुम अपनी छुट्टियों के आख़िरी दो सप्ताह कहाँ गुज़ारोगे। मेरा सुझाव तो यह है कि तुम *रिसती कड़ाही* में एक कमरा ले लो, और –'

हैरी के मुँह से अचानक निकल पड़ा, 'ज़रा ठहरिए, मेरी सज़ा का क्या हुआ ?'

फ़ज ने पलकें झपकाईं।

'सज़ा ?'

'मैंने कानून तोड़ा है!' हैरी बोला। 'मैंने नाबालिग़ जादूगरों के नियमों को तोड़ा है!'

'मेरे प्यारे बच्चे, हम तुम्हें इतनी छोटी सी बात के लिए सज़ा कैसे दे सकते हैं!' फ़ज ने ज़ोर से कहा और वे बेचैनी से अपनी ब्रैड स्लाइस को हिलाने लगे। 'वह तो एक दुर्घटना थी! अपनी आंटियों को फुलाने के ज़ुर्म में मंत्रालय किसी को अज़्काबान नहीं भेजता है!'

लेकिन यह बात हैरी को हज़म नहीं हुई। जादू मंत्रालय के साथ उसके

पुराने अनुभव तो अलग ही क़िस्म के थे।

हैरी ने त्योरियाँ चढ़ाकर कहा, 'पिछले साल एक घरेलू जिन्न ने मेरे अंकल के घर में एक पुडिंग गिरा दी थी! मुझे इतनी सी बात के लिए जादू मंत्रालय ने चेतावनी दे दी थी, जबकि वह अपराध मैंने किया ही नहीं था। चेतावनी में जादू मंत्रालय ने यह लिखा था कि अगर अब उस घर में कोई जादू हुआ, तो मुझे हॉगवर्ट्स से निकाल दिया जाएगा!'

अगर हैरी की आँखें उसे धोखा नहीं दे रही थीं, तो फ़ज अचानक परेशान दिखने लगे।

'परिस्थितियाँ बदलती हैं, हैरी ... हमें बहुत सी चीज़ों का ध्यान रखना पड़ता है ... वर्तमान माहौल में ... वैसे निश्चित रूप से तुम तो यह नहीं *चाहोगे* कि तुम्हें स्कूल से निकाल दिया जाए?'

'बिलकुल नहीं,' हैरी बोला।

'तो फिर इतने परेशान क्यों हो?' फ़ज हँसे। 'अब हैरी, एक ब्रेड स्लाइस खाओ। जब तक मैं बाहर जाकर पता लगाता हूँ कि क्या टॉम तुम्हारे लिए किसी कमरे का इंतज़ाम कर सकता है।'

फ़ज पार्लर से बाहर निकले और हैरी दरवाज़े को घूरता रहा। कोई बहुत अजीब चीज़ हो रही थी। अगर फ़ज उसे उसके अपराध की सज़ा नहीं देना चाहते थे, तो वे *रिसती कड़ाही* में उसका इंतज़ार क्यों कर रहे थे? और फिर हैरी के मन में यह विचार भी आया कि निश्चित रूप से नाबालिग़ जादूगरी जैसे छोटे मामले में जादू मंत्री दख़ल क्यों देंगे?

फ़ज जब लौटे, तो बियर बार का मालिक टॉम भी उनके साथ था।

फ़ज ने कहा, 'कमरा नंबर ग्यारह ख़ाली है, हैरी। मुझे लगता है कि तुम बहुत आराम से रहोगे। बस एक और बात। मुझे यक़ीन है कि तुम समझ जाओगे : मैं नहीं चाहता कि तुम लंदन में मगलुओं के बीच भटको, ठीक है? छूमंतर गली में ही रहना। और हर रात को अँधेरा होने से पहले *रिसती कड़ाही* में लौट आना। मुझे यक़ीन है कि तुम ख़ुशी-ख़ुशी ऐसा करोगे। वैसे मैंने टॉम से भी तुम पर नज़र रखने को कहा है।'

'**ठीक है**,' हैरी ने धीमे से कहा, 'लेकिन क्यों - ?'

'तुम्हें दोबारा नहीं खोना चाहते हैं, है ना?' फ़ज ने ज़ोर से हँसते हुए कहा। 'नहीं, नहीं ... बेहतर यही रहेगा कि हमें तुम्हारा पता-ठिकाना मालुम हो ... मेरा मतलब है ...'

फ़ज ने ज़ोर से खंखारकर अपना गला साफ़ किया और अपना धारीदार

चोगा उठाया।

'तो मैं चलता हूँ, बहुत काम पड़ा है।'

हैरी ने पूछा, 'क्या आपको ब्लैक को पकड़ने में कोई सफलता मिली है ?'

फ़ज की उँगलियाँ उनके चोगे की सफ़ेद डोरी से फिसल गईं।

'क्या कहा ? अच्छा, तो तुमने सुन लिया है – नहीं, अभी तक तो नहीं, लेकिन यह सिर्फ़ समय की बात है। अज़्काबान के पहरेदार अब तक कभी नाकामयाब नहीं हुए हैं ... और मैंने इससे पहले उन्हें कभी इतने ग़ुस्से में नहीं देखा है।'

फ़ज को थोड़ी कँपकँपी छूट गई।

'तो अब मैं चलता हूँ।'

उन्होंने हाथ बढ़ाकर हैरी से हाथ मिलाया। तभी हैरी के मन में अचानक एक विचार आया।

'मंत्री महोदय ? क्या मैं आपसे कुछ पूछ सकता हूँ ?'

'बिलकुल,' फ़ज मुस्कराते हुए बोले।

'हॉगवर्ट्स के थर्ड ईयर के विद्यार्थियों को हॉग्समीड में घूमने की छूट मिलती है, लेकिन मेरे अंकल-आंटी ने मेरे अनुमति पत्र पर साइन नहीं किए। क्या आप उस पर साइन कर सकते हैं ?'

फ़ज परेशान दिखने लगे।

उन्होंने कहा, 'नहीं, नहीं। मुझे बहुत अफ़सोस है हैरी, लेकिन चूँकि मैं तुम्हारा पालक या अभिभावक नहीं हूँ –'

'लेकिन आप जादू मंत्री हैं,' हैरी ने उत्साह से कहा। 'अगर आप अनुमति दे दें –'

'नहीं, मुझे अफ़सोस है हैरी, नियम आख़िर नियम होते हैं,' फ़ज ने सीधे से कह दिया। 'हॉग्समीड में तुम अगले साल घूम सकते हो। दरअसल मुझे लगता है कि सबसे अच्छा यही रहेगा कि तुम वहाँ न जाओ ... हाँ ... अच्छा, तो मैं चलता हूँ। यहाँ मज़े से रहो, हैरी।'

आख़िरी बार मुस्कराने और हैरी से हाथ मिलाने के बाद फ़ज कमरे से बाहर चले गए। टॉम अब आगे आया और हैरी की तरफ़ देखकर मुस्कराया।

'मिस्टर पॉटर, मेरे पीछे आइए,' उसने कहा। 'मैंने पहले ही आपका सारा सामान आपके कमरे में पहुँचा दिया है ...'

हैरी टॉम के पीछे-पीछे लकड़ी की सुंदर सीढ़ियाँ चढ़कर एक दरवाज़े तक

पहुँचा, जिस पर पीतल वाला ग्यारह का अंक लगा था। टॉम ने ताला खोलकर दरवाज़ा खोल दिया।

अंदर एक बहुत ही आरामदेह बिस्तर था, बलूत की लकड़ी का सुंदर फ़र्नीचर था, बेहतरीन आग जल रही थी और अलमारी के ऊपर बैठी थी –

'हेडविग!' हैरी चिल्लाया।

सफ़ेद उल्लू ने चोंच खोलकर आवाज़ निकाली और तत्काल उड़कर हैरी की बाँह पर बैठ गई।

'आपकी उल्लू बहुत समझदार है,' टॉम बोला। 'आपके आने के पाँच मिनट बाद ही यहाँ आ गई थी। मिस्टर पॉटर, अगर आपको किसी चीज़ की ज़रूरत हो, तो बेझिझक माँग लेना।'

वह एक बार फिर सलाम करके वहाँ से चला गया।

हैरी काफ़ी समय तक अपने बिस्तर पर बैठा रहा और हेडविग को थपथपाता रहा। खिड़की के बाहर आसमान तेज़ी से रंग बदल रहा था। गहरा मखमली नीला आसमान पहले तो ठंडे स्टील की तरह धूसर हुआ, फिर यह धीरे से गुलाबी हुआ और अंत में सुनहरा हो गया। हैरी को यक़ीन ही नहीं हो रहा था कि वह कुछ ही घंटे पहले प्रिविट ड्राइव के घर को छोड़कर बाहर निकला था, उसे स्कूल से नहीं निकाला गया था और अब उसके सामने दो पूरे सप्ताह थे, जिन पर डर्स्ली परिवार की छाया तक नहीं पड़ेगी।

उसने उबासी लेते हुए कहा, 'आज की रात बहुत अजीब थी, हेडविग।'

फिर अपने चश्मे को उतारे बिना उसने अपना सिर तकिए पर टिका दिया और सो गया।

अध्याय चार

रिसती कड़ाही

अब हैरी पर कोई बंधन नहीं था। लेकिन उसे इसकी आदत पड़ने में कई दिन लग गए। इससे पहले ऐसा कभी नहीं हुआ था कि वह अपनी मर्ज़ी से जब चाहे तब सोकर उठ सकता था या जो चाहे खा सकता था। यहाँ तक कि वह अपनी मनचाही जगह जा सकता था, बशर्ते वह जगह छूमंतर गली में हो। और चूँकि यह लंबी घुमावदार सड़क दुनिया की जादूगरी की सबसे आकर्षक दुकानों से भरी पड़ी थी, इसलिए हैरी के मन में यह इच्छा ही नहीं हुई कि वह फ़ज से किया वादा तोड़े और मगलू दुनिया में वापस लौटे।

हैरी हर सुबह *रिसती कड़ाही* में नाश्ता करता था, जहाँ उसे दूसरे मेहमानों को देखना अच्छा लगता था : शॉपिंग करने आईं नाटी जादूगरनियाँ, *रूपांतरण आज* में प्रकाशित नवीनतम लेख पर बहस करने वाले सम्मानित जादूगर, अजीब से दिखने वोल बूढ़े जादूगर, कर्कश आवाज़ में बोलते बौने... और एक बार तो उसे मोटी ऊनी टोपी पहने एक ऐसी महिला दिखी, जिसके बारे में उसे शक था कि वह डायन होगी... उसने प्लेट भर ताज़े लिवर का ऑर्डर दिया था।

नाश्ते के बाद हैरी पीछे वाले अहाते में जाता था, अपनी छड़ी बाहर निकालता था, कूड़ेदान के ऊपर बाईं तरफ़ की तीसरी ईंट को ठोंकता था और फिर पीछे हटकर दीवार में छूमंतर गली के प्रवेशद्वार को खुलते देखता था।

हैरी दिन भर दुकानों का सामान देखता था और रेस्तराँओं में सामने लगे रंगीन छातों के नीचे भोजन करता था, जहाँ बाक़ी ग्राहक एक-दूसरे को अपना ख़रीदा हुआ सामान दिखाते थे ('यह चंद्रदर्शक यंत्र है – अब चंद्रमा के चार्ट बनाने की ज़रूरत नहीं पड़ेगी।') या वे सिरियस ब्लैक के बारे में बातचीत करते थे ('मैं अपने बच्चों को अकेले बाहर नहीं जाने दूँगा, जब तक कि उसे पकड़कर

वापस अज़्काबान नहीं भेज दिया जाता')। हैरी को अब कंबल के नीचे छिपकर टॉर्च की रोशनी में होमवर्क करने की ज़रूरत नहीं थी। अब वह फ़्लोरियन फ़ोर्टेस्क्यू के आइसक्रीम पार्लर के बाहर सूरज की रोशनी में बैठकर अपने निबंध लिखता था। इस काम में कभी-कभार फ़्लोरियन फ़ोर्टेस्क्यू ख़ुद उसकी मदद कर देता था। मध्ययुगीन जादूगरनियों को जलाने के बारे में उसे काफ़ी ज्ञान था और इसके अलावा वह हैरी को हर आधा घंटे बाद मुफ़्त में आइसक्रीम भी खिलाता था।

एक बार हैरी जादूगरों के बैंक ग्रिनगॉट में भी गया। वहाँ उसने अपनी तिजोरी से सोने के गैलियन, चाँदी के सिकल और काँसे के नट निकालकर अपने पर्स में भर लिए। इसके बाद उसे ख़ुद पर बहुत संयम रखना पड़ा, ताकि वह कहीं तत्काल अपने सारे पैसे ख़र्च न कर दे। उसे ख़ुद को बार-बार यह याद दिलाना पड़ा कि अभी उसे हॉगवर्ट्स में पाँच साल और पढ़ना है। और यह भी, कि डर्स्ली दंपति से मंत्रों की किताबों के लिए पैसे माँगते समय उसे कैसा लगेगा। इन विचारों के कारण ही उसने ठोस सोने का पिशाच-पत्थर नहीं ख़रीदा (मार्बल्स की तरह का जादूगरी का खेल, जिसमें पॉइंट हारने के बाद पत्थर सामने वाले खिलाड़ी के मुँह पर एक बदबूदार द्रव छिड़क देते थे)। उसने काँच की आकाशगंगा का एक बेहतरीन घूमता मॉडल देखा, जिसे ख़रीदने की उसकी बहुत इच्छा हुई। इसे ख़रीदने का अर्थ यह था कि उसे कभी खगोलशास्त्र की कक्षा में नहीं जाना पड़ेगा। लेकिन जिस चीज़ ने हैरी के संकल्प की असली परीक्षा ली, वह उसे *रिसती कड़ाही* में आने के एक हफ़्ते बाद अपनी प्रिय दुकान *क्वालिटी क्विडिच सप्लाइज़* में नज़र आई।

दुकान के सामने भीड़ लगी थी और लोग अंदर रखी किसी चीज़ को देख रहे थे। हैरी के मन में यह जानने की जिज्ञासा हुई कि वे क्या देख रहे हैं। फिर रोमांचित जादूगरों और जादूगरनियों के बीच से जगह बनाते हुए वह दुकान के काँच के पास पहुँचा। वहाँ उसे नई चौकी पर एक बहुत सुंदर झाड़ू दिखी। उसने इतनी सुंदर झाड़ू पहले कभी नहीं देखी थी।

'अभी-अभी आई है ... बिलकुल नया मॉडल ...' एक चौकोर जबड़े वाला जादूगर अपने साथी को बता रहा था।

'यह दुनिया की सबसे तेज़ झाड़ू है, है ना डैडी ?' एक बच्चे ने अपने पिता से पूछा। वह बच्चा उम्र में हैरी से छोटा था और अपने पिता की बाँह पर लटका हुआ था।

'आयरलैंड की अंतर्राष्ट्रीय टीम ने हाल ही में इन सात सुंदर झाड़ुओं का ऑर्डर दिया है!' दुकान के मालिक ने भीड़ को बताया। 'और इस टीम को वर्ल्ड

कप का संभावित दावेदार माना जाता है!'

हैरी के सामने खड़ी एक बड़ी जादूगरनी हट गई। अब हैरी झाड़ू के पास लगे साइनबोर्ड के शब्द पढ़ सकता था :

फ़ायरबोल्ट

इस तेज़ रफ़्तार और शानदार झाड़ू के मज़बूत हैंडल में हीरे की तरह कठोर पॉलिश है। हर झाड़ू का रजिस्ट्रेशन नंबर उस पर लिखा हुआ है। इस झाड़ू की पूँछ में लगी हर टहनी को पूरी सावधानी से चुना गया है और अधिकतम वायु-गति के अनुकूल आदर्श ढंग से तराशा गया है, इसलिए फ़ायरबोल्ट का संतुलन आदर्श और सटीक है। यह सिर्फ़ दस सेकंड में 0 से 150 मील प्रति घंटे की रफ़्तार पकड़ लेती है। इसके अलावा इसमें ब्रेक लगाने का अटूट मंत्र भी है। क़ीमत आग्रह पर।

क़ीमत आग्रह पर ... फ़ायरबोल्ट कितनी महँगी होगी, हैरी को यह सोचना अच्छा नहीं लगा। उसके मन में इसे ख़रीदने की जितनी इच्छा थी, उतनी ज़िंदगी में कभी किसी चीज़ को ख़रीदने की नहीं हुई थी। लेकिन फिर उसने यह सोचकर ख़ुद को तसल्ली दी कि वह अपनी निम्बस 2000 पर एक भी क्विडिच मैच नहीं हारा था और जब उसके पास पहले से ही एक अच्छी झाड़ू है, तो फ़ायरबोल्ट के लिए ग्रिनगॉट की अपनी तिजोरी ख़ाली करने का क्या मतलब है ? हैरी ने क़ीमत नहीं पूछी, लेकिन वह सिर्फ़ फ़ायरबोल्ट को देखने के लिए हर दिन वहाँ आता रहा।

बहरहाल, हैरी को कुछ चीज़ें अनिवार्य रूप से ख़रीदनी थीं। उसने औषधियों की दुकान में जाकर जादुई काढ़े की सामग्री ख़रीदी। उसके स्कूल के दुशाले भी अब कुछ इंच छोटे हो गए थे, इसलिए वह नए दुशाले ख़रीदने के लिए उस दुकान में गया, जिस पर लिखा था : *मैडम मैल्किन के दुशाले – हर मौक़े के लिए।* इन सबसे महत्त्वपूर्ण बात तो यह थी उसे अपनी नई पुस्तकें ख़रीदनी थीं, जिनमें दो नए विषयों *जादुई प्राणियों की देखभाल* और *ज्योतिष शास्त्र* की पुस्तकें शामिल थीं।

पुस्तकों की दुकान की खिड़की से अंदर झाँकने पर हैरी हैरान रह गया। आम तौर पर वहाँ सुनहरी जिल्द वाली मंत्रों की मोटी किताबें रखी रहती थीं।

लेकिन इनके बजाय अब काँच के पीछे लोहे का एक बड़ा पिंजरा रखा था, जिसमें *भयानक जानवरों की भयानक किताब* की लगभग सौ प्रतियाँ थीं। ये किताबें आपस में झगड़ रही थीं, कुश्ती लड़ रही थीं और ग़ुस्से से एक-दूसरे पर वार कर रही थीं। उनके फटे हुए पन्ने हर तरफ़ उड़ रहे थे।

हैरी ने जेब से अपनी पुस्तकों की सूची निकाली और उसे पहली बार ग़ौर से देखा। *भयानक जानवरों की भयानक किताब* जादुई प्राणियों की देखभाल विषय के पाठ्यक्रम में थी। अब हैरी को यह समझ में आया कि हैग्रिड ने यह क्यों कहा था कि यह काम आएगी। उसे राहत का एहसास हुआ। इससे पहले वह सोच रहा था कि कहीं हैग्रिड ने कोई भयानक जानवर तो नहीं पाल लिया है, जिसकी देखभाल में वह उसकी मदद चाहता हो।

जब हैरी *फ़्लरिश एंड ब्लॉट्स* में घुसा, तो मैनेजर जल्दी से उसकी तरफ़ आया।

'हॉगवर्ट्स ?' उसने तत्काल पूछा। 'नई पुस्तकें लेने आए हो ?'

'हाँ,' हैरी ने कहा। 'मुझे ये पुस्तकें चाहिए –'

'रास्ते से हट जाओ,' मैनेजर ने बेचैनी से कहा और हैरी को एक तरफ़ कर दिया। फिर उसने बहुत मोटे ग्लव्ज़ निकाले, एक बड़ी गूमड़दार छड़ी उठाई और *भयानक किताब* वाले पिंजरे के दरवाज़े की तरफ़ बढ़ा।

'ज़रा ठहरिए,' हैरी तत्काल बोला। 'यह पुस्तक तो मेरे पास पहले से ही है।'

'अच्छा ?' मैनेजर के चेहरे पर बहुत राहत का भाव आ गया। 'ईश्वर को लाख-लाख धन्यवाद। आज ही यह पुस्तक मुझे पाँच बार काट चुकी है –'

पन्ने फटने की एक तेज़ आवाज़ सुनाई दी। *भयानक किताब* की दो प्रतियों ने तीसरी को पकड़ लिया था और उसके चिथड़े उड़ा रही थीं।

'लड़ाई बंद करो! लड़ाई बंद करो!' मैनेजर चीख़ा और पिंजरे की छड़ों के बीच से छड़ी डालकर पुस्तकों को अलग करने लगा। 'मैं अब इन्हें अपनी दुकान में कभी नहीं रखूँगा, कभी नहीं! इन्होंने तो तूफ़ान मचा रखा है! मुझे लगता था कि हमारा सबसे बुरा हाल तब हुआ था, जब हमने *अदृश्यता की अदृश्य पुस्तक* की दो सौ प्रतियाँ ख़रीदी थीं। उन्हें ख़रीदने में बहुत पैसे लगे थे, लेकिन हम उन्हें कभी खोज ही नहीं पाए, क्योंकि वे सचमुच अदृश्य थीं ... तो, आपको और कौन सी पुस्तकें चाहिए ?'

हैरी ने अपनी पुस्तकों की सूची देखते हुए कहा, 'मुझे कैसेन्ड्रा वाब्लाट्स्की की *भविष्य का ख़ुलासा* चाहिए।'

'अच्छा, *ज्योतिष शास्त्र* पढ़ने वाले हो ?' मैनेजर ने अपने ग्लव्ज़ उतारते हुए कहा। फिर वह हैरी को दुकान में पीछे की तरफ़ ले गया, जहाँ एक पूरा कोना ज्योतिष शास्त्र की पुस्तकों के लिए ही था। एक छोटी टेबल पर इस तरह की पुस्तकें रखी थीं : *अबूझ भविष्य की सटीक भविष्यवाणी : अप्रत्याशित आघातों और दुर्भाग्य से अपनी रक्षा करें* तथा *टूटा आईना : जब बदक़िस्मती हाथ धोकर आपके पीछे पड़ जाए।*

मैनेजर ने दो पायदान चढ़कर काली जिल्द वाली एक मोटी पुस्तक निकालते हुए कहा, '*यह लो भविष्य का ख़ुलासा।* ज्योतिष की सभी मूलभूत शाखाओं की बहुत अच्छी मार्गदर्शिका – हस्तरेखा, भाग्य-दर्पण, पक्षियों की आँतें ...'

लेकिन हैरी का ध्यान उसकी तरफ़ नहीं था। उसकी निगाह तो पास की टेबल पर रखी पुस्तक पर थी : *मौत के अपशकुन : जब आप जान लें कि अंत सामने है, तो क्या करें।*

मैनेजर के सहायक ने जब हैरी को वह पुस्तक घूरते देखा, तो वह मज़ाक़ में बोला, 'अगर मैं तुम्हारी जगह होता, तो इसे नहीं पढ़ता। इसे पढ़ने के बाद तुम्हें हर जगह मौत के अपशकुन दिखने लगेंगे। मौत भले ही मीलों दूर हो, लेकिन इसे पढ़ने के बाद आदमी दहशत से ही मर जाएगा।'

इसके बावज़ूद हैरी इस पुस्तक के कवर को घूरता रहा। उसमें भालू जितना बड़ा काला कुत्ता था, जिसकी आँखें चमक रही थीं। वह उसे जाना-पहचाना लग रहा था ...

सहायक ने हैरी को *भविष्य का ख़ुलासा* पकड़ा दी।

उसने पूछा, 'और कुछ ?'

हैरी ने अपनी निगाह कुत्ते पर से हटाई और अपनी पुस्तकों की सूची देखते हुए कहा, 'हाँ, मुझे *माध्यमिक रूपांतरण* और *मंत्रों की मानक किताब, भाग तीन* चाहिए।'

दस मिनट बाद जब हैरी *फ़्लरिश एंड ब्लॉट्स* से बाहर निकला, तो उसके हाथ में उसकी नई पुस्तकें थीं। *रिसती कड़ाही* की तरफ़ जाते समय उसे यह होश ही नहीं था कि वह कहाँ जा रहा है। नतीजा यह हुआ कि वह रास्ते में कई लोगों से टकरा गया।

रिसती कड़ाही में पहुँचने के बाद हैरी सीढ़ियों पर चढ़ा, अपने कमरे में गया और किताबों को बिस्तर पर डाल दिया। किसी ने आकर कमरा साफ़ कर दिया था और खिड़कियाँ खोल दी थीं, जिनमें से सूरज की रोशनी अंदर आ रही थी। हैरी को मगलुओं की सड़क तो नहीं दिख रही थी, लेकिन उसे उस पर

आती-जाती बसों की आवाज़ें सुनाई दे रही थीं। इसके अलावा उसे *रिसती कड़ाही* के ग्राहकों की आवाज़ें भी सुनाई दे रही थीं। उसने वॉश बेसिन के ऊपर लगे आईने में ख़ुद को देखा।

उसने अपने प्रतिबिंब से साहस के साथ कहा, 'वह मौत का अपशकुन नहीं हो सकता। जब मैंने मैग्नोलिया क्रेसेन्ट में उस चीज़ को देखा था, उस समय मैं डरा हुआ था। वह शायद कोई आवारा कुत्ता रहा होगा ...'

फिर वह अपने बालों को जमाने की कोशिश करने लगा।

आईना घरघराती आवाज़ में बोला, 'बच्चे तुम यह लड़ाई नहीं जीत सकते।'

*

दिन गुज़रते गए। अब हैरी जहाँ भी जाता था, रॉन या हर्माइनी की तलाश करता था। स्कूल जाने की तारीख़ पास आ रही थी, इसलिए *रिसती कड़ाही* में हॉगवर्ट्स के बहुत से विद्यार्थी दिखने लगे थे। *क्वालिटी क्विडिच सप्लाइज़* में हैरी सीमस फ़िनिगन और डीन थॉमस से मिला, जो गरुड़द्वार में ही थे। वे भी फ़ायरबोल्ट को हसरत से देख रहे थे। *फ़्लरिश एंड ब्लॉट्स* के बाहर हैरी को नेविल लॉंगबॉटम भी दिखा, जो गोल चेहरे वाला भुलक्कड़ बच्चा था। हैरी ने उससे बात नहीं की। ऐसा लगता था, जैसे नेविल ने अपनी पुस्तकों की सूची ग़ुमा दी थी और उसकी कड़क दिखने वाली दादी उसे डाँट रही थीं। हैरी ने सोचा, काश उन्हें यह कभी पता न चले कि जादू मंत्रालय से भागते समय उसने नेविल बनने का नाटक किया था।

छुट्टियों के आख़िरी दिन हैरी यह सोचकर जागा कि कल तो रॉन और हर्माइनी उसे हॉगवर्ट्स एक्सप्रेस में मिल ही जाएँगे। कपड़े पहनकर वह आख़िरी बार फ़ायरबोल्ट को देखने गया। अभी वह यह सोच ही रहा था कि वह लंच कहाँ करे, तभी किसी ने उसका नाम लिया और उसने पलटकर देखा।

'हैरी! **हैरी!**'

रॉन और हर्माइनी दोनों ही फ़्लोरियन फ़ोर्टेस्क्यू के आइसक्रीम पार्लर के बाहर बैठे थे। रॉन बहुत चकत्तेदार दिख रहा था और हर्माइनी बहुत भूरी। दोनों ही उसकी तरफ़ तेज़ी से हाथ हिला रहे थे।

जब हैरी उनके पास बैठा, तो रॉन ने मुस्कराते हुए उससे कहा, 'आख़िर तुम मिल ही गए! हम लोग जब *रिसती कड़ाही* में गए, तो वहाँ पता चला कि तुम बाहर घूमने गए हो। फिर हम तुम्हें खोजने के लिए *फ़्लरिश एंड ब्लॉट्स* में गए और इसके बाद मैडम मैल्किन की दुकान में, और –'

हैरी ने कहा, 'मैंने पिछले हफ़्ते ही स्कूल का सारा सामान ले लिया था। और तुम्हें कैसे पता चला कि मैं *रिसती कड़ाही* में रुका हूँ ?'

रॉन बोला, 'डैडी ने बताया था।'

जादू मंत्रालय में काम करने वाले मिस्टर वीज़्ली को निश्चित रूप से मार्ज आंटी वाली पूरी कहानी मालूम होगी।

हर्माइनी ने बहुत गंभीर आवाज़ में पूछा, 'क्या तुमने *सचमुच* अपनी आंटी को फुला दिया था, हैरी ?'

हैरी ने कहा, 'मेरा ऐसा इरादा नहीं था।' यह सुनकर रॉन हँसी के मारे दोहरा हो गया। हैरी ने आगे कहा 'मुझे तो बस ग़ुस्सा आ गया था।'

हर्माइनी ने झिड़कते हुए कहा, 'यह हँसी की बात नहीं है, रॉन। सच्ची, मैं तो हैरान हूँ कि हैरी को स्कूल से नहीं निकाला गया।'

'मैं भी,' हैरी ने स्वीकार किया। 'स्कूल से निकालने की बात तो छोड़ो, मुझे तो लग रहा था कि मुझे गिरफ़्तार कर लिया जाएगा।' उसने रॉन की तरफ़ देखा। 'क्या तुम्हारे डैडी को मालूम है कि फ़ज ने मुझे क्यों छोड़ दिया ?'

'शायद इसलिए, क्योंकि यह काम तुमने किया था, है ना ?' रॉन ने हँसते हुए कंधे उचकाए। 'मशहूर हैरी पॉटर! अगर मैंने अपनी आंटी के साथ ऐसा किया होता, तो मंत्रालय *मेरा* बहुत बुरा हाल करता। वैसे इतना बता दूँ कि उन्हें मुझे क़ब्र में से निकालना पड़ता, क्योंकि मम्मी मुझे पहले ही मार डालतीं। बहरहाल, तुम आज शाम को डैडी से ख़ुद ही सब कुछ पूछ लेना। हम भी आज रात को *रिसती कड़ाही* में ही रुकेंगे! इसलिए तुम कल हमारे साथ किंग्स क्रॉस स्टेशन चल सकते हो! हर्माइनी भी यहीं रुक रही है!'

हर्माइनी ने हँसते हुए सिर हिलाया, 'मम्मी-डैडी आज सुबह हॉगवर्ट्स के मेरे पूरे सामान के साथ मुझे यहाँ छोड़ गए हैं।'

हैरी ने ख़ुश होकर कहा, 'बहुत बढ़िया! तो क्या तुमने नई पुस्तकें और बाक़ी सामान ख़रीद लिया ?'

'इधर देखो,' रॉन ने बैग में से एक लंबा, पतला डिब्बा बाहर निकालकर उसे खोला। 'बिलकुल नई छड़ी। चौदह इंच की, विलो लकड़ी की। इसमें यूनिकॉर्न की पूँछ का बाल है। और हमने अपनी सारी पुस्तकें भी ख़रीद ली हैं,' उसने अपनी कुर्सी के नीचे रखे बड़े बैग की तरफ़ इशारा किया। '*भयानक किताब* के बारे में मज़ेदार बात सुनो। जब हमने दुकान में कहा कि हमें *भयानक किताब* की दो प्रतियाँ चाहिए, तो दुकान वाला लगभग रो पड़ा।'

'उन सबमें क्या है, हर्माइनी ?' हैरी ने हर्माइनी की कुर्सी के पास रखे एक

नहीं, बल्कि तीन भारी-भरकम बैगों की तरफ़ इशारा करते हुए पूछा।

हर्माइनी बोली, 'मैं तुम लोगों से ज़्यादा विषय ले रही हूँ। उन बैगों में *जादुई प्राणियों की देखभाल, अंकों के जादुई महत्व का ऐतिहासिक अध्ययन, ज्योतिष शास्त्र, पुरातन लिपियों का अध्ययन, मगलुओं का अध्ययन* की पुस्तकें हैं –'

'तुम मगलुओं का अध्ययन विषय क्यों ले रही हो?' रॉन ने हैरी की तरफ़ नज़रें घुमाते हुए हर्माइनी से पूछा। 'तुम तो मगलुओं के घर पैदा हुई हो! तुम्हारे मम्मी-डैडी मगलू हैं! तुम पहले से ही मगलुओं के बारे में सब कुछ जानती हो!'

'मुझे लगता है, जादूगरों के दृष्टिकोण से मगलुओं का अध्ययन करना बहुत दिलचस्प रहेगा,' हर्माइनी ने गंभीरता से जवाब दिया।

हैरी ने पूछा, 'क्या इस साल तुम्हारा खाने या सोने का कोई इरादा नहीं है, हर्माइनी?' रॉन हँस पड़ा। हर्माइनी ने इस बात पर ध्यान नहीं दिया।

इसके बाद वह अपने पर्स को देखते हुए बोली, 'मेरे पास भी दस गैलियन बचे हैं। मेरा जन्मदिन सितंबर में है और मम्मी-डैडी ने मुझे कुछ पैसे दिए हैं, ताकि मैं अपने जन्मदिन का तोहफ़ा थोड़ा जल्दी ख़रीद लूँ।'

रॉन ने मासूमियत से कहा, 'एक अच्छी *किताब* कैसी रहेगी?'

हर्माइनी शांत स्वर में बोली, 'नहीं, मुझे ऐसा नहीं लगता। मुझे दरअसल एक उल्लू चाहिए। मेरा मतलब है, हैरी के पास हेडविग है और तुम्हारे पास एरल है –'

'एरल मेरा नहीं, मेरे परिवार का उल्लू है,' रॉन बोला। 'मेरे पास तो सिर्फ़ स्कैबर्स है।' उसने अपने पालतू चूहे को जेब से बाहर निकाला। 'और मैं इसकी जाँच करवाना चाहता हूँ,' यह कहते हुए रॉन ने चूहे को सामने वाली टेबल पर रख दिया। 'मुझे लगता है कि मिस्र की यात्रा में उसकी हालत पतली हो गई है।'

स्कैबर्स पहले से दुबला दिख रहा था और निश्चित रूप से उसकी हालत पतली लग रही थी। उसकी मूँछ के बाल तक झुके हुए थे।

'जादुई जानवरों की दुकान में चलते हैं,' हैरी ने कहा, जो अब तक छूमंतर गली से बहुत अच्छी तरह परिचित हो चुका था। 'वहाँ तुम स्कैबर्स की जाँच करा लेना और हर्माइनी उल्लू ख़रीद लेगी।'

उन्होंने अपनी आइसक्रीम के पैसे दिए और सड़क पार करके जादुई जानवरों की दुकान में गए।

दुकान के अंदर बहुत कम जगह थी। पूरी दीवार में पिंजरे ही पिंजरे भरे थे। अंदर बदबू और शोर-शराबे का माहौल था, क्योंकि पिंजरे में बंद जानवर तरह-तरह की आवाज़ें निकाल रहे थे। काउंटर के पीछे खड़ी जादूगरनी एक जादूगर को दोमुँहे न्यूट्स की देखभाल के बारे में सलाह दे रही थी, इसलिए हैरी, रॉन और हर्माइनी इंतज़ार करते समय पिंजरों की तरफ़ देखने लगे।

दो बहुत बड़े बैंगनी मेंढक मरी हुई मक्खियाँ खा रहे थे। रत्न-जड़ित खोल वाला एक दैत्याकार कछुआ खिड़की के पास चमक रहा था। जहरीले नारंगी घोंघे अपने काँच के टैंक में धीरे-धीरे ऊपर आ रहे थे। एक मोटा सफ़ेद खरगोश आवाज़ करते हुए रेशमी हैट में बदल जाता था और फिर से खरगोश बन जाता था। इसके अलावा वहाँ रंग-बिरंगी बिल्लियाँ थीं, पिंजरे में बंद काले कौए शोर मचा रहे थे, कस्टर्ड के रंग की फ़रबॉल्स की बास्केट थी, जिसमें से तेज़-तेज़ आवाज़ें आ रही थीं। काउंटर पर चिकने काले चूहों का एक बहुत बड़ा पिंजरा रखा था, जिसमें चूहे अपनी लंबी पूँछों का इस्तेमाल करके उछल-कूद कर रहे थे।

जैसे ही दोमुँहे न्यूट्स वाला जादूगर वहाँ से गया, रॉन काउंटर पर पहुँच गया।

उसने जादूगरनी से कहा, 'यह मेरा चूहा है। जब से यह मिस्र से लौटा है, तब से इसकी हालत थोड़ी ख़राब लग रही है।'

जादूगरनी ने अपनी जेब से भारी काला चश्मा निकालते हुए कहा, 'उसे काउंटर पर पटक दो।'

रॉन ने अपनी भीतरी जेब से स्कैबर्स को निकाला और उसे चूहों के पिंजरे के पास रख दिया। अब पिंजरे में बंद चूहों ने उछल-कूदबंद कर दी थी और वे स्कैबर्स को अच्छी तरह से देखने के लिए पास आने की कोशिश में झगड़ रहे थे।

रॉन की लगभग हर चीज़ की तरह ही स्कैबर्स भी सेकंड हैंड था (वह पहले रॉन के भाई पर्सी के पास था)। ख़ास तौर पर पिंजरे के चमचमाते चूहों के आगे वह ख़स्ताहाल दिख रहा था।

जादूगरनी ने स्कैबर्स को ऊपर उठाते हुए कहा, 'इसकी उम्र कितनी है?'

रॉन बोला, 'पता नहीं। काफ़ी होगी। पहले यह मेरे भाई के पास था।'

'इसमें शक्तियाँ हैं?' जादूगरनी ने स्कैबर्स की ग़ौर से जाँच करते हुए पूछा।

'पता नहीं –' रॉन बोला। सच्चाई तो यह थी कि स्कैबर्स ने कभी दिलचस्प शक्तियों का कोई चिन्ह नहीं दिखाया था। जादूगरनी की निगाह स्कैबर्स के दबे हुए बाएँ कान से उसके अगले पंजे तक गई, जिसकी एक उँगली ग़ायब थी। फिर

उसने अफ़सोस करते हुए सिर हिलाया।

उसने कहा, 'इसका समय पूरा हो गया है।'

रॉन ने रक्षात्मक अंदाज़ में कहा, 'कुछ समय पहले तक तो यह वैसा ही था, जैसा पर्सी से लेते वक़्त था।'

'इस तरह के, साधारण चूहे से तीन साल से ज़्यादा ज़िंदा रहने की उम्मीद नहीं करना चाहिए,' जादूगरनी ने कहा। 'अब अगर तुम्हें ज़्यादा समय तक चलने वाला चूहा चाहिए, तो तुम इनमें से कोई चूहा चुन लो ...'

उसने काले चूहों की तरफ़ इशारा किया, जो तत्काल उछलने-कूदने लगे। रॉन बुदबुदाया, 'इतरा रहे हैं।'

'अगर तुम्हें दूसरा चूहा नहीं चाहिए, तो तुम अपने चुहे को यह रैट टॉनिक पिलाकर देख लो,' जादूगरनी ने काउंटर के नीचे से एक छोटी लाल बोतल उठाते हुए कहा।

'**ठीक है**,' रॉन बोला। 'कितने पैसे हुए – **आउच!**'

रॉन पीछे हट गया, क्योंकि एक बड़ी नारंगी सी चीज़ सबसे ऊपर वाले पिंजरे से नीचे कूदकर रॉन के सिर पर आ गिरी थी। कूदते ही वह वहशी अंदाज़ में स्कैबर्स पर झपटी।

'**नहीं, क्रुकशैंक्स, नहीं!**' जादूगरनी चिल्लाई, लेकिन तब तक स्कैबर्स उसके हाथ से साबुन की टिकिया की तरह फिसलकर फ़र्श पर कूद चुका था और दरवाज़े से बाहर निकल चुका था।

रॉन चिल्लाया, 'स्कैबर्स!' स्कैबर्स के पीछे-पीछे उसने भी बाहर दौड़ लगा दी। हैरी भी रॉन के पीछे भागा।

स्कैबर्स को ढूँढ़ने में उन्हें लगभग दस मिनट लग गए। वह क्वालिटी क्विडिच सप्लाइज़ के बाहर रखे कूड़ेदान में छिपा बैठा था। रॉन ने काँपते हुए चूहे को दोबारा अपनी जेब में रखा और अपना सिर मलते हुए खड़ा हुआ।

'वह क्या चीज़ *थी ?*'

'या तो बड़ी बिल्ली थी या फिर एक छोटी शेरनी,' हैरी बोला।

'हर्माइनी कहाँ है ?'

'शायद उल्लू ख़रीद रही होगी।'

वे वापस जादुई जानवरों की दुकान की तरफ़ जाने वाली भीड़ भरी सड़क पर चलने लगे। जब वे दुकान के पास पहुँचे, तो हर्माइनी बाहर निकली, लेकिन उसके हाथ में उल्लू नहीं था। उसकी बाँहों में एक बड़ी बिल्ली थी।

'तुमने इस वहशी बिल्ली को *ख़रीद* लिया?' रॉन का मुँह खुला रह गया।

'*कितनी प्यारी* बिल्ली है, है ना?' हर्माइनी ने उत्साह से कहा।

हैरी ने सोचा, यह तो अपनी-अपनी पसंद है। बिल्ली का फ़र मोटा और रोएँदार था, लेकिन निश्चित रूप से इसका एक पैर थोड़ा मुड़ा था और इसका चेहरा थोड़ा दुचला हुआ लग रहा था, जैसे यह सीधे किसी ईंट की दीवार से टकरा गई हो। चूँकि बिल्ली को स्कैबर्स दिखाई नहीं दे रहा था, इसलिए वह हर्माइनी की बाँहों में आराम से बैठी रही।

रॉन ने कहा, 'हर्माइनी, उसने मेरे सिर पर छलाँग लगाकर मुझे घायल करने की कोशिश की थी!'

हर्माइनी बोली, 'उसका ऐसा कोई इरादा नहीं था, है ना क्रुकशैंक्स?'

'और स्कैबर्स का क्या होगा?' रॉन ने अपनी जेब के उभरे हिस्से की तरफ़ इशारा करते हुए पूछा। 'उसे आराम की ज़रूरत है! अगर तुम्हारी बिल्ली चारों तरफ़ घूमती रहेगी, तो वह आराम कैसे कर पाएगा?'

'इससे मुझे याद आया, तुम अपना रैट टॉनिक भूल आए थे,' हर्माइनी ने रॉन को एक छोटी लाल बोतल देते हुए कहा। 'और *चिंता* मत करो। यह बिल्ली मेरे कमरे में सोएगी और स्कैबर्स तुम्हारे कमरे में। परेशानी क्या है? बेचारी क्रुकशैंक्स, उस जादूगरनी ने बताया कि यह बिल्ली बरसों से उस दुकान में थी, लेकिन किसी ने उसे पसंद नहीं किया।'

'न जाने क्यों,' रॉन ने ताना मारते हुए कहा, जब वे *रिसती कड़ाही* की तरफ़ चलने लगे।

वहाँ पहुँचकर उन्होंने देखा कि मिस्टर वीज़्ली बार में बैठकर *दैनिक जादूगर* पढ़ रहे हैं।

उन्होंने मुस्कराते हुए कहा, 'हैरी! तुम कैसे हो?'

'बढ़िया, धन्यवाद,' हैरी बोला। फिर वह, रॉन और हर्माइनी अपने सामान के साथ मिस्टर वीज़्ली के पास पहुँचे।

मिस्टर वीज़्ली ने अपना अख़बार नीचे रख दिया। हैरी ने देखा कि उसमें सिरियस ब्लैक की चिर-परिचित तस्वीर दिख रही थी।

उसने पूछा, 'वे उसे अब तक नहीं पकड़ पाए?'

'नहीं,' मिस्टर वीज़्ली ने कहा, जो बहुत गंभीर दिख रहे थे। 'मंत्रालय के सभी लोग अपना काम छोड़कर उसे ढूँढ़ने की कोशिश कर रहे हैं, लेकिन अब तक क़िस्मत ने हमारा साथ नहीं दिया है।'

'अगर हम उसे पकड़ लें, तो क्या हमें इनाम मिलेगा?' रॉन ने पूछा।

'कुछ और पैसे मिलना अच्छा लगेगा –'

'बेवकूफ़ी की बातें मत करो, रॉन,' मिस्टर वीज़्ली ने तनाव भरी आवाज़ में कहा, 'ब्लैक को तेरह साल का कोई बच्चा नहीं पकड़ सकता। मेरी बात याद रखना, उसे अज़्काबान के पहरेदार ही पकड़ेंगे।'

उसी पल मिसेज़ वीज़्ली बार के अंदर आईं। उनके हाथ में ख़रीदारी का सामान था। उनके पीछे जुड़वाँ भाई फ्रेड और जॉर्ज भी आए, जो हॉगवर्ट्स में फ़िफ़्थ ईयर में पढ़ने वाले थे। उनके पीछे पर्सी था, जो हाल ही में हेड बॉय बना था। सबसे पीछे जिनी थी, जो वीज़्ली परिवार की सबसे छोटी संतान और इकलौती लड़की थी।

जिनी हैरी को चाहती थी। हैरी को देखते ही वह बुरी तरह शर्मा गई। आम तौर पर वह जितना शर्माती थी, इस बार वह उससे ज़्यादा शर्माई। ऐसा शायद इसलिए हुआ था, क्योंकि पिछले साल हैरी ने हॉगवर्ट्स में उसकी जान बचाई थी। उसका चेहरा लाल सुर्ख़ हो गया और उसने हैरी की तरफ़ देखे बिना ही उससे 'हैलो' किया। दूसरी ओर, पर्सी ने हैरी की तरफ़ अपना हाथ बड़े ही नाटकीय अंदाज़ में इस तरह बढ़ाया, जैसे वह पहले कभी हैरी से मिला ही न हो, 'तुमसे मिलकर ख़ुशी हुई, हैरी।'

'हैलो पर्सी,' हैरी ने हँसी रोकते हुए कहा।

'मुझे आशा है कि सब कुछ अच्छा चल रहा होगा,' पर्सी ने बड़प्पन वाले अंदाज़ में हाथ मिलाते हुए कहा। ऐसा लग रहा था, जैसे हैरी किसी मेयर से मिल रहा हो।

'बहुत अच्छा, धन्यवाद –'

'हैरी!' फ्रेड ने पर्सी को कोहनी से एक तरफ़ हटाया और सिर झुकाकर हैरी का अभिवादन करते हुए कहा, 'तुमसे मिलना बेहद *आनंददायक* है –'

'बेहद सुखद,' जॉर्ज ने फ्रेड को एक तरफ़ किया और हैरी का हाथ थाम लिया। 'बहुत मज़ेदार।'

पर्सी ने उन्हें ग़ुस्से से घूरा।

मिसेज़ वीज़्ली बोलीं, 'चलो छोड़ो, अब मज़ाक़ बहुत हो गया।'

'मम्मी!' फ्रेड बोला, जैसे उसने उन्हें उसी समय देखा हो। फिर उसने उनका हाथ पकड़कर कहा, 'आपको देखकर बहुत अच्छा लगा –'

'मैंने कहा, अब मज़ाक़ बंद करो,' मिसेज़ वीज़्ली ने अपनी ख़रीदारी का सामान एक ख़ाली कुर्सी पर रखते हुए कहा। 'हैलो हैरी। मुझे लगता है कि तुमने हमारी रोमांचक ख़बर सुन ली होगी?' उन्होंने पर्सी के सीने पर लगे चाँदी के

चमकते बै बिल्ले की तरफ़ इशारा किया। 'परिवार में दूसरा हेड बॉय!' यह बोलते समय उनकी छाती गर्व से फूल गई।

'और आख़िरी,' फ़्रेड ने दबी आवाज़ में कहा।

'मुझे इस बारे में कोई शक नहीं है,' मिसेज़ वीज़्ली ने अचानक त्योरियाँ चढ़ाकर कहा। 'मैं यह देख रही हूँ कि तुम दोनों को प्रिफ़ेक्ट नहीं बनाया गया है।'

'हम प्रिफ़ेक्ट बनना भी नहीं चाहते हैं,' जॉर्ज ने इस विचार के बारे में हिक़ारत से कहा। 'इससे सारा मज़ा ही ख़त्म हो जाएगा।'

जिनी हँस दी।

मिसेज़ वीज़्ली ने कहा, 'तुम्हें अपनी बहन के सामने अच्छा उदाहरण पेश करना चाहिए!'

'अच्छा उदाहरण पेश करने के लिए जिनी के पास दूसरे भाई हैं, माँ,' पर्सी बड़प्पन से बोला। 'मैं डिनर के लिए कपड़े बदलकर आता हूँ ...'

उसके जाते ही जॉर्ज ने आह भरी।

'हमने उसे एक पिरामिड में बंद करने की कोशिश की थी,' उसने हैरी को बताया। 'लेकिन मम्मी ने हमें देख लिया।'

*

उस रात का डिनर बहुत मज़ेदार था। बियर बार के मालिक टॉम ने पार्लर में तीन टेबलें एक साथ जोड़ दी थीं, जिस पर बैठकर वीज़्ली परिवार के सातों सदस्यों तथा हैरी और हर्माइनी ने डटकर खाया।

जब सब लोग स्वादिष्ट चॉकलेट पुडिंग खा रहे थे, तब फ़्रेड ने पूछा 'हम कल किंग्स क्रॉस तक कैसे पहुँचेंगे, डैडी ?'

मिस्टर वीज़्ली ने जवाब दिया, 'मंत्रालय की दो कारें हमें लेने आएँगी।'

सब लोग उनकी तरफ़ देखने लगे।

'क्यों ?' पर्सी ने उत्सुकता से पूछा।

'इसलिए क्योंकि तुम हमारे साथ हो, पर्सी,' जॉर्ज ने गंभीरता से कहा। 'और बोनट पर छोटे झंडे भी लगे होंगे, जिन पर लिखा होगा बी.बी. –'

'यानी बेहद बेवकूफ़,' फ़्रेड बोला।

पर्सी और मिसेज़ वीज़्ली को छोड़कर बाक़ी सब लोग पुडिंग खाते-खाते हँस पड़े।

'मंत्रालय कार क्यों भिजवा रहा है, डैडी ?' पर्सी ने एक बार फिर

गरिमापूर्ण अंदाज़ में पूछा।

'क्योंकि अब हमारे पास कार नहीं है,' मिस्टर वीज़्ली ने कहा, 'और चूँकि मैं वहाँ काम करता हूँ, इसलिए वे मेरी मदद कर रहे हैं ...'

उनकी आवाज़ सामान्य थी, लेकिन हैरी को यह नज़र आ गया कि मिस्टर वीज़्ली के कान लाल हो गए थे, ठीक उसी तरह जैसे तनाव में होने पर रॉन के कान लाल हो जाते थे।

मिसेज़ वीज़्ली ने जल्दी से कहा, 'और यह बहुत अच्छा भी रहेगा। तुम्हें पता है, तुम लोगों के पास कितना सारा सामान है ? मगलुओं के रेलवे स्टेशन पर तुम लोगों की कितनी शानदार परेड होगी ... तुम सबने अपना सामान तो पैक कर लिया होगा, है ना ?'

'रॉन ने अब तक अपना नया सामान संदूक में नहीं रखा है,' पर्सी ने बहुत दुखी आवाज़ में कहा। 'उसने सारा सामान मेरे बिस्तर पर पटक दिया है।'

मिसेज़ वीज़्ली बोलीं, 'रॉन, बेहतर यही होगा कि तुम जाकर अपना सामान पैक कर लो, क्योंकि सुबह हमारे पास ज़्यादा समय नहीं होगा।' रॉन ने पर्सी की तरफ़ देखकर मुँह बनाया।

डिनर के बाद सबका पेट काफ़ी भरा था और सबको नींद आने लगी। एक-एक करके वे सीढ़ियाँ चढ़कर अपने कमरे में सामान पैक करने गए। रॉन और पर्सी का कमरा हैरी के ठीक पास था। हैरी ने सामान पैक करने के बाद अपने संदूक को बंद करके ताला लगाया ही था कि तभी उसे दीवार के उस पार से ग़ुस्से भरी आवाज़ें सुनाई दीं। वहाँ क्या हो रहा था, यह देखने के लिए वह अपने कमरे से बाहर निकला।

बारह नंबर कमरे का दरवाज़ा थोड़ा खुला था और अंदर से पर्सी के चिल्लाने की आवाज़ आ रही थी।

'वह *यहीं* पर रखा था - बिस्तर के पास वाली टेबल पर। मैंने पॉलिश करने के लिए उसे उतारा था -'

'मैंने तुमसे कहा ना, मैंने उसे छुआ भी नहीं है,' रॉन ने चिल्लाकर कहा।

हैरी ने पूछा 'क्या हुआ ?'

पर्सी बोला, 'मेरा हेड बॉय का बिल्ला ग़ुम गया है।'

'और स्कैबर्स का रैट टॉनिक भी,' रॉन अपने संदूक के सामान को बाहर फेंकते हुए बोला। 'मुझे लगता है, मैं उसे बार में छोड़ आया हूँ -'

पर्सी ने चीख़ते हुए कहा, 'जब तक तुम मेरा बिल्ला न ढूँढ़ लोगे, तब तक तुम कहीं नहीं जाओगे!'

'स्कैबर्स का टॉनिक मैं ले आता हूँ, मेरा सामान पैक हो चुका है,' हैरी ने रॉन से कहा और नीचे की तरफ़ चल दिया।

बार की तरफ़ जाने वाले अँधेरे गलियारे में हैरी अभी आधी दूर ही पहुँचा था कि तभी उसे पार्लर में दो ग़ुस्से भरी आवाज़ें सुनाई दीं। एक पल में ही वह समझ गया कि ये आवाज़ें मिस्टर और मिसेज़ वीज़्ली की थीं। वह झिझका, क्योंकि वह उन्हें झगड़ते हुए नहीं सुनना चाहता था। लेकिन तभी उन्होंने उसका नाम लिया, जिसे सुनकर वह रुक गया और पार्लर के दरवाज़े के क़रीब खिसक गया।

'... मुझे यह समझ में नहीं आ रहा है कि वे हैरी को सच्चाई क्यों नहीं बता रहे हैं,' मिस्टर वीज़्ली ग़ुस्से में बोल रहे थे। 'हैरी को जानने का पूरा हक़ है। मैंने फ़ज से बात की थी, लेकिन वह उसे बच्चा मानने पर अड़ा हुआ है। हैरी तेरह साल का हो चुका है और –'

'आर्थर, सच्चाई सुनकर हैरी दहशत में आ जाएगा!' मिसेज़ वीज़्ली तीखी आवाज़ में बोलीं। 'क्या तुम यह चाहते हो कि हैरी दहशत में स्कूल जाए? अगर उसे पता नहीं चलेगा, तो वह ज़्यादा *सुखी* रहेगा!'

'मैं उसे दुखी नहीं करना चाहता, लेकिन मैं उसे सतर्क ज़रूर करना चाहता हूँ!' मिस्टर वीज़्ली ने रूखे स्वर में जवाब दिया। 'तुम तो जानती ही हो, हैरी और रॉन किस तरह के हैं? वे दोनों कहीं भी अकेले भटकते रहते हैं – वे दो बार अँधेरे जंगल में भी जा चुके हैं! लेकिन हैरी को इस साल ऐसा कुछ नहीं करना चाहिए! जिस रात को वह घर से भागा था, उस रात को उसके साथ बहुत कुछ हो सकता था! अगर नाइट बस ने उसे नहीं बैठाया होता, तो मैं शर्त लगाने को तैयार हूँ कि मंत्रालय के खोज पाने से पहले ही वह मर चुका होता।'

'लेकिन वह मरा *नहीं* है, वह सही-सलामत है। फिर यह बात करने की क्या तुक है –'

'मॉली, लोग कहते हैं कि सिरियस ब्लैक पागल है, और शायद यह सच हो, लेकिन हमें यह नहीं भूलना चाहिए कि वह इतना चतुर भी है कि अज़्काबान से भाग निकला, जबकि इसे असंभव माना जाता था। इस घटना को तीन हफ़्ते हो चुके हैं, लेकिन किसी को भनक तक नहीं लगी है कि वह कहाँ है। फ़ज *दैनिक जादूगर* से कुछ भी कहता रहे, परंतु सच तो यह है कि ब्लैक को पकड़ने की उतनी ही संभावना है, जितनी कि ख़ुद मंत्र पढ़ने वाली छड़ियों का आविष्कार करने की। हमें सिर्फ़ एक बात की पक्की जानकारी है और वह यह है कि ब्लैक किसके पीछे पड़ा है –'

'लेकिन हैरी हॉगवर्ट्स में पूरी तरह सुरक्षित रहेगा।'

'हम अज़्काबान को भी तो पूरी तरह सुरक्षित मानते थे। अगर ब्लैक अज़्काबान से बाहर निकल सकता है, तो वह हॉगवर्ट्स के अंदर भी जा सकता है।'

'लेकिन हम इतने यक़ीन के साथ कैसे कह सकते हैं कि ब्लैक हैरी के पीछे पड़ा है –'

हैरी ने लकड़ी ठोंकने की आवाज़ सुनी। वह समझ गया कि मिस्टर वीज़्ली ने टेबल पर मुक्का मारा होगा।

'मॉली, यह बात तुम्हें कितनी बार बताना पड़ेगी? उन्होंने यह बात अख़बार वालों को इसलिए नहीं बताई, क्योंकि फ़ज इसे गोपनीय रखना चाहता था। सच्चाई तो यह है कि जिस रात को ब्लैक भागा था, उसके बाद उसी रात को फ़ज अज़्काबान गया था। पहरेदारों ने फ़ज को बताया कि ब्लैक कुछ समय से नींद में बोलता था। वह हमेशा एक ही वाक्य बोलता था : 'वह हॉगवर्ट्स में है ... वह हॉगवर्ट्स में है।' ब्लैक का मानसिक संतुलन ठीक नहीं है मॉली, और वह हैरी की जान लेना चाहता है। शायद वह ऐसा सोचता होगा कि हैरी के मरने के बाद तुम-जानते-हो-कौन दोबारा ताक़तवर बन जाएगा। जिस रात को हैरी ने तुम-जानते-हो-कौन को हराया था, उस रात को ब्लैक ने अपना सब कुछ गँवा दिया था और वह बारह साल तक अज़्काबान में इसी बारे में सोचता रहा होगा...'

थोड़ी देर ख़ामोशी रही। हैरी और सुनने के लिए उतावला था, इसलिए वह दरवाज़े के बिलकुल पास आ गया।

'अच्छा आर्थर, वही करो जो तुम्हें सही लगता है। लेकिन तुम एल्बस डम्बलडोर को भूल रहे हो। मुझे लगता है कि जब तक डम्बलडोर हॉगवर्ट्स के हेडमास्टर हैं, तब तक हैरी को कोई भी नुक़सान नहीं पहुँचा सकता। उन्हें इसकी जानकारी तो होगी?'

'और क्या? हमें उनसे पूछना पड़ा कि स्कूल के प्रवेश द्वारों पर अज़्काबान के पहरेदार तैनात करने में उन्हें कोई दिक्क़त तो नहीं है। वे इस बारे में ख़ुश नहीं हैं, लेकिन वे मन मारकर इसके लिए तैयार हो गए हैं।'

'ख़ुश नहीं हैं? अगर पहरेदार ब्लैक को पकड़ने के लिए तैनात हैं, तो डम्बलडोर ख़ुश क्यों नहीं हैं?'

'डम्बलडोर अज़्काबान के पहरेदारों को पसंद नहीं करते हैं,' मिस्टर वीज़्ली ने भारी आवाज़ में कहा। 'सच पूछा जाए तो मैं भी उन्हें पसंद नहीं करता हूँ ... लेकिन जब आप ब्लैक जैसे जादूगर से लड़ रहे हों, तो कई बार आपको ऐसी शक्तियों का सहयोग लेना पड़ता है, जिन्हें आप पसंद नहीं करते हैं।'

'अगर वे हैरी को बचा लें –'

'– तो मैं फिर कभी उनके ख़िलाफ़ एक शब्द भी नहीं बोलूँगा,' मिस्टर वीज़्ली ने थके हुए स्वर में कहा। 'अब बहुत रात हो चुकी है मॉली, अच्छा होगा कि हम चलकर सो जाएँ ...'

हैरी को कुर्सियाँ हटने की आवाज़ें सुनाई दीं। बिना आवाज़ किए वह तेज़ी से बार की तरफ़ चल दिया और ओझल हो गया। पार्लर का दरवाज़ा खुला और कुछ सेकंड बाद क़दमों की आवाज़ से वह जान गया कि मिस्टर और मिसेज़ वीज़्ली सीढ़ियाँ चढ़ रहे हैं।

रैट टॉनिक की बोतल उसी टेबल के नीचे पड़ी थी, जहाँ वे कुछ समय पहले बैठे थे। हैरी ने इंतज़ार किया, जब तक कि उसे मिस्टर और मिसेज़ वीज़्ली के बैडरूम का दरवाज़ा बंद होने की आवाज़ सुनाई नहीं दी। इसके बाद वह बोतल लेकर ऊपर की सीढ़ियाँ चढ़ने लगा।

फ़्रेड और जॉर्ज सीढ़ियों के पास ही छाया में खड़े थे। पर्सी को अपने बैज के लिए हैरान-परेशान होकर उठापटक करते देखकर वे बुरी तरह हँस रहे थे।

'उसका बैज हमारे पास है,' फ़्रेड ने हैरी से फुसफुसाकर कहा। 'हम उसे सुधार रहे थे।'

अब बिल्ले पर लिखा था *महामूर्ख*।

हैरी को मजबूरी में हँसना पड़ा। फिर उसने रॉन को रैट टॉनिक दिया और इसके बाद अपने कमरे में लौटकर बिस्तर पर लेट गया।

तो सिरियस ब्लैक उसके पीछे पड़ा था। अब उसे हर चीज़ समझ में आ गई। फ़ज उस पर इतने मेहरबान इसलिए थे, क्योंकि उसे ज़िंदा देखकर उन्हें बहुत राहत मिली थी। उन्होंने हैरी से यह वादा करवा लिया था कि वह छूमंतर गली में ही रहेगा, जहाँ उस पर निगाह रखने के लिए बहुत से जादूगर हों। फ़ज उन सबको कल स्टेशन तक पहुँचाने के लिए मंत्रालय की दो कारें इसलिए भिजवा रहे हैं, ताकि वीज़्ली परिवार हैरी को सही-सलामत ट्रेन में चढ़ा दे।

हैरी दीवार की दूसरी तरफ़ से आने वाले हलके शोर को सुनता रहा और यह सोचता रहा कि उसे ज़्यादा डर क्यों नहीं लग रहा है, हालाँकि उसे मालूम था कि सिरियस ब्लैक ने एक ही शाप से तेरह लोगों की हत्या कर दी थी। मिस्टर और मिसेज़ वीज़्ली तो यही सोचते थे कि सच्चाई मालूम होने पर वह दहशत में आ जाएगा। लेकिन हैरी मिसेज़ वीज़्ली की इस बात से पूरी तरह सहमत था कि पूरी दुनिया में सबसे सुरक्षित जगह वह है, जहाँ एल्बस डम्बलडोर हों। लोग हमेशा कहते थे कि डम्बलडोर ही एकमात्र ऐसे जादूगर थे, जिनसे लॉर्ड

वोल्डेमॉर्ट डरता था। निश्चित रूप से वोल्डेमॉर्ट का दायाँ हाथ ब्लैक भी उनसे उतना ही डरता होगा!

और फिर हॉगवर्ट्स में अज़्काबान के पहरेदार भी तो तैनात होंगे, जिनसे सब लोग थर्राते थे और उनका नाम सुनते ही लोग दहशत में आ जाते थे। अगर वे स्कूल के चारों तरफ़ पहरा देंगे, तो ब्लैक अंदर कैसे घुस सकता है।

हैरी को सबसे ज़्यादा दिक्क़त इस बात से हुई कि अब उसकी हॉग्समीड की यात्रा की संभावना ख़त्म हो चुकी थी। जब तक ब्लैक गिरफ़्तार नहीं होता, तब तक कोई भी नहीं चाहेगा कि हैरी महल की सुरक्षा को छोड़कर बाहर निकले। दरअसल हैरी को यह शक हो रहा था कि जब तक ख़तरा गुज़र नहीं जाएगा, तब तक उसके हर क़दम पर निगाह रखी जाएगी।

अँधेरी छत की तरफ़ देखकर उसने त्योरियाँ चढ़ाईं। लोगों को यह क्यों लगता है कि वह अपना ध्यान नहीं रख सकता? वह तीन बार लॉर्ड वोल्डेमॉर्ट से बच चुका है। लोग यह कैसे कह सकते हैं कि वह कुछ नहीं कर सकता ...

तभी उसके मन में मैग्नोलिया क्रेसेन्ट के उस जानवर की तस्वीर आ गई। *जब आप जान लें कि अंत सामने है, तो क्या करें ...*

'मैं मरना *नहीं* चाहता,' हैरी ने ज़ोर से कहा।

'यही नज़रिया होना चाहिए,' आईने ने नींद भरी आवाज़ में जवाब दिया।

अध्याय पाँच

दमपिशाच

टॉम ने अगली सुबह हैरी को पोपली मुस्कान और एक कप चाय के साथ जगाया। हैरी ने कपड़े पहने। अभी हैरी नाख़ुश हेडविग को पिंजरे में जाने के लिए मना ही रहा था कि रॉन उसके कमरे में घुस आया। वह अपने सूती स्वेटर में सिर घुसाकर उसे पहनने की कोशिश कर रहा था और चिड़चिड़ा दिख रहा था।

उसने कहा, 'हम जितनी जल्दी ट्रेन में पहुँच जाएँ, उतना ही अच्छा है। कम से कम हॉगवर्ट्स में तो मैं पर्सी से दूर रह सकता हूँ। अब वह मुझ पर यह इल्ज़ाम लगा रहा है कि मैंने उसकी *गर्लफ्रेंड* पेनीलोप क्लियरवाटर की फ़ोटो पर चाय फैला दी है। चाय फैलने के कारण उसकी नाक बदसूरत हो गई है, इसलिए पेनीलोप ने अपना चेहरा फ्रेम के नीचे छिपा लिया है ...'

'मैं तुम्हें कुछ बताना चाहता हूँ,' हैरी ने अपनी बात शुरू करते हुए कहा, लेकिन तभी फ्रेड और जॉर्ज ने बाधा डाल दी, जो पर्सी को दोबारा ग़ुस्सा दिलाने के लिए रॉन को बधाई देना चाहते थे।

वे लोग नाश्ता करने के लिए नीचे गए, जहाँ मिस्टर वीज़्ली त्योरियाँ चढ़ाकर *दैनिक जादूगर* का पहला पेज पढ़ रहे थे और मिसेज़ वीज़्ली हर्माइनी व जिनी को प्रेम के उस काढ़े के बारे में बता रही थीं, जो उन्होंने किशोरावस्था में बनाया था। वे तीनों बार-बार ज़ोर-ज़ोर से हँसती जा रही थीं।

'तुम क्या कह रहे थे?' बैठने के बाद रॉन ने हैरी से पूछा।

'बाद में बताऊँगा,' हैरी बुदबुदाया, क्योंकि उसी समय पर्सी अंदर आ गया था।

स्टेशन के लिए निकलने की हड़बड़ी में हैरी को रॉन या हर्माइनी से बातें करने का कोई मौक़ा नहीं मिल पाया। वे सब अपने संदूक रिसती कड़ाही की

सँकरी सीढ़ियों से नीचे लाकर दरवाज़े के पास रखने में बहुत व्यस्त थे। हेडविग और पर्सी का उल्लू हर्मीज़ अपने-अपने पिंजरों के ऊपर बैठे थे। संदूकों के ढेर के पास बेंत की बनी एक छोटी टोकरी रखी थी, जो ज़ोर-ज़ोर से हिल रही थी।

हर्माइनी उस टोकरी के पास जाकर मीठी आवाज़ में बोली, 'सब ठीक है, क्रुकशैंक्स। मैं तुम्हें ट्रेन में बाहर निकाल दूँगी।'

'नहीं, तुम ऐसा नहीं करोगी,' रॉन ने तुरंत कहा। 'बेचारे स्कैबर्स का क्या होगा?'

उसने अपने सीने की तरफ़ इशारा किया, जहाँ का उभार यह बता रहा था कि स्कैबर्स उसकी जेब में था।

मिस्टर वीज़्ली बाहर खड़े होकर मंत्रालय की कारों का इंतज़ार कर रहे थे। कुछ समय बाद उन्होंने अंदर झाँककर कहा, 'कारें आ गई हैं। हैरी, आ जाओ।'

वहाँ पर दो पुराने ज़माने की गहरे हरे रंग की कारें थीं, जिन्हें हरे मख़मली सूट पहने रहस्यमय दिखने वाले जादूगर चला रहे थे। मिस्टर वीज़्ली हैरी को पहली कार की तरफ़ ले गए।

'अंदर चलो हैरी,' मिस्टर वीज़्ली ने भीड़ भरी सड़क पर इधर-उधर देखते हुए कहा।

हैरी कार की पीछे वाली सीट पर बैठ गया। कुछ ही समय बाद हर्माइनी, रॉन और पर्सी भी आकर उसके पास बैठ गए। पर्सी के बैठने के कारण रॉन थोड़ा परेशान दिख रहा था।

नाइट बस की यात्रा की तुलना में हैरी को किंग्स क्रॉस स्टेशन तक की यात्रा बहुत सामान्य लगी। जादू मंत्रालय की कारें बिलकुल साधारण दिखती थीं, लेकिन हैरी ने देखा कि वे इतनी कम जगह में से निकल सकती थीं, जिसमें से वरनॉन अंकल की कंपनी की नई कार निश्चित रूप से नहीं निकल सकती थी। वे जब किंग्स क्रॉस स्टेशन पहुँचे, तो ट्रेन छूटने में बीस मिनट का समय था। मंत्रालय के ड्राइवर उनके लिए ट्रॉली ले आए और उनके संदूक उतार दिए। फिर उन्होंने अपने हैट छूकर मिस्टर वीज़्ली का अभिवादन किया और वापस चल दिए। हैरी ने देखा कि वे ट्रैफ़िक लाइट्स के लिए रुकी हुई कारों के बीच से होते हुए सबसे आगे पहुँच गए।

मिस्टर वीज़्ली स्टेशन के अंदर जाते समय पूरे रास्ते हैरी से सटकर चलते रहे।

उन्होंने चारों तरफ़ देखते हुए कहा, 'ठीक है। चूँकि हम लोग ज़्यादा हैं,

इसलिए हम दो-दो करके बैरियर पार करेंगे। सबसे पहले मैं और हैरी जाते हैं।'

मिस्टर वीज़्ली हैरी की ट्रॉली को प्लेटफ़ॉर्म नंबर नौ और प्लेटफ़ॉर्म नंबर दस के बीच बने बैरियर की तरफ़ धका रहे थे। ऐसा लग रहा था जैसे उनकी रुचि इंटरसिटी 125 में है, जो उसी समय प्लेटफ़ॉर्म नंबर नौ पर आई थी। हैरी को इशारा करते हुए वे बैरियर की तरफ़ झुक गए। हैरी ने भी उनकी नक़ल की।

अगले ही पल वे ठोस धातु के बैरियर को पार करके प्लेटफ़ॉर्म नंबर पौने दस पर पहुँच गए थे। वहाँ पर हॉगवर्ट्स एक्सप्रेस तैयार खड़ी थी। उसका भाप का लाल इंजन प्लेटफ़ॉर्म पर धुआँ उड़ा रहा था। प्लेटफ़ॉर्म पर जादूगरों और जादूगरनियों की भीड़ लगी थी, जो अपने बच्चों को ट्रेन में बैठाने आए थे।

पर्सी और जिनी अचानक हैरी के पीछे से निकलकर आए। वे हाँफ रहे थे। ज़ाहिर था, उन्होंने दौड़कर बैरियर पार किया था।

'अह, वह रही पेनीलोप!' पर्सी ने अपने बाल सँवारते हुए कहा। उसका चेहरा गुलाबी हो गया था। तत्काल जिनी की नज़रें हैरी से मिलीं और वे दोनों ही अपनी हँसी छिपाने के लिए पलटे, जब पर्सी लंबे घुँघराले बालों वाली एक लड़की की तरफ़ जाने लगा। उसने अपना सीना फुला रखा था, ताकि वह लड़की वहाँ पर लगे चमकदार बैज को देख ले।

हर्माइनी और वीज़्ली परिवार के बाक़ी लोग भी जब उनके पास आ गए, तो हैरी और मिस्टर वीज़्ली ट्रेन के आख़िरी सिरे की ओर जाने के लिए सबसे आगे-आगे चलने लगे। बीच के सभी कम्पार्टमेंट खचाखच भरे थे। उन्हें एक ऐसा डिब्बा दिख गया, जो काफ़ी ख़ाली दिख रहा था। उन्होंने उसमें अपने संदूक लादे तथा हेडविग का पिंजरा और क्रुकशैंक्स की टोकरी रखी। उसके बाद वे मिस्टर और मिसेज़ वीज़्ली से विदा लेने के लिए बाहर आ गए।

मिसेज़ वीज़्ली ने पहले अपने सभी बच्चों को चूमा, फिर हर्माइनी को और सबसे अंत में हैरी को। उन्होंने हैरी को गले भी लगाया, जिससे वह थोड़ा शर्मा गया, लेकिन सच तो यह था कि उसे बहुत अच्छा लगा था।

फिर मिसेज़ वीज़्ली ने हैरी से कहा, 'अपना ख़्याल रखना, ठीक है, हैरी ?' उनकी आँखों में अजीब चमक थी। इसके बाद वे अपने बड़े हैंडबैग को खोलते हुए बोलीं, 'मैंने तुम सबके लिए सैंडविच बना दिए हैं। ये रहे रॉन ... नहीं, इनमें कॉर्न बीफ़ नहीं है ... फ्रेड ? फ्रेड कहाँ है ? ये रहे, बेटे ...'

मिस्टर वीज़्ली ने धीमे से कहा, 'हैरी, ज़रा एक मिनट यहाँ आना।'

उन्होंने अपना सिर हिलाकर एक खंभे की तरफ़ इशारा किया। हैरी उनके साथ उस खंभे के पीछे गया। बाक़ी सब लोग मिसेज़ वीज़्ली के चारों तरफ़ खड़े थे।

'जाने से पहले मैं तुम्हें एक बात बताना चाहता हूँ –' मिस्टर वीज़्ली ने तनाव भरी आवाज़ में कहा।

'आगे कुछ कहने की ज़रूरत नहीं है, मिस्टर वीज़्ली,' हैरी बोला। 'मैं पहले से ही जानता हूँ।'

'तुम जानते हो? तुम कैसे जान सकते हो?'

'मैंने - अर - मैंने कल रात को आपकी और मिसेज़ वीज़्ली की बातें सुन ली थीं। मैं सुनना नहीं चाहता था, लेकिन मुझसे सुने बिना रहा नहीं गया,' हैरी ने तत्काल यह भी जोड़ दिया, 'सॉरी –'

'तुम्हें सारी बातें बताने के लिए मैंने यह तरीक़ा नहीं चुना होता,' मिस्टर वीज़्ली ने चिंतित दिखते हुए कहा।

'नहीं - दरअसल यह सबसे अच्छा तरीक़ा था। इस तरह से आपने फ़ज से किया वादा भी नहीं तोड़ा और मैं सच्चाई भी जान गया।'

'हैरी, तुम्हें तो बहुत डर लग रहा होगा –'

'नहीं,' हैरी ने गंभीरता से कहा। मिस्टर वीज़्ली के चेहरे से ऐसा लग रहा था जैसे उन्हें इस बात पर विश्वास नहीं हो रहा था, इसलिए उसने आगे कहा, '*यह सच है।* मैं हीरो बनने की कोशिश नहीं कर रहा हूँ, लेकिन सिरियस ब्लैक वोल्डेमॉर्ट से ज़्यादा बुरा तो नहीं हो सकता, है ना?'

वोल्डेमॉर्ट का नाम सुनकर मिस्टर वीज़्ली भय से चौंक गए, लेकिन उन्होंने इस बात को नज़रअंदाज़ कर दिया।

'हैरी, मैं जानता था कि तुम मज़बूत मिट्टी के बने हो और फ़ज तुम्हें ख़ामख़्वाह कमज़ोर समझता है। मुझे यह जानकर ख़ुशी हुई कि तुम्हें डर नहीं लग रहा है, लेकिन –'

'आर्थर!' बच्चों को ट्रेन पर चढ़ाते हुए मिसेज़ वीज़्ली चिल्लाईं। 'आर्थर, तुम क्या कर रहे हो? ट्रेन बस जाने ही वाली है!'

'वह आ रहा है, मॉली!' मिस्टर वीज़्ली ने कहा, लेकिन वे फिर से हैरी की तरफ़ मुड़े और ज़्यादा धीरे, परंतु जल्दी-जल्दी बोले, 'सुनो, मैं चाहता हूँ कि तुम मुझसे यह वादा करो –'

'– कि मैं अच्छे बच्चे की तरह महल में ही रहूँगा?' हैरी ने उदासी से कहा।

'नहीं, यह नहीं,' मिस्टर वीज़्ली इस वक़्त जितने गंभीर लग रहे थे, उतने पहले कभी नहीं लगे थे। 'हैरी क़सम खाओ कि तुम ब्लैक की *तलाश* नहीं करोगे।'

हैरी घूरता रह गया, 'क्या ?'

एक ज़ोरदार सीटी बजी। गार्ड ट्रेन के डिब्बों के दरवाज़े बंद कर रहे थे।

'मुझसे यह वादा करो, हैरी,' मिस्टर वीज़्ली अब और भी जल्दी-जल्दी बोल रहे थे, 'कि चाहे जो हो जाए –'

हैरी ने हैरानी से कहा, 'जो मुझे मारना चाहता है, मैं उसकी तलाश क्यों करूँगा ?'

'क़सम खाओ कि तुम चाहे कुछ भी सुनो –'

'आर्थर, जल्दी!' मिसेज़ वीज़्ली चिल्लाईं।

ट्रेन धुआँ छोड़ते हुए चलने लगी थी। हैरी अपने कम्पार्टमेंट के दरवाज़े की तरफ़ भागा। रॉन ने दरवाज़ा खोल दिया और एक तरफ़ हो गया, ताकि हैरी अंदर आ सके। वे खिड़की से बाहर झाँकते रहे और मिस्टर तथा मिसेज़ वीज़्ली की तरफ़ हाथ हिलाते रहे, जब तक कि ट्रेन मोड़ पर नहीं मुड़ गई और वे नज़रों से ओझल नहीं हो गए।

जब ट्रेन की रफ़्तार तेज़ हो गई, तो हैरी ने रॉन और हर्माइनी से बुदबुदाकर कहा, 'मुझे तुम दोनों से अकेले में कुछ कहना है।'

'कहीं और जाओ, जिनी,' रॉन बोला।

'यह तो बहुत बढ़िया व्यवहार है,' जिनी ने चिढ़कर कहा और पैर पटकती हुई चली गई।

हैरी, रॉन और हर्माइनी गलियारे में आगे गए और किसी ख़ाली कम्पार्टमेंट की तलाश करने लगे। ट्रेन के आख़िरी कम्पार्टमेंट को छोड़कर बाक़ी सभी कम्पार्टमेंट भरे थे।

उसमें सिर्फ़ एक ही व्यक्ति था। खिड़की के पास एक आदमी बैठा था और वह सो रहा था। हैरी, रॉन और हर्माइनी एक पल के लिए कम्पार्टमेंट के दरवाज़े पर ही ठिठक गए। हॉगवर्ट्स एक्सप्रेस में आम तौर पर विद्यार्थी ही बैठते थे। इसमें उन्होंने भोजन की ट्रॉली धकेलने वाली जादूगरनी के सिवाय किसी वयस्क को पहले कभी नहीं देखा था।

अजनबी ने जादूगरों का बहुत ही गंदा दुशाला पहन रखा था, जिस पर कई जगह पैबंद लगे थे। वह बीमार और थका हुआ दिख रहा था। हालाँकि वह युवा था, लेकिन उसके हलके भूरे बालों में कुछ सफ़ेद बाल भी साफ़ नज़र आ रहे थे।

'तुम्हें क्या लगता है, यह कौन हो सकता है ?' रॉन ने कहा, जब उन्होंने कम्पार्टमेंट में बैठकर उसका दरवाज़ा बंद किया और वे जाकर खिड़की से सबसे

दूर की सीटों पर बैठ गए।

'प्रोफ़ेसर आर.जे. ल्यूपिन,' हर्माइनी ने तत्काल धीमी आवाज़ में कहा।

'तुम यह बात कैसे जानती हो?'

'उनके सूटकेस पर लिखा है,' हर्माइनी ने जवाब दिया और उस व्यक्ति के ऊपर रखे सामान की तरफ़ इशारा किया। वहाँ एक छोटा सा पुराना सूटकेस रखा था, जो बहुत सी रस्सियों से बँधा था। उसके एक कोने पर उखड़ते हुए अक्षरों में 'प्रोफ़ेसर आर.जे. ल्यूपिन' नाम लिखा था।

'क्या पता वे क्या पढ़ाएँगे?' रॉन ने प्रोफ़ेसर ल्यूपिन के पीले चेहरे को देखते हुए त्योरी चढ़ाकर कहा।

'साफ़ ज़ाहिर है,' हर्माइनी फुसफुसाई। 'हमारे यहाँ सिर्फ़ एक ही टीचर की जगह ख़ाली है, है ना? गुप्त कलाओं से रक्षा।'

हैरी, रॉन और हर्माइनी पहले ही गुप्त कलाओं से रक्षा के दो टीचर्स से पढ़ चुके थे। दोनों ही सिर्फ़ एक साल रुके थे। ऐसी अफ़वाह थी कि यह पद शापित है।

'मुझे आशा है कि उनमें यह काम करने की योग्यता होगी,' रॉन ने संदेह भरे स्वर में कहा। 'उन्हें देखकर तो ऐसा लगता है कि एक अच्छा मंत्र उनका काम तमाम कर देगा, है ना?। ख़ैर ...' वह हैरी की ओर मुड़ा, 'तुम हमें क्या बताने वाले थे?'

हैरी ने मिस्टर और मिसेज़ वीज़्ली की बहस के बारे में सब कुछ बता दिया। इसके अलावा, उसने उन्हें मिस्टर वीज़्ली की चेतावनी के बारे में भी बताया। उसकी बात पूरी होने पर रॉन स्तब्ध था और हर्माइनी ने अपने हाथ मुँह पर रख लिए थे। उसने आख़िरकार यह कहने के लिए अपने हाथ नीचे किए, 'सिरियस ब्लैक *तुम्हारा* पीछा करने के लिए भागा है? ओह, हैरी ... तुम्हें सचमुच बहुत, बहुत सावधान रहना होगा। किसी मुश्किल में मत फँसना, हैरी ...'

'मैं मुश्किल में नहीं फँसता हूँ,' हैरी उत्तेजित होकर बोला। 'आम तौर पर मुश्किल *मुझे* फँसा देती है।'

'अगर हैरी उस वहशी दरिंदे को ढूँढ़ने जाए, जो उसे मार डालना चाहता है, तो हैरी से बड़ा मूर्ख कौन होगा?' रॉन ने काँपते हुए कहा।

हैरी को जितनी आशा थी, उनकी प्रतिक्रिया उससे कहीं अधिक बुरी थी। ब्लैक से जितना वह डर रहा था, उससे ज़्यादा रॉन और हर्माइनी डर रहे थे।

'कोई भी नहीं जानता कि वह अज़्काबान से कैसे भागा है,' रॉन ने

परेशान होते हुए कहा। 'उससे पहले वहाँ से कोई नहीं भाग पाया था। देखने वाली बात यह है कि ब्लैक की सुरक्षा का कड़ा इंतज़ाम किया गया था और उस पर बहुत सख़्त पहरा रहता था।'

'लेकिन वे उसे पकड़ लेंगे, है ना?' हर्माइनी ने गंभीरता से कहा। 'मेरा मतलब है, मगलू भी तो उसे ढूँढ़ रहे हैं ...'

'वह कैसी आवाज़ है?' रॉन ने अचानक पूछा।

कहीं एक हलकी सीटी जैसी आवाज़ सुनाई दे रही थी। उन्होंने कम्पार्टमेंट में चारों तरफ़ देखा।

फिर रॉन ने कहा, 'यह आवाज़ तुम्हारे संदूक में से आ रही है, हैरी।' रॉन उठकर हैरी के संदूक के पास पहुँचा। एक पल बाद उसने हैरी के दुशालों के बीच से मुख़बिर यंत्र को बाहर निकाला। यंत्र रॉन के हाथ में बहुत तेज़ी से घूम रहा था और तेज़ी से चमक रहा था।

'क्या यह *मुख़बिर यंत्र* है?' हर्माइनी ने रुचि लेते हुए कहा और उसे ज़्यादा अच्छी तरह से देखने के लिए खड़ी हो गई।

'हाँ ... पर ध्यान रखना, यह सस्ता वाला है,' रॉन बोला। 'जब मैं हैरी के पास भिजवाने के लिए इसे एरल के पैर में बाँध रहा था, तो यह चकरघिन्नी बन गया था।'

'क्या तुम उस समय कोई ग़लत काम कर रहे थे?' हर्माइनी ने समझदारी से पूछा।

'नहीं तो! हाँ ... शायद मुझे एरल का इस्तेमाल नहीं करना चाहिए था। तुम तो जानती हो, वह लंबी यात्रा करने क़ाबिल नहीं है ... लेकिन मैं हैरी का तोहफ़ा उस तक और कैसे पहुँचाता?'

जब मुख़बिर यंत्र ज़्यादा तेज़ी से सीटी बजाने लगा, तो हैरी ने सलाह दी, 'इसे फिर से संदूक में रख दो, वरना इसकी आवाज़ सुनकर वे जाग जाएँगे।'

उसने प्रोफ़ेसर ल्यूपिन की तरफ़ इशारा किया। रॉन ने मुख़बिर यंत्र को वरनॉन अंकल के पुराने गंदे मोज़ों में ठूँस दिया, जिसकी वजह से आवाज़ धीमी हो गई। फिर रॉन ने संदूक का ढक्कन बंद कर दिया।

'हम हॉग्समीड में इसकी जाँच करवा लेंगे,' रॉन ने दोबारा बैठते हुए कहा। 'फ़्रेड और जॉर्ज ने मुझे बताया है कि वहाँ पर दरविश एंड बैंजेस में जादुई उपकरण मिलते हैं।'

'हॉग्समीड के बारे में तुम कितना जानते हो?' हर्माइनी ने उत्सुकता से पूछा। 'मैंने पढ़ा है कि ब्रिटेन में यह एकमात्र मगलूविहीन गाँव है –'

'हाँ, सही है,' रॉन ने सामान्य लहज़े में कहा, 'लेकिन मैं इस वजह से वहाँ नहीं जाना चाहता हूँ। मैं तो हनीड्यूक्स में जाना चाहता हूँ!'

'वह क्या है?' हर्माइनी ने पूछा।

'मिठाई की दुकान,' रॉन ने कहा और उसके चेहरे पर सपनीला भाव तैर गया, 'जहाँ *हर चीज़* मिलती है ... चटपटे शैतान – जिन्हें खाने के बाद मुँह से धुआँ निकलता है – और बहुत मोटी चोकोबॉल्स, जिनमें स्ट्राबेरी और क्रीम के टुकड़े भरे रहते हैं, और शकर की बहुत बढ़िया कलमें, जिन्हें आप क्लास में बैठकर मुँह में रखकर चूस सकते हैं। कोई देखेगा, तो उसे ऐसा लगेगा, जैसे आप लिखने के लिए कुछ सोच रहे हों –'

'हॉगसमीड बहुत दिलचस्प जगह है, है ना?' हर्माइनी ने उत्सुकता से आगे कहा। '*जादूगरी के ऐतिहासिक स्थल* में लिखा है कि यह सराय 1612 के पिशाच विद्रोह का मुख्यालय थी और चीख़ती हवेली को ब्रिटेन की सबसे ज़्यादा शापित इमारत माना जाता है –'

'– और बड़ी शर्बत बॉल्स, जिन्हें चूसते समय आप ज़मीन से कुछ इंच ऊपर उठ जाते हैं,' रॉन बोला। यह स्पष्ट था कि वह अपने ही ख़्यालों में खोया था और उसने हर्माइनी का एक भी शब्द नहीं सुना था।

हर्माइनी ने घूमकर हैरी को देखा।

'स्कूल से बाहर जाकर हॉगसमीड में घूमना कितना अच्छा रहेगा, है ना?'

'मुझे भी ऐसा ही लगता है,' हैरी ने भारीपन से कहा। 'जब तुम घूम लो, तो मुझे आकर बता देना।'

'क्या मतलब है तुम्हारा?' रॉन ने पूछा।

'मैं नहीं जा सकता। डर्स्ली दंपति ने मेरे अनुमति पत्र पर साइन नहीं किए हैं और फ़ज ने भी मना कर दिया।'

रॉन दहशत में दिखने लगा।

'*तुम्हें वहाँ जाने की अनुमति नहीं मिली*। लेकिन – कोई बात नहीं – मैक्गॉनेगल या कोई और तुम्हें अनुमति दे देगा –'

हैरी ने खोखली हँसी निकाली। प्रोफ़ेसर मैक्गॉनेगल गरुड़द्वार की प्रमुख थीं और बहुत सख़्त थीं।

'– या हम फ्रेड और जॉर्ज की मदद ले सकते हैं। उन्हें महल से बाहर निकलने का हर ख़ुफ़िया रास्ता मालूम है –'

'रॉन!' हर्माइनी ने तेज़ी से कहा। 'मुझे लगता है कि जब तक ब्लैक खुला घूम रहा है, तब तक हैरी को स्कूल से बाहर नहीं जाना चाहिए –'

'हाँ, मुझे लगता है, जब मैं मैक्गॉनेगल से अनुमति माँगूँगा, तो वे भी यही कहेंगी,' हैरी ने कटुता से कहा।

रॉन उत्साह भरी आवाज़ में हर्माइनी से बोला, 'लेकिन अगर हम उसके साथ रहेंगे, तो ब्लैक की हिम्मत नहीं होगी।'

'ओह रॉन, बकवास मत करो,' हर्माइनी ने पलटकर कहा। 'ब्लैक भीड़ भरी सड़क पर कई लोगों की हत्या कर चुका है। क्या तुम्हें सचमुच ऐसा लगता है कि हमारे साथ होने के कारण वह हैरी पर हमला नहीं करेगा?'

यह बोलते समय वह क्रुकशैंक्स की टोकरी की रस्सी खोल रही थी।

'उसे बाहर मत निकालना,' रॉन ने कहा, लेकिन तब तक बहुत देर हो चुकी थी। क्रुकशैंक्स टोकरी से बाहर कूद गई। उसने अंगड़ाई ली, फिर जम्हाई ली और इसके बाद रॉन के घुटनों पर छलाँग लगा दी। रॉन की जेब काँपने लगी। रॉन ने ग़ुस्से से क्रुकशैंक्स को दूर हटा दिया।

'दूर रहो!'

हर्माइनी ग़ुस्से में बोली, 'रॉन, ऐसा मत करो!'

रॉन पलटकर जवाब देने वाला था कि तभी प्रोफ़ेसर ल्यूपिन हिले। उन लोगों ने डरकर उनकी तरफ़ देखा, लेकिन प्रोफ़ेसर ल्यूपिन ने सिर्फ़ अपना सिर घुमाकर दूसरी तरफ़ किया, उनका मुँह थोड़ा खुल गया और वे सोते रहे।

हॉगवर्ट्स एक्सप्रेस लगातार उत्तर दिशा में चलती चली जा रही थी। बाहर अब जंगल था। आसमान में घने बादल होने के कारण अँधेरा घिरने लगा था। विद्यार्थी उनके कम्पार्टमेंट के दरवाज़े के पास से आ-जा रहे थे। क्रुकशैंक्स एक ख़ाली सीट पर बैठ गई। बहरहाल, उसका चेहरा अब भी रॉन की तरफ़ था और उसकी पीली आँखें रॉन की ऊपरी जेब पर टिकी थीं।

एक बजे मोटी जादूगरनी भोजन की ट्रॉली लेकर कम्पार्टमेंट के दरवाज़े पर आई।

'क्या तुम्हें लगता है कि हमें उन्हें जगा देना चाहिए?' रॉन ने प्रोफ़ेसर ल्यूपिन की तरफ़ अजीब तरह से देखते हुए पूछा। 'ऐसा लगता है कि उन्हें भोजन की ज़रूरत होगी।'

हर्माइनी सावधानी से प्रोफ़ेसर ल्यूपिन की तरफ़ बढ़ी।

'अर - प्रोफ़ेसर?' उसने कहा। 'माफ़ कीजिए - प्रोफ़ेसर?'

वे ज़रा भी नहीं हिले।

'चिंता मत करो, बच्चो,' जादूगरनी ने हैरी को बहुत से कड़ाही केक देते हुए कहा। 'अगर जागने पर उन्हें भूख लगे, तो मैं सबसे आगे वाले डिब्बे में

बैठी हूँ।'

'मुझे लगता है कि वे सो रहे हैं?' रॉन ने धीमे से कहा, जब जादूगरनी ने कम्पार्टमेंट का दरवाज़ा बंद किया। 'मेरा मतलब है – वे मर तो नहीं गए हैं?'

'नहीं, नहीं, उनकी साँस चल रही है,' हर्माइनी ने फुसफुसाकर कहा। फिर उसने वह कड़ाही केक ले लिया, जो हैरी उसकी तरफ़ बढ़ा रहा था।

प्रोफ़ेसर ल्यूपिन का साथ भले ही आनंददायक न हो, लेकिन कम्पार्टमेंट में उनकी उपस्थिति फ़ायदेमंद ज़रूर थी। दोपहर ढलने के बाद जैसे ही बारिश होने लगी और बाहर की पहाड़ियाँ धुँधली दिखने लगीं, उन्हें गलियारे में एक बार फिर क़दमों की आवाज़ आई। दरवाज़े पर उनके सबसे कम प्रिय तीन लोग खड़े थे : ड्रेको मैल्फ़ॉय, और उसके चमचे विन्सेंट क्रैब तथा ग्रेगरी गॉइल।

ड्रेको मैल्फ़ॉय और हैरी में तभी से दुश्मनी थी, जब वे हॉगवर्ट्स की अपनी पहली ट्रेन यात्रा के दौरान मिले थे। मैल्फ़ॉय नागशक्ति में था। उसका चेहरा पीला, नुकीला और व्यंग्यात्मक था। वह नागशक्ति की क्विडिच टीम का खोजी था, जबकि हैरी गरुड़द्वार का खोजी था। क्रैब और गॉइल का जन्म तो जैसे मैल्फ़ॉय का कहना मानने के लिए ही हुआ था। वे दोनों ही मोटे और ताक़तवर थे। दोनों में क्रैब ज़्यादा लंबा था। उसके बाल कटोरा छाप शैली में कटे थे और उसका गला बहुत मोटा था। गॉइल के बाल छोटे तथा कड़क थे और उसके हाथ गुरिल्ले की तरह लंबे थे।

मैल्फ़ॉय ने कम्पार्टमेंट का दरवाज़ा खोलते हुए अपने परिचित धीमे अंदाज़ में कहा, 'देखो तो सही कौन है, पॉटी और वीज़ल।'

क्रैब और गॉइल दैत्यों की तरह हँसने लगे।

'मैंने सुना है कि तुम्हारे पिता को आख़िरकार गर्मियों में कुछ पैसे मिल गए थे, वीज़्ली,' मैल्फ़ॉय ने कहा। 'कहीं तुम्हारी माँ सदमे से मर तो नहीं गईं?'

रॉन इतनी जल्दी खड़ा हुआ कि उसने क्रुकशैंक्स की टोकरी फ़र्श पर गिरा दी। प्रोफ़ेसर ल्यूपिन ने खुर्राटा लिया।

'वह कौन है?' ल्यूपिन को देखते ही मैल्फ़ॉय एक क़दम पीछे हट गया।

'नए टीचर,' हैरी ने कहा, जो इसलिए खड़ा हो गया था कि शायद उसे रॉन को रोकने की ज़रूरत पड़े। 'तुम क्या कह रहे थे, मैल्फ़ॉय?'

मैल्फ़ॉय की पीली आँखें सिकुड़ गईं। वह इतना बेवकूफ़ नहीं था कि किसी टीचर की नाक के नीचे लड़ाई शुरू करे।

'चलो,' उसने क्रैब तथा गॉइल से कहा और वे ग़ायब हो गए।

हैरी और रॉन दोबारा बैठ गए। रॉन अपने हाथ मलने लगा।

'मैं इस साल मैल्फ़ॉय की बकवास सहन नहीं करूँगा,' उसने ग़ुस्से से कहा। 'मैं सचमुच सहन नहीं करूँगा। अब अगर उसने मेरे परिवार के बारे में एक भी ग़लत बात कही, तो मैं उसके सिर को पकड़ूँगा और -'

रॉन ने हवा में एक हिंसक मुद्रा बनाई।

'रॉन,' हर्माइनी ने फुसफुसाकर प्रोफ़ेसर ल्यूपिन की तरफ़ इशारा किया, *'सावधान ...'*

लेकिन प्रोफ़ेसर ल्यूपिन अब भी गहरी नींद में थे।

जब ट्रेन उत्तर दिशा में और आगे बढ़ी, तो बारिश तेज़ हो गई। खिड़कियाँ अब बिलकुल भूरे रंग की हो गई थीं। बाहर इतना अँधेरा हो गया था कि ट्रेन के गलियारों में और ऊपर सामान रखने वाली जगह के पास लालटेन जलने लगीं। ट्रेन हिल रही थी, बारिश शोर मचा रही थी, हवा गरज रही थी, लेकिन इसके बावज़ूद प्रोफ़ेसर ल्यूपिन सोते रहे।

'हम अब पहुँचने ही वाले होंगे,' रॉन ने झुककर प्रोफ़ेसर ल्यूपिन के पास वाली अँधेरे में डूबी खिड़की को देखते हुए कहा।

अभी ये शब्द उसके मुँह से निकले ही थे कि ट्रेन धीमी होने लगी।

'बहुत बढ़िया,' रॉन ने उठते हुए और प्रोफ़ेसर ल्यूपिन के पास से गुज़रते हुए कहा। बाहर देखने की कोशिश करते हुए वह बोला, 'मुझे बहुत भूख लग रही है। मैं दावत में पहुँचना चाहता हूँ ...'

'हम अभी वहाँ नहीं पहुँच सकते,' हर्माइनी ने अपनी घड़ी देखते हुए कहा।

'तो फिर ट्रेन रुक क्यों रही है ?'

ट्रेन और धीमी होती गई। इंजन की आवाज़ धीमी होने लगी। खिड़की पर बारिश और हवा के थपेड़ों की आवाज़ें तेज़ हो गईं।

हैरी दरवाज़े के सबसे क़रीब बैठा था। वह गलियारे में देखने के लिए उठकर खड़ा हुआ। पूरे डिब्बे के उत्सुक बच्चों के सिर कम्पार्टमेंट्स में से बाहर झाँक रहे थे।

ट्रेन एक झटके के साथ रुक गई और दूर से आती धम्म और भट्ट की आवाज़ों ने उन्हें बताया कि कई कम्पार्टमेंट्स में ऊपर रखा सामान गिर गया था। फिर बिना किसी चेतावनी के सभी बत्तियाँ बंद हो गईं और घुप्प अँधेरा हो गया।

'क्या हो रहा है ?' हैरी को पीछे से रॉन की आवाज़ सुनाई दी।

'आउच!' हर्माइनी ने सिसकारी भरी। 'रॉन, तुम मेरे पैर पर चढ़ गए हो!'

हैरी ने दोबारा अपनी सीट तक पहुँचने का रास्ता खोजा।

'कहीं ट्रेन ख़राब तो नहीं हो गई ?'

'क्या पता ...'

चूँ-चूँ जैसी आवाज़ आई। हैरी को रॉन की काली आकृति दिखी। वह खिड़की को साफ़ करके बाहर देख रहा था।

रॉन बोला, 'बाहर कुछ हिल रहा है। मुझे लगता है, ट्रेन में कोई चढ़ रहा है ...'

तभी उनके कम्पार्टमेंट का दरवाज़ा अचानक खुला और कोई हैरी के पैरों को कुचलता हुआ गिर गया।

'माफ़ करना! क्या तुम्हें पता है कि क्या हो रहा है ? आउच! सॉरी –'

'हैलो नेविल,' हैरी ने कहा। उसने अँधेरे में टटोला और नेविल का चोगा पकड़कर उसे उठा लिया।

'हैरी ? क्या यह तुम हो ? क्या हो रहा है ?'

'क्या पता! बैठ जाओ –'

एक तेज़ म्याऊँ और दर्द भरी चीख़ सुनाई दी। नेविल ने क्रुकशैंक्स पर बैठने की कोशिश की थी।

'मैं ड्राइवर से पूछकर आती हूँ कि क्या हो रहा है,' हर्माइनी की आवाज़ आई। वह हैरी के पास से गुज़री। एक बार फिर दरवाज़ा खुलने की आवाज़ आई। ठीक उसी समय धड़ाम की आवाज़ के साथ दो लोगों की दर्द भरी चीख़ें सुनाई दीं।

'कौन है ?'

'कौन है ?'

'जिनी ?'

'हर्माइनी ?'

'तुम क्या कर रही हो ?'

'मैं रॉन को ढूँढ़ रही थी –'

'अंदर आकर बैठ जाओ –'

'यहाँ नहीं!' हैरी ने जल्दी से कहा। 'यहाँ मैं बैठा हूँ!'

'आउच!' नेविल बोला।

'शांत!' अचानक एक भर्राई हुई आवाज़ आई।

ऐसा लग रहा था कि प्रोफ़ेसर ल्यूपिन आख़िरकार जाग गए थे। हैरी को उनकी दिशा से कुछ हलचल सुनाई दी। उनमें से किसी ने भी कुछ नहीं कहा।

फिर एक हल्की कड़ाक की आवाज़ आई और कम्पार्टमेंट में रोशनी हो गई। प्रोफ़ेसर ल्यूपिन की हथेली में आग की लपटें थरथरा रही थीं। लपटों में उनका थका भूरा चेहरा चमकने लगा, लेकिन उनकी आँखें सतर्क और सावधान थीं।

'जहाँ हो, वहीं रहो,' उन्होंने उसी भर्राई आवाज़ में कहा। इसके बाद वे धीरे-धीरे अपने पैरों पर खड़े हुए और अपनी हथेली की लपटों को अपने सामने रखकर चलने लगे।

लेकिन ल्यूपिन दरवाज़े तक पहुँच पाते, इससे पहले ही दरवाज़ा अपने आप खुल गया।

दरवाज़े पर ल्यूपिन के हाथ की थरथराती लपटों में चोगा पहने हुए एक आकृति दिखी, जो इतनी लंबी थी कि उसका सिर ट्रेन की छत को छू रहा था। उसका पूरा चेहरा नक़ाब के पीछे छिपा था। हैरी की आँखें उसके शरीर पर नीचे की तरफ़ गईं और उसने जो देखा, उसे कँपकँपी छूट गई। चोगे से एक चमकता हुआ गंदा और पपड़ीदार पतला सा हाथ बाहर लटक रहा था, जैसे कोई मुर्दा हाथ पानी में गल गया हो ...

वह हाथ उसे सिर्फ़ एक पल के लिए ही नज़र आया। फिर हाथ अचानक काले चोगे की तह में छिप गया, जैसे चोगे के नीचे वाले प्राणी ने हैरी की नज़रों को महसूस कर लिया हो।

और फिर नक़ाब के नीचे वाले प्राणी ने एक लंबी, धीमी खरखराती साँस खींची। ऐसा लग रहा था जैसे वह हवा के अलावा और भी कुछ खींचने की कोशिश कर रहा था।

अचानक उन सभी को बहुत ठंड लगने लगी। हैरी को लगा कि उसकी साँस सीने में ही अटक गई। ठंड उसकी चमड़ी के नीचे तक चली गई। यह उसके सीने के नीचे, उसके दिल के भीतर तक चली गई ...

हैरी की आँखें ऊपर को चढ़ गईं। वह देख नहीं सकता था। वह ठंड के सैलाब में डूबता जा रहा था। उसके कानों में ऐसी आवाज़ हो रही थी, जैसे पानी लहरा रहा हो। उसे लगा जैसे कोई उसे नीचे की तरफ़ खींच रहा हो। लहराते पानी का शोर लगातार ज़्यादा तेज़ होता जा रहा था ...

और फिर, कहीं दूर से उसे चीख़ने की आवाज़ सुनाई दी। किसी औरत की भयानक, दहशत भरी, गिड़गिड़ाती हुई तेज़ चीख़ें। वह चीख़ने वाली औरत की मदद करना चाहता था। उसने अपने हाथ हिलाने की कोशिश की, लेकिन वह

ऐसा नहीं कर पाया... उसके भीतर मोटा सफ़ेद कोहरा घुमड़ रहा था।

'हैरी! हैरी! तुम ठीक तो हो?'

कोई उसका चेहरा थपथपा रहा था।

'क्-क्या?'

हैरी ने अपनी आँखें खोलीं। उसके ऊपर लालटेनें थीं और फ़र्श हिल रहा था - हॉगवर्ट्स एक्सप्रेस दोबारा चलने लगी थी और बत्तियाँ फिर से जल गई थीं। ऐसा लगता था कि वह अपनी सीट से फिसलकर फ़र्श पर गिर पड़ा था। रॉन और हर्माइनी घुटने के बल उसके पास बैठे थे। उनके ऊपर हैरी को नेविल और प्रोफ़ेसर ल्यूपिन दिखाई दे रहे थे, जो उसे देख रहे थे। जब उसने अपने चश्मे को ठीक करने के लिए हाथ उठाया, तो उसका जी मचलाने लगा। उसे अपने चेहरे पर ठंडा पसीना महसूस हुआ।

रॉन और हर्माइनी ने उसे उसकी सीट पर दोबारा बैठा दिया।

'तुम **ठीक** तो हो?' रॉन ने घबराते हुए पूछा।

'हाँ,' हैरी ने कहा और तत्काल दरवाज़े की तरफ़ देखा। नक़ाब वाला प्राणी ग़ायब हो गया था। 'क्या हुआ था? वह-वह चीज़ कहाँ है? कौन चीख़ा था?'

'कोई भी नहीं चीख़ा,' रॉन ने और भी ज़्यादा घबराकर कहा।

हैरी ने रोशनी भरे कम्पार्टमेंट में चारों तरफ़ देखा। जिनी और नेविल उसे देख रहे थे तथा दोनों का ही चेहरा पीला पड़ चुका था।

'लेकिन मुझे चीख़ें सुनाई दी थीं -'

एक ज़ोरदार कड़ाक की आवाज़ सुनकर वे सब उछल पड़े। प्रोफ़ेसर ल्यूपिन चॉकलेट की एक बड़ी पट्टी को छोटे टुकड़ों में तोड़ रहे थे।

उन्होंने हैरी को एक बड़ा टुकड़ा थमाते हुए कहा, 'यह लो। इसे खा लो। इससे मदद मिलेगी।'

हैरी ने चॉकलेट ले तो ली, लेकिन खाई नहीं।

'वह क्या चीज़ थी?' उसने ल्यूपिन से पूछा।

'दमपिशाच,' ल्यूपिन ने कहा, जो अब सबको चॉकलेट बाँट रहे थे। 'अज़्काबान के दमपिशाचों में से एक।'

सब लोग उन्हें घूरने लगे। प्रोफ़ेसर ल्यूपिन ने चॉकलेट के ख़ाली पैकेट को मुट्ठी में दबाकर मरोड़ा और अपनी जेब में डाल लिया।

उन्होंने फिर कहा, 'इसे खा लो। इससे मदद मिलेगी। मुझे ड्राइवर से कुछ

कहना है। माफ़ करना ...'

वे हैरी के पास से गुज़रते हुए गलियारे में ओझल हो गए।

'हैरी, तुम्हें यक़ीन है तुम **ठीक हो**?' हर्माइनी ने हैरी को चिंता से देखते हुए पूछा।

'मैं समझ नहीं पा रहा हूँ ... हुआ क्या था?' हैरी ने अपने चेहरे से एक बार फिर पसीना पोंछते हुए कहा।

'देखो - वह चीज़ - दमपिशाच - वहाँ खड़ा था और चारों तरफ़ देख रहा था (मेरा मतलब है, मैंने सोचा कि उसने ऐसा किया, क्योंकि मुझे उसका चेहरा नहीं दिख रहा था) - और तुम - तुम -'

'मुझे लगा, तुम्हें मिर्गी का दौरा पड़ गया है,' रॉन ने कहा, जो अब भी डरा हुआ दिख रहा था। 'तुम अकड़ गए, अपनी सीट से गिर गए और छटपटाने लगे -'

हर्माइनी बोली, 'इसके बाद प्रोफ़ेसर ल्यूपिन तुम्हें लाँघकर दमपिशाच की तरफ़ बढ़े और उन्होंने अपनी छड़ी बाहर निकालकर कहा, "हममें से किसी ने भी अपने चोगे में सिरियस ब्लैक को नहीं छिपा रखा है। यहाँ से चले जाओ।" लेकिन दमपिशाच नहीं गया। इसके बाद ल्यूपिन ने कोई मंत्र बुदबुदाया और उनकी छड़ी से कोई सफ़ेद चीज़ निकलकर दमपिशाच की तरफ़ बढ़ी। दमपिशाच तत्काल पलटा और एक तरह से उड़ गया ...'

'वह बहुत भयानक था,' नेविल ने सामान्य से तेज़ आवाज़ में कहा। 'जब वह अंदर आया था, तो कितनी ठंड हो गई थी?'

'मुझे बहुत अजीब लगा था,' रॉन अपने कंधे उचकाते हुए परेशान आवाज़ में बोला। 'मुझे ऐसा लग रहा था, जैसे मैं ज़िंदगी में कभी ख़ुश नहीं हो पाऊँगा ...'

जिनी एक कोने में दुबकी हुई थी। उसकी हालत भी हैरी जितनी ही बुरी लग रही थी। वह सुबकने लगी। हर्माइनी ने उसके पास जाकर उस पर सांत्वना भरा हाथ रखा।

'लेकिन तुममें से कोई भी - अपनी सीट पर से नहीं गिरा?' हैरी ने अजीब अंदाज़ में पूछा।

'नहीं,' रॉन ने हैरी को फिर चिंता से देखते हुए कहा। 'जिनी पागलों की तरह काँप रही थी ...'

हैरी को यह बात समझ में नहीं आई। उसे बहुत कमज़ोरी महसूस हो रही थी। वह काँप रहा था। ऐसा लगता था, जैसे वह लंबे बुख़ार के बाद ठीक हो रहा

हो। उसे शर्म भी आ रही थी। जब किसी और की हालत इतनी ख़राब नहीं हुई, तो वह क्यों बेहोश हो गया था?

प्रोफ़ेसर ल्यूपिन वापस लौट आए। अंदर घुसते समय वे ठहरे, उन्होंने चारों तरफ़ देखा और थोड़ा मुस्कराते हुए बोले, 'मैंने उस चॉकलेट में ज़हर नहीं मिलाया है ...'

हैरी ने चॉकलेट का एक टुकड़ा चबाया और उसे बहुत हैरानी हुई, जब उसकी उँगलियों और पैरों में अचानक गर्मी की लहर दौड़ने लगी।

'हम दस मिनट में हॉगवर्ट्स पहुँच जाएँगे,' प्रोफ़ेसर ल्यूपिन बोले। 'तुम ठीक तो हो, हैरी?'

हैरी ने यह नहीं पूछा कि प्रोफ़ेसर ल्यूपिन उसका नाम कैसे जानते हैं।

'ठीक हूँ,' वह शर्माते हुए बुदबुदाया।

बाक़ी बची यात्रा में ज़्यादा बातें नहीं हुईं। अंत में, ट्रेन हॉग्समीड स्टेशन पर रुकी और सभी बाहर निकलने की जल्दी करने लगे। उल्लू बोलने लगे, बिल्लियाँ म्याऊँ करने लगीं और नेविल का पालतू मेंढक उसके हैट के नीचे से ज़ोर-ज़ोर से टर्राने लगा। छोटे से प्लेटफ़ॉर्म पर बर्फ़ीला मौसम था। बारिश बर्फ़ की तरह ठंडी थी।

'फ़र्स्ट ईयर के विद्यार्थी इस तरफ़ आएँ!' एक परिचित आवाज़ सुनाई दी। हैरी, रॉन और हर्माइनी ने मुड़कर प्लेटफ़ॉर्म के दूसरे सिरे पर हैग्रिड की विशाल आकृति देखी। वह आतंकित दिख रहे नए विद्यार्थियों को इशारे से बुला रहा था, ताकि वे नाव में बैठकर झील के पार जाएँ, जैसी कि परंपरा थी। नाव से जाना हॉगवर्ट्स के फ़र्स्ट ईयर के विद्यार्थियों की परंपरागत यात्रा थी।

'तुम तीनों ठीक तो हो?' हैग्रिड विद्यार्थियों की भीड़ के ऊपर से चिल्लाया। उन्होंने उसकी तरफ़ हाथ हिलाया, लेकिन उन्हें कुछ बोलने का मौक़ा नहीं मिला, क्योंकि उनके चारों तरफ़ के लोगों की भीड़ उन्हें प्लेटफ़ॉर्म से बाहर की तरफ़ धकेल रही थी। हैरी, रॉन और हर्माइनी स्कूल के बाक़ी लोगों के पीछे-पीछे कीचड़ भरे कच्चे रास्ते पर आ गए, जहाँ कम से कम सौ बग्घियाँ बचे हुए विद्यार्थियों का इंतज़ार कर रही थीं। हैरी का ऐसा अनुमान था कि हर बग्घी को एक अदृश्य घोड़ा खींच रहा था, क्योंकि जब वे एक बग्घी के अंदर चढ़े और दरवाज़ा बंद किया, तो बग्घी अपने आप चल दी।

बग्घी के अंदर मिट्टी और घास की हल्की गंध थी। चॉकलेट खाने के बाद हैरी को अच्छा लगने लगा था, लेकिन उसे अब भी कमज़ोरी महसूस हो रही थी। रॉन और हर्माइनी उसकी तरफ़ कनखियों से देखते रहे, मानो उन्हें अब भी यह डर हो कि वह दोबारा गिर सकता है।

गाड़ी लोहे के भव्य दरवाज़े की तरफ़ बढ़ने लगी, जिनके पास पत्थर के स्तंभ थे। इन स्तंभों के ऊपर पंख वाले सुअरों की आकृतियाँ थीं। दरवाज़े के पास पहुँचकर हैरी को नक़ाब पहने दो लंबे दमपिशाच दिखे, जो दरवाज़े के दोनों तरफ़ पहरा दे रहे थे। उसे एक बार फिर ठंड लगने लगी और उसका जी मचलाने लगा। वह अपनी सीट पर पीछे टिक गया और अपनी आँखें तब तक बंद रखीं, जब तक कि उनकी बग्घी दरवाज़े के पार नहीं पहुँच गई। महल तक की लंबी चढ़ाई चढ़ने के लिए बग्घी ने रफ़्तार पकड़ ली। हर्माइनी छोटी खिड़की से बाहर झाँक रही थी और बहुत से कंगूरों तथा मीनारों को पास आते देख रही थी। आख़िरकार गाड़ी रुक गई और हर्माइनी तथा रॉन बाहर उतर गए।

जैसे ही हैरी ने नीचे क़दम रखा, उसके कानों में एक धीमी और ख़ुशी भरी आवाज़ पड़ी।

'तुम *बेहोश* हो गए थे, पॉटर ? क्या लाँगबॉटम सच कह रहा है ? तुम सचमुच *बेहोश* हो गए थे ?'

मैल्फ़ॉय हर्माइनी को कोहनी से धकाकर हैरी के ठीक सामने रास्ता रोककर खड़ा हो गया, ताकि वह उसे महल में ले जाने वाली पत्थर की सीढ़ियों पर न चढ़ने दे। उसका चेहरा ख़ुशी से दमक रहा था और उसकी पीली आँखों में शैतानी चमक थी।

'हट जाओ, मैल्फ़ॉय,' रॉन अपना जबड़ा भींचते हुए बोला।

'क्या तुम भी बेहोश हो गए थे, वीज़्ली ?' मैल्फ़ॉय ने ज़ोर से कहा। 'क्या दमपिशाच ने तुम्हें भी डरा दिया था, वीज़्ली ?'

'क्या कोई समस्या है ?' एक धीमी आवाज़ आई। प्रोफ़ेसर ल्यूपिन अगली बग्घी से बाहर उतर रहे थे।

मैल्फ़ॉय ने प्रोफ़ेसर ल्यूपिन को हिक़ारत भरी नज़र से देखा। वह उनके दुशालों के पैबंद और उनके सूटकेस की ख़स्ता हालत को ग़ौर से देख रहा था। उसकी आवाज़ में ताने की झलक थी, जब उसने कहा, 'अरे नहीं – प्रोफ़ेसर।' फिर वह क्रैब और गॉइल की तरफ़ देखकर हँसा और उनके आगे-आगे महल की सीढ़ियाँ चढ़ गया।

हर्माइनी ने रॉन को पीछे से धक्का दिया, ताकि वह जल्दी चले। वे तीनों भी सीढ़ियों पर जाने वाली भीड़ में शामिल हो गए। बलूत के विशाल दरवाज़े से होते हुए वे गुफा जैसे प्रवेश हॉल में पहुँचे, जहाँ मशालें जल रही थीं और ऊपर की मंज़िलों तक जाने वाली संगमरमर की सुंदर सीढ़ियाँ थीं।

बड़े हॉल का दरवाज़ा दाईं तरफ़ था। हैरी भीड़ के साथ इसकी तरफ़ बढ़ा, लेकिन अभी उसने जादुई छत को देखा ही था, जो आज रात को काली

और बादल भरी थी कि तभी एक आवाज़ आई, 'पॉटर! ग्रेंजर! मैं तुम दोनों से कुछ कहना चाहती हूँ!'

हैरी और हर्माइनी हैरानी से घूमे। रूपांतरण की टीचर और गरुड़द्वार की प्रमुख प्रोफ़ेसर मैक्गॉनेगल भीड़ के सिरों के ऊपर से उन्हें बुला रही थीं। वे एक सख़्त दिखने वाली जादूगरनी थीं, जो अपने बालों को कसकर जूड़े में बाँधती थीं। उनकी पैनी आँखों पर चौकोर चश्मा लगा था। हैरी आशंकित होकर उनके पास पहुँचा। प्रोफ़ेसर मैक्गॉनेगल में उसे यह महसूस कराने की कला थी, जैसे उसने कोई ग़लत काम कर दिया है।

'इतना चिंतित दिखने की कोई ज़रूरत नहीं है – मैं सिर्फ़ ऑफ़िस में तुमसे कुछ बातचीत करना चाहती हूँ,' उन्होंने दोनों से कहा। 'वीज़्ली, अब तुम आगे जाओ।'

जब प्रोफ़ेसर मैक्गॉनेगल हैरी और हर्माइनी को भीड़ से दूर ले गईं, तो रॉन उन्हें घूरता रहा। वे दोनों प्रोफ़ेसर मैक्गॉनेगल के साथ प्रवेश हॉल के पार गए, संगमरमर की सीढ़ियों पर चढ़े और गलियारे में चलने लगे।

फिर वे उनके ऑफ़िस में पहुँच गए। यह एक छोटा कमरा था, जिसमें धधकती आग जल रही थी। प्रोफ़ेसर मैक्गॉनेगल ने हैरी और हर्माइनी को बैठने का इशारा किया। वे ख़ुद अपनी डेस्क के पीछे जाकर बैठ गईं और अचानक बोलीं, 'प्रोफ़ेसर ल्यूपिन ने एक उल्लू से यह ख़बर पहले ही भिजवा दी थी कि तुम ट्रेन में बीमार पड़ गए हो, पॉटर।'

हैरी जवाब दे पाए, इससे पहले ही दरवाज़े पर हल्की दस्तक हुई और मैट्रन मैडम पॉमफ़्री तेज़ी से अंदर आईं।

हैरी को अचानक महसूस हुआ, जैसे उसका चेहरा शर्म के मारे लाल पड़ रहा है। इतना ही काफ़ी था कि वह बेहोश हो गया था। सब लोगों को इस बात का बतंगड़ बनाने की क्या ज़रूरत थी?

'मैं ठीक हूँ,' उसने कहा। 'मुझे किसी चीज़ की ज़रूरत नहीं है –'

'अच्छा, तो तुम हो?' मैडम पॉमफ़्री ने उसकी बात को अनसुना करते हुए कहा और उसे ग़ौर से देखने के लिए झुकीं। 'तुम फिर कोई ख़तरनाक काम कर रहे होगे?'

'दमपिशाच था, पॉपी,' प्रोफ़ेसर मैक्गॉनेगल ने कहा।

उन्होंने रहस्यमय अंदाज़ में एक-दूसरे को देखा।

'दमपिशाचों को स्कूल के आसपास रखना,' मैडम पॉमफ़्री असंतुष्ट स्वर में बुदबुदाईं, हैरी के बालों को पीछे धकाया और उसका माथा छूकर देखा। 'बेहोश

होने वाला यह आख़िरी बच्चा नहीं होगा। हाँ, वह चिपचिपा है। दमपिशाच बहुत भयानक होते हैं। उन लोगों पर तो उनका और भी ज़्यादा बुरा असर होता है, जो पहले से ही नाज़ुक –'

'मैं नाज़ुक नहीं हूँ!' हैरी ने तत्काल कहा।

'ज़ाहिर है तुम नहीं हो,' मैडम पॉमफ़्री ने उधेड़बुन में कहा। वे अब उसकी नब्ज़ देख रही थीं।

'उसे किस चीज़ की ज़रूरत है ?' प्रोफ़ेसर मैक्गॉनेगल ने तपाक से पूछा। 'अस्पताल में आराम की ? शायद उसे आज रात को अस्पताल में भर्ती कर देना चाहिए ?'

'मैं *ठीक हूँ!*' हैरी ने उछलते हुए कहा। उसे यह सोचकर ही बहुत यातना हो रही थी कि अगर वह अस्पताल में भर्ती हो गया, तो ड्रेको मैल्फ़ॉय क्या कहेगा।

'कम से कम उसे कुछ चॉकलेट तो खाना ही चाहिए,' मैडम पॉमफ़्री ने कहा, जो अब हैरी की आँखों में झाँकने की कोशिश कर रही थीं।

'मैंने पहले ही खा ली हैं,' हैरी बोला। 'प्रोफ़ेसर ल्यूपिन ने मुझे चॉकलेट दी थी। उन्होंने हम सबको चॉकलेट दी थीं।'

'अच्छा ?' मैडम पॉमफ़्री ने प्रशंसा के भाव से कहा। 'तो, आख़िरकार हमें गुप्त कलाओं से रक्षा का एक ऐसा टीचर मिल गया है, जो अपना काम अच्छी तरह से करना जानता है।'

प्रोफ़ेसर मैक्गॉनेगल ने सख़्ती से पूछा, 'तुम्हें यक़ीन है कि तुम बिलकुल ठीक हो, पॉटर ?'

'हाँ,' हैरी ने कहा।

'बहुत अच्छा। अब बाहर जाकर थोड़ी देर इंतज़ार करो। मुझे मिस ग्रेंजर से उसके टाइमटेबल के बारे में बातचीत करनी है। फिर हम सब साथ-साथ दावत में नीचे चलेंगे।'

हैरी मैडम पॉमफ़्री के साथ गलियारे में गया, जो बड़बड़ाती हुईं अस्पताल की तरफ़ चल दीं। उसे सिर्फ़ कुछ मिनट ही इंतज़ार करना पड़ा। फिर हर्माइनी बहुत ख़ुश होकर बाहर निकली और उसके पीछे प्रोफ़ेसर मैक्गॉनेगल भी थीं। वे तीनों संगमरमर की सीढ़ी से नीचे उतरकर बड़े हॉल में पहुँच गए।

नुकीली काली टोपियों का समुद्र था। चारों लंबी हाउस टेबलों के पास विद्यार्थी लाइन बनाकर खड़े हुए थे। उनके चेहरे हज़ारों मोमबत्तियों की रोशनी में चमक रहे थे, जो टेबलों के ऊपर हवा में तैर रही थीं। सफ़ेद बालों वाले नाटे

प्रोफ़ेसर फ़्लिटविक एक पुरानी टोपी और तीन पैरों वाले स्टूल को हॉल से बाहर ले जा रहे थे।

'ओह,' हर्माइनी ने धीमे से कहा। 'हम चुनने की रस्म नहीं देख पाए!'

हॉगवर्ट्स में आने वाले नए विद्यार्थियों को बोलती टोपी पहनना पड़ती थी, जो यह तय करती थी कि उन्हें किस हाउस में भेजा जाना चाहिए (गरुड़द्वार, चीलघात, मेहनतकश या नागशक्ति)। प्रोफ़ेसर मैक्गॉनेगल स्टाफ़ टेबल पर अपनी ख़ाली सीट की तरफ़ चली गईं। हैरी और हर्माइनी दूसरी दिशा में गरुड़द्वार की टेबल की तरफ़ चुपचाप चल दिए। जब वे हॉल के पीछे से उस तरफ़ जा रहे थे, तो विद्यार्थियों ने उन्हें देखा और कुछ ने तो हैरी की तरफ़ इशारा भी किया। वह सोचने लगा, क्या उसके दमपिशाच के सामने बेहोश होने की बात इतनी तेज़ी से फैल गई है ?

हैरी और हर्माइनी रॉन के आजू-बाज़ू बैठ गए, जिसने उनके लिए जगह रोक रखी थी।

'किसलिए बुलाया था ?' उसने हैरी से बुदबुदाकर पूछा।

हैरी ने फुसफुसाकर बताने की कोशिश की, लेकिन तभी हेडमास्टर बोलने के लिए खड़े हो गए, इसलिए वह रुक गया।

हालाँकि प्रोफ़ेसर डम्बलडोर बहुत बूढ़े थे, लेकिन उन्हें देखकर हमेशा असीम शक्ति का आभास होता था। उनके कई फ़ुट लंबे चाँदी जैसे बाल और दाढ़ी थी। वे आधे चाँद के आकार का चश्मा लगाते थे और उनकी नाक बहुत मुड़ी हुई थी। उन्हें लोग इस युग का सबसे महान जादूगर मानते थे, लेकिन हैरी इस वजह से उनकी इज्ज़त नहीं करता था। उसे एल्बस डम्बलडोर पर विश्वास था। और जैसे ही हैरी ने डम्बलडोर को विद्यार्थियों की तरफ़ ख़ुशी से मुस्कराते देखा, तो दमपिशाच से मुठभेड़ के बाद उसे पहली बार शांति महसूस हुई।

'स्वागत है!' डम्बलडोर ने कहा और मोमबत्तियों की रोशनी में उनकी दाढ़ी चमक रही थी। 'हॉगवर्ट्स में आप सभी का स्वागत है! मुझे आपसे कुछ बातें कहनी हैं और चूँकि उनमें से एक बहुत गंभीर है, इसलिए मैं सोचता हूँ कि इसे सबसे पहले बता दूँ, इससे पहले कि आप दावत खाने के बाद सुस्त हो जाएँ ...'

डम्बलडोर ने अपना गला साफ़ किया और आगे कहा, 'जैसा आप सब हॉगवर्ट्स एक्सप्रेस की तलाशी के बाद से जानते होंगे, अज़्काबान के दमपिशाच इस समय हमारे स्कूल की पहरेदारी कर रहे हैं। उन्हें जादू मंत्रालय ने यहाँ तैनात किया है।'

वे ठहरे और हैरी को मिस्टर वीज़्ली की बात याद आई कि डम्बलडोर इस

बात से ख़ुश नहीं हैं कि दमपिशाच स्कूल की पहरेदारी करें।

'दमपिशाच स्कूल के हर प्रवेश द्वार पर तैनात हैं,' डम्बलडोर ने आगे कहा, 'और जब तक वे यहाँ हैं, तब तक कोई भी बिना इज़ाज़त के स्कूल न छोड़े। दमपिशाचों को चालाकी से या छिपकर - या अदृश्य चोगा पहनकर मूर्ख नहीं बनाया जा सकता,' उन्होंने आगे कहा, जिसे सुनकर हैरी और रॉन एक-दूसरे को देखने लगे। 'दया करना या माफ़ करना दमपिशाचों की आदत नहीं होती। इसलिए मैं आप सभी को यह चेतावनी देता हूँ कि आप उन्हें ऐसा कोई कारण न दें, जिससे वे आपको नुक़सान पहुँचा सकें। मैं प्रिफ़ेक्ट्स और हमारे नए हेड बॉय तथा हेड गर्ल से उम्मीद करता हूँ कि वे किसी भी विद्यार्थी को दमपिशाच के रास्ते में नहीं आने देंगे।'

हैरी से कुछ सीट दूर बैठे पर्सी ने एक बार फिर अपना सीना फूलाकर गर्व से चारों तरफ़ देखा। डम्बलडोर एक बार फिर ठहरे। वे बहुत गंभीरता से हॉल में चारों तरफ़ देख रहे थे। इस दौरान न तो कोई हिला, न ही किसी ने आवाज़ की।

'अब अच्छी ख़बर सुनाता हूँ,' उन्होंने आगे कहा, 'मुझे इस साल दो नए टीचर्स का स्वागत करने में ख़ुशी हो रही है।'

'सबसे पहले तो प्रोफ़ेसर ल्यूपिन, जो गुप्त कलाओं से रक्षा के टीचर के ख़ाली पद को भरने के लिए कृपापूर्वक तैयार हो गए।'

सिर्फ़ कुछ ही लोगों ने बेमन से तालियाँ बजाईं। लेकिन उन लोगों ने जमकर तालियाँ बजाईं, जो प्रोफ़ेसर ल्यूपिन के साथ उनके कम्पार्टमेंट में बैठे थे और हैरी उनमें से एक था। सबसे अच्छे कपड़े पहने बाक़ी टीचर्स के पास बैठने के कारण प्रोफ़ेसर ल्यूपिन के कपड़े और भी ख़राब दिख रहे थे।

'स्नेप की तरफ़ देखो!' रॉन ने फुसफुसाकर हैरी के कान में कहा।

जादुई काढ़े के टीचर प्रोफ़ेसर स्नेप स्टाफ़ टेबल पर प्रोफ़ेसर ल्यूपिन को घूर रहे थे। सब जानते थे कि स्नेप गुप्त कलाओं से रक्षा के टीचर बनना चाहते हैं, लेकिन उनसे नफ़रत करने वाला हैरी भी उस भाव से चौंक गया, जो इस समय उनके दुबले, पीले चेहरे पर था। यह ग़ुस्से से भी ज़्यादा बुरा भाव था : यह घृणा थी। हैरी इस भाव को बहुत अच्छी तरह जानता था, क्योंकि स्नेप जब भी हैरी को देखते थे, तो उनके चेहरे पर यही भाव रहता था।

जब प्रोफ़ेसर ल्यूपिन के स्वागत में बजने वाली छुटपुट तालियाँ रुक गईं, तो डम्बलडोर बोले, 'अब हमारे दूसरे नए टीचर के बारे में। अफ़सोस की बात है कि जादुई प्राणियों की देखभाल के टीचर प्रोफ़ेसर केटलबर्न पिछले साल के अंत में रिटायर हो गए, ताकि वे बचे-खुचे समय में अपने बचे हुए अंगों का

आनंद ले सकें। बहरहाल, मुझे यह कहते हुए ख़ुशी हो रही है कि उनकी जगह पर कोई और नहीं, बल्कि रूबियस हैग्रिड आ रहे हैं, जो अपने गेमकीपिंग के कर्तव्य के अलावा पढ़ाने के लिए भी तैयार हो गए हैं।'

हैरी, रॉन और हर्माइनी स्तब्ध थे। उन्होंने एक-दूसरे की तरफ़ देखा। फिर वे तालियाँ बजाने लगे। गरुड़द्वार की टेबल पर सबसे ज़्यादा तालियाँ बज रही थीं। हैरी हैग्रिड को देखने के लिए आगे झुका। हैग्रिड का चेहरा लाल पड़ गया था और वह अपने बड़े हाथों को घूर रहा था। उसकी चौड़ी मुस्कान उसकी काली दाढ़ी में छिप गई थी।

'हमें पता होना चाहिए था!' रॉन ने टेबल पर मुक्का मारते हुए गरजा। 'काटने वाली किताब कोर्स में और कौन रखेगा?'

हैरी, रॉन और हर्माइनी ने सबसे अंत में तालियाँ बजाना बंद कीं। जब प्रोफ़ेसर डम्बलडोर ने दोबारा बोलना शुरू किया, तो उन्होंने देखा कि हैग्रिड टेबलक्लॉथ से अपनी आँखें पोंछ रहा था।

'मुझे लगता है, असली महत्व की बातें यही हैं,' डम्बलडोर ने कहा, 'अब दावत शुरू करें!'

उनके सामने रखी सुनहरी प्लेटों और प्यालों में अचानक खाने-पीने की चीज़ें आ गईं। हैरी को अचानक भूख लगने लगी। वह जितना ले सकता था, उसने लिया और खाने में जुट गया।

दावत के सभी व्यंजन बहुत जायक़ेदार थे। हॉल में बातों, हँसी, और छुरी-काँटे की आवाज़ें गूँज रही थीं। बहरहाल हैरी, रॉन और हर्माइनी चाहते थे कि दावत जल्दी ख़त्म हो जाए, ताकि वे हैग्रिड से मिल सकें। वे जानते थे कि उसके लिए टीचर बनना कितना मायने रखता था। हैग्रिड पूरी तरह योग्य जादूगर नहीं था। उसे हॉगवर्ट्स में थर्ड ईयर में एक ऐसे अपराध के लिए निकाल दिया गया था, जो उसने किया ही नहीं था। हैरी, रॉन और हर्माइनी ने पिछले साल ही हैग्रिड के नाम पर लगे कलंक को धोया था।

आख़िरकार, कद्दू की कचौरी के बचे हुए कौर सुनहरी प्लेटों से ग़ायब हो गए। इसके बाद डम्बलडोर ने कहा कि अब सबके बिस्तर पर जाने का वक़्त हो गया है। उस समय उन्हें मौक़ा मिल गया।

टीचर्स की टेबल के पास पहुँचकर हर्माइनी चहकी, 'बधाइयाँ, हैग्रिड!'

'सब कुछ तुम तीनों की बदौलत हुआ है,' हैग्रिड ने रूमाल से अपने चमकते चेहरे को पोंछते हुए कहा। 'हमें तो अब भी यक़ीन नहीं हो रहा है ... डम्बलडोर महान हैं ... जब प्रोफ़ेसर केटलबर्न ने जाने की बात की, तो डम्बलडोर सीधे हमारे पास आए ... हम हमेशा से यही चाहते थे ...'

भावविह्वल होकर उसने रूमाल में अपना चेहरा छिपा लिया और प्रोफ़ेसर मैक्गॉनेगल ने उन्हें वहाँ से भगा दिया।

हैरी, रॉन और हर्माइनी गरुड़द्वार के बाक़ी बच्चों के साथ संगमरमर की सीढ़ियाँ चढ़ने लगे। वे बहुत थके हुए थे। फिर वे गलियारों से होकर गुज़रे। और कई सीढ़ियाँ चढ़े। आख़िरकार वे गरुड़द्वार के छिपे हुए प्रवेश द्वार के सामने आ गए। गुलाबी पोशाक में एक मोटी औरत की बड़ी तस्वीर ने उनसे पूछा, 'पासवर्ड ?'

'आ रहा हूँ, आ रहा हूँ!' पर्सी भीड़ के पीछे से चिल्लाया। 'नया पासवर्ड है *मोटी क़िस्मत!*'

'ओह नहीं,' नेविल लॉंगबॉटम ने दुखी होकर कहा। पासवर्ड याद करने में उसे हमेशा दिक्क़त होती थी।

वे तस्वीर के छेद से निकलकर हॉल के पार गए। इसके बाद लड़कियाँ और लड़के अपनी अलग-अलग सीढ़ियाँ चढ़ने लगे। हैरी गोलाकार सीढ़ी पर चढ़ गया। उसके दिमाग़ में सिर्फ़ एक ही विचार था - वह यहाँ वापस लौटकर बहुत ख़ुशी महसूस कर रहा था। वे अपने परिचित, गोलाकार कमरे में पहुँचे, जिसमें पाँच मसहरीदार पलंग लगे थे। हैरी ने चारों तरफ़ देखा और उसे महसूस हुआ, जैसे आख़िरकार अब वह अपने घर लौट आया है।

अध्याय छह

गरुड़अश्व और चाय की पत्तियाँ

अगले दिन जब हैरी, रॉन और हर्माइनी नाश्ते के लिए बड़े हॉल में पहुँचे, तो उन्हें सबसे पहले ड्रेको मैल्फ़ॉय दिखाई दिया। वह नागशक्ति के विद्यार्थियों कोई मज़ेदार कहानी सुना रहा था। जब वे पास से गुज़रे, तो मैल्फ़ॉय ने बेहोश होने का मूर्खतापूर्ण नाटक किया, जिस पर ठहाके गूँज उठे।

'उसकी तरफ़ ध्यान मत दो,' हर्माइनी बोली, जो हैरी के ठीक पीछे चल रही थी। 'उसकी तरफ़ ध्यान मत दो। कोई फ़ायदा नहीं होगा ...'

'अरे पॉटर!' पैन्सी पार्किन्सन चीख़ी। नागशक्ति की इस लड़की का चेहरा किसी बदसूरत कुतिया जैसा था। 'पॉटर! दमपिशाच आ रहे हैं, पॉटर! *वूऊऊऊऊ!*'

हैरी गरुड़द्वार की टेबल पर जॉर्ज वीज़्ली के पास बैठ गया।

'थर्ड ईयर का टाइमटेबल,' जॉर्ज ने उनकी तरफ़ टाइमटेबल बढ़ाते हुए कहा। 'तुम्हें क्या हुआ, हैरी ?'

'मैल्फ़ॉय,' रॉन ने कहा, जो जॉर्ज के दूसरी तरफ़ बैठकर नागशक्ति के विद्यार्थियों को ग़ुस्से से घूर रहा था।

जॉर्ज ने देखा कि मैल्फ़ॉय एक बार फिर डर के मारे बेहोश होने का नाटक कर रहा है।

उसने धीरे से कहा, 'वह घटिया लड़का! जब दमपिशाच कल रात को हमारी तरफ़ वाले हिस्से में आए थे, तब तो वह इतना बहादुर नहीं दिख रहा था। वह भागता हुआ हमारे कम्पार्टमेंट में आ गया था, है ना फ्रेड ?'

'वह पूरा गीला था,' फ्रेड ने मैल्फ़ॉय को हिक़ारत से देखते हुए कहा।

'मेरे अंदर से भी सारी ख़ुशी चली गई थी,' जॉर्ज बोला। 'दमपिशाच

बहुत भयानक चीज़ हैं ...'

फ्रेड बोला, 'ऐसा लगता है, जैसे ख़ून बर्फ़ बन गया हो, है ना?'

'तुम बेहोश तो नहीं हुए थे?' हैरी ने धीमी आवाज़ में पूछा।

'भूल जाओ हैरी,' जॉर्ज ने हिम्मत बढ़ाते हुए कहा। 'डैडी को एक बार अज़्काबान जाना पड़ा था, याद है ना, फ्रेड? और उन्होंने लौटकर कहा था कि उन्होंने इससे बुरी जगह नहीं देखी। वापस आने पर वे बहुत कमज़ोर हो गए थे और काँप रहे थे ... दमपिशाच माहौल से सारी ख़ुशी चूस लेते हैं। अज़्काबान के ज़्यादातर क़ैदी पागल हो जाते हैं।'

'देखते हैं, मैल्फ़ॉय हमारे पहले क्विडिच मैच के बाद कितना ख़ुश दिखता है?' फ्रेड बोला। 'इस साल का पहला मैच गरुड़द्वार और नागशक्ति के बीच है, याद है ना?'

क्विडिच मैच में हैरी और मैल्फ़ॉय का सिर्फ़ एक बार ही आमना-सामना हुआ था, जिसमें मैल्फ़ॉय का बहुत बुरा हाल हुआ था। इस विचार से हैरी थोड़ा ख़ुश हुआ और उसने सॉसेज व फ्राई किए हुए टमाटर ले लिए।

हर्माइनी अपना नया टाइमटेबल देख रही थी।

उसने ख़ुश होकर कहा, 'आहा, कितना अच्छा है, आज हमारे कुछ नए विषयों की क्लासें भी शुरू हो रही हैं।'

'हर्माइनी,' रॉन ने उसके कंधे के ऊपर से झाँकते हुए कहा, 'उन्होंने तुम्हारा टाइमटेबल ग़लत बना दिया है। देखो – तुम्हें एक दिन में दस विषय पढ़ने हैं। इसके लिए पर्याप्त *समय* ही नहीं है।'

'मैं सँभाल लूँगी। मैंने इस बारे में प्रोफ़ेसर मैक्गॉनेगल से बात कर ली है।'

'लेकिन देखो,' रॉन ने हँसते हुए कहा, 'आज सुबह का टाइमटेबल देखो? नौ बजे, ज्योतिष शास्त्र। और उसके नीचे, नौ बजे, मगलुओं का अध्ययन। और –' रॉन हैरान होकर टाइमटेबल के थोड़ा और क़रीब झुका, '*देखो* – उसके नीचे, *नौ बजे*, अंकों के जादुई महत्व का ऐतिहासिक अध्ययन। मेरा मतलब है, मैं जानता हूँ कि तुम पढ़ने में अच्छी हो हर्माइनी, लेकिन कोई भी *इतना* अच्छा नहीं हो सकता। तुम एक ही समय पर तीन क्लासों में कैसे रह सकती हो?'

हर्माइनी ने उसे झिड़कते हुए कहा, 'बेवकूफ़ी की बातें मत करो। ज़ाहिर है, मैं एक ही समय पर तीन क्लासों में नहीं रह सकती।'

'तो फिर –'

'मुरब्बा इधर बढ़ा दो,' हर्माइनी बोली।

'पर –'

'ओह रॉन, तुम्हें इससे क्या मतलब अगर मेरा टाइमटेबल थोड़ा ज़्यादा भरा है?' हर्माइनी ने बेरुख़ी से कहा। 'मैंने तुम्हें बताया है ना, मैंने प्रोफ़ेसर मैक्गॉनेगल से इस बारे में बात कर ली है।'

तभी हैग्रिड बड़े हॉल में आ गया। वह अपना छछूँदर की खाल वाला लंबा ओवरकोट पहने था और बेध्यानी में अपने बड़े से हाथ में एक मरी हुई बिल्ली को लहरा रहा था।

'सब ठीक है?' उसने उत्सुकता से पूछा, जब वह स्टाफ़ टेबल की तरफ़ जाते समय रास्ते में रुका। 'आज हमारी ज़िंदगी की पहली क्लास है, जिसमें हम तुम्हें पढ़ाएँगे! लंच के ठीक बाद! सुबह पाँच बजे से उठकर उसकी तैयारी कर रहे हैं ... आशा करते हैं कि सब कुछ ठीक होगा ... हम टीचर बन गए ... *क़सम से* ...'

वह उनकी तरफ़ देखकर मुस्कराया और अपनी बिल्ली को लहराते हुए स्टाफ़ टेबल की तरफ़ बढ़ गया।

'क्या पता वह किस चीज़ की तैयारी कर रहा है?' रॉन ने तनाव भरी आवाज़ में कहा।

विद्यार्थी अपनी-अपनी क्लास में जाने लगे और हॉल ख़ाली होने लगा। रॉन ने अपना टाइमटेबल देखा।

'बेहतर होगा कि हम भी चल दें। देखो, ज्योतिष शास्त्र की क्लास उत्तरी मीनार के ऊपर लगेगी। वहाँ पहुँचने में हमें दस मिनट लग जाएँगे ...'

उन्होंने जल्दी से अपना नाश्ता ख़त्म किया तथा फ्रेड और जॉर्ज से विदा लेकर हॉल से बाहर चल दिए। जब वे नागशक्ति की टेबल के पास से गुज़रे, तो मैल्फ़ॉय ने एक बार फिर से बेहोश होने का अभिनय किया। जब हैरी प्रवेश हॉल में पहुँचा, तो उसे पीछे से हँसी का ठहाका सुनाई दिया।

महल से उत्तरी मीनार तक जाना आसान नहीं था। यह एक लंबी यात्रा थी। हालाँकि उन्हें हॉगवर्ट्स में दो साल हो चुके थे, लेकिन इसके बावज़ूद उन्हें महल के बारे में पूरी जानकारी नहीं थी और वे इससे पहले कभी उत्तरी मीनार में नहीं गए थे।

'कोई-न-कोई-शॉर्टकट-होना-चाहिए,' रॉन ने हाँफते हुए कहा, जब वे सातवीं लंबी सीढ़ियों पर चढ़े और एक अपरिचित जगह पर पहुँच गए, जहाँ पत्थर की दीवार पर लटकती एक बड़ी तस्वीर के सिवाय और कुछ नहीं था।

तस्वीर में घास का मैदान दिख रहा था।

हर्माइनी दाहिनी तरफ़ के ख़ाली गलियारे में झाँकते हुए बोली, 'मुझे लगता है कि रास्ता इधर से ही होगा।'

'हो ही नहीं सकता,' रॉन बोला। 'उधर तो दक्षिण दिशा है। देखो, वहाँ की खिड़की के बाहर झील दिख रही है ...'

हैरी पेंटिंग को देख रहा था। एक मोटा और भूरा टट्टू अभी-अभी घास के उस मैदान में प्रकट हुआ था और घास चरने लगा। हैरी को अब इस बात की आदत पड़ चुकी थी कि हॉगवर्ट्स की तस्वीरों में बने लोग अपनी तस्वीर को छोड़कर दूसरी तस्वीरों में एक-दूसरे से मिलने जाते रहते थे, लेकिन उसे यह देखने में बड़ा मज़ा आता था। एक पल बाद जिरहबख़्तर पहने एक नाटा गोल-मटोल सैनिक अपने टट्टू की तलाश में उस तस्वीर में घुस आया। उसके धातु के घुटनों पर घास के निशान देखकर लगता था कि वह अभी-अभी गिरा था।

'अहा!' वह हैरी, रॉन और हर्माइनी को देखकर चिल्लाया। 'ये दुष्ट लोग कौन हैं, जिन्होंने मेरी निजी जागीर में घुसने की हिम्मत की है ? शायद मेरे गिरने पर हँसी उड़ाने आए हो ? कुत्तों, कमीनों, मैं अभी तुम्हें मज़ा चखाता हूँ!'

उन्होंने हैरानी से देखा कि नाटे सैनिक ने अपनी तलवार म्यान से बाहर निकाल ली। इसके बाद वह उसे ज़ोर-ज़ोर से हवा में घुमाने लगा और ग़ुस्से में ऊपर-नीचे उछलने लगा। लेकिन उसके क़द के हिसाब से तलवार कुछ ज़्यादा ही लंबी थी। एक ज़ोरदार झटके से उसका संतुलन बिगड़ गया और वह मुँह के बल घास पर जा गिरा।

'तुम ठीक तो हो ?' हैरी ने तस्वीर के पास खिसकते हुए कहा।

'घटिया और घमंडी आदमी, पीछे हटो! पीछे हटो, कमीने!'

सैनिक ने अपनी तलवार दोबारा पकड़ी और उसे खींचने की कोशिश की, लेकिन तलवार घास में गहराई तक धँस गई थी। हालाँकि उसने तलवार खींचने के लिए अपनी पूरी ताक़त लगा दी, लेकिन वह उसे बाहर नहीं निकाल पाया। आख़िरकार मजबूरन उसे घास पर बैठना पड़ा और अपने लोहे के टोप को ऊपर करके अपने मुँह का पसीना पोंछना पड़ा।

'सुनिए,' हैरी ने सैनिक की थकान का फ़ायदा उठाते हुए कहा, 'हम उत्तरी मीनार की तलाश में भटक रहे हैं। क्या आप वहाँ पहुँचने का रास्ता जानते हैं ?'

'खोज!' सैनिक का ग़ुस्सा तत्काल काफ़ूर हो गया। वह उछलकर खड़ा

हुआ और चिल्लाया, 'मेरे प्यारे दोस्तो, मेरे पीछे आओ। या तो हम अपने लक्ष्य को पा लेंगे, नहीं तो इस कोशिश में बहादुरी से अपनी जान दे देंगे!'

उसने तलवार को खींचने की एक और निरर्थक कोशिश की। फिर उसने अपने मोटे टट्टू पर बैठने की असफल कोशिश की और चिल्लाया, 'श्रेष्ठ पुरुषों और कुलीन महिला, हम पैदल ही अपने अभियान पर चलते हैं! चलिए! चलिए!'

और इसके बाद वह भागते हुए बाईं तरफ़ की तस्वीर में पहुँच गया और ओझल हो गया।

वे उसके जिरहबख़्तर की आवाज़ का पीछा करते हुए गलियारे में भागने लगे। बीच-बीच में वह उन्हें किसी आगे वाली तस्वीर में भागता हुआ दिख जाता था।

'हिम्मत रखो, अभी सबसे बुरी विपत्ति आना बाक़ी है!' सैनिक चीख़ा। उन्होंने देखा कि वह एक सँकरी घुमावदार सीढ़ी की दीवार पर टँगी तस्वीर के बीच में प्रकट हो गया था, जिसमें मौज़ूद औरतें उसे देखकर दहशत में आ गई थीं।

हैरी, रॉन और हर्माइनी ज़ोर-ज़ोर से हाँफते हुए घुमावदार सीढ़ी पर चढ़ने लगे। उनका सिर घूमने लगा। आख़िरकार तभी उन्हें ऊपर से आती लोगों के बोलने की हल्की आवाज़ें सुनाई देने लगीं और वे समझ गए कि वे उत्तरी मीनार वाले क्लासरूम तक पहुँच गए हैं।

'अलविदा!' सैनिक चिल्लाया और उसने अपना सिर कुछ बुरे दिखने वाले संन्यासियों की तस्वीर में घुसा दिया। 'अलविदा, साथियों! अगर आपको कभी किसी महान और साहसी व्यक्ति की ज़रूरत हो, तो सर केडोगन को याद कर लेना!'

'हाँ, हम याद कर लेंगे,' रॉन बुदबुदाया और सैनिक के ग़ायब होने के बाद उसने यह भी जोड़ दिया, 'अगर हमें किसी पागल की ज़रूरत होगी।'

वे लोग आख़िरी कुछ सीढ़ियाँ चढ़े और एक छोटी सी जगह पर पहुँचे, जहाँ क्लास के ज़्यादातर विद्यार्थी पहले ही आ चुके थे। सामने एक भी दरवाज़ा नहीं था। रॉन ने हैरी को दिखाते हुए छत की तरफ़ इशारा किया, जहाँ पर एक गोल दरवाज़ा दिख रहा था। उस दरवाज़े पर पीतल की एक पट्टी लगी थी।

'सिबिल ट्रिलोनी, ज्योतिष शास्त्र अध्यापिका,' हैरी ने उस पट्टी पर लिखे शब्द पढ़ते हुए कहा, 'पर हम वहाँ तक पहुँचेंगे कैसे?'

ऐसा लगा जैसे किसी ने उसका सवाल सुन लिया हो, क्योंकि उसी समय छत का दरवाज़ा अचानक खुला। उसमें से एक सफ़ेद सीढ़ी नीचे की तरफ़ हैरी के पैरों के पास आ गई। हर विद्यार्थी ख़ामोश हो गया।

'पहले आप,' रॉन ने हँसते हुए कहा, इसलिए हैरी सबसे पहले सीढ़ी पर चढ़ा।

वह एक ऐसे क्लासरूम में पहुँचा, जिससे अजीब क्लासरूम उसने आज तक नहीं देखा था। दरअसल यह क्लासरूम जैसा दिखता ही नहीं था। ऐसा लगता था, जैसे यह अटारी और पुराने ज़माने की चाय की दुकान का मिला-जुला रूप हो। इसमें कम से कम बीस छोटी गोल टेबलें ठसाठस भरी थीं, जिनके चारों तरफ़ कुर्सियाँ और मोटे कुशन रखे थे। हर चीज़ पर धीमी लाल रोशनी पड़ रही थी। सभी खिड़कियों पर लगे पर्दे बंद थे। कई लैंपों पर गहरे लाल स्कार्फ़ डले थे। अंदर दमघोंटू गर्मी थी और मैंटलपीस के नीचे जलती आग से बदबू आ रही थी। आग में ताँबे की एक बड़ी केतली गर्म हो रही थी। गोलाकार दीवारों की चारों तरफ़ लगी अलमारियों में धूल से सने पंख, मोमबत्तियों के ठूँठ, कटे-फटे ताश के पत्तों की गड्डियाँ, अनगिनत सफ़ेद भाग्य-दर्पण और चाय के बहुत सारे कप रखे थे।

हैरी के पीछे-पीछे रॉन भी आ गया और कुछ ही समय में पूरी क्लास उनके आस-पास इकट्ठी हो गई। वे सब फुसफुसाकर बातें कर रहे थे।

'टीचर कहाँ हैं ?' रॉन ने कहा।

अचानक छायाओं से एक धीमी, धुँध भरी आवाज़ आई।

'स्वागत है,' आवाज़ ने कहा। 'आख़िरकार तुम्हें इस दुनिया में देखना बहुत अच्छा लगा।'

हैरी को पहली नज़र में लगा, जैसे कोई बड़ा चमकता कीड़ा आ गया हो। प्रोफ़ेसर ट्रिलोनी जब आग की रोशनी में आईं, तो उन लोगों ने देखा कि वे दुबली-पतली थीं। बड़े चश्मे के कारण उनकी आँखें कई गुना बड़ी दिख रही थीं और उन्होंने सितारों जड़ी चमकीली शाल ओढ़ रखी थी। उनकी लंबी और पतली गर्दन में अनगिनत मालाएँ लटक रही थीं। उनके हाथों में कड़े और अँगूठियाँ थीं।

'बैठ जाओ, मेरे बच्चो, बैठ जाओ,' उन्होंने कहा। यह सुनते ही सभी विद्यार्थी कुर्सियों पर बैठ गए या मोटे कुशनों में धँस गए। हैरी, रॉन और हर्माइनी एक गोल टेबल के चारों तरफ़ बैठ गए।

'ज्योतिष शास्त्र की कक्षा में आपका स्वागत है,' प्रोफ़ेसर ट्रिलोनी ने कहा, जो आग के सामने वाली पंख लगी कुर्सी पर बैठ गईं। मेरा नाम प्रोफ़ेसर ट्रिलोनी है। हो सकता है, तुम लोगों ने मुझे पहले कभी नहीं देखा हो। मुझे लगता है कि स्कूल की भागमभाग में ज़्यादा बार पड़ने से मेरे मन की आँख धुँधली हो जाती है।'

किसी ने भी इस असाधारण बात पर कुछ नहीं कहा। प्रोफ़ेसर ट्रिलोनी

नज़ाकत से अपना शॉल ठीक करते हुए आगे बोलीं, 'तो तुम लोगों ने पढ़ने के लिए ज्योतिष शास्त्र चुना है, जो सभी जादुई कलाओं में सबसे मुश्किल कला है। मुझे तुम्हें शुरू में ही यह चेतावनी दे देनी चाहिए कि अगर तुम्हारे अंदर भविष्य देखने की शक्ति नहीं है, तो मैं तुम्हें ज़्यादा कुछ नहीं सिखा पाऊँगी। पुस्तकें इस मामले में तुम्हारी ज़्यादा मदद नहीं कर पाएँगी ...'

इन शब्दों पर हैरी और रॉन दोनों ने ही हर्माइनी की तरफ़ मुस्कराकर देखा, जो यह सुनकर हैरान थी कि पुस्तकें इस विषय में ज़्यादा मदद नहीं कर पाएँगी।

'बहुत से जादूगर और जादूगरनियाँ मंत्रों, काढ़ों और अदृश्य होने के क्षेत्र में तो बहुत प्रतिभाशाली होते हैं, लेकिन भविष्य के रहस्यों को नहीं समझ पाते हैं,' प्रोफ़ेसर ट्रिलोनी ने आगे कहा। उनकी बड़ी-बड़ी चमकती आँखें विद्यार्थियों के घबराए चेहरों पर घूमती रहीं। 'यह एक ऐसी प्रतिभा है, जो बहुत कम लोगों को मिलती है। तुम सुनो, लड़के,' उन्होंने अचानक नेविल से कहा, जो उनकी आवाज़ सुनकर अपने कुशन से गिरते-गिरते बचा, 'क्या तुम्हारी दादी ठीक हैं ?'

नेविल ने काँपती आवाज़ में कहा, 'मुझे लगता है ठीक ही होंगी।'

'अगर मैं तुम्हारी जगह होती, तो इतने यक़ीन से यह बात नहीं कहती,' प्रोफ़ेसर ट्रिलोनी बोलीं। आग की रोशनी में उनके लंबे इयर रिंग चमक रहे थे, जिसमें पन्ने लगे थे। नेविल ने थूक गुटका। प्रोफ़ेसर ट्रिलोनी ने शांत स्वर में आगे कहा, 'हम इस साल ज्योतिष शास्त्र की मूलभूत पद्धतियाँ पढ़ेंगे। पहले सत्र में हम चाय की पत्तियों से भविष्य पढ़ना सीखेंगे। अगले सत्र में हम हस्तरेखाओं का अध्ययन करेंगे। तुम सुनो लड़की,' उन्होंने अचानक पार्वती पाटिल से कहा, 'लाल बाल वाले आदमी से सावधान रहना।'

पार्वती ने अपने ठीक पीछे बैठे हुए रॉन को दहशत से देखा और अपनी कुर्सी उससे दूर खिसका ली।

प्रोफ़ेसर ट्रिलोनी ने आगे कहा, 'गर्मियों में हम भाग्य-दर्पण की पढ़ाई करेंगे, बशर्ते हम इससे पहले आग के अपशकुन पूरे कर लें। दुर्भाग्य से फरवरी में फ़्लू का प्रकोप फैलने के कारण क्लासों में बाधा पड़ेगी। मेरी ख़ुद की आवाज़ चली जाएगी। और ईस्टर के आस-पास हममें से कोई एक हमें हमेशा के लिए छोड़कर चला जाएगा।'

यह सुनकर एक बहुत तनावपूर्ण ख़ामोशी छा गई, लेकिन प्रोफ़ेसर ट्रिलोनी को इस बात का पता नहीं था।

'सुनो,' उन्होंने लैवेंडर ब्राउन से कहा, जो सबसे पास बैठी थी। उनकी बात सुनते ही वह घबराकर अपनी कुर्सी पर पीछे टिक गई, 'क्या तुम चाय का

सबसे बड़ा सफ़ेद पॉट उठाकर ला सकती हो?'

लैवेंडर राहत की साँस लेते हुए, खड़ी हुई और शेल्फ़ से एक बड़ा टीपॉट उठाकर उसे प्रोफ़ेसर ट्रिलोनी के सामने टेबल पर रख दिया।

'धन्यवाद, लड़की। वैसे तुम्हें जिस घटना का डर है, वह शुक्रवार 16 अक्टूबर को होगी।'

लैवेंडर को कँपकँपी छूट गई।

'अब मैं चाहती हूँ कि तुम लोग जोड़ियाँ बना लो। शेल्फ़ से चाय का एक कप उठाकर, मेरे पास आओ और मैं इसे भर दूँगी। फिर बैठकर चाय पिओ। तब तक पीना, जब तक कि सिर्फ़ चाय की पत्तियाँ न बची रहें। फिर बाएँ हाथ से इन्हें कप में तीन बार घुमाना। फिर कप को उसकी तश्तरी उलटा रखना। इसके बाद तब तक इंतज़ार करना, जब तक कि चाय की आख़िरी बूँद न बह जाए। जब यह सब कर लो, तो फिर अपना कप अपने पार्टनर को पढ़ने के लिए दे देना। तुम लोग *भविष्य का ख़ुलासा* के पृष्ठ पाँच और छह का प्रयोग करके आकृतियों का विश्लेषण करोगे। तुम्हारी मदद करने और तुम्हें मार्गदर्शन देने के लिए मैं तुम्हारे बीच में घूमती रहूँगी। और तुम –' उन्होंने नेविल की बाँह पकड़ते हुए कहा, जो उठने की कोशिश कर रहा था, 'जब तुम अपना पहला कप तोड़ दो, तो इसके बाद मेहरबानी करके नीला कप उठाना। मुझे गुलाबी कप थोड़े ज़्यादा पसंद हैं।'

और ऐसा ही हुआ। नेविल अभी चाय के कपों के शेल्फ़ तक पहुँचा ही था कि वहाँ पर कप टूटने की आवाज़ आई। प्रोफ़ेसर ट्रिलोनी एक झाड़ू और कचरे की टोकरी लेकर उसके पास पहुँचीं और बोलीं, 'अगर तुम्हें दिक्क़त न हो, तो नीला कप उठाना, लड़के ... धन्यवाद ...'

जब हैरी और रॉन के चाय के कप भर गए, तो वे वापस अपनी टेबल पर पहुँच गए और उन्होंने गर्म चाय को जल्दी से पीने की कोशिश की। उन्होंने चाय की बची हुई पत्तियों को प्रोफ़ेसर ट्रिलोनी के बताए तरीक़े से हिलाया, फिर कप की आख़िरी बूँद को गिरा दिया और अंत में उन्होंने अपने कप बदल लिए।

'ठीक है,' रॉन बोला, जब उन दोनों ने अपनी पुस्तकों के पाँच और छह नंबर के पेज खोल लिए। 'तुम्हें मेरे कप में क्या दिखता है?'

'गीला भूरा मसाला,' हैरी बोला। कमरे में भरे बदबूदार धुएँ के कारण उसका दिमाग़ घूम रहा था।

प्रोफ़ेसर ट्रिलोनी चिल्लाईं, 'अपने दिमाग़ का दायरा बढ़ाओ, मेरे बच्चो, और अपनी आँखों से इस दुनिया के पार देखने की कोशिश करो!'

हैरी ने ख़ुद को सँभालने की कोशिश की।

'ठीक है, तुम्हारे कप में मुझे क्रॉस जैसी चीज़ दिख रही है ...' उसने *भविष्य का ख़ुलासा* किताब को देखते हुए कहा, 'इसका मतलब है कि तुम्हें "मुश्किलों और कष्ट" का सामना करना पड़ेगा – इस बारे में अफ़सोस है – लेकिन एक ऐसी चीज़ दिख रही है, जो शायद सूरज हो सकता है। ज़रा ठहरो ... इसका मतलब है "बहुत ख़ुशी" ... तो तुम कष्ट में रहोगे, लेकिन बहुत ख़ुश रहोगे...'

'मेरे ख़्याल से तुम्हें अपने मन की आँख की जाँच करवाना चाहिए,' रॉन बोला। उन दोनों को ही अपनी हँसी रोकना पड़ी, क्योंकि प्रोफ़ेसर ट्रिलोनी उन्हीं की तरफ़ देख रही थीं।

'अब मेरी बारी है ...' रॉन ने हैरी के चाय के कप में झाँका। इस कोशिश में उसके माथे पर बल पड़ गए। फिर वह बोला, 'गोल हैट जैसा कुछ दिख रहा है,' वह बोला। 'शायद तुम जादू मंत्रालय में काम करोगे ...'

उसने चाय के कप को दूसरी तरफ़ से देखा।

'लेकिन इस तरफ़ से यह जैतून के फल जैसा दिख रहा है ... इसका क्या मतलब है?' उसने *भविष्य का ख़ुलासा* किताब में देखा। "अप्रत्याशित धन।" बहुत बढ़िया, तुम मुझे कुछ पैसे उधार दे देना। और यहाँ पर एक और चीज़ दिख रही है,' उसने कप को एक बार फिर मोड़ा, 'जो किसी जानवर जैसी है। हाँ, अगर यह इसका सिर है ... तो यह दरियाई घोड़े की तरह दिखता है ... नहीं, भेड़ की तरह ...'

जब यह सुनकर हैरी की हँसी फूट पड़ी, तो प्रोफ़ेसर ट्रिलोनी ने मुड़कर देखा।

'मुझे देखने दो, बच्चे,' उन्होंने रॉन को झिड़कते हुए कहा और उसके हाथ से हैरी का कप छीन लिया। सब विद्यार्थी ख़ामोश होकर देखने लगे।

प्रोफ़ेसर ट्रिलोनी ने चाय के कप को घूरा। वे इसे घड़ी की सुइयों की विपरीत दिशा में घुमा रही थीं।

'बाज ... मेरे बच्चे, तुम्हारा कोई घातक दुश्मन है।'

'लेकिन *यह बात* तो सब जानते हैं,' हर्माइनी ने ज़ोर से फुसफुसाते हुए कहा। प्रोफ़ेसर ट्रिलोनी ने उसे घूरा।

'हैरी और तुम-जानते-हो-कौन के बारे में सब जानते हैं,' हर्माइनी बोली।

हैरी और रॉन ने उसे आश्चर्य तथा प्रशंसा के मिले-जुले भाव से देखा।

उन्होंने पहले कभी हर्माइनी को किसी टीचर से इस तरह बोलते नहीं सुना था। प्रोफ़ेसर ट्रिलोनी ने कोई जवाब नहीं दिया। उन्होंने एक बार फिर अपनी बड़ी आँखें हैरी के कप की तरफ़ कीं और उसे लगातार घुमाती रहीं।

'मुद्गर ... यानी हमला। ओह, ओह, इस कप की भविष्यवाणी सुखद नहीं है ...'

'मुझे यह गोल हैट लगा था,' रॉन ने झिझकते हुए कहा।

'खोपड़ी ... तुम्हारे रास्ते में ख़तरा है, बच्चे ...'

हर्माइनी को छोड़कर बाक़ी सब विद्यार्थी मंत्रमुग्ध होकर प्रोफ़ेसर ट्रिलोनी को देख रहे थे, जिन्होंने कप को आख़िरी बार घुमाया, आह भरी और फिर उनकी चीख़ निकल गई।

एक और कप टूटने की आवाज़ आई। नेविल ने अपना दूसरा कप भी तोड़ दिया था। प्रोफ़ेसर ट्रिलोनी एक ख़ाली कुर्सी पर धसक कर बैठ गईं। उनका हाथ उनके दिल पर था और आँखें बंद थीं।

'मेरे प्यारे बच्चे - बेचारे प्यारे बच्चे - नहीं - चुप रहना ही ज़्यादा अच्छा है - नहीं - मुझसे मत पूछना ...'

डीन थॉमस ने तत्काल पूछा, 'उस कप में क्या है, प्रोफ़ेसर?' सभी विद्यार्थी खड़े हो गए और धीरे-धीरे हैरी तथा रॉन की टेबल के पास जमा हो गए, ताकि वे प्रोफ़ेसर ट्रिलोनी की कुर्सी के पास से हैरी का कप देख सकें।

'मेरे बच्चे,' प्रोफ़ेसर ट्रिलोनी की बड़ी आँखें नाटकीय रूप से खुल गईं, 'तुम्हारे कप में ग्रिम है।'

'क्या है?' हैरी ने पूछा।

वह इसका मतलब नहीं समझा। उसे साफ़ दिख रहा था कि उसके अलावा कई और लोग भी इसका मतलब नहीं समझ पाए थे। डीन थॉमस ने उसकी तरफ़ देखकर कंधे उचकाए और लैवेंडर ब्राउन ने उलझन दिखाई, लेकिन बाक़ी सबने दहशत में अपने हाथ मुँह पर रख लिए।

'ग्रिम, मेरे बच्चे, ग्रिम!' प्रोफ़ेसर ट्रिलोनी चीख़ीं, जो इस बात पर हैरान थीं कि हैरी इसका मतलब नहीं जानता था। 'दैत्याकार, भुतहा कुत्ता, जो क़ब्रिस्तानों में घूमता है! मेरे प्यारे बच्चे, यह एक अपशकुन है - सबसे बुरा अपशकुन - *मौत* का अपशकुन!'

हैरी के पेट में उथलपुथल होने लगी। फ़्लरिश एंड ब्लॉट्स में *मौत के अपशकुन* किताब के कवर वाला कुत्ता - मैग्नोलिया क्रेसेंट में अँधेरे में दिखने वाला कुत्ता ... अब लैवेंडर ब्राउन ने भी मुँह पर हाथ रख लिया। सभी हैरी की

तरफ़ देख रहे थे... हर्माइनी को छोड़कर। हर्माइनी उठी और प्रोफ़ेसर ट्रिलोनी की कुर्सी के पीछे जाकर खड़ी हो गई।

उसने सपाट अंदाज़ में कहा, 'मुझे नहीं लगता कि यह ग्रिम जैसा दिखता है।'

प्रोफ़ेसर ट्रिलोनी ने हर्माइनी को नापसंदगी के भाव से देखा।

'माफ़ करना मेरी बच्ची, लेकिन तुममें भविष्य को देखने वाला आभामंडल बहुत कम नज़र आ रहा है। तुममें भविष्य की तरंगों को ग्रहण करने की बहुत कम शक्ति है।'

सीमस फ़िनिगन अपने सिर को एक तरफ़ से दूसरी तरफ़ हिलाने लगा।

उसने अपनी आँखें लगभग बंद करते हुए कहा, 'ऐसा करने पर यह ग्रिम जैसा दिखता है।' फिर उसने बाईं तरफ़ झुकते हुए कहा, 'लेकिन यहाँ से यह गधे की तरह दिखता है।'

'आप लोग यह फ़ैसला कब करेंगे कि मैं मरने वाला हूँ या नहीं!' हैरी ने कहा और अपने शब्द सुनकर वह ख़ुद भी हैरान रह गया। अब कोई भी उसकी तरफ़ नहीं देखना चाहता था।

'मुझे लगता है, आज की पढ़ाई यहीं पर ख़त्म कर देना चाहिए,' प्रोफ़ेसर ट्रिलोनी ने अपनी काँपती आवाज़ में कहा। 'हाँ ... अपना सामान सही जगह पर रख दो ...'

चुपचाप पूरी क्लास ने अपने चाय के कप प्रोफ़ेसर ट्रिलोनी की अलमारी पर रख दिए, अपनी पुस्तकें अपने बैग में रखीं और बैग बंद कर लिए। यहाँ तक कि रॉन ने भी हैरी से नज़रें नहीं मिलाईं।

प्रोफ़ेसर ट्रिलोनी ने धीमे से कहा, 'दोबारा मिलने तक आप लोगों की क़िस्मत अच्छी रहे। और बेटे –' उन्होंने नेविल की तरफ़ इशारा किया, 'तुम अगली क्लास में देर से आओगे, इसलिए ज़्यादा मेहनत करना, ताकि तुम्हारी पढ़ाई पूरी हो जाए।'

हैरी, रॉन और हर्माइनी प्रोफ़ेसर ट्रिलोनी की सीढ़ी से नीचे उतरकर प्रोफ़ेसर मैक्गॉनेगल की रूप-परिवर्तन की कक्षा की तरफ़ चल दिए। उनके क्लासरूम को खोजने में उन्हें इतना ज़्यादा समय लगा कि हालाँकि वे ज्योतिष शास्त्र की कक्षा से जल्दी आ गए थे, लेकिन वे बस किसी तरह ठीक समय पर ही पहुँच पाए।

हैरी ने बैठने के लिए क्लास में सबसे पीछे वाली सीट चुनी। उसे लगा, जैसे वह बहुत ही चमकदार स्पॉटलाइट में बैठा हो। पूरी क्लास उसकी तरफ़

चोरी-चोरी से देख रही थी, जैसे वह किसी भी पल मर सकता हो। उसने बिलकुल नहीं सुना कि प्रोफ़ेसर मैक्गॉनेगल नरपशुओं (ऐसे जादूगर, जो रूप बदलकर जानवर बन सकते हैं) के बारे में क्या समझा रही हैं। उसने यह भी नहीं देखा कि प्रोफ़ेसर मैक्गॉनेगल उनकी आँखों के सामने रूप बदलकर धारीदार बिल्ली में बदल गईं, जिसकी आँखों के चारों तरफ़ चश्मे के निशान थे।

'तुम लोगों को आज क्या हो गया है?' प्रोफ़ेसर मैक्गॉनेगल ने दोबारा अपने असली रूप में आते हुए और उन सबको घूरते हुए कहा। 'वैसे इससे कोई फ़र्क़ नहीं पड़ता है, लेकिन यह पहली बार हुआ है, जब मेरे रूप बदलकर बिल्ली बनने पर क्लास के बच्चों ने तालियाँ नहीं बजाई हैं।'

सबका सिर एक बार फिर हैरी की तरफ़ घूम गया, लेकिन कोई कुछ नहीं बोला। फिर हर्माइनी ने अपना हाथ उठाया।

'प्रोफ़ेसर, हम अभी ज्योतिष शास्त्र की पहली क्लास से आ रहे हैं। हम आज चाय की पत्तियों से भविष्य पढ़ रहे थे, और –'

'अच्छा, ज़ाहिर है,' प्रोफ़ेसर मैक्गॉनेगल ने अचानक त्योरियाँ चढ़ाते हुए कहा। 'इससे आगे कहने की कोई ज़रूरत नहीं है, मिस ग्रेंजर। मुझे बताओ, इस साल तुममें से कौन मरने वाला है?'

हर विद्यार्थी उन्हें घूरने लगा।

'मैं,' हैरी ने आख़िरकार कहा।

'अच्छा,' प्रोफ़ेसर मैक्गॉनेगल ने हैरी को अपनी मनकेदार आँखों से देखते हुए कहा। 'तो तुम्हें यह जान लेना चाहिए पॉटर कि सिबिल ट्रिलोनी जब से इस स्कूल में आई है, तब से वह हर साल एक विद्यार्थी के मरने की भविष्यवाणी कर रही है। अब तक उनमें से कोई भी नहीं मरा है। किसी नई क्लास का स्वागत करते समय मौत के अपशकुन देखना उसका प्रिय शौक है। मैं अपने सहकर्मियों की बुराई नहीं करती हूँ, वरना –' प्रोफ़ेसर मैक्गॉनेगल बीच में ही रुक गईं। उनके नथुने सफ़ेद हो गए थे। फिर उन्होंने अधिक शांति से आगे कहा, 'ज्योतिष शास्त्र जादू की सबसे कम सटीक शाखाओं में से एक है। मैं तुम लोगों से यह बात नहीं छिपाऊँगी कि मुझसे ज्योतिष विद्या ज़्यादा बर्दाश्त नहीं होती है। सच्चे ज्योतिषी बहुत कम होते हैं और प्रोफ़ेसर ट्रिलोनी ...'

वे एक बार फिर ठहरीं और इसके बाद सामान्य लहज़े में बोलीं, 'तुम मुझे अच्छी हालत में दिख रहे हो पॉटर, इसलिए माफ़ करना, मैं तुम्हें होमवर्क में कोई छूट नहीं दूँगी। मैं तुम्हें विश्वास दिलाती हूँ कि अगर तुम मर जाओ, तो तुम्हें होमवर्क करने की ज़रूरत नहीं है।'

हर्माइनी हँसी। हैरी को भी थोड़ा अच्छा महसूस हुआ। प्रोफ़ेसर ट्रिलोनी

के क्लासरूम की धीमी लाल रोशनी और दिमाग़ चकराती बदबू से दूर चाय की पत्तियों से घबराना बेवकूफ़ी लग रहा था। बहरहाल हर विद्यार्थी को अब भी यक़ीन नहीं हुआ था। रॉन अब भी चिंतित दिख रहा था और लैवेंडर फुसफुसाकर बोली, 'नेविल का कप तो टूटा था?'

रूप-परिवर्तन की कक्षा ख़त्म होने के बाद वे लंच के लिए बड़े हॉल की तरफ़ जाने वाली भीड़ में शामिल हो गए।

'रॉन, ख़ुश हो जाओ,' हर्माइनी बोली और उसकी तरफ़ मीट वाली कड़ाही सरका दी। 'तुमने सुना ना, प्रोफ़ेसर मैक्गॉनेगल ने क्या कहा था।'

रॉन ने अपनी प्लेट में मीट रखा और अपना काँटा उठा लिया, लेकिन उसने खाना शुरू नहीं किया।

'हैरी,' वह धीमी और गंभीर आवाज़ में बोला, 'तुम्हें कहीं कोई बड़ा काला कुत्ता तो *नहीं दिखा है?*'

'हाँ, दिखा है,' हैरी बोला। 'उस रात को, जब मैं डर्स्ली दंपति के घर से भागा था।'

रॉन के हाथ से काँटा खन्न की आवाज़ के साथ गिर गया।

'शायद कोई आवारा कुत्ता रहा होगा,' हर्माइनी ने शांति से कहा।

रॉन ने हर्माइनी की तरफ़ ऐसे देखा, जैसे वह पागल हो गई हो।

फिर वह बोला, 'हर्माइनी, अगर हैरी ने ग्रिम देखा है, तो यह - यह बहुत बुरा है। मेरे - मेरे अंकल बिलियस ने ग्रिम देखा था और - और वे चौबीस घंटे में ही मर गए थे!'

'यह संयोग भी तो हो सकता है,' हर्माइनी ने क़द्दू का जूस डालते हुए कहा।

'तुम जानती ही नहीं हो कि तुम किस बारे में बोल रही हो!' रॉन को अब ग़ुस्सा आने लगा था। 'ग्रिम से ज़्यादातर जादूगर इतने डर जाते हैं कि उनकी जान ही निकल जाती है!'

'तुमने सही कहा,' हर्माइनी ने श्रेष्ठता वाले अंदाज़ में कहा। 'वे ग्रिम को देखते हैं और दहशत के कारण मर जाते हैं। ग्रिम अपशकुन नहीं, बल्कि मौत का कारण है! और हैरी अब तक हमारे साथ इसलिए है, क्योंकि वह इतना मूर्ख नहीं है कि ग्रिम को देखकर दहशत में आ जाए। अच्छा, अगर तुम्हें दिक़्क़त न हो, तो अब मैं थोड़ा पढ़ लूँ!'

रॉन ने अवाक होकर हर्माइनी को देखा। हर्माइनी ने अपना बैग खोलकर उसमें से अंकों के जादुई महत्व का ऐतिहासिक अध्ययन की नई किताब निकाली

और उसे जूस के जग से टिका लिया।

'मुझे ज्योतिष शास्त्र थोड़ा अविश्वसनीय लगता है,' उसने पन्ना खोजते हुए कहा। 'मेरे ख़्याल से यह बहुत अंदाज़मार काम है।'

'इसमें कोई शक नहीं है कि उस कप में ग्रिम था!' रॉन ने गर्मी से कहा।

हर्माइनी ठंडेपन से बोली, 'जब तुम हैरी से कह रहे थे कि यह भेड़ थी, तब तो तुम्हें इतना विश्वास नहीं था।'

'प्रोफ़ेसर ट्रिलोनी ने कहा था कि तुममें भविष्य को देखने वाला आभामंडल नहीं है! तुम किसी विषय में डिब्बा रहो, यह तुमसे बर्दाश्त ही नहीं होता है!'

उसने दुखती रग पर हाथ रख दिया था। हर्माइनी ने अंकों के जादुई महत्व का ऐतिहासिक अध्ययन किताब को टेबल पर इतनी ज़ोर से पटका कि गोश्त और गाजर के टुकड़े हर तरफ़ उड़कर बिखर गए।

'अगर ज्योतिष शास्त्र में निपुण होने का मतलब यह है कि मुझे चाय की पत्तियों में मौत के अपशकुन देखने का नाटक करना होगा, तो मुझे नहीं लगता है कि मैं ज़्यादा समय तक यह विषय पढ़ूँगी! अंकों के जादुई महत्व का ऐतिहासिक अध्ययन की क्लास की तुलना में तो ज्योतिष शास्त्र की क्लास बकवास थी!'

उसने झपटकर अपना बैग उठाया और चल दी।

रॉन पीछे से उसे घूरता रहा।

उसने हैरी से कहा, 'वह क्या बोलकर गई ? अंकों के जादुई महत्व का ऐतिहासिक अध्ययन की क्लास में तो वह अभी गई ही नहीं है।'

*

लंच के बाद महल से बाहर निकलकर हैरी ख़ुश हुआ। कल की बारिश अब बंद हो चुकी थी। आसमान अब साफ़, हल्का भूरा था और मुलायम घास में नमी थी। ऐसे माहौल में वे जादुई प्राणियों की देखभाल की पहली क्लास के लिए चल दिए।

रॉन और हर्माइनी एक-दूसरे से बातचीत नहीं कर रहे थे। हैरी भी बिना कुछ बोले उनके साथ चल रहा था। फिर वे अँधेरे जंगल के किनारे पर बनी हैग्रिड की झोपड़ी के पास वाली हरियाली भरी ढलान से नीचे उतरे। तभी उसे अपने सामने तीन जानी-पहचानी पीठें दिखीं, जिससे उसे पता चल गया कि इस क्लास में उन्हें नागशक्ति के विद्यार्थियों के साथ पढ़ना होगा। मैल्फ़ॉय किलकारियाँ भरते हुए क्रैब और गॉइल के साथ उत्साह से बातें कर रहा था। हैरी अच्छी तरह जानता था कि वे किस बारे में बातचीत कर रहे होंगे।

हैग्रिड अपनी झोपड़ी के दरवाज़े पर विद्यार्थियों का इंतज़ार कर रहा था। वह अपना छछूँदर की खाल वाला ओवरकोट पहने खड़ा था। फ़ैंग नाम का कुत्ता उसके पास ही था। हैग्रिड पढ़ाना शुरू करने के लिए उतावला दिख रहा था।

विद्यार्थियों के पास आने पर हैग्रिड बोला, 'चलो, आगे बढ़ो! तुम लोगों के लिए आज बहुत मज़ेदार सबक़ है! बहुत बढ़िया सबक़ है! सब लोग आ गए ? तो ठीक है, हमारे पीछे आओ!'

एक पल के लिए तो हैरी डर गया, उसने सोचा कि हैग्रिड उन्हें जंगल में ले जा रहा है। हैरी को जंगल में इतने बुरे अनुभव हो चुके थे कि वह अब वहाँ ज़िंदगी में कभी नहीं जाना चाहता था। बहरहाल, हैग्रिड उन्हें पेड़ों के क़रीब ले गया। पाँच मिनट बाद वे एक तरह के बाड़े के बाहर खड़े थे। बाड़े में कुछ भी नहीं था।

'सब लोग फ़ेंस के चारों तरफ़ खड़े हो जाओ!' उसने कहा। 'ठीक है – ध्यान से देखना। सबसे पहले तो अपनी किताब खोलो –'

'कैसे ?' ड्रेको मैल्फ़ॉय की ठंडी, धीमी आवाज़ आई।

'क्या ?' हैग्रिड बोला।

'हम अपनी किताबें कैसे खोलें ?' मैल्फ़ॉय ने दोबारा पूछा। उसने *भयानक जानवरों की भयानक किताब* बाहर निकाली, जिसे उसने रस्सी से बाँध रखा था। बाक़ी लोगों ने भी अपनी किताबें बाहर निकाल लीं। कुछ ने हैरी की तरह अपनी किताबें बेल्ट से बाँध रखी थीं। बाक़ी ने उन्हें या तो टाइट बैग के अंदर रखा था या उन्हें बड़ी क्लिप से बंद कर रखा था।

'क्या कोई भी – कोई भी अपनी किताबें नहीं खोल पाया ?' हैग्रिड ने निराश दिखते हुए पूछा।

पूरी क्लास ने सिर हिलाया।

'तुम्हें उन्हें पुचकारना चाहिए,' हैग्रिड ने कहा, जैसे यह दुनिया की सबसे स्पष्ट चीज़ हो। 'देखो ...'

उसने हर्माइनी की किताब ली और उस पर लगे स्पेलोटेप को हटा दिया। किताब ने काटने की कोशिश की, लेकिन हैग्रिड ने उसकी पीठ पर अपनी उँगली फिराई। किताब काँपी और फिर स्थिर होकर उसके हाथ में पड़ी रही।

'अरे, हम लोग कितने मूर्ख थे!' मैल्फ़ॉय ने हँसी उड़ाने वाले अंदाज़ में कहा। 'हमें किताब को *पुचकारना* चाहिए था! हमें यह अंदाज़ा लगा लेना चाहिए था!'

'हमने ... हमने सोचा कि वे मज़ेदार हैं,' हैग्रिड ने हर्माइनी से कहा।

'ओह, बहुत मज़ेदार हैं!' मैल्फ़ॉय बोला। 'जो किताबें हमारे हाथ काटने की कोशिश करें, वे मज़ेदार ही तो होती हैं!'

'चुप रहो, मैल्फ़ॉय,' हैरी ने धीमे से कहा। हैग्रिड निराश दिख रहा था और हैरी चाहता था कि हैग्रिड की पहली क्लास सफल हो।

'तो फिर ठीक है,' हैग्रिड बोला, जिसका ध्यान भटक गया था, 'तो ... तो तुमने किताबें निकाल ली हैं और ... और ... अब तुम्हें जादुई प्राणियों की ज़रूरत है। हाँ। तो अब हम जाकर उन्हें यहाँ लाते हैं। थोड़ी देर इंतज़ार करो ...'

वह जंगल में जाकर ओझल हो गया।

मैल्फ़ॉय ने ज़ोर से कहा, 'हे भगवान, यह स्कूल तो बर्बाद हो रहा है। वह जंगली आदमी अब पढ़ाने लगा है। जब मैं अपने डैडी को यह बताऊँगा, तो उन्हें तो दौरा पड़ जाएगा –'

'चुप रहो, मैल्फ़ॉय,' हैरी ने एक बार फिर कहा।

'बचना पॉटर, तुम्हारे पीछे दमपिशाच है –'

'ऊऊऊऊऊह!' लैवेंडर ब्राउन बाड़े की दूसरी तरफ़ इशारा करते हुए चीख़ी।

एक दर्जन प्राणी उनकी तरफ़ आ रहे थे। हैरी ने आज तक इतने अद्‌भुत प्राणी नहीं देखे थे। उनके शरीर, पिछले पैर और पूँछें घोड़े जैसे थे, लेकिन उनके अगले पैर, पंख और सिर विशाल बाज जैसे थे। उनकी नुकीली चोंच धारदार चाकू की तरह थी और उनकी बड़ी-बड़ी आँखें चमकदार नारंगी थीं। उनके अगले पैर के पंजे आधा फ़ुट लंबे थे और घातक दिख रहे थे। उन सबके गले में चमड़े का एक-एक मोटा पट्टा था, जो एक बड़ी जंज़ीर से बँधा था। हैग्रिड ने उन सबकी जंज़ीरों को अपने विशाल हाथों में पकड़ रखा था और उन जानवरों के पीछे-पीछे बाड़े में आ रहा था।

'वहाँ चलो!' उसने जंज़ीरों को हिलाते हुए जानवरों को उस फ़ेंस की तरफ़ बढ़ाया, जहाँ विद्यार्थी खड़े थे। जब हैग्रिड उनके पास आया और उसने जानवरों को बाड़े में फ़ेंस से बाँधा, तो सब पीछे हट गए।

'गरुड़अश्व!' हैग्रिड ने ख़ुशी से कहा और उनकी तरफ़ हाथ हिलाया। 'सुंदर हैं, है ना ?'

हैरी हैग्रिड की बात का मतलब समझ गया। आधे घोड़े, आधे बाज के रूप वाले इस जानवर को पहले-पहल देखने का सदमा ख़त्म होने के बाद गरुड़अश्व सुंदर दिखने लगता था। उसकी चमकती चमड़ी और पंख से लेकर बाल तक हर

चीज़ सुंदर थी। सभी गरुड़अश्व अलग-अलग रंग के थे : भूरे, कांस्यवर्ण, गुलाबी, लाल और स्याह काले।

हैग्रिड ने अपने हाथ मलते हुए और मुस्कराते हुए कहा, 'इनके पास कौन जाना चाहता है ...'

ऐसा लगा, जैसे कोई भी यह काम नहीं करना चाहता था। बहरहाल, हैरी, रॉन और हर्माइनी सावधानीपूर्वक फ़ेंस के पास गए।

'अब, गरुड़अश्व के बारे में तुम लोगों को सबसे पहली बात यह पता होनी चाहिए कि वे बहुत स्वाभिमानी होते हैं,' हैग्रिड ने कहा। 'गरुड़अश्व बहुत जल्दी बुरा मान जाता है। कभी किसी गरुड़अश्व का अपमान मत करना, क्योंकि यह तुम्हारी ज़िदगी की आख़िरी ग़लती हो सकती है।'

मैल्फ़ॉय, क्रैब और गॉइल हैग्रिड की बातें नहीं सुन रहे थे। वे आपस में बातचीत करने में मशगूल थे। हैरी को लगा कि वे शायद इस बात की योजना बना रहे होंगे कि क्लास का माहौल कैसे बिगाड़ा जाए।

'हमेशा गरुड़अश्व की पहल का इंतज़ार करना चाहिए,' हैग्रिड ने आगे कहा। 'यह विनम्रता है। उसके पास जाकर सिर झुकाओ और फिर इंतज़ार करो। अगर वह भी सिर झुका दे, तो इसका मतलब यह है कि उसने तुम्हें ख़ुद को छूने की अनुमति दे दी है। अगर वह सिर नहीं झुकाए, तो जल्दी से पीछे हट जाना चाहिए, क्योंकि उसके पंजों से काफ़ी चोट पहुँच सकती है।'

'ठीक है - पहले कौन जाना चाहता है ?'

यह सुनकर क्लास के ज़्यादातर विद्यार्थी पीछे हट गए। यहाँ तक कि हैरी, रॉन और हर्माइनी के मन में भी शंका थी। गरुड़अश्व अब अपने खूँख़ार सिर हिला रहे थे और अपने शक्तिशाली पंख लहरा रहे थे। उन्हें जंज़ीरों का बंधन अच्छा नहीं लग रहा था।

'कोई नहीं ?' हैग्रिड ने आग्रह भरी नज़रों से देखते हुए कहा।

हैरी तत्काल बोला, 'मैं यह काम करूँगा।'

उसे पीछे से तेज़ी से साँस खींचने की आवाज़ सुनाई दी। लैवेंडर और पार्वती फुसफुसाकर बोलीं, 'ऊऊऊह, नहीं हैरी, अपनी चाय की पत्तियों को याद करो!'

हैरी ने उन्हें नज़रअंदाज़ कर दिया। वह बाड़े की फ़ेंस के पार गया।

'हैरी! शाबाश!' हैग्रिड ने तेज़ आवाज़ में कहा। 'तो फिर ठीक है - हम देखते हैं कि बकबीक के साथ तुम्हारी कैसी पटरी जमती है।'

उसने एक जंज़ीर खोल दी, भूरे गरुड़अश्व को बाक़ियों से अलग किया

और उसका चमड़े का पट्टा उतार दिया। बाड़े के दूसरे हिस्से में खड़े विद्यार्थी साँस रोककर खड़े थे। मैल्फ़ॉय की आँखें दुर्भावना से सिकुड़ गई थीं।

हैग्रिड ने शांति से कहा, 'आराम से, हैरी! उससे नज़रें मिलाओ। अब कोशिश करो कि पलकें कम से कम झपकें – ज़्यादा पलकें झपकाने से गरुड़अश्व तुम पर भरोसा नहीं करेगा ...'

हैरी ने बकबीक ने नज़रें मिलाईं। उसकी आँखों में तत्काल आँसू आने लगे, लेकिन उसने पलकें नहीं झपकाईं। बकबीक ने अपना बड़ा सिर घुमाया और अपनी खूँख़ार नारंगी आँख से हैरी को घूरने लगा।

'यह हुई न बात,' हैग्रिड बोला। 'हैरी ... अब सिर झुकाओ ...'

हैरी बकबीक के सामने अपनी गर्दन का पिछला हिस्सा खुला नहीं छोड़ना चाहता था, लेकिन उसने वैसा ही किया, जैसा हैग्रिड ने कहा था। उसने थोड़ा सिर झुकाया और फिर ऊपर देखा।

गरुड़अश्व अब भी बिना हिले घमंड से हैरी की तरफ़ देख रहा था।

'आह,' हैग्रिड ने चिंतित दिखते हुए कहा। 'ठीक है – अब पीछे हट जाओ हैरी, आराम से –'

लेकिन तभी हैरी को यह देखकर बेहद आश्चर्य हुआ कि गरुड़अश्व अचानक अपने पपड़ीदार घुटनों के बल बैठ गया और यह समझने में कोई ग़लती नहीं हो सकती थी कि वह झुक गया है।

'शाबाश, हैरी!' हैग्रिड ने खुश होते हुए कहा। 'ठीक है – अब तुम उसे छू सकते हो! चलो, उसकी चोंच छू लो!'

हैरी को लगा कि इससे ज़्यादा अच्छा पुरस्कार यह होता कि उसे पीछे हटने को कहा जाता। बहरहाल, वह गरुड़अश्व की तरफ़ धीमे-धीमे बढ़ा और उसकी तरफ़ हाथ बढ़ाया। उसने कई बार उसकी चोंच थपथपाई। गरुड़अश्व ने अपनी आँखें आलस में बंद कर लीं, जैसे उसे इसमें मज़ा आ रहा हो।

क्लास के विद्यार्थियों ने तालियाँ बजाईं। सिर्फ़ मैल्फ़ॉय, क्रैब और गॉइल ने तालियाँ नहीं बजाईं, जो बहुत निराश दिख रहे थे।

'तो फिर ठीक है, हैरी,' हैग्रिड ने कहा, 'हमें लगता है कि अब यह तुम्हें अपनी सवारी करने देगा!'

हैरी ने इसकी तो कल्पना ही नहीं की थी। उसे झाड़ू पर तो उड़ने की आदत थी, लेकिन उसे यक़ीन था कि गरुड़अश्व की उड़ान वैसी नहीं होगी।

'तुम उसकी पीठ पर बैठ जाओ, पंख वाले जोड़ के ठीक पीछे,' हैग्रिड बोला, 'और ध्यान रहे, उसका कोई भी पंख मत खींचना, उसे यह अच्छा नहीं

लगेगा ...'

हैरी ने बकबीक के पंख के ऊपर अपना पैर रखा और उसकी पीठ पर चढ़ गया। बकबीक खड़ा हो गया। हैरी को यह समझ में नहीं आ रहा था कि वह उसे कहाँ से पकड़े, क्योंकि उसके सामने की हर चीज़ पंखों से ढँकी थी।

'चलो, आगे बढ़ो!' हैग्रिड ने गरुड़अश्व के पुट्ठे पर धौल जमाई।

बिना किसी चेतावनी के बारह फ़ुट के पंख हैरी के दोनों तरफ़ फड़फड़ाने लगे। आसमान में ऊपर उड़ने से पहले उसे बस इतना समय मिला कि वह गरुड़अश्व की गर्दन पकड़ ले। यह उड़ान झाड़ू की तरह नहीं थी और हैरी जानता था कि उसे कौन सी उड़ान ज़्यादा पसंद थी। गरुड़अश्व के पंख उसके दोनों तरफ़ फड़फड़ा रहे थे और उसे इसमें ज़रा भी मज़ा नहीं आ रहा था। जब पंख हैरी के पैरों पर पड़ते थे, तो उसे लगता था कि वह नीचे गिरने वाला है। चमकदार गरुड़अश्व पर से उसकी उँगलियाँ फिसल रही थीं और वह ज़्यादा मज़बूत पकड़ बनाने की हिम्मत नहीं कर पा रहा था। निम्बस 2000 की शांत सवारी के बजाय गरुड़अश्व पर वह आगे-पीछे झूल रहा था। जब गरुड़अश्व के पुट्ठे पंखों के साथ ऊपर उठते थे और नीचे गिरते थे, तो हैरी भी ऊपर-नीचे हो जाता था।

गरुड़अश्व ने बाड़े का एक चक्कर लगाया और फिर वह ज़मीन पर उतरने लगा। हैरी को इसी बात का डर था। जब गरुड़अश्व की चिकनी गर्दन नीचे हुई, तो वह पीछे झुक गया। उसे लगा कि वह चोंच पर से होता हुआ नीचे गिर जाएगा। फिर गरुड़अश्व के चारों पैर ज़मीन से टकराए और हैरी को एक ज़ोरदार झटका लगा। किसी तरह वह पीठ पर बैठे रहने में कामयाब हुआ और दोबारा सीधा हो गया।

'बहुत बढ़िया, हैरी!' हैग्रिड गरजा, जब मैल्फ़ॉय, क्रैब और गॉइल के अलावा बाक़ी सबने तालियाँ बजाईं। 'ठीक है, और कौन यह करना चाहता है?'

हैरी की सफलता से बाक़ी विद्यार्थियों में हिम्मत आ गई। वे भी बाड़े में जाने लगे। हैग्रिड एक के बाद एक गरुड़अश्वों की जंज़ीर खोलता गया। जल्दी ही पूरे बाड़े में विद्यार्थी घबराकर सिर झुका रहे थे। नेविल बार-बार अपने गरुड़अश्व से दूर भागता रहा, जो किसी भी तरह से अपने घुटने झुकाने के लिए तैयार नहीं था। रॉन और हर्माइनी ने हैरी की आँखों के सामने एक लाल गरुड़अश्व पर प्रैक्टिस की।

मैल्फ़ॉय, क्रैब और गॉइल ने बकबीक को चुना। उसने मैल्फ़ॉय के सामने सिर झुका दिया था। मैल्फ़ॉय अब उसकी चोंच थपथपा रहा था और उसे हिक़ारत से देख रहा था।

मैल्फ़ॉय ने हैरी को सुनाने के लिए ज़ोर से कहा, 'यह बहुत आसान काम है। मैं जानता था कि अगर पॉटर यह कर सकता है, तो यह काम आसान होगा ... मैं शर्त लगा सकता हूँ कि तुम बिलकुल ख़तरनाक नहीं हो,' उसने गरुड़अश्व से कहा। 'तुम तो सिर्फ़ एक बदसूरत और गंदे जानवर हो!'

यह एक पल में हो गया। गुरुड़अश्व के फ़ौलाद की तरह मज़बूत पंजे मैल्फ़ॉय के हाथ पर पड़े और मैल्फ़ॉय चीखने लगा। अगले ही पल हैग्रिड ने बकबीक के गले में पट्टा डाल दिया। बकबीक अब भी मैल्फ़ॉय तक पहुँचने के लिए ज़ोर लगा रहा था। दूसरी तरफ़, मैल्फ़ॉय घास में पड़ा था और उसका दुशाला ख़ून से लथपथ था।

पूरी क्लास दहशत में आ गई। फिर मैल्फ़ॉय चिल्लाया, 'मैं मर रहा हूँ! मैं मर रहा हूँ, मेरी तरफ़ देखो! इसने मुझे मार डाला!'

'तुम मर नहीं रहे हो!' हैग्रिड बोला, जिसका चेहरा सफ़ेद पड़ गया था। 'कोई हमारी मदद करो – उसे यहाँ से बाहर ले जाना है –'

जब हैग्रिड ने मैल्फ़ॉय को आसानी से उठा लिया, तो हर्माइनी ने भागकर बाड़े का दरवाज़ा खोल दिया। हैग्रिड जब हैरी के पास से निकला, तो उसने देखा कि मैल्फ़ॉय की बाँह पर एक लंबा, गहरा घाव था, जिसमें से ख़ून टपक रहा था। हैग्रिड महल की तरफ़ जाने वाली चढ़ाई पर तेज़ी से भाग रहा था।

जादुई प्राणियों की देखभाल की क्लास के बच्चे सहमे हुए चलने लगे। नागशक्ति के विद्यार्थी हैग्रिड को बुरा-भला कह रहे थे।

पैन्सी पार्किन्सन ने रोते हुए कहा, 'उसे तो नौकरी से निकाल देना *चाहिए!'*

'यह *मैल्फ़ॉय* की ग़लती थी!' डीन थॉमस ने ग़ुस्से से कहा। यह सुनकर क्रैब और गॉइल ने अपनी मांसपेशियाँ चेतावनी के अंदाज़ में हिलाईं।

वे सब पत्थर की सीढ़ियाँ चढ़कर वीरान प्रवेश हॉल में पहुँचे।

'मैं देखकर आती हूँ कि वह ठीक तो है!' यह कहते हुए पैन्सी संगमरमर की सीढ़ी चढ़ने लगी। नागशक्ति के बाक़ी विद्यार्थी हैग्रिड के बारे में बड़बड़ाते हुए अपने तहख़ाने की दिशा में चल दिए। हैरी, रॉन और हर्माइनी गरुड़द्वार के हॉल में जाने के लिए ऊपरी मंज़िल पर चढ़ने लगे।

'क्या तुम्हें लगता है कि मैल्फ़ॉय बिलकुल ठीक हो जाएगा ?' हर्माइनी ने चिंता से पूछा।

'बिलकुल हो जाएगा। मैडम पॉमफ़्री एक सेकंड में घाव ठीक कर सकती हैं,' हैरी ने कहा, जिसकी इससे भी बुरी चोटों को उन्होंने जादू से ठीक किया था।

'हैग्रिड की पहली क्लास में इस तरह की घटना होना सचमुच बुरी बात थी, है ना?' रॉन ने चिंतित दिखते हुए कहा। 'मैल्फ़ॉय ने उसका खेल बिगाड़ने में कोई कसर नहीं रखी ...'

डिनर के वक़्त वे बड़े हॉल में पहुँचे। उन्हें हैग्रिड के दिखने की आशा थी, लेकिन वह वहाँ नहीं था।

'वे उसे निकालेंगे तो *नहीं?*' हर्माइनी ने चिंता से पूछा। वह अपने सामने रखी डिश को छू भी नहीं रही थी।

'बेहतर होगा कि वे ऐसा न करें,' रॉन बोला। वह भी कुछ नहीं खा रहा था।

हैरी ने नागशक्ति की टेबल की तरफ़ देखा। क्रैब और गॉइल सहित बहुत से विद्यार्थी आपस में सटकर गहरी चर्चा में डूबे थे। हैरी को यक़ीन था कि वे इस बारे में मनगढ़ंत कहानी बना रहे होंगे कि मैल्फ़ॉय को चोट कैसे लगी।

रॉन ने उदासी से कहा, 'तुम यह नहीं कह सकते कि पहला दिन दिलचस्प नहीं रहा।'

वे डिनर के बाद गरुड़द्वार के भीड़ भरे हॉल में गए और उन्होंने प्रोफ़ेसर मैक्गॉनेगल का दिया होमवर्क करने की कोशिश की, लेकिन उन तीनों का ही ध्यान बार-बार भटकता रहा और वे खिड़की से बाहर देखते रहे।

'हैग्रिड की खिड़की में रोशनी,' हैरी अचानक बोला।

रॉन ने अपनी घड़ी की तरफ़ देखा।

'अगर हम जल्दी करें, तो जाकर उससे मिल सकते हैं। अभी बहुत देर नहीं हुई है ...'

'क्या पता,' हर्माइनी ने धीमे से कहा और हैरी को देखने लगी।

'मुझे *मैदान* के पार जाने की इजाज़त है,' हैरी ने कहा। 'सिरियस ब्लैक दमपिशाचों को पार करके यहाँ तक तो आ नहीं गया है।'

उन्होंने अपना होमवर्क एक तरफ़ रखा और मोटी औरत की तस्वीर से होकर बाहर निकल गए। उन्हें ख़ुशी हुई कि बाहर निकलते समय उन्हें कोई नहीं मिला, क्योंकि उन्हें पक्का यक़ीन नहीं था कि उन्हें इतनी देर से बाहर जाना चाहिए।

घास अब भी गीली थी और धुँधलके में लगभग काली दिख रही थी। जब उन्होंने हैग्रिड की झोपड़ी का दरवाज़ा खटखटाया, तो एक आवाज़ आई, 'अंदर आ जाओ।'

हैग्रिड अपनी लकड़ी की टेबल के पास शर्ट पहने बैठा था। उसके कुत्ते

फ़ैंग का सिर उसकी गोद में था। एक नज़र में ही वे समझ गए कि हैग्रिड ने बहुत शराब पी ली है। उसके सामने जस्ते का जग रखा था, जो बाल्टी जितना बड़ा था। हैग्रिड की हालत इतनी ख़राब थी कि वह उन्हें ठीक से पहचान भी नहीं पा रहा था।

उन्हें पहचानने के बाद वह भारी आवाज़ में बोला, 'हमें लगता है यह एक रिकॉर्ड होगा। हॉगवर्ट्स में आज तक किसी टीचर को पहले ही दिन नहीं निकाला गया होगा।'

हर्माइनी ने हैरानी से पूछा, 'तुम्हें निकाला तो नहीं गया है, हैग्रिड!'

'अब तक तो नहीं निकाला है,' हैग्रिड ने दुखी होकर कहा और जग में जो भी था, उसका एक बड़ा घूँट लिया। 'लेकिन यह सिर्फ़ वक़्त की बात है, मैल्फ़ॉय की चोट के बाद ...'

'वह कैसा है?' रॉन ने पूछा। 'चोट गंभीर तो नहीं थी?'

'मैडम पॉमफ़्री से जितना हो सकता था, उन्होंने कर दिया,' हैग्रिड ने धीरे से कहा, 'लेकिन मैल्फ़ॉय इसके बाद भी दर्द की शिकायत कर रहा था ... कराह रहा था ... हाथ पर पट्टी बाँधने पर ज़ोर दे रहा था ...'

'वह नाटक कर रहा है,' हैरी ने तत्काल कहा। 'मैडम पॉमफ़्री किसी भी चोट को ठीक कर सकती हैं। पिछले ही साल उन्होंने मेरी आधी हड्डियाँ दोबारा उगाई थीं। मैल्फ़ॉय इस घटना को तूल देकर ज़्यादा से ज़्यादा फ़ायदा उठाना चाहता है।'

'ज़ाहिर है, स्कूल के गवर्नरों को भी इसका पता चल गया है,' हैग्रिड ने दुखी स्वर में कहा। 'उनका विचार है कि हमने पहले ही दिन बड़ा पाठ रख दिया था। हमें गरुड़अश्व बाद में पढ़ाना चाहिए था ... इसके बजाय हमें फ़्लॉबरवर्म्स या कोई ऐसी ही चीज़ पढ़ाना चाहिए थी ... हमने तो बस सोचा था कि पहली क्लास दिलचस्प होनी चाहिए ... सारी ग़लती हमारी ही थी ...'

'सारी ग़लती *मैल्फ़ॉय* की थी, हैग्रिड!' हर्माइनी ने गंभीरता से कहा।

'हम सब उस घटना के गवाह हैं,' हैरी ने कहा। 'तुमने कहा था कि अगर गरुड़अश्वों का अपमान किया जाएगा, तो वे हमला कर देंगे। यह मैल्फ़ॉय की ग़लती है कि वह सुन नहीं रहा था। हम डम्बलडोर को सच्चाई बता देंगे।'

रॉन बोला, 'हाँ, चिंता मत करो हैग्रिड, हम तुम्हारा पक्ष लेंगे।

हैग्रिड की बीटल जैसी काली आँखों से आँसू बह निकले। उसने हैरी और रॉन को गले लगा लिया, जिससे उनकी हड्डियाँ टूटते-टूटते बचीं।

'मैं सोचती हूँ कि तुमने बहुत पी ली है, हैग्रिड,' हर्माइनी ने दृढ़ता से

कहा। उसने टेबल पर से जग उठाया और बाहर जाकर उसे ख़ाली कर दिया।

'शायद वह सही कहती है,' हैग्रिड ने हैरी और रॉन को छोड़ते हुए कहा। वे दोनों लड़खड़ाते हुए दूर चले गए और अपनी पसलियाँ मलने लगे। हैग्रिड कुर्सी से जैसे-तैसे उठा और डगमगाते क़दमों से हर्माइनी के पीछे बाहर गया। उन्हें छपाक की एक ज़ोरदार आवाज़ सुनाई दी।

'उसने क्या किया ?' हैरी ने घबराते हुए पूछा, जब हर्माइनी ख़ाली जग लेकर अंदर आई।

'अपना सिर पानी की बाल्टी में डाल लिया है,' हर्माइनी ने जग को दूर रखते हुए कहा।

हैग्रिड जब अपनी आँखों से पानी पोंछते हुए वापस लौटा, तो उसके लंबे बाल और दाढ़ी गीली थी।

'अब ठीक है,' उसने अपने सिर को किसी कुत्ते की तरह हिलाया और उन सब पर पानी की बौछार कर दी। 'यह अच्छा हुआ कि तुम लोग हमसे मिलने आ गए, हम सचमुच –'

फिर हैग्रिड हैरी को घूरने लगा, जैसे उसे अभी हाल यह एहसास हुआ हो कि वह वहाँ था।

'तुम यहाँ क्या कर रहे हो?' उसने गरजते हुए पूछा। वह अचानक गरजा था, इसलिए वे सब हवा में एक फ़ुट उछल पड़े। **'अँधेरा होने के बाद तुम्हें बाहर नहीं घूमना चाहिए, हैरी! और तुम दोनों! तुमने उसे बाहर निकलने दिया!'**

हैग्रिड ने हैरी के पास पहुँचकर उसका हाथ पकड़ा और उसे खींचते हुए दरवाज़े तक ले गया।

हैग्रिड ने गुस्से से कहा, 'चलो! हम तुम लोगों को स्कूल छोड़ने चल रहे हैं। अँधेरा होने के बाद फिर कभी हमसे मिलने मत आना। हम इस क़ाबिल नहीं हैं!'

अध्याय सात

अलमारी में छिपा बहुरूपिया

मैल्फ़ॉय गुरुवार की सुबह तक क्लास में नहीं आया। जादुई काढ़े की क्लास में जब नागशक्ति और गरुड़द्वार के विद्यार्थियों की आधे पीरियड की पढ़ाई हो चुकी थी तब वह शान से क्लास के अंदर आया। उसके दाएँ हाथ पर पट्टियाँ बँधी थीं। हाथ को सहारा देने के लिए गले में भी पट्टी बँधी थी। हैरी के हिसाब से मैल्फ़ॉय इस तरह का नाटक कर रहा था, जैसे वह किसी ख़तरनाक युद्ध में बचने वाला बहादुर सैनिक हो।

'हाथ कैसा है, ड्रेको ?' पैन्सी पार्किन्सन ने पूछा। 'क्या बहुत दर्द होता है ?'

'हाँ,' मैल्फ़ॉय ने बहादुरी से चेहरे पर मुस्कान लाते हुए कहा। लेकिन जब पैन्सी दूसरी तरफ़ देखने लगी, तो हैरी के सामने ही उसने क्रैब और गॉइल को आँख मारी।

'बैठ जाओ, बैठ जाओ,' प्रोफ़ेसर स्नेप ने धीमे अंदाज़ में मैल्फ़ॉय से कहा।

हैरी और रॉन ने एक-दूसरे की तरफ़ देखा। अगर वे देर से आए होते, तो स्नेप ने 'बैठ जाओ' नहीं कहा होता। उन्होंने सज़ा दी होती। लेकिन मैल्फ़ॉय को स्नेप की क्लास में हमेशा हर मामले में बहुत छूट मिलती थी। स्नेप नागशक्ति हाउस के प्रमुख थे और आम तौर पर बाक़ी विद्यार्थियों की तुलना में अपने हाउस के विद्यार्थियों को ज़्यादा पसंद करते थे।

वे लोग आज एक नया काढ़ा बना रहे थे : सिकोड़ने वाला काढ़ा। मैल्फ़ॉय ने हैरी और रॉन के ठीक पास अपनी कड़ाही रख ली, ताकि वह उन्हीं की टेबल पर काढ़ा बनाने की तैयारी कर सके।

मैल्फ़ॉय ने कहा, 'सर, मुझे गुलबहार के पौधे की जड़ों को काटने में किसी की मदद चाहिए, क्योंकि मेरे हाथ में चोट –'

स्नेप ने ऊपर देखे बिना कहा, 'वीज़्ली, मैल्फ़ॉय की जड़ें काट दो।'

रॉन का चेहरा ईंट की तरह लाल हो गया।

उसने जलकर मैल्फ़ॉय से कहा, 'तुम्हारे हाथ में कोई चोट-वोट नहीं है।'

मैल्फ़ॉय उसे देखकर भद्दे तरीक़े से मुस्कराया।

'वीज़्ली, तुमने प्रोफ़ेसर स्नेप की बात सुन ली है ना, इन जड़ों को काट दो।'

रॉन ने अपना चाकू उठाया, मैल्फ़ॉय की जड़ों को अपनी तरफ़ खींचा और उन्हें लापरवाही से काटने लगा, ताकि वे सब अलग-अलग आकार की हों।

मैल्फ़ॉय ने कहा, 'सर, वीज़्ली मेरी जड़ों को आड़ी-तिरछी काट रहा है।'

स्नेप उनकी टेबल के पास आए और अपनी तिरछी नाक से नीचे नज़रें डालते हुए उन जड़ों को देखा। इसके बाद अपने लंबे, चिपचिपे और काले बालों को लहराते हुए वे कुटिलता से मुस्कराए और रॉन से बोले, 'मैल्फ़ॉय से अपनी जड़ें बदल लो, वीज़्ली।'

'लेकिन सर –!'

रॉन ने अपनी जड़ों को बिलकुल बराबर काटने में पंद्रह मिनट लगाए थे।

'जल्दी,' स्नेप ने बेहद ख़तरनाक आवाज़ में कहा।

रॉन ने अपनी अच्छी तरह से कटी हुई जड़ों को टेबल के पार मैल्फ़ॉय की तरफ़ धका दिया और दोबारा चाकू उठा लिया।

'और सर, मुझे सूखे अंजीर को छीलने के लिए भी किसी की मदद चाहिए,' मैल्फ़ॉय ने कहा। उसकी आवाज़ में द्वेषपूर्ण हँसी साफ़ झलक रही थी।

'पॉटर, तुम मैल्फ़ॉय का सूखा अंजीर छील दो,' स्नेप ने कहा और उस पर बहुत हिक़ारत भरी निगाह डाली, जो वे सिर्फ़ उसी पर डालते थे।

हैरी ने मैल्फ़ॉय का अंजीर ले लिया। उधर रॉन आड़ी-तिरछी जड़ों को बराबर करने की कोशिश कर रहा था, क्योंकि अब उनका प्रयोग उसी को करना था। हैरी ने जल्दी-जल्दी सूखा अंजीर छीला और कुछ कहे बिना उसे टेबल पर मैल्फ़ॉय के सामने पटक दिया। मैल्फ़ॉय अब पहले से ज़्यादा दाँत दिखा रहा था।

'अपने दोस्त हैग्रिड से हाल ही में मिले हो क्या?' उसने धीमे से पूछा।

'तुमसे मतलब,' रॉन ने ऊपर देखे बिना झटके से कहा।

'मुझे लगता है, वह ज़्यादा समय तक टीचर नहीं रह पाएगा,' मैल्फ़ॉय ने

दुख का नाटक करते हुए कहा। 'डैडी मेरी चोट के बारे में ख़ुश नहीं हैं –'

रॉन गुर्राया 'मैल्फ़ॉय, अगर तुम इसी तरह बोलते रहे, तो मैं तुम्हें सचमुच चोट पहुँचा दूँगा।'

'– उन्होंने स्कूल के गवर्नरों से शिकायत कर दी है, *और* जादू मंत्रालय से भी। डैडी बहुत पहुँच वाले हैं। और इस तरह की बड़ी चोट –' मैल्फ़ॉय ने एक बड़ी, झूठी आह भरी, 'कौन जाने कि मेरा हाथ कभी पहले जैसा हो भी पाएगा या नहीं ?'

'तो तुम यह नाटक इसलिए कर रहे हो,' हैरी ने कहा, चूँकि उसका हाथ ग़ुस्से की वजह से काँप रहा था, इसलिए उसने ग़लती से मृत कैटरपिलर का सिर काट दिया। 'तुम हैग्रिड को निकलवाना चाहते हो।'

मैल्फ़ॉय अपनी आवाज़ नीची करते हुए फुसफुसाया, 'यह तो सिर्फ़ एक बात है, पॉटर। इसके और फ़ायदे भी हैं। वीज़्ली, मेरा कैटरपिलर काट दो।'

कुछ दूरी पर नेविल मुश्किल में था। जादुई काढ़े की क्लास में नेविल की हालत हमेशा ख़राब रहती थी। यह उसका सबसे कमज़ोर विषय था और प्रोफ़ेसर स्नेप की दहशत की वजह से उसकी हालत दस गुना ख़राब हो जाती थी। उसका काढ़ा, जिसे चमकीला हरा होना चाहिए था –

'नारंगी है, लॉंगबॉटम,' स्नेप ने कहा। उन्होंने थोड़ा काढ़ा लेकर फिर से कड़ाही में गिरा दिया, ताकि हर कोई देख सके। 'नारंगी है। मुझे बताओ लड़के, तुम्हारी इस मोटी खोपड़ी में कभी कोई बात घुसती भी है या नहीं ? मैंने साफ़-साफ़ कहा था कि चूहे की सिर्फ़ एक तिल्ली की ज़रूरत है। मैंने साफ़ शब्दों में बताया था कि जोंक का सिर्फ़ एक चम्मच रस काफ़ी है। तुम्हें समझाने के लिए मैं क्या करूँ, लॉंगबॉटम ?'

नेविल का चेहरा गुलाबी हो गया और वह काँपने लगा। उसे देखकर ऐसा लग रहा था, जैसे वह बस रोने ही वाला हो।

हर्माइनी ने कहा, 'सर, मैं काढ़ा को सही करने में नेविल की मदद कर सकती हूँ –'

'मुझे याद नहीं है मिस ग्रेंजर कि मैंने आपसे अपना ज्ञान बघारने के लिए कहा था,' स्नेप ने ठंडेपन से कहा और हर्माइनी का चेहरा भी नेविल जितना ही गुलाबी हो गया। 'लॉंगबॉटम, इस क्लास के अंत में हम इस काढ़े की कुछ बूँदें तुम्हारे मेंढक को पिलाएँगे और देखेंगे कि क्या होता है। शायद इससे तुम्हें सही काढ़ा बनाने की प्रेरणा मिले।'

स्नेप दूर चले गए और नेविल डर से काँपता हुआ खड़ा रहा।

उसने हर्माइनी से विनती की, 'मेरी मदद करो!'

'अरे हैरी,' सीमस फ़िनिगन हैरी का पीतल का तराज़ू उधार लेने के लिए आगे झुका, 'क्या तुमने सुना? आज के *दैनिक जादूगर* में छपा है – सिरियस ब्लैक दिख गया है।'

'कहाँ?' हैरी और रॉन ने जल्दी से पूछा। टेबल के दूसरी तरफ़ बैठे मैल्फ़ॉय ने ऊपर देखा और वह भी ध्यान से सुनने लगा।

'यहाँ से ज़्यादा दूर नहीं,' रोमांचित दिख रहे सीमस ने कहा। 'उसे एक मगलू महिला ने देखा था। ज़ाहिर है, उसे पूरी बात मालूम नहीं थी। मगलू उसे साधारण अपराधी ही मानते हैं, इसलिए उसने हॉटलाइन पर फ़ोन किया। जब तक जादू मंत्रालय के लोग वहाँ पहुँचे, तब तक वह भाग चुका था।'

'यहाँ से ज़्यादा दूर नहीं ...' रॉन ने हैरी की तरफ़ अर्थपूर्ण निगाह डालते हुए कहा। वह मुड़ा और देखा कि मैल्फ़ॉय उन्हें देख रहा था। 'क्यों मैल्फ़ॉय, कोई और चीज़ छीलना है?'

लेकिन मैल्फ़ॉय की आँखों में शैतानी चमक थी और वे हैरी पर टिकी हुई थीं। वह टेबल पर आगे झुका।

'ब्लैक को अकेले ही पकड़ने के बारे में सोच रहे हो, पॉटर?'

'हाँ, यह सही है,' हैरी ने यूँ ही कह दिया।

मैल्फ़ॉय के पतले चेहरे पर शैतानी मुस्कराहट आ गई।

'ज़ाहिर है, अगर मैं तुम्हारी जगह होता,' उसने धीमे से कहा, 'तो मैं बहुत पहले ही कोई न कोई क़दम उठा चुका होता। मैं अच्छे बच्चे की तरह स्कूल में नहीं रुका रहता। मैं बाहर जाकर उसे पकड़ने की कोशिश करता।'

रॉन ने पूछा, 'तुम किस बारे में बातें कर रहे हो, मैल्फ़ॉय?'

'तुम्हें नहीं *पता*, पॉटर?' मैल्फ़ॉय की पीली आँखें सिकुड़ गईं।

'क्या?'

मैल्फ़ॉय व्यंग्य से धीम हँसी हँसने लगा।

'शायद तुम अपनी जान जोखिम में नहीं डालना चाहते हो,' उसने कहा। 'ब्लैक को पकड़ने का काम दमपिशाचों पर छोड़ना चाहते हो, है ना? लेकिन अगर मैं तुम्हारी जगह होता, तो मैं बदला लेता। मैं ख़ुद उसे पकड़ने जाता।'

'तुम किस बारे में बात कर रहे हो?' हैरी ने ग़ुस्से से पूछा, लेकिन उसी समय स्नेप ने कहा, 'अब तक तुमने अपना सारा सामान मिला लिया होगा। पीने से पहले इस काढ़े को पकाना पड़ता है। इसको उबालते समय थोड़े दूर रहना।

फिर हम लॉंगबॉटम के काढ़े की जाँच करेंगे ...'

क्रैब और गॉइल खुलकर हँसे, जब उन्होंने देखा कि नेविल ज़ोर-ज़ोर से अपना काढ़ा हिला रहा है और पसीना-पसीना हो रहा है। हर्माइनी उसे अपने मुँह के कोने से हिदायत देती जा रही थी, ताकि स्नेप देख न लें। हैरी और रॉन ने अपना बचा हुआ सामान पैक किया और अपने हाथ धोने के लिए कोने वाले वाश बेसिन तक गए।

'मैल्फ़ॉय का क्या मतलब था?' हैरी ने रॉन से पूछा, जब उसने एक जानवर की मुँह की आकृति से निकलने वाले बर्फ़ीले पानी से अपने हाथ धोए। 'मैं ब्लैक से बदला क्यों लूँगा? उसने मेरा क्या बिगाड़ा है - अब तक।'

'वह तो कुछ भी बोल रहा है,' रॉन ने वहशी अंदाज़ में कहा, 'वह तुम्हें उकसाने की काशिश कर रहा है, ताकि तुम कोई मूर्खतापूर्ण काम कर बैठो...'

क्लास ख़त्म होने का समय क़रीब आ गया था। स्नेप नेविल के पास आए, जो अपनी कड़ाही के पास दुबका हुआ था।

'सब लोग यहाँ आ जाओ,' स्नेप ने कहा। उनकी काली आँखें चमक रही थीं, 'सब लोग देखो कि लॉंगबॉटम के मेंढक के साथ क्या होता है। अगर उसने सिकोड़ने वाला काढ़ा सही बनाया है, तो उसका मेंढक सिकुड़कर छोटा हो जाएगा। अगर उसका काढ़ा गड़बड़ है, जिसका मुझे पूरा यक़ीन है, तो उसका मेंढक मर जाएगा।'

गरुड़द्वार के विद्यार्थियों ने डरते हुए और नागशक्ति के विद्यार्थियों ने रोमांचित होते हुए देखा। स्नेप ने अपने बाएँ हाथ में ट्रेवर नाम के मेंढक को पकड़ा और नेविल के हरे काढ़े में एक छोटी चम्मच डुबाई। फिर उन्होंने ट्रेवर के गले में कुछ बूँदें टपका दीं।

एक पल ख़ामोशी छाई रही, जब काढ़ा ट्रेवर के गले के नीचे गया, फिर एक हल्की सी आवाज़ हुई और ट्रेवर सिकुड़कर स्नेप की हथेली पर थिरकने लगा।

गरुड़द्वार के विद्यार्थी ताली बजाने लगे। स्नेप का मुँह ज़रा सा हो गया। उन्होंने अपने दुशाले की जेब से एक छोटी बोतल बाहर निकाली और उसकी कुछ बूँदें ट्रेवर के ऊपर डालीं, जिससे वह फिर से पहले जितना बड़ा हो गया।

'गरुड़द्वार के पाँच पॉइंट कम किए जाते हैं,' स्नेप ने हर चेहरे से मुस्कराहट ग़ायब करते हुए कहा। 'मैंने तुम्हें मना किया था मिस ग्रेंजर कि तुम उसकी मदद मत करना। क्लास ख़त्म।'

हैरी, रॉन और हर्माइनी प्रवेश हॉल की सीढ़ियों पर चढ़े। हैरी अब भी

मैल्फ़ॉय द्वारा कही बातों के बारे में सोच रहा था, जबकि रॉन स्नेप पर ग़ुस्सा हो रहा था।

'गरुड़द्वार के पाँच पॉइंट इसलिए कम हो गए, क्योंकि काढ़ा बिलकुल सही बना था! तुमने झूठ क्यों नहीं बोला, हर्माइनी ? तुम्हें यह कहना चाहिए था कि नेविल ने ख़ुद ही यह काढ़ा बनाया है!'

हर्माइनी ने जवाब नहीं दिया। रॉन पलटा।

'हर्माइनी कहाँ गई ?'

हैरी भी पलटा। वे लोग अब सीढ़ियों के ऊपर थे और बाक़ी विद्यार्थियों को पास से जाते हुए देख रहे थे, जो बड़े हॉल की तरफ़ लंच के लिए जा रहे थे।

'वह हमारे ठीक पीछे थी,' रॉन ने त्योरियाँ चढ़ाकर कहा।

मैल्फ़ॉय उनके पास से गुज़रा। वह क्रैब और गॉइल के बीच में चल रहा था। वह हैरी की तरफ़ देखकर व्यंग्य से मुस्कराया और ओझल हो गया।

'हर्माइनी वहाँ है,' हैरी ने कहा।

हर्माइनी थोड़ी हाँफती हुई सीढ़ियों पर भागती आ रही थी। उसके एक हाथ में उसका बैग था। दूसरे हाथ में वह अपने दुशाले के सामने कोई चीज़ लिए थी।

रॉन ने उससे पूछा, 'तुमने यह कैसे किया ?'

'क्या ?' हर्माइनी ने उनके पास आते हुए कहा।

'एक मिनट पहले तुम हमारे ठीक पीछे थीं, और अगले ही पल तुम सीढ़ियों के नीचे पहुँच गईं।'

'क्या ?' हर्माइनी थोड़ी दुविधा में नज़र आई। 'ओह – मुझे किसी चीज़ के लिए वापस लौटना पड़ा। अरे नहीं ...'

हर्माइनी के बैग की सिलाई उधड़ गई थी। हैरी को इस बात से कोई हैरानी नहीं हुई। उसे दिख रहा था कि बैग में कम से कम एक दर्जन बड़ी और भारी पुस्तकें भरी हुई थीं।

'तुम इन सबको साथ लेकर क्यों घूम रही हो ?' रॉन ने उससे पूछा।

'तुम तो जानते ही हो कि मैंने कितने सारे विषय लिए हैं,' हर्माइनी ने तेज़ी से साँस लेते हुए कहा। 'क्या तुम इन पुस्तकों को पकड़ सकते हो ?'

'लेकिन –' रॉन ने उसकी पुस्तकों को पलटते हुए उनके कवर देखकर कहा – 'आज तो तुम्हारे ये विषय हैं ही नहीं। आज दोपहर को तो सिर्फ़ गुप्त कलाओं से रक्षा की क्लास है।'

'अरे हाँ,' हर्माइनी ने दुविधा से कहा, लेकिन इसके बावज़ूद उसने सारी पुस्तकें अपने बैग में भर लीं। 'मुझे आशा है कि लंच अच्छा होगा, मुझे बहुत भूख लग रही है,' और यह कहकर वह बड़े हॉल की तरफ़ धड़धड़ाती हुई चली गई।

रॉन ने हैरी से पूछा, 'क्या तुम्हें ऐसा नहीं लग रहा है कि हर्माइनी हमसे कोई बात छिपा रही है?'

*

जब वे गुप्त कलाओं से रक्षा की पहली क्लास में पढ़ने के लिए पहुँचे, तो प्रोफ़ेसर ल्यूपिन वहाँ नहीं थे। सबने बैठकर अपनी पुस्तकें, कलमें और चर्मपत्र बाहर निकाल लिए। फिर जब वे बातें करने लगे, तो प्रोफ़ेसर ल्यूपिन क्लास में आए। वे हलके से मुस्कराए और टीचर की डेस्क पर अपना पुराना ब्रीफ़केस रख दिया। उनके कपड़े पहले जितने ही फटे-पुराने लग रहे थे, लेकिन ट्रेन की तुलना में अब वे ज़्यादा स्वस्थ दिख रहे थे, मानो उन्हें कुछ दिनों से भरपेट खाना मिल रहा हो।

वे बोले, 'अपनी सभी पुस्तकें अपने-अपने बैग में रख लो। आज हम प्रैक्टिकल करेंगे। तुम्हें सिर्फ़ छड़ियों की ज़रूरत पड़ेगी।'

पुस्तकें रखते समय सब विद्यार्थियों ने उत्सुकता से एक-दूसरे की तरफ़ देखा। गुप्त कलाओं से रक्षा विषय में पहले कभी प्रैक्टिकल नहीं हुआ था, जब तक कि पिछले साल की उस यादगार क्लास को न गिना जाए, जब उनके पुराने टीचर क्लास में पिंजरा भर नन्हे पिशाच लेकर आए थे और उन्हें क्लास में छोड़ दिया था।

जब सब तैयार हो गए, तो प्रोफ़ेसर ल्यूपिन बोले, 'तो ठीक है। सब लोग मेरे पीछे आओ।'

सभी विद्यार्थी हैरान थे, लेकिन वे उत्सुक भी थे। वे सब क्लासरूम से बाहर निकलकर प्रोफ़ेसर ल्यूपिन के पीछे-पीछे चल दिए। वे उन्हें वीरान गलियारे में ले गए और फिर एक मोड़ मुड़े, जहाँ उन्हें पीव्ज़ नाम का भूत दिखा, जो बीच हवा में सिर के बल तैर रहा था और सबसे पास वाले कीहोल में च्युइंग ग़म लगा रहा था।

पीव्ज़ ने तब तक ऊपर नहीं देखा, जब तक प्रोफ़ेसर ल्यूपिन उससे सिर्फ़ दो फ़ुट की दूरी पर नहीं आ गए। फिर उसने अपने पैर हिलाए और गाने लगा।

'पगला दीवाना ल्यूपिन,' पीव्ज़ ने गाया। 'पगला दीवाना ल्यूपिन, पगला दीवाना ल्यूपिन –'

पीव्ज़ वैसे तो हमेशा ही बदतमीज़ी और बदमाशी भरा व्यवहार करता था, लेकिन आम तौर पर वह टीचर्स के प्रति थोड़ा सम्मान दिखाता था। सबने

तत्काल प्रोफ़ेसर ल्यूपिन को देखा कि वे इस अपमान को कैसे झेलते हैं। उन्हें यह देखकर हैरानी हुई कि वे अब भी मुस्करा रहे थे।

'अगर मैं तुम्हारी जगह होता पीव्ज़, तो उस च्युइंग ग़म को कीहोल से बाहर निकाल लेता,' उन्होंने ख़ुशनुमा अंदाज़ में कहा। 'मिस्टर फ़िल्च अपनी झाड़ुएँ नहीं निकाल पाएँगे।'

फ़िल्च हॉगवर्ट्स का चौकीदार था। वह बदमिज़ाज नाकारा जादूगर था, जिसकी विद्यार्थियों से हमेशा मुठभेड़ होती रहती थी और पीव्ज़ से भी। बहरहाल, पीव्ज़ ने प्रोफ़ेसर ल्यूपिन के शब्दों पर क़तई ध्यान नहीं दिया। इसके बजाय उसने हवा में एक गीली रसभरी तेज़ी से उड़ा दी।

प्रोफ़ेसर ल्यूपिन ने हलके से आह भरते हुए अपनी छड़ी बाहर निकाल ली।

'यह एक छोटा लेकिन उपयोगी मंत्र है,' उन्होंने पीछे खड़े विद्यार्थियों को बताया। 'ज़रा ध्यान से देखो।'

उन्होंने अपनी छड़ी कंधे तक उठाई और 'उड़नछू!' कहते हुए छड़ी पीव्ज़ की तरफ़ कर दी।

गोली की रफ़्तार से च्युइंग ग़म कीहोल से बाहर निकली और सीधे पीव्ज़ के बाएँ नथुने के अंदर चली गई। वह घूम गया और गालियाँ देते हुए चला गया।

'बहुत बढ़िया, सर!' डीन थॉमस ने हैरान होकर कहा।

'धन्यवाद डीन,' प्रोफ़ेसर ल्यूपिन ने अपनी छड़ी दोबारा अंदर रखते हुए कहा। 'तो अब आगे चलें?'

वे एक बार फिर चल दिए। पूरी क्लास अब फटेहाल प्रोफ़ेसर ल्यूपिन को सम्मान के भाव से देख रही थी। वे उन्हें एक और गलियारे में ले गए। फिर वे स्टाफ़ रूम के दरवाज़े के ठीक सामने रुक गए।

प्रोफ़ेसर ल्यूपिन ने स्टाफ़ रूम का दरवाज़ा खोला और अलग हटकर खड़े होते हुए कहा, 'अंदर चलो।'

स्टाफ़ रूम एक लंबा कमरा था, जिसमें अलग-अलग आकार की पुरानी कुर्सियाँ रखी थीं। उसमें सिवाय एक टीचर के और कोई नहीं था। प्रोफ़ेसर स्नेप एक कुर्सी पर बैठे थे और जब क्लास अंदर घुसी, तो उन्होंने घूमकर देखा। उनकी आँखें चमक रही थीं और उनके मुँह पर कुटिल व्यंग्य का भाव था। जब प्रोफ़ेसर ल्यूपिन अंदर आकर दरवाज़ा बंद करने लगे, तो स्नेप ने कहा, 'खुला रहने दो, ल्यूपिन। बेहतर होगा कि मैं यह सब न देखूँ।' वे खड़े होकर विद्यार्थियों के पास से जाने लगे। उनका काला दुशाला उनके पीछे लहरा रहा था। दरवाज़े

पर वे अपनी एड़ियों के बल पलटे और बोले, 'शायद किसी ने आपको चेतावनी नहीं दी है ल्यूपिन, लेकिन इस क्लास में नेविल लाँगबॉटम है। मैं आपको सलाह दूँगा कि आप उससे कोई मुश्किल काम करने को न कहें, जब तक कि मिस ग्रेंजर उसके कान में सलाह न दें।'

नेविल का चेहरा लाल पड़ गया। हैरी ने स्नेप को ग़ुस्से से घूरा। यही क्या कम बुरा था कि स्नेप नेविल को अपनी क्लास में सताते थे, लेकिन यह तो हद हो गई कि वे दूसरे टीचर्स के सामने भी ऐसा करना नहीं छोड़ रहे थे।

प्रोफ़ेसर ल्यूपिन ने अपनी भौंहें उठाईं।

'मैं सबसे पहले नेविल से ही यह काम करवाना चाहता था,' उन्होंने कहा, 'और मुझे यक़ीन है कि वह इसे अच्छी तरह करेगा।'

नेविल का चेहरा और भी लाल पड़ गया। स्नेप के होंठ सिकुड़ गए, लेकिन वे धड़ाम से दरवाज़ा बंद करके बाहर चले गए।

'उधर चलते हैं,' प्रोफ़ेसर ल्यूपिन ने कमरे के एक कोने की तरफ़ चलने का इशारा किया। वहाँ एक पुरानी अलमारी के सिवाय कुछ नहीं था, जिसमें टीचर्स अपने अतिरिक्त दुशाले रखते थे। जब प्रोफ़ेसर ल्यूपिन अलमारी के पास पहुँचे, तो अलमारी अचानक हिली और दीवार से टकरा गई।

जब यह देखकर कुछ विद्यार्थी दहशत में उछल पड़े, तो प्रोफ़ेसर ल्यूपिन ने उन्हें शांत करते हुए कहा, 'चिंता की कोई बात नहीं है। इसमें एक बहुरूपिया है।'

ज़्यादातर विद्यार्थियों को यह चिंता की बात लग रही थी। नेविल ने प्रोफ़ेसर ल्यूपिन को दहशत से देखा। सीमस फ़िनिगन दरवाज़े के हिलते हैंडल को डरते हुए देख रहा था।

प्रोफ़ेसर ल्यूपिन ने कहा, 'बहुरूपियों को अँधेरी और बंद जगह पसंद आती है : अलमारियाँ, बिस्तर के नीचे की ख़ाली जगह, सिंक के नीचे की छोटी अलमारी – मुझे एक बार एक बहुरूपिया दीवार घड़ी के अंदर छिपा मिला था। यह बहुरूपिया कल दोपहर को यहाँ आया था और मैंने हेडमास्टर से आग्रह किया कि स्टाफ़ इसे मेरे थर्ड ईयर के विद्यार्थियों की प्रैक्टिस के लिए छोड़ दे।

'तो हमें पहला सवाल यह पूछना चाहिए, *बहुरूपिया* क्या होता है?'

हर्माइनी ने अपना हाथ ऊपर उठा दिया।

'बहुरूपिया वेश बदलने में माहिर होता है। यह वह रूप धारण कर लेता है, जिससे हमें सबसे ज़्यादा डर लगता है।'

'इससे बेहतर तो मैं भी नहीं बता सकता था,' प्रोफ़ेसर ल्यूपिन बोले और

हर्माइनी के चेहरे पर चमक आ गई। 'अँधेरे में बैठे बहुरूपिए ने अब तक कोई रूप धारण नहीं किया है। वह अभी यह भी नहीं जानता है कि दरवाज़े के दूसरी तरफ़ वाले व्यक्ति को किस चीज़ से डर लगता है। कोई भी नहीं जानता कि अकेले में बहुरूपिया कैसा दिखता है, लेकिन बाहर निकलते ही यह तत्काल वह रूप बना लेगा, जिससे हमें सबसे ज़्यादा डर लगता है।

'इसका मतलब है,' प्रोफ़ेसर ल्यूपिन ने नेविल की दहशत भरी चीख़ को नज़रअंदाज़ करते हुए कहा, 'कि इस काम को शुरू करने से पहले ही बहुरूपिए के सामने हम बहुत अच्छी स्थिति में हैं। हैरी, क्या तुम इसका मतलब समझ गए हो?'

जब पास में हर्माइनी हो, जो हवा में अपना हाथ खड़ा करने के लिए पंजों के बल कूद रही हो, तो जवाब देने की कोशिश करना थोड़ा मुश्किल था, लेकिन हैरी ने कोशिश की।

'चूँकि हम बहुत से लोग हैं, इसलिए इसे यह पता नहीं चलेगा कि इसे कौन सा रूप बनाना चाहिए?'

'बिलकुल,' प्रोफ़ेसर ल्यूपिन ने कहा और हर्माइनी ने थोड़ी निराशा से अपना हाथ नीचे कर लिया। 'बहुरूपिए का सामना करते वक़्त समूह में रहना अच्छा होता है। इससे वह दुविधा में पड़ जाता है। उसे क्या बनना चाहिए, सिर कटी लाश या माँस खाने वाला घोंघा? मैंने एक बार एक बहुरूपिए को बिलकुल यही ग़लती करते देखा था – उसने दो लोगों को एक साथ डराने की कोशिश की और ख़ुद को आधे घोंघे में बदल लिया, जो ज़रा भी डरावना नहीं था।

'बहुरूपिए को भगाने का मंत्र आसान है, लेकिन इसके लिए मानसिक शक्ति की ज़रूरत होती है। देखो, जो चीज़ बहुरूपिए को सचमुच ख़त्म करती है, वह है हँसी। तुम्हें बस इतना करने की ज़रूरत है कि इसे ऐसा रूप धारण करने के लिए मजबूर कर दो, जो तुम्हें मज़ेदार लगता हो।

'हम पहले बिना छड़ी के इस मंत्र का अभ्यास करते हैं। मेरे बाद बोलें ... *हास्यांतरण!'*

'हास्यांतरण!' पूरी क्लास एक साथ बोली।

'बढ़िया,' प्रोफ़ेसर ल्यूपिन बोले, 'बहुत बढ़िया। लेकिन यह आसान पहलू था। देखो, लेकिन सिर्फ़ शब्द ही काफ़ी नहीं हैं। और नेविल, यहाँ से तुम्हारा काम शुरू होता है।'

अलमारी एक बार फिर हिली, लेकिन नेविल उससे ज़्यादा हिल गया। वह इस तरह आगे बढ़ा, जैसे उसे फाँसी के तख़्ते की तरफ़ जाने के लिए कहा जा

रहा हो।

'ठीक है नेविल,' प्रोफ़ेसर ल्यूपिन बोले। 'पहली चीज़ें पहले करते हैं : तुम्हें दुनिया में सबसे ज़्यादा डर किस चीज़ से लगता है?'

नेविल के होंठ हिले, लेकिन आवाज़ बाहर नहीं निकली।

'सुनाई नहीं दिया, नेविल,' प्रोफ़ेसर ल्यूपिन ने ख़ुशी-ख़ुशी कहा।

नेविल ने चारों तरफ़ दहशत से देखा, जैसे किसी से मदद की भीख माँग रहा हो। फिर वह फुसफुसाहट भरे स्वर में बोला, 'प्रोफ़ेसर स्नेप।'

सब लोग हँस पड़े। यहाँ तक कि नेविल के चेहरे पर भी माफ़ी माँगने वाली हँसी आ गई। बहरहाल, प्रोफ़ेसर ल्यूपिन सोच-विचार में पड़ गए।

'प्रोफ़ेसर स्नेप ... हूँ ... नेविल, मुझे यक़ीन है कि तुम अपनी दादी के साथ रहते हो?'

'हाँ,' नेविल ने घबराकर कहा। 'लेकिन – मैं नहीं चाहता कि बहुरूपिया दादी के रूप में आ जाए।'

'नहीं, नहीं, तुम ग़लत समझ रहे हो,' प्रोफ़ेसर ल्यूपिन ने अब मुस्कराते हुए कहा। 'क्या तुम बता सकते हो कि तुम्हारी दादी आम तौर पर कैसे कपड़े पहनती हैं?'

नेविल चौंक गया, लेकिन बोला, 'हमेशा वही हैट। ऊँचा हैट, जिसके ऊपर एक गिद्ध बना है। और एक लंबी ड्रेस ... आम तौर पर हरी ... और कई बार लोमड़ी के फ़र का स्कार्फ़।'

'और हैंडबैग?' प्रोफ़ेसर ल्यूपिन ने पूछा।

'बड़ा लाल वाला,' नेविल बोला।

'तो फिर ठीक है,' प्रोफ़ेसर ल्यूपिन ने कहा। 'क्या तुम उनके कपड़ों की बिलकुल साफ़ तस्वीर देख सकते हो, नेविल? क्या तुम उन्हें अपने मन में साफ़ देख सकते हो?'

'हाँ,' नेविल ने अनिश्चितता से कहा। वह सोच रहा था कि इसके बाद जाने क्या होगा।

'नेविल, जब बहुरूपिया इस अलमारी में से बाहर निकलेगा और तुम्हें देखेगा, तो वह प्रोफ़ेसर स्नेप का रूप धारण कर लेगा,' ल्यूपिन ने कहा। 'इसके बाद तुम अपनी छड़ी उठाना – इस तरह – और चिल्लाना "हास्यांतरण" – और अपनी दादी के कपड़ों पर ध्यान केंद्रित करना। अगर सब कुछ ठीक तरीक़े से होता है, तो बहुरूपिया प्रोफ़ेसर स्नेप गिद्ध वाले हैट, हरी ड्रेस और बड़े लाल हैंडबैग वाला रूप धारण करने के लिए मजबूर हो जाएगा।'

ज़ोरदार हँसी का माहौल बन गया। अलमारी अब और बुरी तरह हिलने लगी।

'अगर नेविल सफल हो जाता है, तो उसके बाद बहुरूपिया हम सब पर ध्यान देगा,' प्रोफ़ेसर ल्यूपिन ने कहा। 'मैं चाहूँगा कि तुम सब लोग एक पल के लिए इस बारे में सोचो कि तुम्हें सबसे ज़्यादा डर किस चीज़ से लगता है और यह कल्पना करो कि तुम इसे मज़ाक़िया दिखने के लिए कैसे मजबूर कर सकते हो ...'

कमरे में ख़ामोशी छा गई। हैरी ने सोचा ... उसे दुनिया में सबसे ज़्यादा डर किस चीज़ से लगता है?

उसके मन में पहला विचार लॉर्ड वोल्डेमॉर्ट का आया - वोल्डेमॉर्ट, जो फिर से ताक़तवर बन गया था। लेकिन इससे पहले कि वह बहुरूपिए-वोल्डेमॉर्ट के ख़िलाफ़ कोई रणनीति बनाता, उसके मन में एक भयानक तस्वीर उभर आई ...

काले चोगे में वापस लौटता एक सड़ा, चमकता हुआ हाथ ... एक अदृश्य मुँह द्वारा ली जा रही लंबी खरखराती साँस ... भयानक ठंडक, जिसमें वह डूबने लगा था ...

हैरी ने काँपकर चारों तरफ़ देखा। वह सोच रहा था, काश किसी ने उसे काँपते न देखा हो। बहुत से लोगों की आँखें बंद थीं। रॉन बुदबुदा रहा था, 'इसके पैर दूर हटाओ।' हैरी अच्छी तरह जानता था कि वह किस बारे में सोच रहा होगा। रॉन को मकड़ियों से सबसे ज़्यादा डर लगता था।

'सब तैयार हैं?' प्रोफ़ेसर ल्यूपिन ने पूछा।

हैरी डर के सैलाब में गोते खा रहा था। वह तैयार नहीं था। कोई दमपिशाच को कम डरावना कैसे बना सकता है? लेकिन वह तैयारी के लिए ज़्यादा समय नहीं माँगना चाहता था। बाक़ी सब सिर हिला रहे थे और अपनी आस्तीनें चढ़ा रहे थे।

'नेविल, अब हम लोग पीछे हट जाते हैं,' प्रोफ़ेसर ल्यूपिन बोले। 'तुम्हारे लिए मैदान ख़ाली छोड़ देते हैं। तुम्हारे बाद मैं अगले विद्यार्थी को आगे बुलाऊँगा ... सब लोग पीछे हट जाओ, ताकि नेविल अकेले मुक़ाबला कर सके -'

सब पीछे जाकर दीवार से टिक गए। सिर्फ़ नेविल अलमारी के पास खड़ा रहा। उसका चेहरा पीला पड़ चुका था और वह बहुत डर रहा था, लेकिन उसने अपने दुशाले की आस्तीनें ऊपर चढ़ा ली थीं और अपनी छड़ी तैयार रखी थी।

'नेविल, तीन की गिनती पर,' प्रोफ़ेसर ल्यूपिन ने अपनी छड़ी अलमारी

के हैंडल की तरफ़ करते हुए कहा। 'एक - दो - तीन - *अब!*'

प्रोफ़ेसर ल्यूपिन की छड़ी से चिंगारियाँ निकलीं और दरवाज़े के हैंडल पर पड़ीं। अलमारी खुल गई। तिरछी नाक वाला खौफ़नाक स्नेप बाहर निकल आया। उसकी चमकती आँखें नेविल पर टिकी थीं।

नेविल पीछे हट गया, उसने छड़ी ऊपर की ओर मुँह खोले खड़ा रहा। स्नेप दुशाले में हाथ डालता हुआ नेविल के पास पहुँच रहा था।

'हास्यांतरण!' नेविल चीख़ा।

छड़ी फटकारने जैसी आवाज़ आई। स्नेप लड़खड़ा गया। अब उसके शरीर पर एक लंबी, जालीदार पोशाक आ गई थी, उसके सिर पर एक ऊँचा हैट आ चुका था, जिसके ऊपर दीमक खाया हुआ गिद्ध था और उसके हाथ में एक बड़ा लाल हैंडबैग झूल रहा था।

सब ज़ोर-ज़ोर से हँसने लगे। बहुरूपिया ठहरा, दुविधा में पड़ गया और प्रोफ़ेसर ल्यूपिन चिल्लाए, 'पार्वती! आगे आओ!'

पार्वती चलकर आगे पहुँची; उसके चेहरे पर दृढ़ता के भाव थे। स्नेप उसकी तरफ़ बढ़ा। एक और कड़ाक की आवाज़ आई। और अब स्नेप की जगह पर ख़ून से सनी, पट्टियाँ बँधी ममी थी। इसका दिखाई न दे रहा चेहरा पार्वती की तरफ़ घूमा और ममी अपने पैर घसीटते हुए, अपनी सख़्त बाँहों को उठाते हुए उसकी तरफ़ धीमे-धीमे बढ़ने लगी -

'हास्यांतरण!' पार्वती चिल्लाई।

ममी के पैरों की पट्टी खुल गई। वह उसमें उलझकर चेहरे के बल गिर गई और उसका सिर अलग हो गया।

'सीमस!' प्रोफ़ेसर ल्यूपिन गरजे।

सीमस पार्वती के पास से होता हुआ आगे बढ़ा।

कड़ाक! जहाँ ममी थी, अब वहाँ पर एक महिला खड़ी थी, जिसके काले बाल इतने लंबे थे कि फ़र्श को छू रहे थे। उसका चेहरा पतला और हरा था। वह एक मोहिनी थी। उसने अपना मुँह चौड़ा खोल लिया और कमरे में एक लंबी, दुख भरी चीख़ भर गई, जिसे सुनकर हैरी के सिर के बाल खड़े हो गए -

'हास्यांतरण!' सीमस चिल्लाया।

मोहिनी ने भर्राई आवाज़ निकाली और अपना गला पकड़ लिया। उसकी आवाज़ चली गई थी।

कड़ाक! मोहिनी अब चूहे में बदल गई थी, जो अपनी ही पूँछ के पीछे गोल-गोल घूम रहा था, फिर - *कड़ाक!* - चूहा साँप में बदल गया, जो लहराते

और बल खाते हुए आगे बढ़ा – *कड़ाक!* – फिर वह ख़ून भरी आँख में बदल गया।

'बहुरूपिया दुविधा में पड़ गया है!' ल्यूपिन चिल्लाए। 'हम अब मंज़िल के क़रीब पहुँच रहे हैं! डीन!'

डीन जल्दी से आगे आया।

कड़ाक! आँख अब कटा हुआ हाथ बन गई। हाथ फ़र्श पर किसी केकड़े की तरह रेंगने लगा।

'हास्यांतरण!' डीन चीख़ा।

खट्ट की आवाज़ हुई और हाथ चूहेदानी में फँस गया।

'बहुत बढ़िया! रॉन, अब तुम्हारी बारी है!'

रॉन आगे उछलकर आया।

'कड़ाक!'

कुछ लोग चीख़ पड़े। छह फ़ुट ऊँची और बालों वाली एक विशाल मकड़ी रॉन की तरफ़ बढ़ने लगी। यह अपनी चिमटियों को टकराकर डरावनी आवाज़ें निकाल रही थी। एक पल के लिए तो हैरी ने सोचा कि रॉन की हिम्मत जवाब दे गई है। फिर –

'हास्यांतरण!' रॉन चीख़ा और मकड़ी के पैर ग़ायब हो गए। यह इधर से उधर घूमती रही। लैवेंडर ब्राउन चीख़कर इसके रास्ते से हट गई। फिर मकड़ी हैरी के पैरों के पास आकर रुक गई। उसने अपनी छड़ी उठाई, वह तैयार था, लेकिन – 'यहाँ!' प्रोफ़ेसर ल्यूपिन अचानक चिल्लाए और जल्दी से हैरी के सामने आ गए।

कड़ाक!

बिना पैरों वाली मकड़ी ग़ायब हो गई। एक पल के लिए सबने घूमकर देखा कि वह कहाँ चली गई। फिर उन्होंने देखा कि ल्यूपिन के सामने हवा में एक सफ़ेद गोला था। ल्यूपिन ने बहुत धीमी आवाज़ में कहा, 'हास्यांतरण!'

कड़ाक!

'आगे बढ़ो, नेविल और उसे ख़त्म कर दो!' ल्यूपिन ने कहा, जब बहुरूपिया कॉकरोच बनकर फ़र्श पर गिर गया। *कड़ाक!* स्नेप एक बार फिर लौट आया था। इस बार नेविल संकल्प के साथ आगे बढ़ा।

'हास्यांतरण!' वह चिल्लाया और सबने देखा कि स्नेप एक बार फिर अपनी जालीदार पोशाक में आ गया था। फिर नेविल ज़ोर से हँसा और बहुरूपिए में एक धमाका हुआ। वह धुएँ के हज़ारों टुकड़ों में फूट गया और ग़ायब हो गया।

जब पूरी क्लास ने ज़ोरदार तालियाँ बजाईं, तो प्रोफ़ेसर ल्यूपिन बोले, 'बहुत बढ़िया! बहुत बढ़िया, नेविल। सबने बहुत अच्छा किया। देखने दो ... गरुड़द्वार के हर विद्यार्थी को बहुरूपिए का मुक़ाबला करने के लिए पाँच पॉइंट – नेविल को दस, क्योंकि उसने यह काम दो बार किया – और हर्माइनी तथा हैरी को पाँच-पाँच पॉइंट।'

'लेकिन मैंने तो कुछ नहीं किया,' हैरी ने कहा।

'तुमने और हर्माइनी ने क्लास के शुरू में मेरे सवालों के सही जवाब दिए थे, हैरी,' ल्यूपिन ने हल्केपन से कहा। 'बहुत बढ़िया, सबने अच्छा किया, यह बहुत अच्छी क्लास थी। तुम लोगों का होमवर्क यह है, बहुरूपिए वाला अध्याय पढ़कर उसे संक्षेप में लिखना... सोमवार को मुझे दे देना। बस इतना ही काफ़ी है।'

रोमांचित स्वर में बातें करते हुए पूरी क्लास स्टाफ़ रूम से बाहर चल दी। बहरहाल, हैरी ख़ुद को ख़ुश महसूस नहीं कर रहा था। प्रोफ़ेसर ल्यूपिन ने जान-बूझकर उसे बहुरूपिए से मुक़ाबला नहीं करने दिया था। क्यों? क्या ऐसा इसलिए था क्योंकि उन्होंने हैरी को ट्रेन में बेहोश होते देखा था और वे ऐसा मानते थे कि हैरी ज़्यादा कुछ नहीं कर सकता था? क्या उन्होंने यह सोचा था कि हैरी एक बार फिर बेहोश हो जाएगा?

लेकिन इस तरफ़ किसी और का ध्यान नहीं था।

'क्या तुमने मुझे उस मोहिनी का मुक़ाबला करते देखा?' सीमस चिल्लाया।

'और हाथ!' डीन ने अपने हाथ को लहराते हुए पूछा।

'और हैट पहने हुए स्नेप!'

'और मेरी ममी!'

'मैं यह सोच रही हूँ कि प्रोफ़ेसर ल्यूपिन भाग्य-दर्पण से क्यों डरते हैं?' लैवेंडर ने पूछा।

'यह गुप्त कलाओं से रक्षा की हमारी अब तक की सबसे अच्छी क्लास थी, है ना?' रोमांचित रॉन ने कहा, जब वे अपने बैग लेने के लिए क्लासरूम की तरफ़ जा रहे थे।

'वे बहुत अच्छे टीचर हैं,' हर्माइनी ने प्रशंसा करते हुए कहा। 'लेकिन काश मुझे बहुरूपिए से मुक़ाबला करने को मिलता –'

'और तुम्हारे सामने क्या आता?' रॉन ने हँसते हुए कहा। 'वह होमवर्क, जिसमें दस में से नौ नंबर मिले होते?'

अध्याय आठ

मोटी औरत का भागना

कुछ ही समय में गुप्त कलाओं से रक्षा ज़्यादातर विद्यार्थियों का प्रिय विषय बन गया। सिर्फ़ ड्रेको मैल्फ़ॉय और उसके साथी ही प्रोफ़ेसर ल्यूपिन के बारे में बुरा बोलते थे।

जब भी प्रोफ़ेसर ल्यूपिन पास से गुज़रते थे, तो मैल्फ़ॉय ज़ोर से फुसफुसाते हुए कहता था, 'उनके कपड़ों की हालत तो देखो। वे तो हमारे घरेलू जिन्न जैसे कपड़े पहनते हैं।'

लेकिन किसी और विद्यार्थी को इस बात की परवाह नहीं थी कि प्रोफ़ेसर ल्यूपिन के पुराने दुशालों में पैबंद लगे थे। उनकी अगली क्लासें भी पहली क्लास जितनी ही दिलचस्प रहीं। बहुरूपिए के बाद उन्होंने लाल टोपी नाम के प्राणियों का अध्ययन किया, जो छोटे, लेकिन पिशाचों जितने दुष्ट थे। वे ख़ून-ख़राबे वाली जगहों पर मँडराते थे, जैसे किलों की कालकोठरियों या युद्ध के मैदानों में। युद्ध के बाद वे पास की गुफाओं में खोए हुए लोगों को मारने का इंतज़ार करते थे। लाल टोपी के बाद वे काप्पाज़ पर आ गए, जो पपड़ीदार बंदरों जैसे दिखते थे और पानी में रहते थे। जब कोई उनके तालाब में आता था, तो वे अपने जालीदार हाथों से उसका गला दबाने की फिराक में रहते थे।

हैरी सोच रहा था कि काश बाक़ी क्लासें भी इतनी ही मज़ेदार होतीं। सबसे बुरी क्लास जादुई काढ़े की थी। स्नेप इन दिनों बहुत ग़ुस्से में दिख रहे थे और सब इसका कारण जानते थे। स्कूल में यह ख़बर आग की तरह फैल गई थी कि बहुरूपिए ने स्नेप का रूप धारण कर लिया था और नेविल ने उसे अपनी दादी के कपड़े पहना दिए थे। स्नेप को यह ख़बर मज़ेदार नहीं लगी। उनकी आँखें प्रोफ़ेसर ल्यूपिन के नाम के ज़िक्र पर ही लाल हो जाती थीं और वे नेविल को पहले से ज़्यादा सताने लगे।

इसके अलावा हैरी ज्योतिष शास्त्र की क्लास से भी घबराता था, जब उसे प्रोफ़ेसर ट्रिलोनी के दमघोंटू मीनार कक्ष में जाना पड़ता था और अजीब से आकारों तथा प्रतीकों का मतलब खोजना पड़ता था। वह इस बात को नज़रअंदाज़ करने की कोशिश करता था कि प्रोफ़ेसर ट्रिलोनी की बड़ी-बड़ी आँखें जब भी उसे देखती थीं, आँसुओं से भर आती थीं। वह प्रोफ़ेसर ट्रिलोनी को पसंद नहीं करता था। हालाँकि क्लास के कुछ विद्यार्थी उनका बहुत सम्मान और गुणगान करते थे। पार्वती पाटिल और लैवेंडर ब्राउन लंच के समय प्रोफ़ेसर ट्रिलोनी के मीनार कक्ष में जाने लगी थीं। वहाँ से लौटने पर उनके चेहरे पर हमेशा ज्ञानियों जैसा भाव होता था, जैसे वे ऐसी बातें जानती हैं, जो बाक़ी लोग नहीं जानते। हैरी से वे इतनी धीमी आवाज़ में बोलती थीं, जैसे वह मृत्युशैया पर लेटा हो।

सच तो यह था कि किसी को भी जादुई प्राणियों की देखभाल की क्लास में मज़ा नहीं आ रहा था। पहली घटनापूर्ण क्लास के बाद यह बहुत उबाऊ हो गई थी। ऐसा लग रहा था, जैसे हैग्रिड का आत्मविश्वास डगमगा गया था। वे अब फ़्लॉबरवर्म्स की देखभाल करना सीख रहे थे, जो बहुत उबाऊ प्राणी थे।

'उनकी देखभाल कोई करेगा ही क्यों?' रॉन ने फ़्लॉबरवर्म्स के चिपचिपे गलों में छिला हुआ सलाद ठूँसते हुए कहा।

बहरहाल, अक्टूबर का महीना शुरू होते ही हैरी को एक ऐसा काम मिल गया, जो इतना आनंददायक था कि उसे अपनी दुख भरी क्लासों से राहत मिली। क्विडिच का मौसम क़रीब आ रहा था और गरुड़द्वार की टीम के कप्तान ऑलिवर वुड ने एक गुरुवार की शाम को नए सीज़न की रणनीति बनाने के लिए एक मीटिंग बुलाई।

क्विडिच की टीम में सात खिलाड़ी होते हैं : तीन धावक, जो फ़ुटबॉल जितनी बड़ी लाल गेंद तूफ़ान को गोल में डालने का काम करते हैं। पिच के दोनों सिरों पर पचास फ़ुट ऊँचे खंभे होते हैं, जिनके कोनों पर रिंग लगे होते हैं। गोल करने के लिए तूफ़ान को इन्हीं रिंग्स में डालना पड़ता है। हर टीम में दो मारक होते हैं। वे अपने भारी बल्लों से पहलवानों (दो भारी काली गेंदें, जो खिलाड़ियों पर हमला करने की कोशिश में घूमती रहती हैं) को मारते हैं। इसके अलावा एक रक्षक होता है, जो गोल की रक्षा करता है। और एक खोजी भी होता है, जिसका काम इन सबसे मुश्किल है। उसे सुनहरी गेंद पकड़नी होती है। सुनहरी गेंद एक छोटी, पंख लगी, अखरोट के आकार की गेंद होती है। इसके पकड़ में आने के बाद ही खेल ख़त्म होता है और इसे पकड़ने वाले खोजी की टीम को एक सौ पचास पॉइंट मिलते हैं।

ऑलिवर वुड सत्रह साल का हट्टा-कट्टा किशोर था। वह हॉगवर्ट्स में

अपने सातवें और अंतिम वर्ष में पढ़ रहा था। जब उसने अपने छह साथी खिलाड़ियों को अँधेरे से घिरती क्विडिच पिच के कोने पर बने ठंडे चेंजिंग रूम में संबोधित किया, तो उसकी आवाज़ में एक तरह की हताशा साफ़ झलक रही थी।

उसने उनके सामने इधर से उधर घूमते हुए कहा, 'यह क्विडिच कप जीतने का हमारा आख़िरी मौक़ा है – *मेरा* आख़िरी मौक़ा है। मैं इस साल के बाद यहाँ नहीं रहूँगा। मुझे इसके बाद मौक़ा नहीं मिलेगा।

'गरुड़द्वार ने यह कप सात साल से नहीं जीता है। हमारी क़िस्मत ख़राब थी। हम एक बार दुर्घटना के कारण नहीं जीत पाए। फिर पिछले साल टूर्नामेंट रद्द हो गया ...' वुड ने थूक निगला, मानो उस याद के कारण उसका गला भर आया हो। 'लेकिन हम यह भी जानते हैं कि हमारे पास *स्कूल – की – सबसे – अच्छी – टीम है,'* उसने अपने एक हाथ से दूसरे हाथ पर मुक्का मारते हुए कहा। उसकी आँखों में दीवानगी की चमक लौट आई थी।

'हमारे पास तीन *बेहतरीन* धावक हैं।'

वुड ने एलिसिया स्पिनेट, एंजेलिना जॉनसन और केटी बेल की तरफ़ इशारा किया।

'दो *अपराजेय* मारक हैं।'

'रहने दो ऑलिवर, तुम हमें शर्मिंदा कर रहे हो,' फ्रेड और जॉर्ज वीज़्ली ने शर्म का नाटक करते हुए एक साथ कहा।

'और हमारे पास एक ऐसा खोजी है, *जिसने हमें हमेशा जिताया है!'* वुड ने हैरी को गर्व से देखते हुए कहा और बाद में धीरे से जोड़ दिया, 'और मैं।'

'ऑलिवर, हमें लगता है तुम भी बहुत अच्छे हो,' जॉर्ज बोला।

'ज़बर्दस्त रक्षक,' फ्रेड बोला।

'मुद्दे की बात यह है,' वुड ने आगे कहा और फिर से टहलने लगा, 'कि पिछले दो साल से क्विडिच कप पर हमारा नाम होना चाहिए था। जब से हैरी टीम में आया है, मैं सोचता था कि कप हमारी झोली में है। लेकिन ऐसा अब तक नहीं हुआ है। और इस साल आख़िरी मौक़ा है, जब हम इस कप पर अपना नाम देख सकते हैं ...'

वुड इतनी निराशा से बोल रहा था कि फ्रेड और जॉर्ज तक उसे सहानुभूति से देखने लगे।

'ऑलिवर, यह साल हमारा साल है,' फ्रेड ने कहा।

एंजेलिना बोली, 'हम कप जीत लेंगे, ऑलिवर!'

'निश्चित रूप से,' हैरी ने कहा।

दृढ़ संकल्प के साथ टीम हफ़्ते में तीन दिन शाम को प्रशिक्षण लेने लगी। मौसम ठंडा था, पानी गिर रहा था, रातें ज़्यादा अँधेरी होती जा रही थीं, लेकिन कीचड़, हवा या बरसात के कारण चाँदी के बड़े क्विडिच कप को जीतने का हैरी का अद्‌भुत सपना धुँधला नहीं हुआ।

एक शाम को प्रशिक्षण के बाद जब हैरी गरुड़द्वार के हॉल में लौटा, तो उसका पूरा शरीर ठंडा और अकड़ा हुआ था। लेकिन वह इस बात पर ख़ुश था कि प्रैक्टिस अच्छी हुई थी। उसने आकर देखा कि हॉल में रोमांच का माहौल था।

उसने रॉन और हर्माइनी से पूछा, 'क्या हुआ ?' वे दोनों आग के पास दो कुर्सियों पर बैठकर खगोलशास्त्र के सितारों के चार्ट पूरे कर रहे थे।

'हॉग्समीड की पहली यात्रा,' रॉन ने पुराने नोटिस बोर्ड पर लगे नोटिस की तरफ़ इशारा करते हुए कहा। 'अक्टूबर के अंत में। हैलोवीन के दिन।'

'बहुत बढ़िया,' फ्रेड बोला, जो हैरी के पीछे-पीछे तस्वीर के छेद में से निकलकर अंदर आ गया था। 'मुझे ज़ोन्को की दुकान में जाना भी था। मेरे बदबूदार छर्रे ख़त्म हो रहे हैं।'

हैरी रॉन की बग़ल वाली कुर्सी में धम्म से धँस गया। उसका सारा उत्साह अब ठंडा हो चुका था। हर्माइनी उसकी हालत को समझ गई।

'हैरी, मुझे यक़ीन है कि तुम अगली बार हमारे साथ चल सकोगे,' वह बोली। 'ब्लैक को जल्दी ही पकड़ लिया जाएगा। वह दिखाई तो दे ही चुका है।'

'ब्लैक इतना मूर्ख नहीं है, जो हॉग्समीड में कुछ करेगा,' रॉन ने कहा। 'मैक्गॉनेगल से पूछकर देखो कि क्या तुम इस बार चल सकते हो हैरी! अगली बार यह मौक़ा न जाने कब मिले –'

'रॉन!' हर्माइनी बोली। 'हैरी को *स्कूल* में रहना चाहिए –'

'थर्ड ईयर के विद्यार्थियों में वह अकेला ही क्यों रुके,' रॉन ने कहा। 'हैरी, मैक्गॉनेगल से पूछकर तो देखो –'

'हाँ, मैं पूछूँगा,' हैरी ने फ़ैसला करते हुए कहा।

हर्माइनी ने बहस करने के लिए अपना मुँह खोला, लेकिन उसी पल क्रुकशैंक्स कूदकर उसकी गोद में चढ़ गई। उसके मुँह से एक बड़ी मुर्दा मकड़ी लटक रही थी।

रॉन ने त्योरियाँ चढ़ाते हुए पूछा, 'क्या वह इस मकड़ी को हमारे सामने ही खाएगी ?'

'तुम बहुत समझदार हो क्रुकशैंक्स, क्या इसे तुमने ख़ुद पकड़ा है ?' हर्माइनी ने कहा।

क्रुकशैंक्स धीरे-धीरे मकड़ी चबाती रही। उसकी पीली आँखें रॉन पर टिकी थीं।

'उसे वहीं रखो,' रॉन ने चिढ़कर अपने सितारों के चार्ट की तरफ़ मुड़ते हुए कहा। 'स्कैबर्स मेरे बैग में सो रहा है।'

हैरी ने जम्हाई ली। वह सचमुच बिस्तर पर जाना चाहता था, लेकिन उसे अपना सितारों का चार्ट पूरा करना था। उसने अपना बैग खींचकर उसमें से चर्मपत्र, स्याही व क़लम बाहर निकाले और काम करने लगा।

'अगर तुम चाहो, तो मेरे चार्ट की नक़ल कर सकते हो,' रॉन ने अपने आख़िरी सितारे पर नाम लिखते हुए चार्ट हैरी की तरफ़ बढ़ा दिया।

हर्माइनी को यह अच्छा नहीं लगता था कि कोई किसी की नक़ल करे। बहरहाल, उसने कुछ नहीं कहा, बस अपने होंठ सिकोड़ लिए। क्रुकशैंक्स अब भी बिना पलक झपकाए रॉन को देख रही थी और अपनी लेकिन पूँछ हिला रही थी। फिर बिना किसी चेतावनी के वह कूदी।

'ओए!' रॉन ने गरजते हुए अपना बैग पकड़ा, लेकिन क्रुकशैंक्स ने अपने चारों पंजे उसमें गहराई से गड़ा दिए और उसे बुरी तरह नोंचने लगी। **'हट जाओ, मूर्ख बिल्ली!'**

रॉन ने क्रुकशैंक्स से बैग दूर खींचने की कोशिश की, लेकिन क्रुकशैंक्स ने अपनी पकड़ ढीली नहीं की।

'रॉन, उसे मत मारना!' हर्माइनी चीख़ी। हॉल के सारे विद्यार्थी अब इधर ही देख रहे थे। रॉन ने बैग को चारों तरफ़ लहराया। क्रुकशैंक्स अब भी बैग से ही लटकी हुई थी। तभी स्कैबर्स बैग के ऊपरी हिस्से से उड़ता हुआ बाहर आया-

क्रुकशैंक्स भी बैग छोड़कर टेबल पर कूदी और आतंकित स्कैबर्स का पीछा करने लगी, तब रॉन चीख़ा, **'बिल्ली को पकड़ो!'**

जॉर्ज वीज़्ली ने क्रुकशैंक्स को पकड़ने के लिए छलाँग लगाई, लेकिन वह उसे पकड़ नहीं पाया। स्कैबर्स बीस जोड़ी पैरों के बीच से निकलकर एक पुरानी अलमारी के नीचे घुस गया। क्रुकशैंक्स भी वहाँ पहुँचकर बैठ गई और अपना अगला पंजा डालकर उसे पकड़ने की ज़ोरदार कोशिश करने लगी।

रॉन और हर्माइनी जल्दी से वहाँ पहुँचे। हर्माइनी क्रुकशैंक्स को पकड़कर उसे दूर ले गई। रॉन पेट के बल लेटा और उसने स्कैबर्स की पूँछ पकड़कर उसे बड़ी मुश्किल से खींचा।

'उसकी तरफ़ देखो,' उसने स्कैबर्स को हर्माइनी के सामने झुलाते हुए ताव में कहा, 'उसकी हड्डियाँ निकल आई हैं! तुम अपनी बिल्ली उससे दूर रखो!'

'क्रुकशैंक्स को यह बात ग़लत नहीं लगती है!' हर्माइनी ने थरथराती आवाज़ में कहा, 'रॉन, सभी बिल्लियाँ चूहों का पीछा करती हैं!'

'तुम्हारी बिल्ली भी अजीब है!' रॉन बोला, जो बुरी तरह काँपते स्कैबर्स को वापस अपनी जेब में डालने की कोशिश कर रहा था। 'इसने मुझे यह कहते सुन लिया था कि स्कैबर्स मेरे बैग में है!'

'ओह क्या बकवास है,' हर्माइनी ने अधीरता से कहा। 'क्रुकशैंक्स को उसकी *गंध* आ गई होगी रॉन, वह सुन कैसे सकती है –'

'तुम्हारी बिल्ली किसी दिन स्कैबर्स की जान ले लेगी!' रॉन ने अपने आस-पास के लोगों की हँसी को नज़रअंदाज़ करते हुए कहा। 'स्कैबर्स यहाँ पर उसके पहले से है *और* अब वह बीमार है!'

रॉन धड़धड़ाता हुए लड़कों के कमरों की तरफ़ जाने वाली सीढ़ियों पर चढ़ा और ओझल हो गया।

*

अगले दिन भी हर्माइनी के प्रति रॉन का व्यवहार अच्छा नहीं था। जड़ी-बूटियों का ज्ञान की क्लास में उसने हर्माइनी से बात नहीं की, हालाँकि वह, हैरी और हर्माइनी एक ही गमले पर काम कर रहे थे।

'स्कैबर्स कैसा है ?' हर्माइनी ने झिझकते हुए पूछा, जब उन्होंने पौधों के मोटे गुलाबी फल अलग किए और उनके बीज लकड़ी के बर्तन में डाले।

'वह मेरे बिस्तर के नीचे छिपा है और काँप रहा है,' रॉन ने इतने ग़ुस्से से कहा कि निशाना चूकने की वजह से बीज बर्तन में गिरने के बजाय ग्रीनहाउस की फ़र्श पर बिखर गए।

'ध्यान से, वीज़्ली, ध्यान से!' प्रोफ़ेसर स्प्राउट चिल्लाईं, जब उनकी आँखों के सामने बीज अंकुरित होने लगे।

अगली क्लास रूप-परिवर्तन की थी। हैरी ने यह संकल्प कर लिया था कि वह क्लास के बाद प्रोफ़ेसर मैक्गॉनेगल से पूछेगा कि क्या वह बाक़ी विद्यार्थियों के साथ हॉग्समीड में जा सकता है। वह क्लास के बाहर लाइन में खड़ा हो गया और यह सोचने लगा कि वह अपनी बात किस तरह कहेगा। बहरहाल, लाइन में आगे की तरफ़ एक ऐसी घटना हुई, जिससे उसका ध्यान विचलित हो गया।

लैवेंडर ब्राउन रो रही थी। पार्वती की बाँह लैवेंडर की कमर में लिपटी थी और वह सीमस फ़िनिगन तथा डीन थॉमस को कुछ बता रही थी। सभी बहुत गंभीर दिख रहे थे।

'क्या बात है, लैवेंडर ?' हर्माइनी ने चिंता से कहा, जब वह, हैरी और

रॉन उनके पास पहुँचे।

'सुबह इसके घर से ख़त आया था,' पार्वती ने फुसफुसाकर कहा। 'इसके खरगोश बिन्की को एक लोमड़ी ने मार डाला है।'

'अरे,' हर्माइनी बोली। 'यह सुनकर दुख हुआ, लैवेंडर।'

लैवेंडर ने अफ़सोस के साथ कहा, 'मुझे पता होना चाहिए था। तुम तो जानती ही हो, आज कौन सा दिन है?'

'अर -'

'सोलह अक्टूबर! "जिस चीज़ से तुम डर रही हो, वह सोलह अक्टूबर को होगी!" याद है ना? उन्होंने सही कहा था, उन्होंने सही कहा था!'

पूरी क्लास अब लैवेंडर के चारों तरफ़ इकट्ठी हो गई थी। सीमस ने गंभीरता से अपना सिर हिलाया। हर्माइनी ने झिझकते हुए कहा, 'तुम्हें - तुम्हें डर था कि कोई लोमड़ी बिन्की को मार डालेगी?'

'नहीं, *लोमड़ी* से तो नहीं,' लैवेंडर ने आँसू भरी आँखों से हर्माइनी को देखते हुए कहा, 'लेकिन *स्पष्ट रूप से* मुझे उसके मरने का डर था।'

'अच्छा,' हर्माइनी बोली। उसने थोड़ी देर बाद कहा, 'क्या बिन्की *बूढ़ा* था?'

'न-नहीं!' लैवेंडर सुबकी। 'वह तो अभी बच्चा ही था!'

पार्वती ने लैवेंडर के कंधों पर अपनी बाँह का दबाव बढ़ा दिया।

हर्माइनी ने पूछा, 'फिर तुम्हें उसके मरने का डर क्यों था?'

पार्वती ने उसे ग़ुस्से से घूरा।

'इसे तर्क की दृष्टि से देखो,' हर्माइनी ने बाक़ी लोगों की ओर मुड़ते हुए कहा। 'मेरा मतलब है, बिन्की कोई आज नहीं मरा है। आज तो लैवेंडर को उसके मरने की ख़बर मिली है -' यह सुनकर लैवेंडर ज़ोर से रोने लगी '- और उसे उसके मरने का डर *नहीं* था, क्योंकि उसे यह ख़बर सुनकर सचमुच सदमा लगा है -'

'हर्माइनी की बातों पर ध्यान मत देना, लैवेंडर,' रॉन ने ज़ोर से कहा, 'उसे दूसरों के पालतू जानवरों की ख़ास परवाह नहीं रहती है।'

उसी पल प्रोफ़ेसर मैक्गॉनेगल ने क्लासरूम का दरवाज़ा खोला, जो शायद अच्छा रहा, क्योंकि हर्माइनी और रॉन एक-दूसरे की तरफ़ ग़ुस्से से देख रहे थे। क्लास में वे हैरी के दोनों तरफ़ बैठ गए, लेकिन दोनों ने एक-दूसरे से बात नहीं की।

हैरी अब तक यह फ़ैसला नहीं कर पाया था कि क्लास के बाद वह प्रोफ़ेसर मैक्गॉनेगल से क्या कहेगा, लेकिन उन्होंने ही हॉग्समीड का नाम ले लिया।

जब विद्यार्थी क्लास से जाने लगे, तो प्रोफ़ेसर मैक्गॉनेगल ने बोलीं, 'एक मिनट रुक जाओ। चूँकि तुम सब लोग मेरे हाउस में हो, इसलिए तुम हॉग्समीड के अनुमति पत्र मुझे हैलोवीन से पहले दे देना। यह मत भूलना कि अनुमति पत्र नहीं होगा, तो वहाँ जाने भी नहीं मिलेगा!'

नेविल ने अपना हाथ उठाया।

'प्रोफ़ेसर, मुझे – मुझे लगता है मेरा अनुमति पत्र खो गया है –'

'लॉगबॉटम, तुम्हारी दादी ने तुम्हारा अनुमति पत्र सीधे मेरे पास भिजवा दिया है,' प्रोफ़ेसर मैक्गॉनेगल ने कहा। 'उन्हें लगा कि यह ज़्यादा सुरक्षित रहेगा। मुझे आप लोगों से बस इतना ही कहना था। अब आप लोग जा सकते हैं।'

'उनसे अभी पूछो,' रॉन ने हैरी से फुसफुसाकर कहा।

'ओह, लेकिन –' हर्माइनी ने बोलना शुरू किया।

'जाओ, हैरी,' रॉन ने सख़्त लहज़े में कहा।

हैरी ने बाक़ी विद्यार्थियों के जाने का इंतज़ार किया। फिर वह घबराता हुआ प्रोफ़ेसर मैक्गॉनेगल की डेस्क के पास पहुँचा।

'हाँ, पॉटर ?'

हैरी ने गहरी साँस ली।

फिर उसने कहा, 'प्रोफ़ेसर, मेरे अंकल-आंटी मेरे अनुमति पत्र पर साइन करना भूल गए।'

प्रोफ़ेसर मैक्गॉनेगल ने उसे अपने चौकोर चश्मे के पीछे से देखा, लेकिन कहा कुछ नहीं।

'तो – अर – क्या आप सोचती हैं कि यह ठीक रहेगा कि – मेरा मतलब है कि, क्या मैं हॉग्समीड में जा सकता हूँ ?'

प्रोफ़ेसर मैक्गॉनेगल नीचे झुककर अपनी डेस्क के काग़ज़ बटोरने लगीं।

'ऐसा नहीं हो सकता, पॉटर,' वे बोलीं। 'तुमने सुन ही लिया होगा, मैंने क्या कहा था। अनुमति पत्र नहीं, तो गाँव की यात्रा भी नहीं। यह नियम है।'

'लेकिन – प्रोफ़ेसर, मेरे अंकल-आंटी – आप तो जानती ही हैं, वे मगलू हैं। दरअसल वे हॉगवर्ट्स के अनुमति पत्रों और नियमों को बिलकुल भी नहीं समझते हैं,' हैरी ने कहा, जब रॉन अपना सिर हिलाकर उसे प्रोत्साहित कर रहा

था। 'अगर आप अनुमति दें, तो मैं जा सकता हूँ –'

'लेकिन मैं अनुमति कैसे दे सकती हूँ,' प्रोफ़ेसर मैक्गॉनेगल ने खड़े होकर अपने काग़ज़ों को ड्रॉअर में जमाते हुए कहा। 'अनुमति पत्र में स्पष्ट लिखा है कि माता-पिता या अभिभावक को अनुमति देना चाहिए।' उन्होंने उसकी तरफ़ एक अजीब भाव से देखा। क्या यह करुणा का भाव था? 'मुझे अफ़सोस है, पॉटर, परंतु यह मेरा अंतिम फ़ैसला है। अच्छा होगा कि अब तुम जल्दी से चले जाओ, वरना तुम्हें अगली क्लास के लिए देर हो जाएगी।'

*

अब कुछ नहीं किया जा सकता था। रॉन ने प्रोफ़ेसर मैक्गॉनेगल को बहुत बुरा-भला कहा, जिससे हर्माइनी बुरी तरह चिढ़ गई। हर्माइनी ने 'सब कुछ अच्छे के लिए होता है' वाला नज़रिया रखा, जिससे रॉन और ज़्यादा ग़ुस्सा हो गया। हैरी को सबसे ज़्यादा समस्या इस बात से आ रही थी कि क्लास का हर विद्यार्थी ख़ुश होकर ज़ोर-ज़ोर से इस बारे में बातें कर रहा था कि हॉग्समीड में पहुँचने के बाद वह सबसे पहले क्या करेगा।

'यह मत भूलो कि उस शाम को जश्न है,' रॉन ने हैरी को ख़ुश करने की कोशिश करते हुए कहा। 'शाम को हैलोवीन का जश्न मनेगा।'

'हाँ,' हैरी ने उदासी से कहा।

हैलोवीन का जश्न हमेशा अच्छा होता था, लेकिन उसमें और ज़्यादा स्वाद आता, अगर वह हॉग्समीड में बाक़ी विद्यार्थियों के साथ एक दिन बिताने के बाद उसमें पहुँचता। हॉग्समीड न जाने का उसे इतना ज़्यादा अफ़सोस था कि लोगों की सांत्वना के शब्दों से भी उसे राहत नहीं मिली। लिखने की कला में निपुण डीन थॉमस ने हैरी के सामने यह प्रस्ताव रखा कि वह उसके अनुमति पत्र पर वरनॉन अंकल के फ़र्ज़ी साइन कर देगा। लेकिन अब ऐसा करने से कोई फ़ायदा नहीं था, क्योंकि हैरी प्रोफ़ेसर मैक्गॉनेगल को बता चुका था कि अनुमति पत्र पर हस्ताक्षर नहीं हुए हैं। रॉन ने अधूरे मन से अदृश्य चोगे का सुझाव दिया, लेकिन हर्माइनी ने उसे ठुकराते हुए रॉन को डम्बलडोर की बात याद दिलाई कि दमपिशाचों पर अदृश्य चोगों का असर नहीं होता है। पर्सी ने सांत्वना के जो शब्द कहे, उनसे दरअसल बहुत कम सांत्वना मिली।

'विद्यार्थी हॉग्समीड जाने के लिए बहुत उतावले रहते हैं, लेकिन मैं तुम्हें बता दूँ कि वह जगह कोई ख़ास नहीं है,' उसने गंभीरता से कहा। 'ठीक है, मिठाई की दुकान बहुत अच्छी है, लेकिन ज़ोन्को की जोक शॉप बहुत ख़तरनाक है और हाँ, चीख़ती हवेली की यात्रा मज़ेदार होती है, लेकिन हैरी, इनके अलावा

तुम्हें और किसी चीज़ के छूटने का अफ़सोस नहीं करना चाहिए।'

*

हैलोवीन की सुबह हैरी बाक़ी सबके साथ जागा और बेहद निराशा में नाश्ता करने गया, हालाँकि वह सामान्य दिखने की पूरी कोशिश कर रहा था।

'हम हनीड्यूक्स से तुम्हारे लिए ढेर सारी मिठाइयाँ लाएँगे,' हर्माइनी ने कहा, जिसके मन में उसके प्रति गहरी सहानुभूति थी।

'हाँ, ढेर सारी,' रॉन बोला। रॉन और हर्माइनी अंततः हैरी की निराशा के सामने क्रुकशैंक्स के मुद्दे पर हुई लड़ाई को भूल गए थे।

हैरी ने सामान्य लहज़े में बोलने की कोशिश की, 'मेरी चिंता मत करो। जश्न में मिलते हैं। अच्छी तरह घूमना।'

वह उनके साथ प्रवेश हॉल तक गया, जहाँ हॉगवर्ट्स का चौकीदार फ़िल्च सामने वाले दरवाज़े पर खड़े होकर एक लंबी सूची में से नामों की जाँच कर रहा था। वह हर चेहरे को संदेह से देखता था और यह पक्का कर लेता था कि वही बाहर जाए, जिसके पास जाने की अनुमति हो।

'यहीं पर रुक रहे हो, पॉटर ?' मैल्फ़ॉय चिल्लाया, जो क्रैब और गॉइल के साथ लाइन में खड़ा था। 'दमपिशाचों के पास से निकलकर जाने में डर लग रहा है ?'

हैरी उसे नज़रअंदाज़ करते हुए संगमरमर की सीढ़ियों पर चढ़ गया। वह वीरान गलियारों से होते हुए गरुड़द्वार टॉवर में पहुँच गया।

'पासवर्ड ?' मोटी औरत ने झपकी से जागते हुए पूछा।

'मोटी क़िस्मत,' हैरी ने बिना उत्साह के कहा।

तस्वीर के छेद से होते हुए वह हॉल में पहुँचा। उसमें फ़र्स्ट और सेकंड ईयर्स के बच्चे बातचीत कर रहे थे। उनके अलावा कुछ सीनियर के विद्यार्थी भी थे, जो इतनी बार हॉग्समीड जा चुके थे कि अब उनका मन भर चुका था।

'हैरी! हैरी! हाय हैरी!'

सेकंड ईयर के कॉलिन क्रीवी ने हैरी को देखते ही कहा। वह हैरी का बहुत बड़ा प्रशंसक था और उससे बात करने का कोई मौक़ा नहीं छोड़ता था।

'तुम हॉग्समीड नहीं गए, हैरी ? क्यों नहीं गए ?' कॉलिन ने अपने मित्रों की तरफ़ उत्सुकता से देखते हुए कहा, 'हैरी, अगर तुम चाहो, तो हमारे साथ बैठ सकते हो!'

'नहीं, धन्यवाद कॉलिन,' हैरी ने कहा, जो नहीं चाहता था कि बहुत सारे

विद्यार्थी उसके माथे के निशान को दिलचस्पी के साथ देखें। 'मुझे – मुझे लाइब्रेरी में जाना है और वहाँ पर कुछ काम करना है।'

उसके बाद उसके पास इसके अलावा और कोई रास्ता नहीं था कि वह वापस मुड़े और एक बार फिर से तस्वीर के छेद से बाहर जाए।

'जब दोबारा निकलना था, तो गए ही क्यों ? मेरी नींद ख़ामख़्वाह ख़राब की!' उसके जाते समय मोटी औरत ने पीछे से शिकायत करते हुए कहा।

हैरी हताश होकर यूँ ही लाइब्रेरी की तरफ़ बढ़ने लगा, लेकिन आधे रास्ते में ही उसने अपना इरादा बदल लिया। उसका पढ़ने का कोई मूड नहीं था। बहरहाल, वह अभी पलटा ही था कि उसके सामने फ़िल्च आ गया, जो हॉग्समीड के आख़िरी यात्रियों को भेजकर आ रहा था।

फ़िल्च संदेह से गुर्राया, 'तुम क्या कर रहे हो ?'

'कुछ नहीं,' हैरी ने सच-सच कहा।

'कुछ नहीं!' फ़िल्च ने थूक उड़ाते हुए कहा। 'अच्छा बहाना है! अकेले चोरी-चोरी घूम रहे हो! तुम अपने बाक़ी बदमाश दोस्तों की तरह बदबूदार छर्रे, डकार चूर्ण और सनसनाते कीड़े ख़रीदने के लिए हॉग्समीड क्यों नहीं गए ?'

हैरी ने अपने कंधे उचकाए।

'ठीक है, फिर अपने हॉल में वापस जाओ, जहाँ तुम्हें होना चाहिए!' फ़िल्च ने कहा। जब तक हैरी उसकी आँखों से ओझल नहीं हुआ, तब तक वह उसकी तरफ़ ग़ुस्से से देखता रहा।

लेकिन हैरी वापस हॉल में नहीं गया। वह यह सोचते हुए एक सीढ़ी चढ़ा कि शायद उसे उल्लूघर में जाकर हेडविग से मिल लेना चाहिए। फिर वह एक और गलियारे के पास से गुज़र रहा था, तभी उसे एक कमरे के भीतर से आवाज़ सुनाई दी, 'हैरी ?'

हैरी ने जब पीछे मुड़कर देखा कि उसे किसने आवाज़ लगाई है, तो उसे प्रोफ़ेसर ल्यूपिन अपने ऑफिस के दरवाज़े के पास खड़े दिखे।

'तुम क्या कर रहे हो ?' ल्यूपिन ने पूछा, जिनके पूछने का अंदाज़ फ़िल्च से बहुत अलग तरह का था। 'रॉन और हर्माइनी कहाँ हैं ?'

'हॉग्समीड गए हैं,' हैरी ने यथासंभव सामान्य आवाज़ में कहा।

'अच्छा,' ल्यूपिन ने हैरी को एक पल देखते हुए कहा। 'तुम अंदर क्यों नहीं आ जाते ? मैंने तुम्हारी अगली क्लास के लिए हाल ही में एक ग्रिंडिलो मँगवाया है।'

'वह क्या होता है ?' हैरी ने कहा।

वह ल्यूपिन के पीछे-पीछे उनके ऑफ़िस में गया। कोने में पानी का एक बहुत बड़ा टैंक रखा था। उसमें एक हरा प्राणी था। उसके छोटे और पैने सींग थे। उसका चेहरा काँच से सटा हुआ था और वह अपनी लंबी, पतली उँगलियाँ लहरा रहा था।

'जल शैतान,' ल्यूपिन ने ग्रिंडिलो को विचारपूर्वक देखते हुए कहा। 'हमें इसके साथ ज़्यादा मुश्किल नहीं आनी चाहिए। काप्पाज़ के बाद तो यह काफ़ी आसान है। असली चीज़ उसकी पकड़ से छूटना है। तुमने उसकी असामान्य लंबी उँगलियाँ देखीं? मज़बूत, लेकिन बहुत ही भुरभुरी।'

ग्रिंडिलो ने अपने हरे दाँत दिखाए और फिर कोने में लगी झाड़ियों में छिप गया।

'एक कप चाय पिओगे?' ल्यूपिन ने चारों तरफ़ अपनी केतली की तलाश करते हुए पूछा। 'मैं अभी चाय बनाने के बारे में ही सोच रहा था।'

'ठीक है,' हैरी ने अजीब तरीक़े से कहा।

ल्यूपिन ने अपनी छड़ी से केतली को ठोंका और अचानक उसमें से धुआँ निकलने लगा।

'बैठ जाओ,' ल्यूपिन ने एक डिब्बे का धूल से सना ढक्कन उठाते हुए कहा। 'मेरे पास सिर्फ़ टीबैग्स हैं – लेकिन मुझे लगता है, अब तक चाय की पत्तियों से तुम्हारा मन भर गया होगा?'

हैरी ने उनकी तरफ़ देखा। ल्यूपिन की आँखें चमक रही थी।

हैरी ने पूछा, 'आपको यह बात कैसे मालूम?'

'प्रोफ़ेसर मैक्गॉनेगल ने मुझे बताया था,' ल्यूपिन ने हैरी को चाय का एक चटका हुआ मग पकड़ाते हुए कहा। 'तुम चिंतित तो नहीं हो, है ना?'

'नहीं,' हैरी बोला।

उसने एक पल के लिए सोचा कि वह ल्यूपिन को उस कुत्ते के बारे में बता दे, जो उसने मैग्नोलिया क्रेसेंट में देखा था, लेकिन वह रुक गया। वह नहीं चाहता था कि ल्यूपिन उसे डरपोक मानें, ख़ासकर तब जब उन्होंने इसी वजह से उसे बहुरूपिए से मुक़ाबला नहीं करने दिया था।

हैरी के विचार उसके चेहरे पर दिख गए, क्योंकि ल्यूपिन ने पूछा, 'कोई चीज़ परेशान कर रही है, हैरी?'

'नहीं,' हैरी ने झूठ बोल दिया। उसने चाय की चुस्की ली और देखा कि ग्रिंडिलो उसे मुक्का दिखा रहा है। 'हाँ,' उसने ल्यूपिन की डेस्क पर अपना चाय का कप रखते हुए अचानक कहा। 'आपको वह दिन याद है, जब हम बहुरूपिए

से लड़े थे?'

'हाँ,' ल्यूपिन ने धीमे से कहा।

हैरी ने पूछा, 'आपने मुझे उससे क्यों नहीं लड़ने दिया?'

ल्यूपिन ने अपनी भौंहें उठाईं।

उन्होंने आश्चर्य से कहा 'मुझे लग रहा था कि इसका कारण तुम समझ जाओगे, हैरी।'

हैरी को यह उम्मीद थी कि ल्यूपिन इंकार करेंगे कि उन्होंने ऐसा कुछ किया था, इसलिए वह हैरान रह गया।

'क्यों?' उसने दोबारा पूछा।

ल्यूपिन ने कहा, 'मैंने सोचा कि अगर बहुरूपिया तुम्हारे सामने आया, तो वह लॉर्ड वोल्डेमॉर्ट का रूप धारण कर लेगा।'

हैरी घूरा। न सिर्फ़ यह अप्रत्याशित जवाब था, बल्कि ल्यूपिन ने वोल्डेमॉर्ट का नाम भी लिया था। हैरी ने सिर्फ़ एक और व्यक्ति के मुँह से यह नाम सुना था (ख़ुद उसे छोड़कर) और वे प्रोफ़ेसर डम्बलडोर थे।

'ज़ाहिर है, मैं ग़लत था,' ल्यूपिन ने अब भी हैरी को देखते हुए कहा। 'लेकिन मुझे नहीं लगा कि स्टाफ़ रूम में लॉर्ड वोल्डेमॉर्ट का प्रकट होना अच्छा रहेगा। मैंने सोचा कि इससे सब लोग दहशत में आ जाएँगे।'

'मैंने भी पहले वोल्डेमॉर्ट के बारे में सोचा था,' हैरी ने ईमानदारी से कहा। 'लेकिन फिर मुझे - मुझे दमपिशाच याद आ गए।'

'अच्छा,' ल्यूपिन ने सोचते हुए कहा। 'मैं प्रभावित हुआ, हैरी।' हैरी के चेहरे पर आश्चर्य का भाव देखकर वे हल्के से मुस्कराए। 'इसका मतलब है कि तुम्हें सबसे ज़्यादा डर... डर से लगता है। बहुत ही समझदारीपूर्ण, हैरी।'

हैरी नहीं जानता था कि वह क्या कहे, इसलिए उसने थोड़ी और चाय पी ली।

'तो तुम यह सोच रहे थे कि मैं तुमको बहुरूपिए से निबटने में सक्षम नहीं मानता था?' ल्यूपिन बोले।

'जी हाँ,' हैरी ने कहा। वह अचानक बहुत ख़ुश महसूस कर रहा था। 'प्रोफ़ेसर ल्यूपिन, आप जानते हैं कि दमपिशाच -'

तभी दरवाज़े पर एक दस्तक हुई और वह बीच में ही रुक गया।

'अंदर आ जाओ,' ल्यूपिन ने कहा।

दरवाज़ा खुला और स्नेप अंदर आए। उनके हाथ में एक प्याला था,

जिसमें से हल्का सा धुआँ निकल रहा था। हैरी को देखते ही वे रुक गए और उनकी काली आँखें सिकुड़ गईं।

'आह, सीवियरस,' ल्यूपिन ने मुस्कराकर कहा। 'बहुत-बहुत धन्यवाद। मेहरबानी करके उसे इस डेस्क पर रख दें!'

स्नेप ने धुआँ उड़ाते प्याले को नीचे रख दिया और कभी ल्यूपिन को, तो कभी हैरी को देखने लगे।

'मैं हैरी को अपना ग्रिंडिलो दिखा रहा था,' ल्यूपिन ने टैंक की तरफ़ इशारा करते हुए कहा।

'बहुत बढ़िया,' स्नेप ने उसे देखे बिना ही कहा। 'तुम्हें यह काढ़ा तत्काल पी लेना चाहिए, ल्यूपिन।'

'हाँ, हाँ, मैं पी लूँगा,' ल्यूपिन ने कहा।

'मैंने पूरी कड़ाही भरकर बनाया है,' स्नेप ने आगे कहा। 'अगर तुम्हें ज़्यादा की ज़रूरत हो।'

'मुझे शायद कल थोड़े और काढ़े की ज़रूरत होगी। बहुत-बहुत धन्यवाद, सीवियरस।'

'कोई बात नहीं,' स्नेप ने कहा, लेकिन उनकी आँखों में ऐसा भाव था, जो हैरी को पसंद नहीं आया। स्नेप कमरे से बाहर निकल गए और बाहर जाते समय वे मुस्करा नहीं रहे थे, बल्कि सतर्क थे।

हैरी ने प्याले को उत्सुकता से देखा। ल्यूपिन मुस्कराए।

'प्रोफ़ेसर स्नेप ने मेहरबानी करके मेरे लिए एक काढ़ा बनाया है,' उन्होंने कहा। 'मैं अच्छे काढ़े नहीं बना पाता हूँ और यह बहुत ही जटिल काढ़ा है।' उन्होंने प्याले को उठाकर उसे सूँघा। 'बुरी बात तो यह है कि शकर से इसका सारा स्वाद बिगड़ जाता है,' उन्होंने एक घूँट पीकर काँपते हुए कहा।

'क्यों – ?' हैरी ने पूछना शुरू किया। ल्यूपिन ने उसकी तरफ़ देखा और उसके अधूरे सवाल का जवाब दे दिया।

'मेरी तबियत थोड़ी गड़बड़ लग रही है,' वे बोले। 'उसमें यह काढ़ा ही मदद कर सकता है। मैं बहुत ख़ुशक़िस्मत हूँ, जो प्रोफ़ेसर स्नेप यहाँ हैं। बहुत कम जादूगर यह काढ़ा बना सकते हैं।'

प्रोफ़ेसर ल्यूपिन ने एक और घूँट पिया। हैरी की प्रबल इच्छा हुई कि वह उनके हाथों से प्याले को गिरा दे।

उसने कहा, 'प्रोफ़ेसर स्नेप की गुप्त कलाओं में गहरी रुचि है।'

'अच्छा ?' ल्यूपिन ने काढ़े का एक और घूँट पीते हुए कहा।

'कुछ लोगों का मानना है –' हैरी झिझका, लेकिन फिर बिना सोचे-विचारे आगे कहने लगा, 'कुछ लोगों का मानना है कि वे गुप्त कलाओं से रक्षा का टीचर बनने के लिए कुछ भी कर सकते हैं।'

ल्यूपिन ने प्याले को ख़ाली कर दिया और मुँह बनाया।

'बहुत बुरा है,' उन्होंने कहा। 'अच्छा हैरी, बेहतर होगा कि अब मैं काम में जुट जाऊँ। मैं तुमसे जश्न में मिलता हूँ।'

'ठीक है,' हैरी ने अपने चाय के ख़ाली कप को नीचे रखते हुए कहा।

ख़ाली प्याले में से अब भी धुआँ निकल रहा था।

*

'इन चीज़ों को देखो,' रॉन बोला। 'हम जितनी उठाकर ला सकते थे, उतनी ले आए हैं।'

हैरी की गोद में बहुत सी रंगीन मिठाइयों की बरसात हुई। शाम हो चुकी थी तथा रॉन और हर्माइनी अभी-अभी हॉल में आए थे। ठंडी हवा के कारण उनके चेहरे गुलाबी हो गए थे और ऐसा लग रहा था, जैसे वे ज़िंदगी का भरपूर मज़ा लेकर आ रहे थे।

'धन्यवाद,' हैरी ने छोटी काली चटपटी गोलियाँ का एक पैकेट उठाते हुए कहा। 'हॉग्समीड कैसा है ? तुम लोग कहाँ-कहाँ गए ?'

वे लोग हर जगह गए थे : दर्विश एंड बैंजेस, जादूगरों के सामान वाली दुकान ज़ोन्को की जोक शॉप, थ्री ब्रूमस्टिक्स (गर्म बटरबियर के झाग वाले मग के लिए) और इसके अलावा और भी बहुत सी जगहों पर।

'पोस्ट ऑफ़िस, हैरी! लगभग दो सौ उल्लू शेल्फ़ पर बैठे थे। सब अलग-अलग रंगों के थे, जो इस बात पर निर्भर करता था कि आप अपना ख़त कितनी जल्दी पहुँचाना चाहते हैं!'

'हनीड्यूक्स में एक नए तरह की मिठाई थी, वे लोग उसके मुफ़्त सैंपल बाँट रहे थे –'

'हमें *लगता* है कि हमने एक नरपिशाच देखा, सचमुच, थ्री ब्रूमस्टिक्स में तरह-तरह के लोग आते हैं –'

'काश हम तुम्हारे लिए थोड़ी बटरबियर ला पाते। उसे पीते ही सचमुच गर्मी आ जाती है –'

'तुमने क्या किया ?' हर्माइनी ने चिंता भरी आवाज़ में पूछा। 'क्या तुमने

पढ़ाई की?'

'नहीं,' हैरी ने कहा। 'ल्यूपिन ने मुझे अपने ऑफ़िस में चाय पिलाई। और फिर स्नेप अंदर आए ...'

उसने उन्हें प्याले के बारे में बताया। रॉन का मुँह खुला रह गया।

'ल्यूपिन ने उसे पी लिया?' उसने ज़ोर से साँस ली। 'क्या वे पागल हो गए हैं?'

हर्माइनी ने अपनी घड़ी देखी।

'बेहतर होगा कि हम नीचे चलें। जश्न पाँच मिनट में शुरू होने वाला है ...' वे लोग तस्वीर के छेद में से जल्दी से निकले और भीड़ में शामिल हो गए। वे अब भी स्नेप के बारे में बातें कर रहे थे।

'लेकिन अगर स्नेप - ' हर्माइनी ने अपनी आवाज़ नीचे की और घबराकर चारों तरफ़ देखा, 'अगर स्नेप ल्यूपिन को - ज़हर देने की कोशिश कर रहे थे, तो वे हैरी के सामने ऐसा नहीं करेंगे।'

'हाँ, शायद,' हैरी ने कहा, जब वे प्रवेश हॉल से निकलकर बड़े हॉल में जाने लगे। इसमें सजावट के लिए सैकड़ों मोमबत्तियों से भरे क़द्दू थे, फड़फड़ाते ज़िंदा चमगादड़ों के बादल थे और लपट बिखेरती कई नारंगी पताकाएँ थीं, जो पानी के साँपों की तरह तूफ़ानी छत पर तैर रही थीं।

खाना स्वदिष्ट था। हर्माइनी और रॉन को भी यह स्वादिष्ट लगा, हालाँकि उन्होंने हनीड्यूक्स की मिठाइयाँ पेट भरकर खाई थीं। उन्होंने खाने की हर चीज़ दोबारा ली। हैरी स्टाफ़ टेबल की तरफ़ देखता रहा। प्रोफ़ेसर ल्यूपिन ख़ुश दिख रहे थे और अच्छी हालत में थे। वे सम्मोहन के शिक्षक प्रोफ़ेसर फ़्लिटविक से प्रसन्नतापूर्वक बातें कर रहे थे। हैरी की निगाह टेबल पर आगे गई, जहाँ स्नेप बैठे थे। क्या यह उसकी कल्पना थी या फिर स्नेप की निगाह ल्यूपिन की तरफ़ सचमुच बार-बार जा रही थीं?

जश्न के अंत में हॉगवर्ट्स के भूतों ने एक मनोरंजक कार्यक्रम प्रस्तुत किया। वे दीवारों तथा टेबलों से बाहर निकले और उन्होंने एक साथ ग्लाइडिंग की। गरुड़द्वार के भूत लगभग सिरकटे निक ने अपने सिर कटने की घटना का बहुत अच्छा अभिनय किया।

यह इतनी अच्छी शाम थी कि मैल्फ़ॉय भी हैरी के अच्छे मूड को नहीं बिगाड़ पाया। हॉल से बाहर निकलते समय मैल्फ़ॉय ने चिल्लाकर कहा, 'दमपिशाचों ने तुम्हें प्यार भेजा है, पॉटर!'

हैरी, रॉन और हर्माइनी गरुड़द्वार के बाक़ी विद्यार्थियों के पीछे गरुड़द्वार

टॉवर की तरफ़ गए, लेकिन जब वे मोटी औरत की तस्वीर के सामने ख़त्म होने वाले गलियारे में पहुँचे, तो वहाँ पर भीड़ लगी हुई थी।

रॉन ने उत्सुकता से पूछा, 'कोई अंदर क्यों नहीं जा रहा है?'

हैरी ने अपने सामने खड़े विद्यार्थियों के सिरों के ऊपर से देखा। तस्वीर बंद दिख रही थी।

'मुझे जाने दो,' पर्सी की आवाज़ आई और वह महत्वपूर्ण दिखता हुआ भीड़ में आगे निकला। 'सब लोग रुक क्यों गए? ऐसा तो हो ही नहीं सकता कि सब लोग पासवर्ड भूल गए हों - माफ़ करना, ज़रा जगह देना मैं हेड बॉय हूँ -'

और फिर भीड़ में ख़ामोशी छा गई। गलियारे में एक ठंडी लहर दौड़ पड़ी। उन्हें अचानक पर्सी की तेज़ आवाज़ सुनाई दी, 'कोई जाकर प्रोफ़ेसर डम्बलडोर को बुलाकर लाओ। जल्दी।'

विद्यार्थियों ने अपना सिर घुमाया। पीछे खड़े विद्यार्थी अपने पंजों के बल उचककर देखने लगे।

'क्या हो रहा है?' जिनी बोली, जो अभी-अभी आई थी।

अगले ही पल प्रोफ़ेसर डम्बलडोर वहाँ आ गए। वे तेज़ी से तस्वीर के पास जा रहे थे। गरुड़द्वार के विद्यार्थियों ने उनके लिए जगह बनाई और हैरी, रॉन तथा हर्माइनी पास आ गए, ताकि यह देख सकें कि दिक्क़त क्या थी।

'ओह -' हर्माइनी चीख़ी और उसने हैरी का हाथ पकड़ लिया।

मोटी औरत अपनी तस्वीर से ग़ायब हो चुकी थी। तस्वीर को किसी ने इतनी बुरी तरह से काटा-पीटा था कि कैनवास के टुकड़े फ़र्श पर बिखर गए थे। कई जगह से तो इसके बड़े टुकड़े पूरी तरह उखड़ गए थे।

डम्बलडोर ने कटी-फटी तस्वीर पर एक नज़र डाली और फिर गंभीरता से प्रोफ़ेसर मैक्गॉनेगल, ल्यूपिन और स्नेप को अपनी तरफ़ आते देखा।

डम्बलडोर ने कहा, 'हमें उसे खोजना होगा। प्रोफ़ेसर मैक्गॉनेगल, आप तत्काल मिस्टर फ़िल्च से कहें कि वह महल की हर तस्वीर में मोटी औरत की तलाश करे।'

'अगर वह मिल गई, तो आप ख़ुशक़िस्मत रहेंगे!' एक किलकारी भरी आवाज़ आई।

यह आवाज़ पीव्ज़ नामक भूत की थी, जो भीड़ के ऊपर उड़ रहा था और बहुत ख़ुश दिख रहा था; उसे विनाश या चिंता का माहौल अच्छा लगता था।

'तुम्हारा क्या मतलब है, पीव्ज़?' डम्बलडोर ने शांतिपूर्वक पूछा और

पीव्ज़ की मुस्कराहट थोड़ी फीकी पड़ गई। वह डम्बलडोर से बदतमीज़ी करने की हिम्मत नहीं कर सकता था। इसके बजाय उसने अपनी चिकनी-चुपड़ी आवाज़ का इस्तेमाल किया, जो उसकी किलकारी से ज़्यादा अच्छी नहीं थी।

'उसे शर्म आ रही है, सर। वह नहीं चाहती कि कोई उसे इस हाल में देखे। उसकी हालत बहुत ख़राब है। मैंने उसे चौथी मंज़िल की तस्वीर में पेड़ों के पीछे छिपते देखा है। वह बहुत बुरी तरह रो रही है,' उसने ख़ुशी-ख़ुशी कहा। 'बेचारी,' उसने आगे कहा, लेकिन किसी को इस बात का यक़ीन नहीं हुआ कि उसे मोटी औरत पर तरस आ रहा होगा।

'क्या उसने बताया कि यह काम किसने किया ?' डम्बलडोर ने शांतिपूर्वक पूछा।

'ओह, हाँ सर,' पीव्ज़ इस तरह बोला, जैसे उसके हाथ में एक बड़ा हथगोला हो। 'जब मोटी औरत ने उसे अंदर नहीं जाने दिया, तो वह बहुत ग़ुस्सा हो गया।' पीव्ज़ ने गुलाटी खाई और अपने पैरों के बीच से डम्बलडोर की तरफ़ मुस्कराकर बोला, 'वह बहुत ग़ुस्से वाला है। वह सिरियस ब्लैक है।'

अध्याय नौ

बुरी पराजय

प्रोफ़ेसर डम्बलडोर ने गरुड़द्वार के सभी विद्यार्थियों को बड़े हॉल में भेज दिया। दस मिनट बाद वहाँ पर मेहनतकश, चीलघात और नागशक्ति के विद्यार्थी भी आ गए, जो बहुत दुविधा में लग रहे थे।

जब प्रोफ़ेसर मैक्गॉनेगल और फ़्लिटविक ने हॉल के सभी दरवाज़े बंद कर दिए, तो डम्बलडोर उनसे बोले, 'आपके सभी टीचर्स और मैं महल की अच्छी तरह तलाशी लेने जा रहे हैं। मुझे लगता है सुरक्षित यही रहेगा कि आप आज की रात यहीं बिताएँ। प्रिफ़ेक्ट्स हॉल के प्रवेश द्वार पर पहरा देंगे। हेड बॉय तथा हेड गर्ल यहाँ की व्यवस्था सँभालेंगे। किसी भी तरह की समस्या आए, तो तत्काल मुझे जानकारी दें।' उन्होंने पर्सी से कहा, जो बहुत गर्वित और महत्वपूर्ण दिख रहा था। 'किसी भूत के हाथ से ख़बर भिजवा देना।'

प्रोफ़ेसर डम्बलडोर हॉल से बाहर जाने से पहले ज़रा ठहरे और बोले, 'ओह हाँ, तुम्हें इनकी भी तो ज़रूरत होगी ...'

उन्होंने अपनी छड़ी एक बार घुमाई, जिससे लंबी टेबलें उड़कर हॉल के कोनों में पहुँच गईं और दीवारों से टिक गईं। उन्होंने दूसरी बार छड़ी घुमाई, जिससे फ़र्श पर सैकड़ों गद्देदार बैंगनी स्लीपिंग बैग्स आ गए।

'अब अच्छी नींद का आनंद लो,' प्रोफ़ेसर डम्बलडोर ने अपने पीछे दरवाज़ा बंद करते हुए कहा।

हॉल में तत्काल रोमांचक बातें होने लगीं। गरुड़द्वार के विद्यार्थी बाक़ी विद्यार्थियों को बताने लगे कि अभी-अभी क्या हुआ था।

'सब लोग अपने-अपने स्लीपिंग बैग में जाओ!' पर्सी चिल्लाया। 'अब चलो, बातें बंद करो! बत्तियाँ दस मिनट में बुझ जाएँगी!'

'चलो,' रॉन ने हैरी और हर्माइनी से कहा। उन्होंने तीन स्लीपिंग बैग उठाए और उन्हें घसीटकर एक कोने में ले गए।

'तुम्हें क्या लगता है, ब्लैक अब भी महल में होगा?' हर्माइनी ने तनाव भरी आवाज़ में फुसफुसाकर पूछा।

रॉन बोला, 'ज़ाहिर है, डम्बलडोर को लगता है कि ऐसा हो सकता है।'

'बहुत अच्छा संयोग है, जो उसने आज की रात चुनी,' हर्माइनी बोली, जब वे अपने स्लीपिंग बैग्स में पूरे कपड़े पहनकर लेटे और कोहनियों के बल टिककर बातें करने लगे। 'जब टॉवर में एक भी विद्यार्थी नहीं था ...'

रॉन बोला, 'मुझे लगता है, चूँकि वह छिपा हुआ है, इसलिए उसे समय का अंदाज़ा नहीं रहा होगा। उसे यह एहसास ही नहीं हुआ होगा कि आज हैलोवीन है, वरना वह टॉवर के बजाय यहाँ आता।'

हर्माइनी काँप गई।

उनके चारों तरफ़ लेटे विद्यार्थी एक-दूसरे से यही सवाल पूछ रहे थे, *'वह अंदर कैसे घुसा होगा?'*

'शायद वह जानता है कि प्रकट कैसे हुआ जाता है,' कुछ फ़ुट दूर लेटे चीलघात के एक विद्यार्थी ने कहा। 'हवा से प्रकट हो गया होगा।'

'शायद वेश बदलकर आया होगा,' मेहनतकश के एक फ़िफ़्थ ईयर के विद्यार्थी ने कहा।

डीन थॉमस बोला, 'वह उड़कर भी तो अंदर आ सकता है,'

'सच्ची, क्या ***हॉगवर्ट्स : एक इतिहास*** किताब सिर्फ़ मैंने ही पढ़ी है?' हर्माइनी ने हैरी और रॉन से पूछा।

'शायद,' रॉन ने कहा। 'क्यों?'

'क्योंकि महल की रक्षा सिर्फ़ दीवारें ही नहीं करती हैं,' हर्माइनी बोली। 'इस पर कई तरह के जादू-मंत्र हैं, ताकि चोरी से घुसने वाले लोगों को रोका जा सके। यहाँ पर कोई अचानक प्रकट नहीं हो सकता। और वेश बदलकर दमपिशाचों को मूर्ख नहीं बनाया जा सकता। वे यहाँ के हर प्रवेश द्वार पर पहरा दे रहे हैं। अगर वह उड़कर आया होता, तो भी वे उसे देख लेते। फ़िल्च को सभी ख़ुफ़िया रास्तों की जानकारी है, इसलिए वे वहाँ भी पहरा दे रहे होंगे ...'

'बत्तियाँ अब बंद हो रही हैं!' पर्सी चिल्लाया। 'सब लोग अपने-अपने स्लीपिंग बैग में जाएँ। बातचीत अब बिलकुल बंद!'

सभी मोमबत्तियाँ तत्काल बुझ गईं। सिर्फ़ चाँदी की तरह चमकते सफ़ेद

भूतों की रोशनी आती रही, जो प्रिफ़ेक्ट्स से गंभीरता से बातें करते हुए तैर रहे थे। इसके अलावा जादुई छत से भी रोशनी आ रही थी, जो बाहर के आसमान की तरह थी और उसमें सितारे चमक रहे थे। छत को देखकर और हॉल में होने वाली कानाफूसी से हैरी को ऐसा लगा, जैसे वह हल्की हवा में बाहर सो रहा हो।

हर घंटे बाद एक टीचर हॉल में यह देखने आता था कि सब कुछ ठीक तो है। रात को तीन बजे के लगभग जब ज़्यादातर विद्यार्थी सो गए, तो प्रोफ़ेसर डम्बलडोर वहाँ पर आए। हैरी ने देखा कि वे पर्सी को खोज रहे हैं, जो स्लीपिंग बैग्स के बीच में घूम रहा था और कुछ विद्यार्थियों को बातें बंद करने की चेतावनी दे रहा था। जब डम्बलडोर के क़दमों की आहट क़रीब आई, तो पर्सी सोने का नाटक कर रहे हैरी, रॉन और हर्माइनी से कुछ ही दूर था।

पर्सी ने फुसफुसाकर पूछा, 'उसका कोई सुराग़ मिला, प्रोफ़ेसर ?'

'नहीं। यहाँ सब ठीक है ?'

'हर चीज़ नियंत्रण में है, सर।'

'अच्छा। अभी इन सबको यहाँ से हटाने का कोई मतलब नहीं है। मैंने गरुड़द्वार के प्रवेश द्वार के लिए एक अस्थायी पहरेदार खोज लिया है। तुम इन लोगों को कल सुबह वहाँ ले जा सकते हो।'

'और सर, मोटी औरत ?'

'वह दूसरी मंज़िल पर आर्गिलशायर के नक़्शे में छिपी है। ऐसा लगता है, उसने पासवर्ड के बिना ब्लैक को अंदर नहीं घुसने दिया, इसलिए ब्लैक ने उस पर हमला कर दिया। वह अब भी बहुत दुखी है, लेकिन जब वह शांत हो जाएगी, तो मैं फ़िल्च से कहकर उसे वापस आने को तैयार करवा लूँगा।'

हैरी ने सुना कि हॉल का दरवाज़ा एक बार फिर चर्र की आवाज़ के साथ खुला और वहाँ से क़दमों के आने की आहट सुनाई दी।

'हेडमास्टर ?' यह स्नेप की आवाज़ थी। हैरी चुपचाप पड़ा सुनता रहा। 'तीसरी मंज़िल की पूरी तलाशी ले ली है। वह वहाँ नहीं है। और फ़िल्च ने तहख़ानों की भी तलाशी ले ली है, वह वहाँ भी नहीं है।'

'खगोलशास्त्र की मीनार ? प्रोफ़ेसर ट्रिलोनी का कमरा ? उल्लूकक्ष ?'

'सबकी तलाशी पूरी हो गई है ...'

'बहुत बढ़िया, सीवियरस। मुझे दरअसल आशा भी नहीं थी कि ब्लैक यहाँ रुकेगा।'

स्नेप ने पूछा, 'आपके हिसाब से वह किस तरीक़े से अंदर आया होगा, प्रोफ़ेसर ?'

हैरी ने अपने हाथ पर से सिर को थोड़ा सा उठा लिया, ताकि वह दूसरे कान से भी सुन सके।

'बहुत से तरीक़े हो सकते हैं सीवियरस, लेकिन हर तरीक़ा असंभव लगता है।'

हैरी ने अपनी आँखों को ज़रा सा खोलकर उनकी तरफ़ देखा। डम्बलडोर की पीठ उसकी तरफ़ थी, लेकिन उसे पर्सी का चेहरा दिख रहा था, जो पूरे ध्यान से देख रहा था। स्नेप की आकृति ग़ुस्से में दिख रही थी।

'इस सत्र के शुरू होने से ठीक पहले हमारे बीच जो चर्चा हुई थी, वह तो आपको याद होगी, हेडमास्टर ?' स्नेप ने अपने होंठ दबाते हुए कहा। यह कोशिश कर रहे थे कि पर्सी उनकी बातें न सुन सके।

'मुझे याद है, सीवियरस,' डम्बलडोर ने कहा और उनकी आवाज़ में चेतावनी की झलक थी।

'यह लगभग असंभव लगता है कि ब्लैक भीतरी सहायता के बिना स्कूल में घुस आए। जब आपने – उन्हें नियुक्त किया था तो मैंने अपनी चिंता व्यक्त की थी – '

'मुझे पूरा भरोसा है कि इस महल में रहने वाले किसी भी व्यक्ति ने भीतर घुसने में ब्लैक की मदद नहीं की होगी,' डम्बलडोर ने कहा। उनके लहज़े से यह स्पष्ट था कि वे अब इस विषय पर आगे बात नहीं करना चाहते हैं, इसलिए स्नेप चुप रहे। इसके बाद डम्बलडोर बोले, 'अब मुझे दमपिशाचों के पास जाना होगा। मैंने उनसे कहा था कि जब हमारी तलाशी पूरी हो जाएगी, तो मैं उन्हें ख़बर कर दूँगा।'

पर्सी ने पूछा, 'क्या वे तलाशी में मदद नहीं करना चाहते थे, सर ?'

'करना चाहते थे,' डम्बलडोर ने ठंडेपन से जवाब दिया। 'लेकिन जब तक मैं यहाँ का हेडमास्टर हूँ, तब तक एक भी दमपिशाच इस महल की चौखट के पार नहीं आएगा।'

पर्सी थोड़ा शर्मा गया। डम्बलडोर हॉल से जल्दी-जल्दी, लेकिन शांति से चलते हुए, बाहर निकल गए। स्नेप एक पल खड़े रहे और गहरे द्वेष से हेडमास्टर को देखते रहे। फिर वे भी चले गए।

हैरी ने कनखियों से रॉन और हर्माइनी को देखा। उन दोनों की भी आँखें खुली थीं और उनमें सितारों से भरी छत का प्रतिबिंब दिख रहा था।

रॉन ने पूछा, 'इन बातों का क्या मतलब था ?'

*

स्कूल में अगले कुछ दिनों तक सिरियस ब्लैक के अलावा किसी और विषय पर बातें नहीं हुईं। वह महल में कैसे घुसा, इस बारे में कई अटकलें तो कल्पना की हवाई उड़ान थीं। मेहनतकश हाउस की हान्ना एबॉट जड़ी-बूटियों का ज्ञान की अगली क्लास में ज़्यादातर समय लोगों को यही बताती रही कि ब्लैक फूल वाली झाड़ी में बदल सकता है।

मोटी औरत की क्षतिग्रस्त तस्वीर को दीवार से हटा दिया गया। उसकी जगह पर सर केडोगन और उसके मोटे भूरे टट्टू की तस्वीर लगा दी गई। इससे कोई भी ख़ुश नहीं था। सर केडोगन अपना आधा समय लोगों को द्वंद्वयुद्ध की चुनौती देने में लगाता था और बाक़ी समय मूर्खतापूर्ण जटिल पासवर्ड खोजता रहता था, जिन्हें वह दिन में कम से कम दो बार बदलता था।

'वह बिलकुल पागल है,' सीमस फ़िनिगन ने ग़ुस्से से पर्सी से कहा। 'क्या इसकी जगह पर हमें कोई और पहरेदार नहीं मिल सकता?'

'दूसरी कोई तस्वीर पहरेदार बनने के लिए तैयार नहीं है,' पर्सी ने कहा। 'मोटी औरत का जो हाल हुआ है, उससे सब डर गए हैं। सर केडोगन ही इकलौता बहादुर व्यक्ति था, जो इस काम के लिए तैयार था।'

बहरहाल हैरी को सर केडोगन के अलावा भी बहुत सी चिंताएँ थीं। उस पर अब बहुत कड़ी नज़र रखी जा रही थी। टीचर्स उसके साथ गलियारों में चलने के बहाने खोजते थे और पर्सी वीज़्ली (हैरी को शक था कि वह अपनी माँ के आदेशों का पालन कर रहा होगा) हर जगह वफ़ादार कुत्ते की तरह उसके पीछे-पीछे जाता था। सबसे बड़ी बात तो यह थी कि एक दिन प्रोफ़ेसर मैक्गॉनेगल ने हैरी को अपने ऑफ़िस में बुलवाया। उनके चेहरे पर इतना गंभीर भाव था कि हैरी ने सोचा कोई मर गया है।

'अब तुमसे यह ख़बर छिपाने का कोई फ़ायदा नहीं है, पॉटर,' उन्होंने बहुत गंभीर आवाज़ में कहा। 'मैं जानती हूँ कि तुम्हें यह सुनकर सदमा लगेगा, लेकिन सिरियस ब्लैक –'

'मैं जानता हूँ कि वह मेरे पीछे पड़ा हुआ है,' हैरी थके अंदाज़ में बोला। 'मैंने रॉन के डैडी को उसकी मम्मी को यह बताते सुना था। मिस्टर वीज़्ली जादू मंत्रालय में काम करते हैं।'

यह सुनकर प्रोफ़ेसर मैक्गॉनेगल बहुत हैरान रह गईं। उन्होंने हैरी को एक-दो पल घूरा और फिर बोलीं, 'अच्छा! तो फिर पॉटर, तुम यह बात समझ जाओगे कि शाम को क्विडिच की प्रैक्टिस करना तुम्हारी सुरक्षा के हिसाब से ठीक नहीं है। बाहर पिच पर तुम्हारे साथ सिर्फ़ तुम्हारी टीम के सदस्य रहते हैं, इसलिए वहाँ तुम बहुत ही असुरक्षित रहोगे –'

'शनिवार को हमारा पहला मैच है!' हैरी ने ग़ुस्से से कहा। 'मुझे प्रैक्टिस तो करना ही पड़ेगी, प्रोफ़ेसर!'

प्रोफ़ेसर मैक्गॉनेगल ने उसे ग़ौर से देखा। हैरी जानता था कि गरुड़द्वार टीम के जीतने में उनकी गहरी रुचि है। आख़िरकार उन्होंने ही तो उसे खोजी बनाने का सुझाव दिया था। उसने साँस रोककर इंतज़ार किया।

'हूँ ...' प्रोफ़ेसर मैक्गॉनेगल खड़ी हो गईं और खिड़की से क्विडिच पिच को घूरती रहीं, जो बरसात की बूँदों में धुँधली सी दिख रही थी। 'ठीक है, मैं चाहती हूँ कि इस बार यह कप हम जीतें ... लेकिन फिर भी पॉटर ... मुझे ज़्यादा ख़ुशी होगी, अगर वहाँ पर कोई टीचर भी तुम्हारे साथ रहे। मैं मैडम हूच से कहूँगी कि वे प्रैक्टिस के समय तुम्हारी निगरानी करें।'

*

जैसे-जैसे क्विडिच का पहला मैच क़रीब आ रहा था, लेकिन मौसम लगातार ख़राब होता जा रहा था। बहरहाल, बुरे मौसम का गरुड़द्वार टीम की प्रैक्टिस पर कोई असर नहीं हुआ। टीम मैडम हूच की निगरानी में पहले से ज़्यादा कड़ा प्रशिक्षण ले रही थी। फिर, शनिवार के मैच से पहले आख़िरी प्रैक्टिस में ऑलिवर वुड ने अपनी टीम को एक बुरी ख़बर दी।

'हमारा मैच नागशक्ति की टीम से नहीं होगा!' उसने उन्हें बहुत ग़ुस्से से बताया। 'फ़्लिंट अभी-अभी मुझसे मिलने आया था। अब हमारा मैच मेहनतकश की टीम से होगा।'

'क्यों ?' बाक़ी की टीम ने एक स्वर में पूछा।

'फ़्लिंट के पास यह बहाना है कि उसके खोजी के हाथ में अब भी चोट लगी है,' वुड ने ग़ुस्से से अपने दाँत किटकिटाते हुए कहा। 'लेकिन यह साफ़ है कि वे ऐसा क्यों कर रहे हैं। वे ऐसे मौसम में नहीं खेलना चाहते हैं। उन्हें लग रहा होगा कि इतने बुरे मौसम में उनकी जीत की संभावना कम है ...'

पूरे दिन तेज़ हवा चल रही थी और बारिश हो रही थी। वुड जब उनसे यह कह रहा था, तभी बादल गरजने की आवाज़ सुनाई दी।

'मैल्फ़ॉय के हाथ में *कोई गड़बड़ नहीं है!*' हैरी ने ग़ुस्से से कहा। 'वह नाटक कर रहा है!'

'मैं यह बात जानता हूँ, लेकिन हम इसे साबित नहीं कर सकते,' वुड ने कटुता से कहा। 'और हम यह सोचकर प्रैक्टिस कर रहे थे कि हमें नागशक्ति के ख़िलाफ़ खेलना है। लेकिन अब हमें मेहनतकश के ख़िलाफ़ खेलना पड़ेगा, जिनकी खेलने की शैली बिलकुल अलग है। उनकी टीम में एक नया कप्तान और

खोजी है, सेडरिक डिगोरी –'

एंजेलिना, एलिसिया और केटी अचानक खी-खी करने लगीं।

'क्या है ?' वुड ने उनके खिलखिलाने पर भृकुटी तानते हुए पूछा।

'वही ना, जो लंबा और आकर्षक है ?' एंजेलिना ने पूछा।

'जो ताक़तवर और ख़ामोश रहने वाला है,' केटी ने कहा और वे सब एक बार फिर खी-खी करने लगीं।

'वह सिर्फ़ इसलिए ख़ामोश रहता है, क्योंकि उसमें इतनी बुद्धि नहीं है कि वह कुछ बोल सके,' फ्रेड ने अधीरता से कहा। 'मुझे लगता है तुम ख़ामख़्वाह चिंता कर रहे हो ऑलिवर। हम मेहनतकश की टीम को आराम से हरा देंगे। तुम्हें याद है, आख़िरी बार जब उनसे हमारा मैच हुआ था, तो हैरी ने पाँच मिनट में सुनहरी गेंद पकड़ ली थी। याद है ना ?'

'हम बिलकुल अलग परिस्थितियों में खेल रहे हैं!' वुड चिल्लाया। उसकी आँखें बाहर निकल रही थीं। 'डिगोरी ने अपनी टीम को बहुत मज़बूत बना लिया है! वह बहुत बढ़िया खोजी है! मुझे पहले से ही यह डर था कि तुम इसे बहुत आसान मानोगे! लेकिन हमें आराम से नहीं बैठना चाहिए! हमें जीतने पर ध्यान केंद्रित करना चाहिए! नागशक्ति की टीम हमें हारते देखना चाहती है! हमें *जीतना ही होगा!'*

'ऑलिवर, शांत हो जाओ!' फ्रेड ने थोड़ा चिंतित दिखते हुए कहा। 'हम मेहनतकश के मैच को बहुत गंभीरता से ले रहे हैं। *बहुत गंभीरता से।'*

*

मैच से एक दिन पहले हवा ज़ोरदार आवाज़ करने लगी और बारिश पहले से ज़्यादा तेज़ी से होने लगी। गलियारों और क्लासों में इतना अँधेरा हो गया कि अलग से मशालें और लालटेनें जलाना पड़ीं। नागशक्ति की टीम वास्तव में बहुत ख़ुश दिख रही थी और सबसे ज़्यादा ख़ुश मैल्फ़ॉय था।

'आह, अगर मेरा हाथ थोड़ा ठीक होता!' उसने आह भरकर कहा, जब हवा बाहर से खिड़कियों को भड़भड़ाने लगी।

अगले दिन के मैच के अलावा हैरी के मन में किसी बात की चिंता नहीं थी। ऑलिवर वुड उसे हर पिरियड के बाद आकर टिप देता रहा। तीसरी बार जब ऐसा हुआ, तो वुड उसे बहुत देर तक पैंतरे समझाता रहा। अचानक हैरी को यह एहसास हुआ कि गुप्त कलाओं से रक्षा की क्लास शुरू हुए दस मिनट हो चुके हैं। वह तेज़ी से भागने लगा। इसके बावज़ूद वुड पीछे से चिल्लाकर उसे हिदायत दे रहा था, 'डिगोरी बहुत तेज़ी से घूमता है हैरी, इसलिए तुम्हें उसे

चकमा देना होगा –'

गुप्त कलाओं से रक्षा की क्लास के बाहर जाकर हैरी ने भागना बंद किया। उसने दरवाज़ा खोला और धड़धड़ाता हुआ अंदर घुस गया।

'प्रोफ़ेसर ल्यूपिन, माफ़ कीजिए मुझे देर हो गई, मैं –'

लेकिन टीचर की डेस्क पर प्रोफ़ेसर ल्यूपिन नहीं, बल्कि स्नेप थे।

'यह क्लास दस मिनट पहले शुरू हो चुकी है पॉटर, इसलिए मुझे लगता है कि गरुड़द्वार के दस पॉइंट कम होने चाहिए। बैठ जाओ।'

लेकिन हैरी हिला तक नहीं।

उसने पूछा, 'प्रोफ़ेसर ल्यूपिन कहाँ हैं ?'

'उनका कहना है कि वे इतने बीमार हैं कि आज तुम लोगों को नहीं पढ़ा सकते,' स्नेप ने कुटिल मुस्कान के साथ कहा। 'मुझे लगता है मैंने तुमसे बैठने को कहा था ?'

लेकिन हैरी जहाँ खड़ा था, वहीं खड़ा रहा।

'उन्हें क्या हुआ है ?'

स्नेप की काली आँखों में चमक आ गई।

'उनकी जान ख़तरे में नहीं है,' उन्होंने इस अंदाज़ में देखा, जैसे वे इस बात से ख़ुश न हों। 'गरुड़द्वार के पाँच और पॉइंट कम किए जाते हैं। अब अगर मुझे तुमसे एक और बार बैठने को कहना पड़ा, तो इस बार पचास पॉइंट कम होंगे।'

हैरी धीरे-धीरे अपनी सीट तक पहुँचा और बैठ गया। स्नेप ने क्लास में चारों तरफ़ देखा।

'जैसा मैं पॉटर के बाधा डालने से पहले कह रहा था, प्रोफ़ेसर ल्यूपिन ने इस बात का रिकॉर्ड नहीं रखा है कि उन्होंने तुम लोगों को अब तक क्या-क्या पढ़ा दिया है –'

'प्लीज़ सर, हमने बहुरूपिए, लाल टोपी, काप्पाज़ और ग्रिंडिलोज़ पढ़ लिए हैं,' हर्माइनी ने तत्काल कहा, 'और हम इसके बाद शुरू करने जा रहे हैं –'

'चुप रहो,' स्नेप ने ठंडेपन से कहा। 'मैंने जानकारी नहीं माँगी थी। मैं तो सिर्फ़ यह बता रहा था कि प्रोफ़ेसर ल्यूपिन व्यवस्थित नहीं हैं।'

'वे गुप्त कलाओं से रक्षा के अब तक के सबसे अच्छे टीचर हैं,' डीन थॉमस ने बहादुरी से कहा। तत्काल पूरी क्लास ने सहमति जताते हुए सिर हिलाया। यह सुनकर स्नेप पहले से भी ज़्यादा ख़तरनाक दिखने लगे।

'तुम लोग बहुत जल्दी संतुष्ट हो जाते हो। ल्यूपिन तुमसे ज़्यादा मेहनत नहीं करवा रहे हैं - लाल टोपी और ग्रिंडिलोज़ से निबटने की आशा तो मैं फ़र्स्ट ईयर के विद्यार्थियों से करता हूँ। आज हम लोग पढ़ेंगे -'

हैरी ने उन्हें पाठ्यपुस्तक के पन्ने पलटते देखा। वे सबसे आख़िरी अध्याय पर पहुँच गए, क्योंकि वे निश्चित रूप से जानते थे कि उन्होंने उसे नहीं पढ़ा होगा।

'नरभेड़िए,' स्नेप ने कहा।

'लेकिन सर,' हर्माइनी ख़ुद को यह बोलने से रोक नहीं पाई, 'हमें नरभेड़ियों के बारे में अभी नहीं पढ़ना है, हम तो अभी हिंकीपंक्स शुरू करने वाले थे -'

'मिस ग्रेंजर,' स्नेप ने मौत जैसी ठंडी आवाज़ में जवाब दिया, 'मैं यह सोच रहा था कि यह क्लास आप नहीं, बल्कि मैं ले रहा हूँ। और मैं आप सबसे कहता हूँ कि आप पेज नंबर 394 खोल लें।' उन्होंने अपने चारों तरफ़ देखा। 'आप *सब! अभी!'*

विद्यार्थियों ने एक-दूसरे की तरफ़ कनखियों से देखा, जिनमें स्नेप के प्रति ग़ुस्सा साफ़ झलक रहा था। कुछ तो शिकायत भरे स्वर में बुदबुदाए भी। इसके बाद सभी विद्यार्थियों ने अपनी किताबें खोल लीं।

स्नेप ने पूछा, 'तुममें से कौन मुझे बता सकता है कि नरभेड़िए और सच्चे भेड़िए के अंतर को किस तरह पहचाना जा सकता है?'

सभी विद्यार्थी ख़ामोश बैठे रहे - सिवाय हर्माइनी के, जिसका हाथ हमेशा की तरह हवा में उछल पड़ा।

'कोई नहीं?' स्नेप ने हर्माइनी को नज़रअंदाज़ करते हुए कहा। उनके चेहरे पर एक बार फिर कुटिल मुस्कान आ गई। 'तुम लोग मुझे यह बता रहे हो कि प्रोफ़ेसर ल्यूपिन ने तुमको इनके आसान अंतर के बारे में बताया ही नहीं है-'

'हमने आपको पहले ही बता दिया है,' पार्वती ने अचानक कहा, 'कि हम अब तक नरभेड़ियों पर नहीं पहुँचे हैं, हम तो अभी -'

'ख़ामोश!' स्नेप ने गुर्राकर कहा। 'मुझे यह लगता था कि थर्ड ईयर का कोई भी विद्यार्थी नरभेड़िए को देखते ही उसे तत्काल पहचान लेगा। मैं प्रोफ़ेसर डम्बलडोर को यह बताऊँगा कि तुम सब लोग कितने पीछे हो ...'

हर्माइनी का हाथ अब भी हवा में था और अब उससे चुप नहीं रहा गया, 'प्लीज़, सर। नरभेड़िए और असली भेड़िए में कई छोटे अंतर होते हैं। नरभेड़िए की थूथन -'

'मिस ग्रेंजर, तुम दूसरी बार बीच में बोली हो,' स्नेप ने ठंडे लहज़े में कहा। 'गरुड़द्वार के पाँच पॉइंट कम किए जाते हैं, क्योंकि तुम्हें इस बात का घमंड है कि तुम सब कुछ जानती हो।'

हर्माइनी का चेहरा बहुत लाल पड़ गया। उसने अपना हाथ नीचे कर लिया और आँखों में आँसू भरकर फ़र्श को घूरती रही। पूरी क्लास स्नेप से कितनी नफ़रत करती थी, यह इसी बात से पता चलता था कि वे सब उन्हें ग़ुस्से से घूर रहे थे, हालाँकि उनमें से हर एक ने कभी-न-कभी हर्माइनी को सर्वज्ञाता कहकर चिढ़ाया था और रॉन तो हर्माइनी से हफ़्ते में कम से कम दो बार यही बात कहता था। बहरहाल, इस समय रॉन ज़ोर से बोला, 'आपने एक सवाल पूछा था और वह जवाब जानती थी! अगर आपको जवाब नहीं सुनना था, तो आपने पूछा ही क्यों?'

क्लास के सभी विद्यार्थी तत्काल समझ गए कि रॉन ने सीमा पार कर ली है। जब स्नेप धीमे-धीमे क़दमों से चलते हुए रॉन के पास पहुँचे, तो कमरे में सबने अपनी साँस रोक ली।

'तुम्हें सज़ा मिलेगी, वीज़्ली,' स्नेप ने रेशमी आवाज़ में अपना चेहरा रॉन के बिलकुल क़रीब लाते हुए कहा। 'और अगर तुमने फिर कभी मेरे पढ़ाने के तरीक़े की आलोचना की, तो तुम बहुत पछताओगे।'

इसके बाद क्लास में कोई विद्यार्थी कुछ नहीं बोला। वे सब बैठकर किताब की मदद से नरभेड़ियों पर नोट्स बनाते रहे। स्नेप घूमते हुए उनकी निगरानी करते रहे और प्रोफ़ेसर ल्यूपिन द्वारा विद्यार्थियों से कराए गए काम को देखकर उसमें ग़लतियाँ निकालते रहे।

'बहुत ही ख़राब तरीक़े से समझाया है ... यह ग़लत है, काप्पा मंगोलिया में ज़्यादा होता है ... प्रोफ़ेसर ल्यूपिन ने इस पर दस में से आठ नंबर दिए हैं? मैं तीन नंबर भी नहीं देता ...'

जब आख़िरकार घंटी बजी, तो स्नेप ने उन्हें रुकने का इशारा किया।

'तुम सबको एक निबंध लिखना है कि नरभेड़ियों को कैसे पहचाना और मारा जाता है। मैं इस विषय पर दो चर्मपत्र चाहता हूँ। मुझे सोमवार की सुबह तक तुम लोगों का निबंध मिल जाना चाहिए। अब समय आ गया है कि कोई इस क्लास को ढँग से सँभाले। वीज़्ली, तुम रुक जाओ, हमें तुम्हारी सज़ा तय करनी है।'

हैरी और हर्माइनी भी बाक़ी विद्यार्थियों के साथ कमरे से बाहर चले गए। सबने इंतज़ार किया, ताकि वे इतनी दूर पहुँच जाएँ कि उनकी आवाज़ स्नेप को सुनाई न दे। उसके बाद उन्होंने स्नेप पर गोलाबारी शुरू कर दी।

'स्नेप ने कभी गुप्त कलाओं से रक्षा के किसी दूसरे टीचर के साथ ऐसा व्यवहार नहीं किया, हालाँकि वे हमेशा से इस विषय के टीचर बनना चाहते हैं,' हैरी ने हर्माइनी से कहा। 'वे ल्यूपिन के पीछे हाथ धोकर क्यों पड़े हैं? तुम्हें क्या लगता है, कहीं यह बहुरूपिए के कारण तो नहीं है?'

हर्माइनी ने सोचते हुए कहा, 'मुझे नहीं पता। काश प्रोफ़ेसर ल्यूपिन जल्दी ही ठीक हो जाएँ ...'

रॉन पाँच मिनट बाद आगबबूला होकर उनके पास आया।

'क्या तुम जानते हो कि वह –' (यहाँ पर उसने स्नेप के बारे में इतना अपमानजनक शब्द कहा कि हर्माइनी ने उसे टोकते हुए कहा '*रॉन!*') '– मुझसे क्या करवाना चाहता है? मुझे अस्पताल में बेडपैन साफ़ करने होंगे। *जादू के बिना!*' वह गहरी साँसें ले रहा था और उसकी मुट्ठी भिंची हुई थी। 'ब्लैक स्नेप के ऑफ़िस में क्यों नहीं छिपा? वह उसका काम तमाम कर देता, तो हमें उससे छुटकारा मिल जाता!'

*

हैरी अगली सुबह बहुत जल्दी उठ गया, इतनी जल्दी कि बाहर अब भी अँधेरा था। एक पल के लिए तो उसे लगा कि वह हवा की गरज से जाग गया है। लेकिन तभी उसे गर्दन के पीछे ठंडी हवा महसूस हुई और वह तत्काल उठकर बैठ गया – पीव्ज़ नाम का भूत उसके पास तैर रहा था और उसके कान में फूँक मार रहा था।

'तुमने ऐसा क्यों किया?' हैरी ने ग़ुस्से से पूछा।

पीव्ज़ ने अपने गाल फुलाए, एक बार ज़ोर से फूँक मारी और फिर किलकारियाँ भरते हुए कमरे से बाहर चला गया।

हैरी ने अपनी अलार्म क्लाक ढूँढ़ी और उसमें समय देखा। साढ़े चार बजे थे। पीव्ज़ को कोसते देते हुए वह फिर से लेट गया और सोने की कोशिश करने लगा। बहरहाल, अब जब वह जाग चुका था, तो बादल गरजने, महल की दीवारों से हवा के तेज़ी से टकराने और अँधेरे जंगल में पेड़ों के चरमराने की आवाज़ों को नज़रअंदाज़ करना बहुत मुश्किल था। इतने शोर के बीच सोना मुश्किल था। वह सोचने लगा, कुछ ही घंटों में वह क्विडिच की पिच पर होगा और इस तेज़ हवा से जूझेगा। आख़िरकार उसने कुछ देर और सोने का इरादा छोड़ दिया। उसने उठकर कपड़े पहने, अपनी निम्बस 2000 उठाई और कोई आवाज़ किए बिना कमरे से बाहर की तरफ़ चल दिया।

जैसे ही हैरी ने दरवाज़ा खोला, कोई चीज़ उसके पैरों से आकर टकराई।

वह झुका, नीचे क्रुकशैंक्स थी। उसने पूँछ पकड़कर क्रुकशैंक्स को उठा लिया और उसे बाहर घसीटा।

'मुझे लगता है, रॉन तुम्हारे बारे में सही कहता है,' हैरी ने क्रुकशैंक्स को शक भरी निगाहों से देखते हुए कहा, 'इस जगह पर बहुत से चूहे हैं। जाओ और उनके पीछे पड़ो,' उसने क्रुकशैंक्स को घुमावदार सीढ़ी की तरफ़ पैर से धकाते हुए कहा, 'स्कैबर्स को अकेला छोड़ दो।'

गरुड़द्वार के हॉल में तूफ़ान की आवाज़ और भी ज़्यादा सुनाई दे रही थी। हैरी अच्छी तरह से जानता था कि ख़राब मौसम के कारण मैच रद्द नहीं होगा। क्विडिच के मैच आँधी-तूफ़ान जैसी छोटी-मोटी बातों के कारण रद्द नहीं होते थे। बहरहाल, अब उसे बहुत डर लग रहा था। वुड ने उसे गलियारे में सेडरिक डिगोरी दिखा दिया था। डिगोरी फ़िफ़्थ ईयर में था और हैरी से बहुत बड़ा था। आम तौर पर खोजी हल्के और तेज़ रफ़्तार वाले होते थे, लेकिन इस मौसम में डिगोरी अपने वज़न के कारण फ़ायदे में रहेगा, क्योंकि वह तेज़ हवा के कारण आसानी से विचलित नहीं होगा।

हैरी ने सुबह होने तक का समय आग के सामने बैठकर गुज़ारा। बीच-बीच में उसे उठकर क्रुकशैंक्स को भगाना पड़ता था, क्योंकि वह बार-बार उसकी नज़र बचाकर लड़कों की सीढ़ियों पर चुपचाप चढ़ने की कोशिश कर रही थी। आख़िरकार हैरी ने सोचा कि अब नाश्ते का समय हो गया होगा, इसलिए वह तस्वीर के छेद में से निकलकर अकेला बाहर गया।

'आवारा कुत्ते, रुक और मुझसे युद्ध कर!' सर केडोगन ने कहा।

'चुप रहो,' हैरी जम्हाई लेते हुए बोला।

प्लेट भर दलिया खाने से उसमें जान आई और जब वह टोस्ट खाना शुरू कर रहा था, तब तक बाक़ी की टीम भी आ गई।

'आज का मुक़ाबला बहुत मुश्किल होगा,' वुड ने कहा, जो कुछ भी नहीं खा रहा था।

'चिंता मत करो, ऑलिवर,' एलिसिया ने उसे सांत्वना देते हुए कहा, 'थोड़े-बहुत पानी से हमें कोई फ़र्क़ नहीं पड़ता है।'

लेकिन यह थोड़ा-बहुत पानी नहीं था, यह उससे बहुत ज़्यादा था। क्विडिच की लोकप्रियता इतनी थी कि इतने ख़राब मौसम में भी पूरा स्कूल मैच देखने आया। बहरहाल, दर्शक क्विडिच पिच की तरफ़ दौड़कर जा रहे थे। तेज़ हवा के कारण उनके सिर झुके हुए थे और उनके हाथों से छाते छूट रहे थे। चेंजिंग रूम में जाने से ठीक पहले हैरी ने देखा कि मैल्फ़ॉय, क्रैब और गॉइल हँसते हुए एक बड़े छाते के नीचे स्टेडियम की तरफ़ जा रहे हैं और उसकी तरफ़ इशारा

कर रहे हैं।

टीम के खिलाड़ियों ने अपने लाल कपड़े पहने और उस प्रेरक भाषण का इंतज़ार किया, जो वुड आमतौर पर मैच से पहले देता था। लेकिन वुड के मुँह से कुछ नहीं निकला। उसने कई बार बोलने की कोशिश की, एक-दो बार थूक गुटका, लेकिन फिर उसने निराशा में अपना सिर हिलाया और सबको अपने पीछे आने का इशारा किया।

हवा इतनी तेज़ थी कि पिच की तरफ़ जाते समय वे लड़खड़ा रहे थे। अगर भीड़ तालियाँ बजा रही थी, तो बादलों की गरज के कारण उन्हें तालियों की आवाज़ सुनाई नहीं दे रही थी। बारिश की बूँदें हैरी के चश्मे पर लगातार पड़ रही थीं। वह सोचने लगा, इस हाल में वह सुनहरी गेंद को कैसे देखेगा ?

मेहनतकश के खिलाड़ी पीले दुशालों में पिच के दूसरे छोर से आ रहे थे। कप्तान एक-दूसरे के पास आए और उन्होंने हाथ मिलाया। डिगोरी वुड की तरफ़ देखकर मुस्कराया, लेकिन वुड को देखकर ऐसा लग रहा था, जैसे किसी ने उसके जबड़े सिल दिए हों, इसलिए उसने सिर्फ़ सिर हिलाकर मुस्कराहट का जवाब दिया। फिर हैरी ने मैडम हूच के मुँह को हिलते हुए देखा, 'अपनी-अपनी झाड़ुओं पर चढ़ जाओ।' उसने अपना दायाँ पैर कीचड़ में से निकाला और उसे अपनी निम्बस 2000 के ऊपर से डाल लिया। मैडम हूच ने सीटी अपने होंठों से लगाई और फिर बजा दी। सीटी की आवाज़ जैसे बहुत दूर से आ रही थी। वे सब उड़कर ऊपर की तरफ़ चल दिए।

हैरी तेज़ी से उड़ा, लेकिन उसकी निम्बस 2000 हवा में काँप रही थी। उसने इसे यथासंभव स्थिर रखने की और बारिश में देखने की कोशिश की।

पाँच मिनट में ही हैरी पूरी तरह भीग गया था और ठिठुर रहा था। छोटी सी सुनहरी गेंद को तो रहने ही दें, उसे अपनी टीम के खिलाड़ी भी मुश्किल से दिख रहे थे। वह पिच के पार आगे-पीछे उड़ा। वह धुँधली लाल और पीली आकृतियों का पीछा करता रहा। उसे इस बात का ज़रा भी अंदाज़ा नहीं था कि मैच में क्या हो रहा है। हवा के शोर के कारण उसे कमेंट्री भी सुनाई नहीं दे रही थी। भीड़ चोगों और टूटी हुई छतरियों के समुद्र के नीचे छिपी थी। दो बार हैरी पहलवान के कारण गिरते-गिरते बचा। चश्मे पर बारिश की बूँदें पड़ने के कारण उसे कुछ दिखाई ही नहीं दे रहा था, इसलिए वह उन्हें देख नहीं पाया।

उसे समय का अंदाज़ा भी नहीं रहा। अपनी झाड़ू को सीधी रख पाना भी उसके लिए मुश्किल होता जा रहा था। आसमान में अँधेरा छाता जा रहा था, जैसे रात ने जल्दी आने का फ़ैसला कर लिया हो। दो बार हैरी किसी दूसरे खिलाड़ी से टकराते-टकराते बचा और उसे यह मालूम नहीं था कि वह उसकी टीम का है

या विरोधी टीम का। सब खिलाड़ी अब इतने भीग चुके थे और बारिश इतनी तेज़ी से हो रही थी कि उसे उनमें अंतर समझ में नहीं आ रहा था ...

बिजली की पहली चमक के साथ मैडम हूच की सीटी की आवाज़ सुनाई दी। हैरी को बारिश की मोटी बूँदों के बीच वुड की आकृति भर दिखी, जो उसे ज़मीन पर उतरने का इशारा कर रहा था। पूरी टीम कीचड़ में उतर गई।

'मैंने टाइम आउट लिया है!' वुड ने अपनी टीम के साथियों से गरजते हुए कहा। 'आ जाओ, यहाँ पर –'

वे सब पिच के सिरे पर एक बड़े छाते के नीचे खड़े हो गए। हैरी ने अपना चश्मा उतारा और उसे अपने दुशाले से जल्दी से पोंछा।

'स्कोर क्या है ?'

'हम पचास पॉइंट आगे हैं,' वुड ने कहा, 'लेकिन अगर हमने जल्दी ही सुनहरी गेंद नहीं पकड़ी, तो शायद हमें रात होने तक खेलना पड़ेगा।'

'चश्मे के कारण मैं उसे नहीं पकड़ पाऊँगा,' हैरी ने अपने चश्मे को लहराते हुए चिंता भरी आवाज़ में कहा।

उसी पल हर्माइनी उसके पास आ गई। उसने अपना चोगा अपने सिर तक उठा रखा था और वह न जाने क्यों मुस्करा रही थी।

'मेरे मन में एक विचार आया है, हैरी! अपना चश्मा मुझे दो, जल्दी!'

हैरी ने उसे चश्मा दे दिया। पूरी टीम हैरानी से देखती रही, जब हर्माइनी ने चश्मे को अपनी छड़ी से ठोंकते हुए कहा, *'अप्रभावित!'*

'लो!' उसने हैरी को चश्मा देते हुए कहा, 'अब इस पर पानी का कोई असर नहीं होगा!'

वुड हर्माइनी को इतने प्यार से देख रहा था, जैसे उसे चूमना चाहता हो।

'शाबाश!' भीड़ में ग़ुम होती हर्माइनी की तरफ़ देखते हुए वुड भर्राई आवाज़ में बोला। 'ठीक है साथियों, अब हम चलते हैं!'

हर्माइनी के मंत्र से काम बन गया था। हैरी अब भी ठंड के कारण ठिठुर रहा था। वह ज़िंदगी में कभी इतना भीगा नहीं था, लेकिन अब उसे दिखाई दे रहा था। अब उसमें नया उत्साह आ चुका था और उसने अपनी झाड़ू को तूफ़ानी हवा में आगे बढ़ने के लिए प्रेरित किया। उसने हर दिशा में सुनहरी गेंद की तलाश की, एक पहलवान से बचा, डिगोरी के नीचे गोता लगाया, जो दूसरी दिशा में देख रहा था ...

बादल गरजने की एक और आवाज़ आई। उसके तत्काल बाद बिजली चमकी। अब माहौल ख़तरनाक होता जा रहा था। हैरी को जल्दी से सुनहरी गेंद

पकड़ना ही थी –

वह पलटकर पिच के बीच में जाना चाहता था, लेकिन तभी बिजली एक बार फिर कड़की और स्टैंड्स दिखने लगे। हैरी ने एक ऐसी चीज़ देखी, जिससे उसका ध्यान पूरी तरह भटक गया। सबसे ऊपर की ख़ाली सीटों वाली लाइन में एक बड़े काले कुत्ते की आकृति साफ़ नज़र आ रही थी।

हैरी के हाथ झाड़ू के हैंडल पर से छूट गए और उसकी निम्बस 2000 कुछ फ़ुट नीचे गिर गई। अपनी लट को अपनी आँखों से हटाते हुए उसने एक बार फिर स्टैंड्स की तरफ़ देखा। कुत्ता ग़ायब हो चुका था।

'हैरी!' गरुड़द्वार के गोल की तरफ़ से उसे वुड की दर्द भरी चीख़ सुनाई दी। 'हैरी, सुनहरी गेंद तुम्हारे पीछे है!'

हैरी ने हड़बड़ी में चारों तरफ़ देखा। सेडरिक डिगोरी तेज़ी से पिच की तरफ़ जा रहा था और उनके बीच में बारिश भरी हवा में छोटी सी सुनहरी गेंद चमक रही थी ...

दहशत के झटके के साथ हैरी ने ख़ुद को झाड़ू के हैंडल पर लिटा लिया ओर सुनहरी गेंद की तरफ़ उड़ चला।

बारिश उसके चेहरे पर तमाचों की तरह पड़ रही थी, परंतु उसने अपनी निम्बस 2000 से कहा, 'चलो! *और तेज़!*'

लेकिन कोई अजीब चीज़ हो रही थी। स्टेडियम में एक रहस्यमयी ख़ामोशी छा गई थी। हालाँकि हवा अब भी पहले जितनी ही तेज़ थी, परंतु अब उसने गरजना बंद कर दिया था। ऐसा लग रहा था, जैसे किसी ने आवाज़ का बटन बंद कर दिया हो, जैसे हैरी अचानक बहरा हो गया हो – आख़िर यह हो क्या रहा था?

और तभी उसे ठंड की एक जानी-पहचानी भयानक लहर का आभास हुआ, जो उसके अंदर तक घुस गई। उसे आभास हुआ, जैसे नीचे पिच पर कोई चल रहा हो ...

बिना सोचे-समझे हैरी ने सुनहरी गेंद पर से निगाह हटा ली और नीचे देखने लगा।

नीचे कम से कम सौ दमपिशाच खड़े थे, जिनके छिपे हुए चेहरे उसी की तरफ़ थे। उसे ऐसा लगा, जैसे बर्फ़ की तरह जमा हुआ पानी उसके सीने में उछल रहा है और उसके भीतरी अंगों को लहूलुहान कर रहा है। और उसने एक बार फिर सुना ... कोई औरत चीख़ रही थी, उसके दिमाग़ के अंदर चीख़ रही थी ...

'नहीं, हैरी को नहीं, हैरी को नहीं, रहम करो, हैरी को नहीं!'

'दूर हट जाओ, मूर्ख औरत ... दूर हट जाओ, इसी समय ...'

'हैरी को नहीं, रहम करो, उसकी जगह मुझे मार डालो, उसके बदले मुझे मार डालो –'

हैरी के दिमाग़ में बेहोश करने वाली, सिर चकराने वाली सफ़ेद धुँध भर रही थी ... वह क्या कर रहा था ? वह उड़ क्यों रहा था ? उसे उस औरत की मदद करना चाहिए ... वह मरने वाली है ... कोई उसकी हत्या करने वाला है ...

वह बर्फ़ीली धुँध में गिर रहा था, नीचे, और नीचे।

'हैरी को नहीं! रहम करो ... रहम करो ... रहम करो ...'

कोई आदमी तीखी आवाज़ में हँस रहा था, औरत चीख़ रही थी... और हैरी को इसके बाद कुछ याद नहीं था।

*

'ख़ुशक़िस्मती यह थी कि ज़मीन नर्म थी।'

'मुझे तो लगा था कि वह मर गया होगा।'

'लेकिन उसका तो चश्मा तक नहीं टूटा।'

हैरी को फुसफुसाहट की आवाज़ें सुनाई दे रही थीं, लेकिन उसे कुछ समझ में नहीं आ रहा था। उसे ज़रा भी अंदाज़ा नहीं था कि वह कहाँ था या वह वहाँ कैसे पहुँचा या वहाँ आने से पहले वह क्या कर रहा था। वह तो सिर्फ़ इतना जानता था कि उसका रोम-रोम इस तरह दुख रहा था, जैसे उसे बुरी तरह पीटा गया हो।

'यह सबसे डरावना दृश्य था। मैंने आज तक इससे डरावना दृश्य नहीं देखा।'

सबसे डरावना ... सबसे डरावना दृश्य ... नक़ाबपोश काली आकृतियाँ ... ठंड ... चीख़ ...

हैरी की आँखें तत्काल खुल गईं। वह अस्पताल में लेटा हुआ था। गरुड़द्वार की क्विडिच टीम, जो सिर से पैर तक कीचड़ में लथपथ थी, उसके बिस्तर के चारों तरफ़ खड़ी थी। रॉन और हर्माइनी भी वहाँ थे और ऐसे दिख रहे थे, जैसे अभी-अभी किसी स्विमिंग पूल से निकलकर आ रहे हों।

'हैरी!' फ्रेड बोला, जिसका चेहरा कीचड़ के नीचे बहुत सफ़ेद दिख रहा था। 'अब तुम्हें कैसा लग रहा है ?'

ऐसा लगा, जैसे हैरी की याददाश्त तेज़ी से लौट आई। बिजली की चमक ... ग्रिम ... सुनहरी गेंद ... और दमपिशाच ...

'क्या हुआ ?' उसने अचानक उठकर बैठते हुए कहा, जिससे सब चौंक गए।

'तुम गिर गए थे,' फ्रेड ने कहा। 'लगभग पचास फ़ुट की ऊँचाई से!'

'हमने सोचा कि तुम मर गए हो,' एलिसिया काँपती हुई बोली।

हर्माइनी के मुँह से हल्की सी चीख़ निकल गई। उसकी आँखें बहुत लाल थीं।

'परंतु मैच,' हैरी ने पूछा। 'मैच का क्या हुआ ? क्या मैच दोबारा होगा ?'

किसी ने भी कुछ नहीं कहा। हैरी के दिल में भयानक सच्चाई पत्थर की तरह उतर गई।

'हम *हार* तो नहीं गए ?'

'डिगोरी ने सुनहरी गेंद पकड़ ली थी,' जॉर्ज ने कहा। 'तुम्हारे गिरने के ठीक बाद। उसे यह एहसास नहीं था कि तुम गिर गए हो। जब उसने पलटकर तुम्हें ज़मीन पर गिरे हुए देखा, तो उसने कहा कि मैच दोबारा होना चाहिए। लेकिन निष्पक्षता से जीत उन्हीं की हुई थी ... यहाँ तक कि वुड भी यह बात मानता है।'

'वुड कहाँ है ?' हैरी ने कहा, जब उसे अचानक यह एहसास हुआ कि वुड वहाँ नहीं था।

'अब भी नहा रहा है,' फ्रेड ने कहा। 'हमें लगता है कि वह पानी में डूबने की कोशिश कर रहा है।'

हैरी ने अपना चेहरा घुटनों के बीच छिपा लिया और अपने बाल कसकर पकड़ लिए। फ्रेड ने उसके कंधे को पकड़ा और उसे ज़ोर से हिलाया।

'हैरी, इससे पहले तुमने हमेशा सुनहरी गेंद पकड़ी थी।'

जॉर्ज बोला, 'कभी न कभी तो यह होना ही था, जब तुम इसे न पकड़ पाओ।'

'अब भी आशा ख़त्म नहीं हुई है,' फ्रेड ने कहा। 'हम सौ पॉइंट से हारे हैं, ठीक है ? अगर मेहनतकश चीलघात से हार जाए और हम चीलघात तथा नागशक्ति को हरा दें ...'

जॉर्ज बोला, 'मेहनतकश को कम से कम दो सौ पॉइंट से हारना होगा।'

'लेकिन अगर वे चीलघात को हरा दें ...'

'ऐसा नहीं हो सकता, चीलघात की टीम बहुत अच्छा खेलती है। लेकिन अगर नागशक्ति मेहनतकश से हार जाए ...'

'सब कुछ पॉइंट्स पर निर्भर करता है – सौ पॉइंट इधर या उधर –'

हैरी बिना कुछ बोले पड़ा रहा। वे हार गए थे ... पहली बार वह किसी क्विडिच मैच में हारा था।

लगभग दस मिनट बाद मैडम पॉमफ़्री आईं और टीम के खिलाड़ियों को वहाँ से जाने को कहा।

'हम लोग बाद में आकर मिलते हैं,' फ़्रेड ने उससे कहा। 'ख़ुद को दोष मत दो हैरी, तुम अब भी हमारे अब तक के सबसे अच्छे खोजी हो।'

टीम के खिलाड़ी बाहर निकलते समय अपने पीछे कीचड़ के निशान छोड़ गए। उनके जाने के बाद मैडम पॉमफ़्री ने दरवाज़ा बंद कर दिया और निशानों को अप्रसन्नता से देखा। रॉन और हर्माइनी हैरी के बिस्तर के पास खिसक आए।

'डम्बलडोर सचमुच बहुत ग़ुस्सा थे,' हर्माइनी ने लरजती आवाज़ में कहा। 'मैंने उन्हें पहले कभी इतने ग़ुस्से में नहीं देखा। जब तुम गिरे, तो वे पिच पर भागकर आए और अपनी छड़ी घुमाई, जिसकी वजह से ज़मीन पर टकराने से पहले तुम्हारी गिरने की रफ़्तार कम हो गई। फिर उन्होंने अपनी छड़ी दमपिशाचों की तरफ़ घुमाई। एक सफ़ेद चीज़ निकलकर दमपिशाचों पर हमला करने लगी। वे तत्काल स्टेडियम से बाहर चले गए ... डम्बलडोर इस बात पर नाराज़ हो रहे थे कि दमपिशाच मैदान के अंदर क्यों आए –'

'फिर उन्होंने जादू से तुम्हें स्ट्रेचर पर लिटाया,' रॉन ने कहा। 'और स्कूल तक तुम्हारे साथ आए। सब यही सोच रहे थे कि तुम तो मर ...'

उसकी आवाज़ टूट गई, लेकिन हैरी ने इस तरफ़ ध्यान नहीं दिया। वह तो इस बारे में सोच रहा था कि दमपिशाचों के कारण वह बेहोश क्यों हो जाता है ... वह चीख़ने वाली औरत के बारे में सोच रहा था। रॉन और हर्माइनी इतने चिंतित होकर उसे देख रहे थे कि उसने उनसे कोई सामान्य सवाल पूछने का फ़ैसला किया।

'क्या किसी को मेरी निम्बस 2000 मिली ?'

रॉन और हर्माइनी ने तत्काल एक-दूसरे की तरफ़ देखा।

'अर –'

'क्या ?' हैरी ने कभी रॉन को, तो कभी हर्माइनी को देखा।

'जब तुम नीचे गिरे, तो वह उड़कर दूर चली गई,' हर्माइनी ने झिझकते हुए कहा।

'और ?'

'और वह – वह – ओह, हैरी – वह जाकर लड़ाकू पेड़ से टकरा गई।'

हैरी के पेट में खलबली मच गई। मैदान के बीचोंबीच खड़ा लड़ाकू पेड़ बहुत हिंसक था।

'और ?' उसने दिल दहलाने वाले जवाब का इंतज़ार किया।

'तुम तो लड़ाकू पेड़ को जानते ही हो,' रॉन बोला। 'उसे किसी चीज़ का टकराना पसंद नहीं है।'

'प्रोफ़ेसर फ़्लिटविक तुम्हारे होश में आने से ठीक पहले इसे लेकर आए थे,' हर्माइनी ने बहुत धीमे से कहा।

उसने धीरे से अपने पैर के पास से एक बैग उठाकर उसे पलटा। उसमें से लकड़ी के दर्जन भर टुकड़े और टहनियाँ बिस्तर पर गिर गईं। हैरी की वफ़ादार झाड़ू आख़िरकार हार गई थी और उसके अब बस यही अवशेष बचे थे।

अध्याय दस

मानचित्र मंथन

मैडम पॉमफ्री ने हैरी को हफ़्ते भर तक अस्पताल में ही रखा। हैरी ने भी इस बारे में बहस या शिकायत नहीं की, लेकिन उसने उन्हें अपनी निम्बस 2000 के टूटे टुकड़ों को नहीं फेंकने दिया। हैरी जानता था कि यह मूर्खता थी, जानता था कि निम्बस ठीक नहीं हो सकती थी, लेकिन वह दिल के हाथों मजबूर था। उसे ऐसा लग रहा था, जैसे उसने किसी बहुत अच्छे दोस्त को खो दिया हो।

अस्पताल में बहुत से लोग उससे मिलने आए। सब उसे ख़ुश करना चाहते थे। हैग्रिड ने उसे फूलों का एक गुच्छा भेजा, जो पीली गोभी की तरह दिख रहा था। जिनी वीज़्ली शर्माते हुए 'जल्दी अच्छे हो जाओ' का कार्ड लेकर आई, जो उसने ख़ुद बनाया था। वह कार्ड इतनी ज़ोर से गाने लगा कि हैरी को उसकी आवाज़ बंद करने के लिए उसे फलों की टोकरी के नीचे रखना पड़ा। गरुड़द्वार की टीम इतवार की सुबह एक बार फिर उससे मिलने आई। इस बार वुड भी आया, जिसने हैरी से खोखली मुर्दा आवाज़ में कहा कि वह उसे क़तई दोषी नहीं मानता है। रॉन और हर्माइनी दिन भर हैरी के पास रहते थे। वे सिर्फ़ रात को ही वहाँ से जाते थे। लेकिन उनकी बातों या कामों से हैरी बेहतर महसूस नहीं कर रहा था, क्योंकि उन्हें सिर्फ़ उसकी आधी परेशानी ही मालूम थी।

उसने किसी को भी ग्रिम के बारे में नहीं बताया था। रॉन और हर्माइनी को भी नहीं, क्योंकि वह जानता था कि रॉन दहशत में आ जाएगा और हर्माइनी हँसी उड़ाएगी। बहरहाल सच तो यह था कि ग्रिम उसे दो बार दिखा था और उसके दिखने के बाद वह दोनों ही बार मरते-मरते बचा था। पहली बार तो जादूगरों की बस उसके ऊपर चढ़ने वाली थी और दूसरी बार वह पचास फ़ुट की ऊँचाई से अपनी झाड़ू पर से गिरा था। क्या ग्रिम उसे तब तक सताता रहेगा, जब तक कि वह सचमुच मर नहीं जाए? क्या उसे ज़िंदगी भर पीछे पलटकर उस

डरावने जानवर को देखना पड़ेगा?

और फिर दमपिशाच थे। हैरी जब भी उनके बारे में सोचता था, उसका जी ख़राब होने लगता था और उसे शर्म आती थी। हालाँकि सभी लोग दमपिशाचों को भयानक मानते थे, लेकिन उनके पास आने पर बाक़ी लोग बेहोश नहीं होते थे ... और अपने मृत माता-पिता की आवाज़ें नहीं सुनते थे।

अब हैरी जान गया था कि वह चीख़ने वाली औरत कौन थी। जब वह अस्पताल में जागते हुए छत पर चमकती चाँदनी को निहारते रहा तब उसने उसके शब्दों के बारे में सोचा, बार-बार सोचा। जब दमपिशाच उसके पास आए थे, तो उसने अपनी माँ के आख़िरी शब्द सुने थे। उसने सुना था कि उन्होंने हैरी को लॉर्ड वोल्डेमॉर्ट से बचाने की किस तरह कोशिश की थी। और उसने वोल्डेमॉर्ट की हँसी भी सुनी थी, जिसके बाद वोल्डेमॉर्ट ने उसकी माँ को मार डाला था .. . हैरी बेचैनी भरी नींद में सो गया। उसने सपना देखा, जिसमें गिलगिला तथा गला हुआ हाथ उसकी तरफ़ बढ़ रहा था और रहम की भीख माँगती औरत की चीख़ सुनाई दे रही थी। जागने पर वह एक बार फिर अपनी माँ की आवाज़ के बारे में सोचने लगा।

*

सोमवार को स्कूल की चहल-पहल में लौटकर उसे थोड़ी राहत मिली, क्योंकि वहाँ उसे मजबूरन दूसरी चीज़ों के बारे में सोचना पड़ा, फिर भले ही उसे ड्रेको मैल्फ़ॉय के ताने सुनने को क्यों न मिल रहे हों। गरुड़द्वार की हार पर मैल्फ़ॉय ख़ुशी से फूला नहीं समा रहा था। उसने आख़िरकार अपनी पट्टियाँ उतारकर फेंक दीं और अब वह अपने दोनों हाथ नचाकर यह बता रहा था कि हैरी झाड़ू पर से कैसे गिरा। मैल्फ़ॉय जादुई काढ़े की क्लास में ज़्यादातर समय दमपिशाच का अभिनय करता रहा। आख़िरकार रॉन ने अपना संयम खो दिया और मैल्फ़ॉय पर मगरमच्छ का एक बड़ा, चिपचिपा हृदय फेंक दिया, जो सीधे उसके चेहरे पर लगा। इस वजह से स्नेप ने गरुड़द्वार के पचास पॉइंट कम कर दिए।

'अगर स्नेप दोबारा गुप्त कलाओं से रक्षा की क्लास ले रहे होंगे, तो मैं बीमार पड़ जाऊँगा,' रॉन ने कहा, जब वे लंच के बाद ल्यूपिन की क्लास की तरफ़ चले। 'ज़रा देखो तो सही हर्माइनी, अंदर कौन है।'

हर्माइनी ने क्लास के दरवाज़े से अंदर झाँका।

'सब **ठीक** है।'

प्रोफ़ेसर ल्यूपिन दोबारा लौट आए थे। निश्चित रूप से वे बीमार लग रहे थे। उनके पुराने कपड़े उनके शरीर पर ढीले हो चुके थे और उनकी आँखों के

नीचे काले धब्बे थे। बहरहाल, जब विद्यार्थी क्लास में बैठे, तो ल्यूपिन उनकी तरफ़ देखकर मुस्कराए। सभी विद्यार्थी ज़ोर-ज़ोर से शिकायत करने लगे कि ल्यूपिन की बीमारी के दौरान स्नेप ने उनके साथ कितना बुरा व्यवहार किया था।

'यह ठीक नहीं है, वे सिर्फ़ एक दिन पढ़ा रहे थे, उन्हें हमें होमवर्क नहीं देना चाहिए था!'

'हमें नरभेड़ियों के बारे में कुछ भी नहीं पता था -'

'- दो चर्मपत्र!'

'क्या तुमने प्रोफ़ेसर स्नेप को बताया था कि अभी हमने नरभेड़ियों के बारे में नहीं पढ़ा है?' ल्यूपिन ने भौंहें उठाकर पूछा।

एक बार फिर कोहराम मच गया।

'हाँ, लेकिन उन्होंने कहा कि हम बहुत पीछे हैं -'

'- वे सुनने को तैयार नहीं थे -'

'- दो चर्मपत्र!'

प्रोफ़ेसर ल्यूपिन हर चेहरे पर ग़ुस्से का भाव देखकर मुस्कराए।

'चिंता मत करो। मैं प्रोफ़ेसर स्नेप से बात कर लूँगा। तुम्हें वह निबंध लिखने की ज़रूरत नहीं है।'

'अरे *नहीं,*' हर्माइनी बहुत निराश दिखते हुए बोली। 'मैंने तो पहले ही लिख लिया है!'

इसके बाद उन्होंने एक बहुत मज़ेदार पाठ पढ़ा। प्रोफ़ेसर ल्यूपिन अपने साथ काँच का एक बक्सा लेकर आए थे, जिसमें हिंकीपंक था। ऐसा लगता था, जैसे एक पैर वाला यह प्राणी धुएँ के लच्छों से बना हो। यह बहुत नाज़ुक और मासूम दिखता था।

'यह यात्रियों को ललचाकर दलदल में ले जाता है,' जब विद्यार्थियों ने नोट्स लिखे, तब प्रोफ़ेसर ल्यूपिन ने कहा। 'तुमने इसके हाथ से लटकती लालटेन देखी है? यह आगे-आगे चलता है - लोग रोशनी के पीछे चलते हैं - और फिर -'

हिंकीपंक ने काँच से टकराकर एक भयानक चीख़ निकाली।

जब घंटी बजी, तो सबने अपना-अपना सामान बटोरा और दरवाज़े की तरफ़ बढ़ने लगे। उनमें हैरी भी था, लेकिन -

'एक मिनट रुको हैरी,' ल्यूपिन ने कहा, 'मैं तुमसे कुछ बात करना चाहता हूँ।'

हैरी ने पलटकर देखा कि प्रोफ़ेसर ल्यूपिन हिंकीपंक के बक्से को कपड़े से ढँक रहे थे।

'मैंने मैच के बारे में सुना,' ल्यूपिन ने कहा। वे अपनी डेस्क की तरफ़ मुड़े और अपनी पुस्तकें ब्रीफ़केस में रखने लगे, 'मुझे तुम्हारी झाड़ू के बारे में अफ़सोस है। क्या उसके ठीक होने की कोई संभावना है?'

'नहीं,' हैरी ने कहा। 'लड़ाकू पेड़ ने उसके टुकड़े-टुकड़े कर दिए।'

ल्यूपिन ने आह भरी।

'लड़ाकू पेड़ उसी साल लगाया गया था, जिस साल मैं हॉगवर्ट्स में आया था। विद्यार्थी खेल-खेल में इसके पास जाकर इसके तने को छूने की कोशिश करते थे। अंत में डेवी गज़न नाम के एक लड़के की आँख फूटते-फूटते बची और इस घटना के बाद पेड़ के पास जाने पर प्रतिबंध लगा दिया गया। किसी झाड़ू के बचने की तो कोई संभावना ही नहीं है।'

'क्या आपने दमपिशाचों के बारे में भी सुना था?' हैरी ने मुश्किल से कहा।

ल्यूपिन ने तुरंत उसकी तरफ़ देखा।

'हाँ, मैंने सुना था। मुझे नहीं लगता कि हममें से किसी ने प्रोफ़ेसर डम्बलडोर को पहले कभी इतने ग़ुस्से में देखा होगा। दमपिशाच कुछ समय से बेचैन हो रहे थे ... वे इस बात पर ग़ुस्सा थे कि डम्बलडोर उन्हें स्कूल के अंदर नहीं आने दे रहे हैं ... मुझे लगता है तुम उन्हीं की वजह से गिरे थे?'

'हाँ,' हैरी ने कहा। वह झिझका और फिर जो सवाल उसे पूछना था, वह न चाहते हुए भी उसके मुँह से निकल गया। '*क्यों*? वे मुझ पर इतना असर क्यों डालते हैं? क्या मैं - ?'

'इसका कमज़ोरी से कोई संबंध नहीं है,' प्रोफ़ेसर ल्यूपिन ने तीखेपन से कहा, जैसे उन्होंने हैरी के मन की बात समझ ली हो। 'दमपिशाच दूसरों के बजाय तुम पर ज़्यादा बुरा असर इसलिए डालते हैं, क्योंकि तुम्हारे अतीत से ऐसी भयानक घटनाएँ जुड़ी हैं, जो दूसरों के अतीत में नहीं हैं।'

जाड़े के सूर्य की एक किरण क्लास में आई, जिसने ल्यूपिन के सफ़ेद बालों और उनके युवा चेहरे की लकीरों को चमका दिया।

'दमपिशाच इस धरती पर रहने वाले सबसे बुरे जीव हैं। वे सबसे अँधेरी और गंदी जगहों पर रहते हैं। उन्हें विनाश और निराशा में आनंद मिलता है। वे अपने आस-पास की हवा में से शांति, आशा और ख़ुशी को चूस लेते हैं। यहाँ तक कि मगलू भी उनकी उपस्थिति को महसूस करते हैं, भले ही वे उन्हें देख नहीं

सकते हैं। दमपिशाच पास आने पर आपके अंदर की हर अच्छी भावना और हर ख़ुशी भरी याद को चूस लेता है। दमपिशाच की कोशिश यही रहती है कि वह तब तक चूसता रहे, जब तक कि आप भी उसी की तरह न बन जाएँ- आत्माविहीन और बुरे। फिर आपको अपने जीवन के सबसे बुरे अनुभवों के अलावा कुछ भी याद नहीं रहेगा। और हैरी, *तुम्हारे* साथ हुई सबसे बुरी घटना किसी को भी उसकी झाड़ू से गिरा सकती है। तुम्हें इस बात पर शर्म महसूस नहीं करना चाहिए।'

'जब वे मेरे पास आते हैं –' हैरी ने ल्यूपिन की डेस्क की तरफ़ घूरा, उसका गला रुँधा हुआ था, 'तो मैं उस समय की आवाज़ें सुनता हूँ जब वोल्डेमॉर्ट मेरी माँ की हत्या कर रहा था।'

ल्यूपिन का हाथ अचानक हिला, जैसे वे हैरी का कंधा पकड़ना चाहते हों, लेकिन फिर उन्होंने इरादा बदल दिया। एक पल की ख़ामोशी रही, फिर –

'वे मैच में क्यों आए ?' हैरी ने कटुता से कहा।

'वे भूखे थे,' ल्यूपिन अपना ब्रीफ़केस बंद करते हुए ठंडेपन से बोले। 'डम्बलडोर उन्हें स्कूल में नहीं आने दे रहे थे, इसलिए उन्हें अपना भोजन नहीं मिल रहा था ... मुझे लगता है कि क्विडिच पिच के चारों तरफ़ जमा भारी भीड़ का लालच उन्हें यहाँ खींच लाया था। रोमांच ... भावनाओं का सैलाब ... यह उनके लिए जश्न की तरह था।'

'अज़्काबान भयानक जगह होगी,' हैरी बुदबुदाया। ल्यूपिन ने गंभीरता से सहमति में सिर हिलाया।

'अज़्काबान का किला समुद्र के बीच में एक छोटे से टापू पर बना है, लेकिन उन्हें क़ैदियों को रोके रखने के लिए दीवारों या पानी की ज़रूरत नहीं है। क़ैदी तो अपने ही मस्तिष्क के जाल में फँस जाते हैं, क्योंकि उनके मन में ख़ुशी का एक भी विचार नहीं आता है। उनमें से ज़्यादातर तो कुछ ही हफ़्तों में पागल हो जाते हैं।'

'परंतु फिर भी सिरियस ब्लैक उनके चंगुल से भाग निकला,' हैरी ने धीमे से कहा। 'वह भाग निकला ...'

ल्यूपिन का ब्रीफ़केस डेस्क पर से फिसल गया। उन्हें उसे पकड़ने के लिए तत्काल झुकना पड़ा।

'हाँ,' उन्होंने सीधे खड़े होते हुए कहा। 'ब्लैक ने ज़रूर उनसे बचने का कोई तरीक़ा खोज लिया होगा। मुझे यह असंभव लगता था ... क्योंकि अगर कोई जादूगर ज़्यादा समय तक दमपिशाचों के बीच रहे, तो वे उसकी शक्तियों को निचोड़ लेते हैं ...'

हैरी अचानक बोला, '*आपने* ट्रेन वाले दमपिशाच को दूर भगा दिया था ?'

'दमपिशाचों से निबटने के कुछ रक्षात्मक उपाय होते हैं, जिनका प्रयोग किया जा सकता है,' ल्यूपिन ने कहा। 'लेकिन ट्रेन में सिर्फ़ एक ही दमपिशाच था। जितने ज़्यादा दमपिशाच होंगे, उन्हें भगाना उतना ही मुश्किल होगा।'

'कौन से रक्षात्मक उपाय ?' हैरी ने तत्काल कहा। 'क्या आप मुझे सिखा सकते हैं ?'

'मैं दमपिशाचों से लड़ने का विशेषज्ञ नहीं हूँ, हैरी – सच्चाई इसके विपरीत है ...'

'परंतु अगर दमपिशाच अगले क्विडिच मैच में आ गए, तो मुझे उनका मुक़ाबला करना आना चाहिए –'

ल्यूपिन ने हैरी के संकल्प भरे चेहरे को देखा। फिर थोड़ी देर झिझकने के बाद वे बोले, 'अच्छा ... ठीक है। मैं तुम्हें सिखाने की कोशिश करूँगा। लेकिन यह काम अगले टर्म में ही हो पाएगा। मुझे छुट्टियों से पहले बहुत काम करना है। बीमार पड़ने के लिए मैंने बहुत ही ग़लत समय चुना था।'

*

ल्यूपिन के दमपिशाच-विरोधी उपाय सिखाने के वादे से हैरी का मूड सुधर गया। अब वह सोच रहा था कि उसे अपनी माँ के आख़िरी शब्द कभी नहीं सुनना पड़ेंगे। इसके अलावा नवंबर के अंत में हुए क्विडिच मैच में चीलघात ने मेहनतकश को बुरी तरह हरा दिया था। इन सब बातों से हैरी की मनोदशा काफ़ी सुधर गई। गरुड़द्वार की टीम को उम्मीद बँध गई थी कि वह अब भी कप जीत सकती थी, बशर्ते वह और कोई मैच न हारे। वुड पर एक बार फिर जुनून सवार हो गया। उसने अपनी टीम से बारिश की ठंडी धुँध में जमकर प्रैक्टिस करवाई, जो दिसंबर तक चली। हैरी को मैदान में दमपिशाच की झलक तक नहीं दिखी। डम्बलडोर के ग़ुस्से के कारण वे प्रवेश द्वार पर अपनी जगह पर ही तैनात रहे।

टर्म ख़त्म होने के दो हफ़्ते पहले आसमान साफ़ हो गया। अचानक एक दिन सुबह आसमान सफ़ेद हो गया ओर कीचड़ भरा मैदान बर्फ़ में ढँका नज़र आया। महल के भीतर की हवा क्रिसमस की उमंग से भरी थी। सम्मोहन के शिक्षक प्रोफ़ेसर फ़्लिटविक ने पहले ही अपने क्लासरूम को पंख हिलाती परियों की झिलमिलाती रोशनी से सजा लिया था। विद्यार्थी छुट्टियों की योजना पर ख़ुशी-ख़ुशी बातें कर रहे थे। रॉन और हर्माइनी ने छुट्टियों में हॉगवर्ट्स में ही रहने का फ़ैसला किया। रॉन ने कहा कि वह इसलिए नहीं जा रहा था, क्योंकि

वह पर्सी को दो हफ़्ते तक नहीं झेल सकता। हर्माइनी ने कहा कि उसे लाइब्रेरी में बहुत सी किताबें पढ़ना है। लेकिन उनकी बातों से हैरी मूर्ख नहीं बना। वह जानता था कि वे लोग इसलिए घर नहीं जा रहे थे, क्योंकि वे उसके साथ रुकना चाहते थे। और वह इस बात के लिए उनका बहुत कृतज्ञ था।

जब टर्म के आख़िरी सप्ताहांत में हॉग्समीड की एक और यात्रा हुई, तो हैरी को छोड़कर बाक़ी सब विद्यार्थी बहुत ख़ुश हुए।

'हम वहाँ पर अपनी क्रिसमस शॉपिंग कर सकते हैं!' हर्माइनी बोली। 'मम्मी-डैडी को हनीड्यूक्स की टूथफ़्लॉसिंग स्ट्रिंगमिंट्स बहुत पसंद आएँगी!'

हैरी ने इस सच्चाई को स्वीकार कर लिया कि इस बार भी थर्ड ईयर में वही इकलौता विद्यार्थी होगा, जो हॉग्समीड में घूमने नहीं जाएगा। उसने वुड से *कौन सी जादुई छड़ी* नामक किताब उधार ले ली ओर यह फ़ैसला किया कि वह दिन भर झाड़ुओं के बारे में पढ़ेगा। प्रैक्टिस के दौरान हैरी स्कूल की एक झाड़ू का इस्तेमाल कर रहा था। यह पुरानी शूटिंग स्टार थी, जो बहुत धीमी थी और झटके भी देती थी। उसे निश्चित रूप से ख़ुद के लिए एक नई झाड़ू चाहिए थी।

शनिवार की सुबह सब विद्यार्थी हॉग्समीड की यात्रा पर जा रहे थे। उस सुबह हैरी ने चोगों और स्कार्फ़ में लिपटे रॉन और हर्माइनी को विदा किया। इसके बाद वह अकेला संगमरमर की सीढ़ियों पर चढ़कर वापस गरुड़द्वार के हॉल की तरफ़ चल दिया। खिड़कियों के बाहर बर्फ़ गिरने लगी थी और महल बहुत शांत था।

'श्श्श्श - हैरी!'

हैरी ने पलटकर देखा। तीसरी मंज़िल के गलियारे में आधी दूरी पर फ़्रेड और जॉर्ज एक आँख वाली कुबड़ी चुड़ैल की मूर्ति के पीछे से उसे देख रहे थे।

'तुम लोग क्या कर रहे हो?' हैरी ने उत्सुकता से पूछा। 'तुम हॉग्समीड क्यों नहीं जा रहे हो?'

'हम लोग जाने से पहले तुम्हारे दिल में ख़ुशियाँ भरने आए हैं,' फ़्रेड ने रहस्यमय तरीक़े से आँख मारते हुए कहा। 'यहाँ अंदर आ जाओ ...'

उसने एक आँख वाली मूर्ति के बाईं तरफ़ एक ख़ाली क्लासरूम की तरफ़ इशारा किया। हैरी फ़्रेड और जॉर्ज के पीछे-पीछे अंदर चला गया। जॉर्ज ने धीरे से दरवाज़ा बंद किया और फिर मुस्कराते हुए हैरी की तरफ़ मुड़ा।

उसने कहा, 'हैरी, हम तुम्हें क्रिसमस का तोहफ़ा थोड़ी जल्दी दे रहे हैं।'

फ़्रेड ने नाटकीय अंदाज़ में अपने चोगे के भीतर से एक चीज़ निकाली और उसे डेस्क पर रख दिया। यह एक बड़ा, चौकोर, बहुत घिसा-पिटा चर्मपत्र

था, जिस पर कुछ नहीं लिखा था। हैरी को लगा कि शायद फ्रेड और जॉर्ज उससे मज़ाक़ कर रहे हैं, इसलिए वह चर्मपत्र को घूरने लगा।

'यह क्या है ?'

'हैरी, यह हमारी सफलता का राज़ है,' जॉर्ज ने चर्मपत्र को प्यार से थपथपाते हुए कहा।

'तुम्हें यह देते समय हमारा दिल तड़प रहा है,' फ्रेड बोला, 'लेकिन हमने कल रात को यह निर्णय लिया कि हमारे बजाय तुम्हें इसकी ज़्यादा ज़रूरत है।'

'वैसे भी, हमें अब यह पूरा याद हो चुका है,' जॉर्ज ने कहा। 'हम तुम्हें यह तोहफ़े में दे रहे हैं। अब दरअसल हमें इसकी ज़रूरत ही नहीं है।'

हैरी ने पूछा, 'मैं इस फटे-पुराने चर्मपत्र का क्या करूँगा ?'

'फटा-पुराना चर्मपत्र!' फ्रेड ने अपनी आँखें सदमे से बंद कर लीं, जैसे हैरी ने उसका दिल तोड़ दिया हो, 'जॉर्ज, इसे तुम्हीं समझाओ।'

'देखो ... जब हम यहाँ फ़र्स्ट ईयर में थे, हैरी – छोटे, बेफ़िक्र और मासूम–'

हैरी हँसा। उसे शक था कि फ्रेड और जॉर्ज कभी मासूम भी रहे होंगे।

'देखो, आज की तुलना में हम उस समय ज़्यादा मासूम थे – तो हम फ़िल्च के चंगुल में फँस गए।'

'हमने गलियारे में एक गोबरबम फोड़ दिया था, जिससे फ़िल्च न जाने क्यों ग़ुस्सा हो गया –'

'इसलिए वह हमें पकड़कर अपने ऑफ़िस में ले गया और हमेशा की तरह हमें धमकियाँ देने लगा –'

'– सज़ा दूँगा –'

'उलटा लटका दूँगा –'

'– तभी हमने उसकी अलमारी में एक ड्रॉअर देखा, जिस पर लिखा था *"ज़ब्त किया हुआ बेहद ख़तरनाक सामान।"*'

'कहीं तुम लोगों ने –' हैरी ने मुस्कराते हुए कहा।

'हमारी जगह तुम होते, तो तुम क्या करते ?' फ्रेड बोला। 'जॉर्ज ने एक और गोबरबम फोड़कर उसका ध्यान भटका दिया। मैंने तत्काल ड्रॉअर खोला और *इसे* निकाल लिया।'

'इसे चुराना उतना बुरा नहीं है, जितना लगता है,' जॉर्ज बोला। 'हमें लगता है फ़िल्च को यह पता ही नहीं था कि इसका इस्तेमाल कैसे किया जाता है।

उसे शायद शक हो गया था कि यह कोई ख़ुफिया चीज़ है, वरना वह इसे ज़ब्त ही नहीं करता।'

'और तुम जानते हो कि इसका इस्तेमाल कैसे किया जाता है ?'

'अरे हाँ,' फ्रेड दाँत दिखाते हुए बोला। 'इस छोटी सी चीज़ ने हमें स्कूल के सभी टीचर्स से ज़्यादा सिखाया है।'

'तुम लोग मेरी उत्सुकता बढ़ा रहे हो,' हैरी ने उस पुराने चर्मपत्र की तरफ़ देखते हुए कहा।

'अच्छा ?' जॉर्ज बोला।

उसने अपनी छड़ी निकालकर, चर्मपत्र को हल्के से छुआ और कहा, '*मैं क़सम खाता हूँ कि मैं जो भी कहूँगा, झूठ कहूँगा और झूठ के सिवाय कुछ नहीं कहूँगा।*'

जॉर्ज ने छड़ी जहाँ छुआई थी, वहाँ से तत्काल स्याही की लकीरें मकड़ी के जाल की तरह फैलने लगीं। वे एक-दूसरे से मिलीं, एक-दूसरे को काटती हुई बढ़ीं और चर्मपत्र के हर कोने तक गईं। फिर ऊपर बड़े, घुमावदार हरे अक्षरों में कुछ शब्द उभरे :

मेसर्स मूनी, वर्मटेल, पैडफुट और प्रॉन्ग्स
शरारती जादूगरों के मददगार
मानचित्र मंथन को प्रस्तुत करते हुए
गर्व महसूस करते हैं

यह एक नक़्शा था। इसमें हॉगवर्ट्स के महल और मैदान की हर चीज़ दिख रही थी। इसकी सबसे बढ़िया बात यह थी कि इसमें चारों तरफ़ स्याही के छोटे बिंदु घूम रहे थे, जिनके साथ छोटी लिखावट में नाम लिखा था। हैरान होकर हैरी उस पर झुका। सबसे ऊपर बाएँ कोने में एक बिंदु बता रहा था कि प्रोफ़ेसर डम्बलडोर अपने कमरे में टहल रहे थे। चौकीदार फ़िल्च की बिल्ली मिसेज़ नॉरिस दूसरी मंज़िल पर घूम रही थी और पीव्ज़ नामक भूत इस समय ट्रॉफ़ी रूम में उछल रहा था। हैरी की आँखें परिचित गलियारों में ऊपर-नीचे घूमीं। फिर उसे एक और चीज़ दिखी।

इस नक़्शे में कुछ ऐसे भी रास्ते थे, जिन पर वह कभी नहीं गया था। और उनमें से कई जा रहे थे -

'सीधे हॉग्समीड की तरफ़,' फ्रेड ने कहा और उनमें से एक पर अपनी

उँगली फिराई। 'कुल सात रास्ते हैं। फ़िल्च इन चार रास्तों के बारे में जानता है-' उसने उनकी तरफ़ इशारा किया, '- लेकिन हमें यक़ीन है कि *बाक़ी तीन रास्तों* के बारे में सिर्फ़ हमीं जानते हैं। लेकिन चौथी मंज़िल के आईने के पीछे वाले रास्ते को तो भूल जाओ। हमने पिछले साल जाड़े तक इसका इस्तेमाल किया था, परंतु अब इसकी दीवारें धसक चुकी हैं और यह बंद हो गया है। और यह वाला रास्ता देखो! हमें नहीं लगता कि कभी किसी ने इस रास्ते का इस्तेमाल किया होगा, क्योंकि इसके प्रवेश द्वार के ठीक बाहर लड़ाकू पेड़ लगा है। अब सिर्फ़ एक ही रास्ता बचता है और वो ये वाला है। यह रास्ता सीधे हनीड्यूक्स के तहख़ाने में खुलता है। हमने अनगिनत बार इसका इस्तेमाल किया है। और जैसा कि तुमने देखा होगा, इसका प्रवेश द्वार इस कमरे के ठीक बाहर है, उस एक आँख वाली बूढ़ी जादूगरनी का कूबड़।'

'मूनी, वर्मटेल, पैडफ़ुट और प्रॉन्ग्स,' जॉर्ज ने आह भरकर नक़्शे के शीर्षक को थपथपाया। 'हम उनके बहुत एहसानमंद हैं।'

फ़्रेड ने गंभीरता से कहा, 'वे बहुत महान थे! उन्होंने नियम तोड़ने वालों की नई पीढ़ी की मदद करने के लिए बहुत मेहनत की।'

'ठीक है,' जॉर्ज जल्दी से बोला, 'जब तुम्हारा काम हो जाए, तो इसे मिटाना मत भूलना -'

'- वरना कोई भी इसे पढ़ लेगा,' फ़्रेड ने चेतावनी देते हुए कहा।

'बस इसे एक बार ठोंकना और कहना, "उलझन सुलझन!" इसके बाद यह फिर से कोरा हो जाएगा।'

'तो हैरी,' फ़्रेड ने पर्सी की नक़ल उतारते हुए कहा, 'तुम अच्छी तरह से पेश आना।'

'हनीड्यूक्स में मिलते हैं,' जॉर्ज ने आँख मारते हुए कहा।

वे संतुष्टि के साथ मुस्कराते हुए कमरे से बाहर चले गए।

हैरी वहाँ पर खड़ा-खड़ा चमत्कारी नक़्शे की तरफ़ देखता रहा। उसने देखा कि मिसेज़ नॉरिस बाईं दिशा में मुड़ गई थी और फ़र्श पर पड़ी किसी चीज़ को सूँघने के लिए रुक गई थी। अगर फ़िल्च को सचमुच उस रास्ते जानकारी नहीं थी ... तो दमपिशाचों को भी उसकी जानकारी नहीं होगी ...

लेकिन रोमांचित होकर वहाँ खड़े-खड़े उसे मिस्टर वीज़्ली के कहे शब्द याद आए।

कभी किसी सोचने वाली चीज़ पर विश्वास मत करना, जिसके बारे में यह मालूम न हो कि उसका मस्तिष्क कहाँ है।

यह नक़्शा उन ख़तरनाक जादुई चीज़ों में से एक था, जिनके ख़िलाफ़ मिस्टर वीज़्ली चेतावनी दे रहे थे ... *शरारती जादूगरों के मददगार* ... लेकिन फिर हैरी ने तर्क दिया कि वह तो इसका इस्तेमाल करके सिर्फ़ हॉग्समीड में पहुँचना चाहता है। ऐसा नहीं है कि वह कुछ चुराना चाहता है या किसी पर हमला करना चाहता है ... और फ्रेड व जॉर्ज तो बरसों से इसका इस्तेमाल कर रहे हैं, लेकिन उनके साथ तो आज तक कोई भयानक घटना नहीं हुई ...

हैरी ने हनीड्यूक्स के ख़ुफ़िया गलियारे को अपनी उँगली से छुआ।

फिर अचानक जैसे आदेश का पालन करते हुए उसने नक़्शे को तह करके दुशाले में रखा और जल्दी से क्लास के दरवाज़े की तरफ़ बढ़ा। उसने दरवाज़े को कुछ इंच खोलकर देखा। बाहर कोई नहीं था। बहुत सावधानी से वह कमरे से बाहर निकला और एक आँख वाली जादूगरनी की मूर्ति के पीछे छिप गया।

उसे क्या करना था ? उसने नक़्शे को दोबारा बाहर निकाला और उसे यह देखकर आश्चर्य हुआ कि स्याही की एक नई आकृति उभर आई थी, जिस पर लिखा था 'हैरी पॉटर।' यह आकृति ठीक वहीं खड़ी थी, जहाँ पर असली हैरी खड़ा था – तीसरी मंज़िल के गलियारे के आधे रास्ते पर। हैरी ने ध्यान से देखा। उसकी छोटी आकृति अपनी नन्ही छड़ी से जादूगरनी की मूर्ति को थपथपा रही थी। हैरी ने तत्काल अपनी असली छड़ी निकाली और मूर्ति को थपथपाया। कुछ भी नहीं हुआ। उसने दोबारा नक़्शे में देखा। उसकी आकृति के पास बहुत छोटे अक्षर उभर आए, *'नीचे धँस।'*

'नीचे धँस!' हैरी एक बार फिर पत्थर की जादूगरनी को थपथपाते हुए बोला।

तत्काल मूर्ति का कूबड़ इतना चौड़ा हो गया कि दुबला व्यक्ति उसके अंदर जा सके। हैरी ने जल्दी से गलियारे में आगे-पीछे देखा, फिर नक़्शे को छिपाया, छेद में सिर घुसाया और अंदर पहुँचकर ढाल पर फिसलने लगा।

वह काफ़ी दूर तक नीचे फिसला, जैसे पत्थर पर फिसल रहा हो। फिर वह ठंडी और नम ज़मीन पर गिर पड़ा। वह चारों तरफ़ देखते हुए खड़ा हुआ। आस-पास घुप्प अँधेरा था। उसने अपनी छड़ी निकाली और बुदबुदाया, 'प्रकाशित भव!' रोशनी होने पर उसने देखा कि वह एक बहुत सँकरे और कम ऊँचे गलियारे में है। उसने नक़्शा ऊपर उठाया और उसे अपनी छड़ी की नोक से ठोंकते हुए बोला, 'उलझन सुलझन!' नक़्शा तत्काल कोरा हो गया। उसने उसे सावधानी से तह करके अपने दुशाले के अंदर रखा और फिर तेज़ी से धड़कते दिल के साथ, जो रोमांचित भी था और भयभीत भी, वह आगे चल पड़ा।

गलियारा किसी खरगोश के बड़े बिल की तरह घुमावदार था। हैरी

जल्दी-जल्दी चल रहा था। वह ऊबड़-खाबड़ फ़र्श पर कभी-कभार लड़खड़ा जाता था, लेकिन वह अपनी छड़ी को सामने रखे हुए था।

इस यात्रा में हैरी को काफ़ी समय लग गया, लेकिन उसे हनीड्यूक्स में जाने के विचार से प्रेरणा मिल रही थी। लगभग एक घंटे बाद गलियारा ऊपर उठने लगा। हाँफते हुए हैरी ने अपनी रफ़्तार बढ़ाई। उसका चेहरा गर्म और पैर बहुत ठंडे थे।

दस मिनट बाद वह ऊपर जाने वाली पत्थर की सीढ़ियों के पास पहुँचा। कोई आवाज़ न हो, इस बात का ख़्याल रखते हुए हैरी उन पर चढ़ने लगा। सौ सीढ़ियाँ, दो सौ सीढ़ियाँ, उन्हें चढ़ते समय वह गिनती भूल गया और अपने पैरों को देखता रहा ... फिर बिना किसी चेतावनी के उसका सिर किसी कठोर चीज़ से टकराया।

यह एक चोर दरवाज़ा लग रहा था। हैरी वहाँ पर खड़े हो अपना सिर मलते हुए आहट लेने लगा। उसे ऊपर से कोई आवाज़ सुनाई नहीं दे रही थी। उसने बहुत धीरे-धीरे धक्का मारकर चोर दरवाज़े को खोला और उसकी ओट से झाँका।

वह एक भंडार कक्ष में था, जिसमें लकड़ी के बक्से और टोकरे भरे थे। हैरी चोर दरवाज़े में से बाहर निकला और उसे दोबारा लगा दिया। चोर दरवाज़ा धूल भरे फ़र्श से इतना मेल खाता था कि उसे देख पाना असंभव था। हैरी ऊपर जाने वाली लकड़ी की सीढ़ी की तरफ़ धीमे-धीमे बढ़ने लगा। अब उसे लोगों की आवाज़ें सुनाई दे रही थीं। उसे घंटी बजने तथा दरवाज़ा खुलने-बंद होने की आवाज़ें भी सुनाई दे रही थीं।

जब वह सोच ही रहा था कि उसे क्या करना चाहिए, तभी उसे अचानक कहीं पास से एक दरवाज़ा खुलने की आवाज़ सुनाई दी। ऐसा लगा, जैसे कोई नीचे आ रहा हो।

'जेली वाले घोंघों का भी एक और डिब्बा ले आना, हमारा स्टॉक ख़त्म हो रहा है –' एक महिला की आवाज़ आई।

किसी के सीढ़ियाँ उतरने की आवाज़ सुनाई दी। हैरी तत्काल एक बड़े बक्से के पीछे छिप गया और आने वाले व्यक्ति के गुज़रने का इंतज़ार करने लगा। हैरी को आवाज़ आई कि कोई आकर सामने की दीवार से टिका कर रखे गए बक्सों को खिसका रहा है। उसे शायद दूसरा मौक़ा नहीं मिलेगा –

हैरी तत्काल बिना कोई आवाज़ किए अपनी छिपने की जगह से निकला और सीढ़ियों पर चढ़ गया। पीछे पलटकर उसने देखा कि एक आदमी की विशाल पीठ और चमकता गंजा सिर एक बक्से में घुसे हुए थे। हैरी सीढ़ियों के

ऊपर वाले दरवाज़े तक पहुँचकर उससे बाहर निकला। उसने देखा कि वह हनीड्यूक्स मिठाई की दुकान के काउंटर के पीछे था। वह झुका, तिरछा चला और फिर सीधा खड़ा हो गया।

हनीड्यूक्स दुकान में हॉगवर्ट्स के विद्यार्थियों की इतनी भीड़ थी कि हैरी की तरफ़ किसी का भी ध्यान नहीं गया। उसने वहाँ पहुँचकर अपने चारों तरफ़ देखा। उसे तब अपनी हँसी रोकनी पड़ी, जब उसने यह कल्पना की कि अगर डडली हैरी को यहाँ पर देख ले, तो उसके सुअर जैसे चेहरे पर किस तरह का भाव आएगा।

दुकान में बहुत सारे शोकेस थे, जिनमें अलग-अलग तरह की मन ललचाने वाली मिठाइयाँ रखी थीं। क्रीम वाली कैंडी थी, नारियल बर्फ़ के गुलाबी चौकोर टुकड़े थे, शहद के रंग की मोटी टॉफ़ियाँ थीं, सैकड़ों तरह की चॉकलेटें लाइन से रखी थीं। हर स्वाद की टॉफ़ियों का एक बड़ा पीपा भरा था और फिज़िंग व्हिज़बीज़ का भी। वहाँ पर हवा में उठाने वाली शर्बत बाल्स भी थीं, जिनका रॉन ने ज़िक्र किया था। एक और दीवार पर 'विशेष प्रभाव' वाली मिठाइयाँ रखी थीं : ड्रूबल की बेहतरीन बबलगम (जिससे कमरे में नीले बुलबुले निकलते थे, जो कई दिनों तक नहीं फूटते थे), अजीब सी दिखने वाली टूथफ़्लॉसिंग स्ट्रिंगमिंट्स थीं, छोटे काले चटपटे शैतान थे (अपने मित्रों के सामने आग उगलो!), आइस माइस थी ('अपने दाँतों को किटकिटाते सुनो!'), मेंढक के आकार की पिपरमेंट क्रीम्स थीं ('ये मेंढक पेट में सचमुच कूदते हैं!'), नाज़ुक शकर भरी क़लमें और विस्फोट करने वाले बॉनबॉन्स थे।

जब हैरी सिक्स्थ ईयर के विद्यार्थियों की भीड़ में से जैसे-तैसे निकला, तो उसे दुकान के सबसे दूर वाले छोर पर एक साइनबोर्ड दिखा, जिस पर लिखा था, 'असामान्य स्वाद।' उस साइनबोर्ड के नीचे रॉन और हर्माइनी खड़े थे और ख़ून के स्वाद वाली लॉलीपॉप्स की ट्रे को देख रहे थे। हैरी चुपचाप उनके पीछे जाकर खड़ा हो गया।

'अरे नहीं, हैरी को ये पसंद नहीं आएँगी। मुझे लगता है, ये तो ख़ून पीने वाले पिशाचों के लिए हैं,' हर्माइनी कह रही थी।

'और ये,' रॉन ने हर्माइनी की नाक के नीचे कॉकरोच नट का डिब्बा रखते हुए कहा।

'बिलकुल नहीं,' हैरी बोला।

रॉन के हाथ से कॉकरोच नट का डिब्बा छूटते-छूटते बचा।

'हैरी!' हर्माइनी चीख़ी। 'तुम यहाँ क्या कर रहे हो? तुम यहाँ कैसे – कैसे- ?'

'वाह!' रॉन बहुत प्रभावित होते हुए बोला। 'तुमने हवा से प्रकट होना सीख लिया है!'

'नहीं, बिलकुल नहीं,' हैरी बोला। वह धीमी आवाज़ में बोल रहा था, ताकि सिक्स्थ ईयर के विद्यार्थी उसकी आवाज़ न सुन सकें। उसने उन्हें मानचित्र मंथन के बारे में सब कुछ बता दिया।

'फ्रेड और जॉर्ज ने यह *मुझे* क्यों नहीं दिया!' रॉन ने ग़ुस्से से कहा। 'आख़िर मैं उनका भाई हूँ!'

'लेकिन हैरी इसे रखेगा नहीं!' हर्माइनी बोली, जैसे ऐसा सोचना भी मूर्खता हो। 'वह इसे प्रोफ़ेसर मैक्गॉनेगल को दे देगा, है ना हैरी ?'

'नहीं, बिलकुल नहीं!' हैरी बोला।

'क्या तुम पागल हो गई हो ?' रॉन ने हर्माइनी को घूरते हुए कहा। 'इतनी अच्छी चीज़ टीचर को कौन देगा ?'

'अगर मैं इसे देने गया, तो मुझे बताना पड़ेगा कि मुझे यह कहाँ से मिला! फ़िल्च तत्काल समझ जाएगा कि फ्रेड और जॉर्ज ने इसे चुराया है!'

'लेकिन सिरियस ब्लैक के बारे में तो सोचो ?' हर्माइनी ने फुसफुसाते हुए कहा। 'वह महल में घुसने के लिए इस नक़्शे में बताए किसी ख़ुफ़िया रास्ते का इस्तेमाल कर सकता है! टीचर्स को पता होना चाहिए!'

'वह किसी रास्ते से अंदर नहीं जा सकता,' हैरी तत्काल बोला। 'नक़्शे में कुल सात ख़ुफ़िया सुरंगें हैं, ठीक है ? फ्रेड और जॉर्ज को लगता है कि फ़िल्च उनमें से चार के बारे में जानता है। और बाक़ी बचे तीन रास्तों में से एक पूरी तरह बंद हो चुका है, इसलिए अब उसमें से कोई नहीं जा सकता। दूसरे रास्ते के प्रवेश द्वार पर लड़ाकू पेड़ है, इसलिए उसमें से भी कोई नहीं जा सकता। अब बचा यह रास्ता, जिससे मैं आया हूँ। भंडार कक्ष के तहख़ाने में प्रवेश द्वार को देखना लगभग असंभव है – जब तक कि किसी को इसके बारे में पहले से पता न हो –'

हैरी झिझका। क्या हो अगर ब्लैक को पहले से जानता हो कि वहाँ पर ख़ुफ़िया रास्ते का प्रवेश द्वार था ? बहरहाल, रॉन ने अपना गला साफ़ किया और मिठाई की दुकान के दरवाज़े के भीतर लगे एक नोटिस की तरफ़ इशारा किया।

जादू मंत्रालय का आदेश

ग्राहकों को याद दिलाया जाता है कि आगामी सूचना तक दमपिशाच हर रात को सूरज ढलने के बाद हॉग्समीड

की सड़कों पर पहरा देंगे। यह क़दम हॉग्समीड के नागरिकों की सुरक्षा के लिए उठाया गया है और सिरियस ब्लैक के पकड़े जाते ही वापस ले लिया जाएगा। इसलिए आपको यह सलाह दी जाती है कि आप रात होने से पहले अपनी शॉपिंग पूरी कर लें।

क्रिसमस की शुभकामनाएँ।

'देखा ?' रॉन ने शांति से कहा। 'जब दमपिशाच पूरे गाँव में घूम रहे हैं, तो मैं देखना चाहूँगा कि ब्लैक हनीड्यूक्स में घुसने की कोशिश कैसे करता है। हर्माइनी, वैसे भी हनीड्यूक्स के मालिक दरवाज़ा टूटने की आवाज़ सुन लेंगे। वे दुकान के ठीक ऊपर रहते हैं!'

'हाँ, लेकिन – लेकिन –' हर्माइनी किसी और समस्या को खोज रही थी। 'देखो, हैरी को फिर भी हॉग्समीड में नहीं आना चाहिए था। उसके अनुमति पत्र पर साइन नहीं हैं! अगर किसी को पता चल गया, तो वह बहुत मुश्किल में फँस जाएगा! और अभी रात नहीं हुई है – अगर सिरियस ब्लैक आज ही यहाँ आ गया तो ? अभी ?'

'इतनी भीड़ में और ऐसे मौसम में वह हैरी को देखेगा कैसे ?' रॉन ने छड़ लगी खिड़कियों पर बर्फ़ की मोटी परत की तरफ़ इशारा करते हुए कहा। 'छोड़ो भी हर्माइनी, क्रिसमस का मौसम है, हैरी को भी तो ख़ुश होने का मौक़ा मिलना चाहिए।'

हर्माइनी ने अपना होंठ काट लिया। वह बहुत चिंतित दिख रही थी।

'कहीं तुम मुझे पकड़वा तो नहीं दोगी ?' हैरी ने मुस्कराकर पूछा।

'नहीं – बिलकुल नहीं – पर ईमानदारी से, हैरी –'

'फ़िज़िंग व्हिज़बीज़ देखे, हैरी ?' रॉन उसका हाथ पकड़कर उनके पीपे की तरफ़ ले गया। 'और जेली वाले घोंघे ? और एसिड पॉप्स ? जब मैं सात साल का था, तो फ्रेड ने मुझे एक एसिड पॉप दिया था। इसकी वजह से मेरी जीभ जल गई थी और उसमें छेद हो गया था। मुझे याद है, इसके बाद मम्मी ने अपनी झाड़ू से उसकी पिटाई की थी।' रॉन ने एसिड पॉप के बक्से की तरफ़ देखते हुए कहा। 'तुम्हें क्या लगता है अगर मैं फ्रेड को यह कहकर कॉकरोच नट पकड़ा दूँ कि मूँगफली के दाने हैं, तो क्या वह ले लेगा ?'

जब रॉन और हर्माइनी ने अपनी सभी मिठाइयों के पैसे दे दिए, तो वे

तीनों हनीड्यूक्स दुकान से बाहर निकलकर बर्फ़ीले तूफ़ान में आ गए।

हॉग्समीड किसी क्रिसमस कार्ड की तरह दिख रहा था। छोटे-छोटे मकानों और दुकानों पर बर्फ़ की सूखी परत थी। दरवाज़ों पर शूलपर्णी की मालाएँ टँगी थीं और पेड़ों पर जादू से चमकती मोमबत्तियों की लड़ें लटक रही थीं।

हैरी को कँपकँपी छूट रही थी। बाक़ी दोनों के पास चोगा था, लेकिन उसके पास उसका चोगा नहीं था। वे सड़क पर आगे गए। उनके सिर हवा के कारण तने हुए थे। रॉन और हर्माइनी अपने स्कार्फ़ में से चिल्ला रहे थे।

'वह पोस्ट ऑफ़िस है –'

'ज़ोन्को की दुकान वहाँ पर है –'

'हम चीख़ती हवेली देखने चल सकते हैं –'

'मैं तो कहता हूँ,' रॉन ने अपने दाँत किटकिटाते हुए कहा, 'हमें बटरबियर पीने के लिए थ्री ब्रूमस्टिक्स चलना चाहिए ?'

हैरी तत्काल तैयार हो गया। हवा तेज़ थी और उनके हाथ कुल्फ़ी की तरह जम रहे थे, इसलिए उन्होंने सड़क पार की और कुछ मिनटों में वे एक छोटे से बियर बार में दाख़िल हो गए।

वहाँ पर बहुत भीड़, शोर-शराबा, गर्मी और धुआँ था। सुंदर चेहरे और भरे बदन वाली एक महिला बार में शोर मचाते जादूगरों को ड्रिंक दे रही थी।

'उनका नाम मैडम रोज़मर्टा है,' रॉन बोला। 'मैं ड्रिंक्स लेकर आता हूँ ?' यह कहते समय उसका चेहरा थोड़ा लाल हो गया।

हैरी और हर्माइनी कमरे में पीछे की तरफ़ चल दिए, जहाँ खिड़की और अँगीठी के पास एक सुंदर क्रिसमस ट्री खड़ा था। उसके पास एक छोटी टेबल ख़ाली थी, जिस पर वे बैठ गए। पाँच मिनट बाद रॉन गर्म बटरबियर के तीन झाग वाले मग लेकर आया।

'हैप्पी क्रिसमस!' उसने ख़ुशी-ख़ुशी अपना मग ऊपर उठाते हुए कहा।

हैरी को मज़ा आ गया। आज तक उसने इतनी मज़ेदार चीज़ नहीं चखी थी। बटरबियर के भीतर जाते ही उसके शरीर में गर्मी दौड़ गई।

अचानक हवा का झोंका आने से उसके बाल बिखर गए। थ्री ब्रूमस्टिक्स का दरवाज़ा एक बार फिर खुल गया था। हैरी ने अपने मग के ऊपर से देखा और उसकी साँस रुक गई।

प्रोफ़ेसर मैक्गॉनेगल और फ़्लिटविक बर्फ़ के टुकड़े गिराते हुए बियर बार में दाख़िल हुए। उनके पीछे हैग्रिड था, जो हरा हैट और धारीदार चोगा पहने हुए एक जादूगर से बातें करते हुए अंदर आया : यह जादूगर कोई और नहीं, बल्कि

जादू मंत्री कॉर्नेलियस फ़ज थे।

तत्काल रॉन और हर्माइनी ने अपने हाथ हैरी के सिर पर रख दिए और उसे उसके स्टूल से उतारकर ज़बर्दस्ती टेबल के नीचे कर दिया। इस दौरान हैरी बटरबियर में नहा गया। उसने अपने ख़ाली मग को सँभालते हुए देखा कि टीचर्स और फ़ज बार की तरफ़ गए, रुके और फिर उसकी तरफ़ बढ़ने लगे।

हर्माइनी फुसफुसाई, *'स्थान-परिवर्तन!'*

उनकी टेबल के पास लगा क्रिसमस वृक्ष ज़मीन से कुछ इंच ऊपर उठा और खिसककर उनकी टेबल के ठीक सामने आकर खड़ा हो गया। अब उन्हें कोई नहीं देख सकता था। वृक्ष की घनी, नीची शाखाओं के बीच से हैरी ने देखा कि पास वाली टेबल की चार कुर्सियाँ खिसक रही हैं। इसके बाद उसने टीचर्स और मंत्री महोदय को बैठते समय आहें भरते सुना।

फिर उसे ऊँची हील वाली फ़ीरोज़ी सैंडल पहने पैर दिखे और एक महिला की आवाज़ सुनाई दी।

'थोड़ा सा जिली वाटर –'

'मेरे लिए,' प्रोफ़ेसर मैक्गॉनेगल की आवाज़ आई।

'चार पिंट मल्ड मीड –'

'हाँ, रोज़मर्टा,' हैग्रिड बोला।

'चेरी सिरप और सोडा विथ आइस एंड अम्ब्रेला –'

'हूँ!' प्रोफ़ेसर फ़्लिटविक ने अपने होंठों पर जीभ फिराते हुए कहा।

'और आप लाल अंगूर की रम लेंगे, मंत्री महोदय।'

'धन्यवाद रोज़मर्टा,' फ़ज की आवाज़ आई। 'तुमसे फिर मिलकर ख़ुशी हुई। तुम भी हमारे साथ कुछ लो। आकर हमारे साथ बैठो ...'

'बहुत-बहुत धन्यवाद, मंत्री महोदय।'

हैरी ने देखा कि चमकती सैंडल दूर गईं और फिर लौट आईं। उसका दिल जैसे गले तक आकर तेज़ी से धड़क रहा था। उसके मन में यह विचार क्यों नहीं आया कि टीचर्स के लिए भी यह इस टर्म का आख़िरी सप्ताहांत था ? न जाने उनके कारण उसे यहाँ पर कितनी देर तक छिपा रहना पड़ेगा ? अगर वह आज रात को स्कूल लौटना चाहता था, तो उसे सूरज ढलने से पहले हनीड्यूक्स की दुकान वाले प्रवेश द्वार तक पहुँचना होगा... घबराहट में हर्माइनी के पैर उससे टकरा गए।

'मंत्रीजी, आख़िर कौन सी चीज़ आपको इस जंगल में खींच लाई ?' मैडम

रोज़मर्टा ने पूछा।

हैरी ने फ़ज के मोटे शरीर के निचले हिस्से को कुर्सी पर तनते देखा। जब उन्होंने यह तसल्ली कर ली कि कोई सुन तो नहीं रहा है, तो उन्होंने धीमे से कहा, 'और कौन, सिरियस ब्लैक? मुझे लगता है तुमने यह सुन ही लिया होगा कि हैलोवीन के दिन स्कूल में क्या हुआ था?'

'मैंने एक उड़ती-उड़ती अफ़वाह सुनी थी,' मैडम रोज़मर्टा ने स्वीकार किया।

'क्या तुमने पूरे बियर बार को बता दिया था, हैग्रिड?' प्रोफ़ेसर मैक्गॉनेगल ने चिंता से कहा।

'मंत्रीजी, क्या आपको लगता है कि ब्लैक अब भी इसी इलाक़े में है?' मैडम रोज़मर्टा ने फुसफुसाते हुए पूछा।

फ़ज ने कहा, 'मुझे पूरा यक़ीन है।'

'आप जानते हैं, दमपिशाच मेरे बियर बार की दो बार तलाशी ले चुके हैं?' मैडम रोज़मर्टा ने थोड़ी तीखी आवाज़ में कहा। 'मेरे सारे ग्राहक डरकर भाग गए ... यह धंधे के लिए बहुत बुरा है, मंत्रीजी।'

'रोज़मर्टा, मैं भी उन्हें उतना ही नापसंद करता हूँ, जितना कि तुम करती हो,' फ़ज ने थोड़ा परेशान होते हुए कहा। 'यह सावधानी सुरक्षा के लिए ज़रूरी है... दुर्भाग्यपूर्ण है, लेकिन ज़रूरी है... मैं कुछ दमपिशाचों से मिला हूँ। वे डम्बलडोर से बहुत नाराज़ हैं - डम्बलडोर उन्हें महल के भीतर नहीं घुसने दे रहे हैं।'

'मुझे लगता है कि उन्हें घुसने भी नहीं देना चाहिए,' प्रोफ़ेसर मैक्गॉनेगल ने तीखे स्वर में कहा। 'अगर इतने भयानक प्राणी हवा में तैरते रहेंगे, तो हम पढ़ा कैसे पाएँगे?'

'बिलकुल सही कहा, बिलकुल सही कहा!' प्रोफ़ेसर फ़्लिटविक बोले, जिनके पैर ज़मीन से एक फ़ुट ऊपर लटक रहे थे।

'चाहे जो हो,' फ़ज बोले, 'वे आप सबकी रक्षा करने के लिए यहाँ पर हैं ... हम सब जानते हैं कि ब्लैक क्या कर सकता है ...'

'देखिए, मुझे इस बात पर विश्वास नहीं होता है,' मैडम रोज़मर्टा ने सोचते हुए कहा। 'मैं सोचती थी कि सिरियस ब्लैक शैतानी जादूगरों के दल में कभी नहीं जा सकता ... मेरा मतलब है, जब वह हॉगवर्ट्स में पढ़ता था, तब मैंने उसे कई बार देखा था। अगर उस समय आपने यह बताया होता कि वह आगे जाकर क्या बनने वाला है, तो मैंने आपसे कहा होता कि आपने ज़्यादा शराब पी

ली है।'

फ़ज बोला, 'तुम सिर्फ़ आधी सच्चाई ही जानती हो। बाक़ी की आधी तो तुम्हें मालूम ही नहीं है, रोज़मर्टा। उसने जो सबसे बुरा काम किया है, वह तो अभी लोगों को मालूम ही नहीं है।'

'सबसे बुरा ?' मैडम रोज़मर्टा ने कहा। अब उनकी आवाज़ में उत्सुकता थी। 'आपका मतलब है, इतने सारे लोगों को मार डालने से भी बुरा ?'

'बिलकुल,' फ़ज बोला।

'मुझे विश्वास नहीं होता है। इससे बुरा क्या हो सकता है ?'

प्रोफ़ेसर मैक्गॉनेगल ने धीरे से कहा, 'रोज़मर्टा, तुमने अभी-अभी कहा कि जब वह हॉगवर्ट्स में पढ़ता था, तो तुमने उसे कई बार देखा था। क्या तुम्हें याद है, उसका सबसे अच्छा दोस्त कौन था ?'

'क्यों नहीं,' मैडम रोज़मर्टा ने थोड़ा हँसते हुए कहा। 'दोनों हर पल साथ रहते थे। वे दोनों यहाँ कितनी ही बार आए थे - उह, वे लोग मुझे हँसा-हँसा कर पागल कर देते थे। दोनों जुड़वाँ भाई लगते थे, सिरियस ब्लैक और जेम्स पॉटर!'

हैरी का मग तेज़ आवाज़ के साथ छूट गया। रॉन ने उसे लात मारी।

'बिलकुल,' प्रोफ़ेसर मैक्गॉनेगल बोलीं। 'ब्लैक और पॉटर। अपने छोटे से गैंग के लीडर। निश्चित रूप से दोनों बहुत ही प्रतिभाशाली थे - सचमुच बहुत ज़्यादा प्रतिभाशाली - लेकिन मुझे लगता है, किसी और जोड़ी ने हमें इतना ज़्यादा परेशान नहीं किया है -'

'मुझे नहीं पता,' हैग्रिड ने हँसते हुए कहा। 'वैसे फ्रेड और जॉर्ज वीज़्ली भी उनसे किसी मामले में कम नहीं हैं।'

'किसी को भी यह लग सकता था कि ब्लैक और पॉटर भाई-भाई हैं!' प्रोफ़ेसर फ़्लिटविक ने भी कहा। 'दोनों हमेशा साथ रहते थे!'

'और क्या,' फ़ज ने कहा। 'पॉटर अपने सभी दोस्तों में ब्लैक पर सबसे ज़्यादा भरोसा करता था। स्कूल छोड़ने के बाद भी दोनों की दोस्ती में कोई अंतर नहीं आया। जब जेम्स ने लिली से शादी की, तो ब्लैक उसमें बैस्ट मैन बना था। फिर जब हैरी पैदा हुआ, तो उन्होंने उसे हैरी का गॉडफ़ादर बना दिया। ज़ाहिर है हैरी को यह मालूम नहीं है। आप कल्पना कर सकते हैं कि यह जानकर उसे कितनी तकलीफ़ होगी।'

'क्योंकि ब्लैक तुम-जानते-हो-कौन के साथ मिल गया ?' मैडम रोज़मर्टा ने फुसफुसा कर कहा।

'उससे भी बुरा, रोज़मर्टा ...' फ़ज अपनी आवाज़ और धीमी करते हुए फुसफुसाने लगे। 'बहुत कम लोग जानते हैं कि पॉटर दंपति को यह मालूम था कि तुम-जानते-हो-कौन उनके पीछे पड़ा था। डम्बलडोर तुम-जानते-हो-कौन के ख़िलाफ़ जूझ रहे थे और उनके जासूस चारों तरफ़ फैले थे। उनमें से एक जासूस ने उन्हें यह जानकारी दी थी। डम्बलडोर ने तत्काल जेम्स और लिली को सतर्क कर दिया। उन्होंने उन्हें छिपने की सलाह भी दी थी। ज़ाहिर है, तुम-जानते-हो-कौन से छिपना आसान काम नहीं था। डम्बलडोर ने उनसे कहा कि छिपने का सबसे अच्छा तरीक़ा विश्वास सम्मोहन का प्रयोग करना था।'

'यह कैसे काम करता है ?' मैडम रोज़मर्टा ने पूछा, जो उत्सुकता के मारे तेज़ी से साँस लेने लगी थीं। प्रोफ़ेसर फ़्लिटविक ने अपना गला साफ़ किया।

'यह एक बहुत ही जटिल सम्मोहन प्रक्रिया है,' उन्होंने कहा, 'इसमें किसी जीवित व्यक्ति में रहस्य को जादुई तरीक़े से छिपा दिया जाता है। वह जानकारी चुने हुए व्यक्ति यानी रहस्य-रक्षक के भीतर छिपी रहती है और इसलिए उसे खोजना असंभव होता है - जब तक कि रहस्य-रक्षक ख़ुद ही उसे बताने का फ़ैसला न करे। अगर रहस्य-रक्षक नहीं बताता, तो तुम-जानते-हो-कौन उन्हें किसी हालत में नहीं खोज सकता था। अगर वह उस गाँव की तलाशी भी ले लेता, जहाँ लिली और जेम्स बरसों से रह रहे थे, तब भी वह उन्हें नहीं खोज पाता। अगर वह उनके कमरे की खिड़की से अंदर झाँककर देखता, तब भी वे उसे दिखाई नहीं देते!'

'तो पॉटर दंपति का रहस्य-रक्षक ब्लैक था ?' मैडम रोज़मर्टा ने फुसफुसाकर पूछा।

'ज़ाहिर है,' प्रोफ़ेसर मैक्गॉनेगल ने कहा। 'जेम्स पॉटर ने डम्बलडोर से कहा था कि ब्लैक मर जाएगा, लेकिन उसका रहस्य नहीं बताएगा। उसने यह भी कहा था कि ब्लैक ख़ुद छिपने की योजना बना रहा है ... इसके बावज़ूद डम्बलडोर चिंतित थे। मुझे याद है, उन्होंने जेम्स पॉटर के सामने ख़ुद रहस्य-रक्षक बनने का प्रस्ताव रखा था।'

'उन्हें ब्लैक पर शक था ?' मैडम रोज़मर्टा ने आह भरी।

'उन्हें यक़ीन था कि पॉटर दंपति का कोई क़रीबी व्यक्ति तुम-जानते-हो-कौन को उनकी गतिविधियों की जानकारी दे रहा है,' प्रोफ़ेसर मैक्गॉनेगल ने उदासी से कहा। 'दरअसल, उन्हें कुछ समय से यह शक था कि हमारी तरफ़ का कोई जादूगर गद्दार बन गया है और तुम-जानते-हो-कौन को बहुत सी जानकारियाँ दे रहा है।'

'लेकिन फिर भी जेम्स पॉटर ने ब्लैक पर भरोसा किया?'

'और क्या,' फ़ज ने भारीपन से कहा। 'और फिर, विश्वास सम्मोहन के पूरा होने के मुश्किल से एक हफ़्ते बाद ही –'

'ब्लैक ने उन्हें धोखा दे दिया?' मैडम रोज़मर्टा बोलीं।

'बिलकुल। ब्लैक अपनी डबल-एजेंट की भूमिका से उकता गया था। वह तुम-जानते-हो-कौन के प्रति अपने समर्थन की खुली घोषणा करना चाहता था और ऐसा लगता है कि वह पॉटर दंपति की मृत्यु के बाद यह घोषणा करना चाहता था। लेकिन जैसा कि हम सब जानते हैं, नन्हे हैरी पॉटर ने तुम-जानते-हो-कौन को हरा दिया। उसकी शक्तियाँ चली गईं, वह बुरी तरह से कमज़ोर हो गया और उसे भागना पड़ा। और इससे ब्लैक की स्थिति बहुत ख़राब हो गई। उसका मालिक उसी पल हार गया था, जब उसने यानी ब्लैक ने गद्दारी के सच्चे रंग दिखाए थे। उसके पास भागने के सिवाय और कोई रास्ता ही नहीं था –'

'कमीना, दुष्ट, गद्दार!' हैग्रिड ने इतनी ज़ोर से कहा कि आधा बियर बार ख़ामोश हो गया।

'श्श्श!' प्रोफ़ेसर मैक्गॉनेगल बोलीं।

'हम उससे मिले थे!' हैग्रिड गुर्राया। 'जब उसने उन सब लोगों को मारा था, उससे पहले शायद हम ही उससे मिलने वाले आख़िरी व्यक्ति थे! लिली और जेम्स के मरने के बाद हमने ही हैरी को घर से बाहर निकाला था! उसका घर तबाह हो चुका था, उसके माथे पर एक बड़ा घाव था और उसके माता-पिता मर गए थे ... और तभी सिरियस ब्लैक अपनी उड़ने वाली प्रिय मोटरसाइकल पर हमारे सामने आ गया। हमने यह सोचा ही नहीं कि वह वहाँ पर क्या कर रहा था। हम यह नहीं जानते थे कि वह लिली और जेम्स का रहस्य-रक्षक है। हमने सोचा कि उसने तुम-जानते-हो-कौन के हमले की ख़बर अभी-अभी सुनी होगी और वह मदद करने के इरादे से आया होगा। उसका चेहरा सफ़ेद था और वह काँप रहा था। और आप लोग जानते हैं, हमने क्या किया? **हमने उस ख़ूनी गद्दार को सांत्वना दी!**' हैग्रिड गरजा।

'हैग्रिड, मेहरबानी करके!' प्रोफ़ेसर मैक्गॉनेगल बोलीं। 'अपनी आवाज़ नीची रखो!'

'हमें कैसे पता चलता कि वह लिली और जेम्स के बारे में परेशान नहीं था? उसे तो सिर्फ़ तुम-जानते-हो-कौन की परवाह थी! और फिर उसने कहा, "हैरी को मुझे दे दो, हैग्रिड, मैं उसका गॉडफ़ादर हूँ, मैं उसकी देखभाल करूँगा –" हा! परंतु हमें डम्बलडोर ने आदेश दिया था, इसलिए हमने ब्लैक को मना करते

हुए उसे बता दिया कि डम्बलडोर ने कहा था कि हैरी अपने अंकल-आंटी के घर रहने जाएगा। ब्लैक ने बहस की, लेकिन अंत में मान गया। उसने हमसे कहा कि हम उसकी मोटरसाइकल ले जाएँ और हैरी को वहाँ छोड़ आएँ। उसने कहा था, "अब मुझे इसकी ज़रूरत नहीं पड़ेगी।"'

'हमें तभी समझ जाना चाहिए था कि कुछ गड़बड़ है। उसे उस मोटरसाइकल से प्यार था, फिर वह मोटरसाइकल हमें क्यों दे रहा था ? उसे इसकी ज़रूरत क्यों नहीं पड़ेगी ? सच तो यह था कि उस मोटरसाइकल को खोजना बहुत आसान था। डम्बलडोर जानते थे कि वह पॉटर दंपति का रहस्य-रक्षक था। ब्लैक अच्छी तरह जानता था कि उस रात को उसे भागकर छिपना था। वह अच्छी तरह जानता था कि कुछ ही घंटे बाद पूरा मंत्रालय उसके पीछे पड़ने वाला है।

'लेकिन मान लो अगर हमने हैरी को उसे दे दिया होता ? हम शर्त लगा सकते हैं कि उसने उसे मोटरसाइकल से समुद्र में फेंक दिया होता। अपने सबसे अच्छे दोस्त के बेटे को! परंतु जब कोई जादूगर शैतानी ताक़तों की तरफ़ जाता है, तो वह अपने रास्ते में आने वाली किसी भी चीज़ या व्यक्ति को महत्वपूर्ण नहीं मानता है ...'

हैग्रिड की कहानी के बाद एक लंबी ख़ामोशी छा गई। फिर मैडम रोज़मर्टा ने कुछ संतुष्टि के साथ कहा, 'परंतु वह भागकर छिप नहीं पाया, है ना ? जादू मंत्रालय ने उसे अगले दिन ही पकड़ लिया!'

'काश हमने ऐसा किया होता,' फ़ज ने कटुता से कहा। 'हमने उसे नहीं खोजा था। पॉटर के एक और मित्र पीटर पेटिग्रू ने उसे खोजा था। इसमें कोई शक नहीं है कि पेटिग्रू को जेम्स और लिली की मौत का बेहद दुख था और वह जानता था कि ब्लैक पॉटर दंपति का रहस्य-रक्षक है, इसलिए वह अकेले ही ब्लैक को पकड़ने के लिए गया।'

'पेटिग्रू ... वह मोटा और नाटा लड़का, जो हॉगवर्ट्स में हमेशा उनके पीछे-पीछे घूमता रहता था ?' मैडम रोज़मर्टा ने पूछा।

'वह ब्लैक और पॉटर को अपना हीरो मानता था,' प्रोफ़ेसर मैक्गॉनेगल ने कहा। 'वह बुद्धि के लिहाज़ से उनकी बराबरी का नहीं था। अक्सर मैंने उस पर सख़्ती की थी। आप लोग कल्पना कर सकते हैं कि मुझे - मुझे अब कितना अफ़सोस होता होगा ...' उनकी आवाज़ ऐसी लग रही थी, जैसे उन्हें अभी-अभी सर्दी हुई हो।

'मिनर्वा,' फ़ज ने नर्मी से कहा, 'पेटिग्रू एक बहादुर की मौत मरा था। ज़ाहिर है, सभी चश्मदीद गवाहों यानी मगलुओं की यादें हमने बाद में मिटा दीं, लेकिन इससे पहले उन्होंने हमें बताया था कि पेटिग्रू ने ब्लैक को कैसे घेरा था।

उन्होंने कहा कि वह सुबक रहा था। "लिली और जेम्स, सिरियस! तुम ऐसा कैसे कर सकते हो!" और फिर उसने अपनी छड़ी की तरफ़ हाथ बढ़ाया। ज़ाहिर है, ब्लैक उससे तेज़ निकला। उसने पेटिग्रू के परखच्चे उड़ा दिए ...'

प्रोफ़ेसर मैक्गॉनेगल ने अपनी नाक सुड़की और भारी आवाज़ में बोलीं, 'मूर्ख लड़का ... बेवकूफ़ लड़का ... वह हमेशा द्वंद्वयुद्ध में पीछे रह जाता था ... उसे यह काम मंत्रालय पर छोड़ देना चाहिए था ...'

हैग्रिड गुर्राकर बोला, 'हम आपको बता दें कि अगर पेटिग्रू के पहले हमें ब्लैक मिल जाता, तो हम जादू की छड़ी निकालने की झंझट में ही नहीं पड़ते – हम अपने हाथों से ही उसका गला दबा देते।'

'हैग्रिड, तुम नहीं जानते हो कि तुम क्या बोल रहे हो,' फ़ज ने तीखी आवाज़ में कहा। 'ब्लैक को जादूगरी क़ानून रक्षक दस्ते के प्रशिक्षित जादूगरों के सिवाय कोई भी नहीं पकड़ सकता था। मैं उस समय जादूगरी विपत्ति विभाग में कनिष्ठ मंत्री था। जब ब्लैक ने उन लोगों की हत्या की, तो मैं वहाँ पहुँचने वाले सबसे पहले लोगों में से था। मैं – मैं उस दृश्य को कभी नहीं भूल पाऊँगा। वह दृश्य मुझे अब भी अपने सपने में दिखाई देता है। सड़क के बीच में एक गहरा गड्ढा हो गया था। जो इतना गहरा था कि नीचे की सीवर लाइन भी फूट गई थी। हर तरफ़ लाशें पड़ी थीं। मगलू चीख़ रहे थे और ब्लैक वहाँ खड़ा-खड़ा हँस रहा था। पेटिग्रू का एकमात्र अवशेष उसके सामने पड़ा था ... ख़ून से सना दुशाला और एक उँगली –'

अचानक फ़ज की आवाज़ आना बंद हो गई। पाँच नाकों के सुड़कने की आवाज़ आई।

'तो अब मालूम चला, रोज़मर्टा,' फ़ज ने भारी आवाज़ में कहा। 'ब्लैक को जादूगरी क़ानून रक्षक दस्ते के बीस सदस्य पकड़कर ले गए और पेटिग्रू को ऑर्डर ऑफ़ मर्लिन, फ़र्स्ट क्लास मिला। मुझे लगता है इससे उसकी दुखी माँ को थोड़ी शांति मिली होगी। तब से ब्लैक अज़्काबान में था।'

मैडम रोज़मर्टा ने एक लंबी आह भरी।

'मंत्रीजी, क्या यह सच है कि ब्लैक पागल हो चुका है?'

'काश मैं ऐसा कह सकता,' फ़ज ने धीमे से कहा। 'मुझे पूरा विश्वास है कि उसके मालिक की हार से उसका दिमाग़ कुछ समय तक असंतुलित रहा होगा। पेटिग्रू और उन सब मगलुओं की हत्या कोई सिरफिरा ही कर सकता था ... वह हत्याकांड क्रूर ही नहीं, बेमतलब भी था। बहरहाल, जब मैंने आख़िरी बार अज़्काबान का निरीक्षण किया, तो मैं ब्लैक से मिला था। आपको पता है, वहाँ पर ज़्यादातर क़ैदी अँधेरे में अकेले बड़बड़ाते रहते हैं और बेसिरपैर की

बातें करते हैं... लेकिन मैं इस बात पर हैरान था कि ब्लैक बिलकुल *सामान्य* कैसे दिख रहा था। उसने मुझसे तार्किक ढंग से बातें कीं। यह बहुत हैरानी की बात थी। मुझे लगा कि वह सिर्फ़ बोर हो रहा था – उसने पूछा कि क्या मैंने अपना अख़बार पूरा पढ़ लिया है। फिर उसने बहुत ही भावहीन लहज़े में यह शिकायत की कि जेल में उसे क्रॉसवर्ड भरने को नहीं मिल पाता है। हाँ, मैं इस बात पर हैरान था कि उसके चारों तरफ़ मँडरा रहे दमपिशाचों का उस पर ज़्यादा असर नहीं दिख रहा था – जबकि उसकी सुरक्षा सबसे ज़्यादा तगड़ी थी। दमपिशाच दिन-रात उसके दरवाज़े के बाहर पहरा देते थे।'

'लेकिन आपको क्या लगता है, वह क्यों भागा है?' मैडम रोज़मर्टा ने कहा। 'मंत्रीजी, कहीं वह फिर से तुम-जानते-हो-कौन के साथ जुड़ने की कोशिश तो नहीं कर रहा है?'

'मुझे लगता है कि यह उसकी योजना का आख़िरी हिस्सा है,' फ़ज ने बात को घुमाते हुए कहा। 'लेकिन हम ब्लैक को उससे बहुत पहले ही पकड़ लेंगे। मुझे यह कहना होगा कि तुम-जानते-हो-कौन जब तक अकेला और मित्रविहीन है, तब तक उससे निबटना आसान है ... परंतु मैं यह सोचकर काँप उठता हूँ कि अगर उसे अपना सबसे विश्वासपात्र सेवक मिल जाए, तो वह जल्दी ही दोबारा शक्तिशाली बन जाएगा ...'

लकड़ी पर गिलास रखने की हल्की सी आवाज़ आई। किसी ने अपना गिलास टेबल पर रख दिया था।

'सुनो कॉर्नेलियस, अगर तुम हेडमास्टर के साथ डिनर करने वाले हो, तो बेहतर होगा कि अब हम महल की तरफ़ चलें,' प्रोफ़ेसर मैक्गॉनेगल ने कहा।

हैरी ने देखा कि एक-एक करके सब लोग खड़े हो गए। चोगे फिर से लहराने लगे और मैडम रोज़मर्टा की चमकदार सैंडल बार के पीछे ओझल हो गईं। एक बार फिर थ्री ब्रूमस्टिक्स का दरवाज़ा खुला, एक बार फिर बर्फ़ का झोंका अंदर आया और टीचर्स बाहर निकलकर ग़ायब हो गए।

'हैरी?'

रॉन और हर्माइनी के चेहरे टेबल के नीचे दिखे। वे दोनों ही हैरी को घूर रहे थे और उनके पास कहने के लिए शब्द नहीं थे।

अध्याय ग्यारह

फ़ायरबोल्ट

हैरी यह नहीं जानता था कि वह हनीड्यूक्स के तहख़ाने तक कैसे पहुँचा, सुरंग में कैसे गया और वापस महल तक कैसे पहुँचा। वह तो बस इतना जानता था कि वापसी की यात्रा में जैसे उसे ज़रा भी समय नहीं लगा था। उसे तो यह भी पता नहीं था कि वह कर क्या रहा था, क्योंकि उसके सिर में वे बातें हथौड़ों की तरह पड़ रही थीं, जो उसने अभी-अभी सुनी थीं।

किसी ने भी उसे पहले कभी यह बात क्यों नहीं बताई? डम्बलडोर, हैग्रिड, मिस्टर वीज़्ली, कॉर्नेलियस फ़ज ... किसी ने भी कभी इस बात का ज़िक्र तक क्यों नहीं किया कि हैरी के माता-पिता की मौत इसलिए हुई थी, क्योंकि उनके सबसे अच्छे दोस्त ने उन्हें धोखा दिया था?

रॉन और हर्माइनी डिनर के दौरान पूरे समय परेशानी से हैरी को ही देखते रहे। उन्होंने छिपकर जो सुना था, उसके बारे में वे इसलिए बातचीत नहीं कर सकते थे, क्योंकि पर्सी उनके पास ही बैठा था। जब वे भीड़ भरे हॉल की तरफ़ जाने वाली सीढ़ियाँ चढ़े, तो वहाँ पर उन्हें फ्रेड और जॉर्ज दिखे, जो पाँच-छह गोबरबम चलाकर सत्र ख़त्म होने की ख़ुशी मना रहे थे। हैरी यह नहीं चाहता था कि फ्रेड और जॉर्ज उससे यह पूछें कि वह हॉग्समीड गया था या नहीं, इसलिए वह चुपचाप अपने ख़ाली कमरे में चला गया। वह सीधे अपने बिस्तर के पास रखी अलमारी तक पहुँचा। उसने अपनी किताबें एक तरफ़ हटाईं और जल्दी ही उसे वह चीज़ मिल गई, जिसे वह ढूँढ़ रहा था - चमड़े की जिल्द वाला वह फ़ोटो एलबम, जो हैग्रिड ने उसे दो साल पहले दिया था। इस एलबम में उसके माता-पिता की जादुई तस्वीरें थीं। बिस्तर पर बैठने और पलंग के पर्दे लगाने के बाद वह एलबम के पन्ने पलटाने लगा, जब तक कि ...

वह अपने माता-पिता की शादी की एक तस्वीर तक नहीं पहुँच गया।

उसके पिता उसकी तरफ़ देखकर हाथ हिला रहे थे और मुस्करा रहे थे। हैरी की तरह ही उनके बाल भी काले थे, बिखरे हुए थे और हर तरफ़ खड़े हो रहे थे। ज़ाहिर है, हैरी को ये बाल विरासत में मिले थे। पास में ही हैरी की माँ भी थीं, जो ख़ुशी से दमक रही थीं और उनकी बाँह उसके डैडी की बाँह में थी। और वहाँ ... वह ब्लैक ही होना चाहिए। उनका बेस्ट मैन ... हैरी ने पहले कभी उसकी तरफ़ ध्यान ही नहीं दिया था।

अगर उसे पहले से यह मालूम नहीं होता कि इस पुराने फ़ोटो में खड़ा आदमी ही ब्लैक है, तो वह कभी इस बात का अंदाज़ा नहीं लगा सकता था। फ़ोटो में उसका चेहरा धँसा हुआ और बालों भरा नहीं था, बल्कि सुंदर और हँसमुख था। जब यह तस्वीर ली गई थी, क्या वह तब भी वोल्डेमॉर्ट के लिए काम कर रहा था ? क्या उस समय भी वह अपने पास खड़े दोनों लोगों की मौत की योजना बना रहा था ? क्या वह जानता था कि उसे अज़्काबान की जेल में बारह साल काटना पड़ेंगे, जिसके बाद उसका हुलिया इतना बदल जाएगा कि उसे पहचानना मुश्किल होगा ?

हैरी ने उस सुंदर और हँसमुख चेहरे की तरफ़ घूरते हुए सोचा, परंतु *ब्लैक पर दमपिशाचों का असर नहीं होता है और दमपिशाचों के पास आने पर उसे मेरी मम्मी की चीख़ें नहीं सुनना पड़ती हैं* –

हैरी ने धड़ से एलबम बंद किया और उसे वापस अपनी अलमारी में पीछे की तरफ़ रख दिया। फिर अपना दुशाला और चश्मा उतारकर वह बिस्तर में घुस गया। उसने अच्छी तरह पर्दे लगा लिए, ताकि कोई उसे देख न सके।

कमरे का दरवाज़ा खुला।

'हैरी ?' रॉन की झिझकती हुई आवाज़ आई।

लेकिन हैरी चुपचाप लेटा रहा और सोने का नाटक करता रहा। रॉन फिर से बाहर चला गया। उसके जाने के बाद हैरी करवट बदलकर पीठ के बल लेट गया, लेकिन उसकी आँखें खुली थीं।

हैरी के मन में नफ़रत का ऐसा लावा उबल रहा था, जैसा उसने पहले कभी महसूस नहीं किया था। ऐसा लग रहा था, जैसे यह लावा ज़हर की तरह उसके ख़ून में तैर रहा हो। अँधेरे में भी उसकी आँखों के सामने यही दृश्य आ रहा था कि ब्लैक उसकी तरफ़ देखकर हँस रहा है। ऐसा लग रहा था, जैसे किसी ने एलबम वाली तस्वीर को उसकी आँखों के ऊपर चिपका दिया हो। ऐसा लगा, जैसे कोई उसे फ़िल्म दिखा रहा हो कि सिरियस ब्लैक पीटर पेटिग्रू के (जो नेविल लॉंगबॉटम से मिलता-जुलता था) परखच्चे उड़ा रहा है। हालाँकि उसे ज़रा भी पता नहीं था कि ब्लैक की आवाज़ कैसी होगी, लेकिन उसे एक धीमी रोमांचित

आवाज़ सुनाई दे रही थी। 'काम हो गया है, मालिक... पॉटर दंपति ने मुझे अपना रहस्य-रक्षक बना लिया है...' और फिर एक तीखी हँसी सुनाई दी, वही हँसी जो हैरी दमपिशाचों के क़रीब आने पर अपने दिमाग़ में सुनता था...

*

'हैरी, तुम्हारी - तुम्हारी हालत बहुत ख़राब लग रही है।'

हैरी को सुबह-सुबह जाकर नींद आई। देर से जागने पर उसने देखा कि कमरे में कोई नहीं था। उसने कपड़े पहने और घुमावदार सीढ़ियों से उतरते हुए वह उस हॉल में पहुँचा, जो पूरी तरह से ख़ाली था। उसमें सिर्फ़ दो लोग थे। इनमें से एक रॉन था, जो अपना पिपरमेंट मेंढक खा रहा था और अपना पेट मल रहा था। दूसरी हर्माइनी थी, जिसका होमवर्क तीन टेबलों पर फैला हुआ था।

'बाक़ी लोग कहाँ हैं?' हैरी ने पूछा।

'बाहर घूमने गए हैं! याद नहीं है क्या, आज छुट्टियों का पहला दिन है?' रॉन ने हैरी को बहुत ध्यान से देखते हुए कहा, 'लंच का समय हो गया है, मैं बस तुम्हें उठाने ही आ रहा था।'

हैरी आग के पास वाली कुर्सी पर बैठ गया। खिड़कियों के बाहर अब भी बर्फ़ गिर रही थी। आग के सामने क्रुकशैंक्स किसी लंबे क़ालीन की तरह पसरी हुई थी।

'तुम्हारी हालत सचमुच अच्छी नहीं लग रही है,' हर्माइनी ने उसके चेहरे को परेशानी से देखते हुए कहा।

'मैं ठीक हूँ,' हैरी बोला।

'हैरी सुनो,' हर्माइनी ने रॉन की तरफ़ कनखियों से देखते हुए कहा, 'कल हमने जो बातें सुनीं, उन्हें सुनकर तुम्हें दुख तो बहुत हुआ होगा, लेकिन तुम कोई बेवक़ूफ़ी का काम मत करना।'

'जैसे?' हैरी ने कहा।

'जैसे ब्लैक का पीछा करने की कोशिश करना।' रॉन ने तत्काल कहा।

हैरी समझ गया कि उसके सोते समय उन दोनों ने इस बातचीत की रिहर्सल कर ली होगी। वह कुछ नहीं बोला।

हर्माइनी ने कहा, 'तुम ऐसा कुछ नहीं करोगे, है ना हैरी?'

रॉन बोला, 'क्योंकि ब्लैक इस लायक नहीं है कि उसके लिए अपनी जान जोखिम में डाली जाए।'

हैरी ने उनकी तरफ़ देखा। वे लोग स्थिति को समझ ही नहीं रहे थे।

'क्या तुम्हें पता है कि जब भी दमपिशाच मेरे पास आते हैं, तो मुझे क्या सुनाई देता है?' रॉन और हर्माइनी ने डरते हुए अपने सिर हिलाए। 'मैं अपनी मम्मी की चीख़ें सुनता हूँ, जो वोल्डेमॉर्ट के सामने गिड़गिड़ा रही हैं। और अगर कोई अपनी मम्मी की इस तरह की आख़िरी चीख़ें सुने, तो वह उन्हें आसानी से भुला नहीं सकता। और अगर बाद में यह पता लगे कि उनके किसी दोस्त ने उनके साथ गद्दारी की थी और वोल्डेमॉर्ट को उनके पीछे भेजा था –'

हर्माइनी ने सदमे में आते हुए कहा, 'तुम कुछ नहीं कर सकते हो! दमपिशाच ब्लैक को पकड़ लेंगे, उसे अज़्काबान भेज दिया जाएगा और – उसे अपने किए की सज़ा मिल जाएगी!'

'तुमने फ़ज की बात सुनी तो थी। अज़्काबान का ब्लैक पर उतना बुरा असर नहीं होता है, जितना कि दूसरे लोगों पर होता है। यह उसके लिए उतनी बड़ी सज़ा नहीं है, जितनी दूसरों के लिए है।'

'तो तुम क्या कहना चाहते हो?' रॉन ने बहुत तनाव भरी आवाज़ में कहा। 'तुम ब्लैक को मारना चाहते हो?'

'बेवकूफ़ी की बातें मत करो,' हर्माइनी ने दहशत से कहा। 'हैरी किसी को नहीं मारना चाहता है, है ना हैरी?'

एक बार फिर हैरी ने जवाब नहीं दिया। वह नहीं जानता था कि वह क्या करना चाहता था। वह तो बस इतना जानता था कि जब ब्लैक आज़ादी से घूम रहा हो, तो वह हाथ पर हाथ धरे नहीं बैठना चाहता था।

उसने अचानक कहा, 'मैल्फ़ॉय जानता है! याद है, उसने जादुई काढ़े की क्लास में मुझसे क्या कहा था? "अगर मैं तुम्हारी जगह होता, तो मैं ख़ुद उसे पकड़ने जाता .... मैं बदला लेता"'

'तुम हमारे बजाय मैल्फ़ॉय की बात मानोगे?' रॉन ने ग़ुस्से से कहा। 'सुनो ... तुम्हें पता है कि जब पेटिग्रू ब्लैक को पकड़ने गया था, तो उसकी माँ को क्या मिला था? डैडी ने मुझे बताया था – ऑर्डर ऑफ़ मर्लिन, फ़र्स्ट क्लास और एक डिब्बे में पेटिग्रू की एक उँगली। उसकी मौत के बाद वहाँ पर उसके शरीर का सबसे बड़ा हिस्सा यही मिला था। हैरी, ब्लैक पागल है और ख़तरनाक भी है –'

'मैल्फ़ॉय के डैडी ने उसे बताया होगा,' हैरी ने रॉन की बातों को अनसुना करते हुए कहा। 'वे वोल्डेमॉर्ट के बहुत क़रीब थे –'

'उसका नाम मत लो, हैरी?' रॉन ने ग़ुस्से से कहा।

'– इसीलिए मैल्फ़ॉय को मालूम था कि ब्लैक वोल्डेमॉर्ट के लिए काम कर

रहा था –'

'– और मैल्फ़ॉय को यह देखने में बहुत मज़ा आएगा कि पेटिग्रू की तरह तुम्हारे भी चिथड़े-चिथड़े उड़ जाएँ! ख़ुद पर क़ाबू रखो। मैल्फ़ॉय तो सिर्फ़ यह आशा कर रहा है कि नागशक्ति और गरुड़द्वार के क्विडिच मैच से पहले ही तुम मर जाओ।'

'हैरी, *प्लीज़*,' हर्माइनी ने कहा। उसकी आँखें अब भी आँसुओं से चमक रही थीं। '*प्लीज़* समझदारी से काम लो। ब्लैक ने बहुत बुरा किया है, लेकिन अपनी जान जोखिम में मत डालो, ब्लैक यही तो चाहता है ... ओह हैरी, अगर तुम ब्लैक की तलाश करने जाओगे, तो वास्तव में तुम उसकी योजना पर ही चलोगे। तुम्हारे मम्मी-डैडी यह कभी नहीं चाहते कि तुम्हें कोई चोट पहुँचे, है ना ? वे यह कभी नहीं चाहते कि तुम ब्लैक की तलाश करने जाओ!'

हैरी ने रूखेपन से कहा, 'मैं यह कभी नहीं जान पाऊँगा कि वे क्या चाहते, क्योंकि ब्लैक की मेहरबानी से मेरी उनसे कभी बात ही नहीं हो पाई।'

ख़ामोशी छा गई। क्रुकशैंक्स अपने पंजे खोलते हुए आराम से और ज़्यादा पसर गई। रॉन की जेब काँप गई।

'देखो,' रॉन बोला। यह स्पष्ट था कि अब वह विषय बदलना चाहता था। 'छुट्टियाँ चल रही हैं! क्रिसमस आने ही वाला है! चलो-चलो क्यों न हम हैग्रिड से मिलने चलें ? हम उससे काफ़ी समय से नहीं मिले हैं!'

'नहीं!' हर्माइनी ने तत्काल कहा। 'हैरी को महल से बाहर नहीं जाना चाहिए, रॉन –'

'चलो, चलते हैं,' हैरी ने उठते हुए कहा, 'और मैं उससे यह भी पूछना चाहता हूँ कि जब उसने मुझे मेरे माता-पिता के बारे में बताया था, तो ब्लैक का ज़िक्र क्यों नहीं किया था!'

रॉन यह क़तई नहीं चाहता था कि सिरियस ब्लैक के बारे में आगे भी बातचीत हो।

उसने जल्दी से कहा, 'या फिर हम शतरंज खेल लेते हैं या गॉबस्टोन्स। पर्सी का सेट रखा हुआ है –'

'नहीं, हम हैग्रिड से मिलने चलते हैं,' हैरी ने दृढ़ता से कहा।

उन्होंने अपने कमरों से अपने चोगे निकाले और तस्वीर के छेद से बाहर निकले ('मुझसे मुक़ाबला करो, पीले पेट वाले कुत्तों!') फिर ख़ाली महल में से होते हुए वे बलूत के दरवाज़े से बाहर निकल गए।

वे धीरे-धीरे ढलान से उतरे। चमकती और धूल जैसी बर्फ़ से उनके मोज़े

तथा चोगे के निचले हिस्से गीले और ठंडे हो गए थे। अँधेरा जंगल ऐसा दिख रहा था, जैसे उस पर जादू कर दिया गया हो। हर पेड़ सफ़ेदी में ढँका था। हैग्रिड की झोपड़ी बर्फ़ के केक की तरह दिख रही थी।

रॉन ने दरवाज़ा खटखटाया, लेकिन किसी ने जवाब नहीं दिया।

'वह बाहर तो नहीं गया है?' हर्माइनी ने कहा, जो चोगे के बावज़ूद काँप रही थी।

रॉन ने दरवाज़े पर कान लगाकर आहट ली।

'एक अजीब सी आवाज़ आ रही है,' उसने कहा। 'ज़रा सुनो तो सही – क्या यह फ़ैंग की आवाज़ है?'

हैरी और हर्माइनी ने भी अपने कान दरवाज़े से लगा लिए। झोपड़ी के अंदर से सिसकने और कराहने की हल्की-हल्की आवाज़ें सुनाई दे रही थीं।

घबराते हुए रॉन ने कहा, 'शायद हमें जाकर किसी को बुलाना चाहिए?'

'हैग्रिड!' हैरी ने दरवाज़े को जमकर थपथपाते हुए कहा। 'हैग्रिड क्या तुम अंदर हो?'

भारी क़दमों की आवाज़ आई, फिर दरवाज़ा खुल गया। हैग्रिड सामने खड़ा था। उसकी आँखें लाल और सूजी हुई थीं। उसके चमड़े के कोट के सामने वाले हिस्से पर आँसू बह रहे थे।

'तो तुम लोगों ने ख़बर सुन ली!' वह जमकर चीख़ा और हैरी की गर्दन से लिपट गया।

हैग्रिड आम आदमी से कम से कम दोगुने आकार का था, इसलिए यह कोई मज़ाक़ की बात नहीं थी। हैरी हैग्रिड के वज़न से गिर जाता, लेकिन रॉन और हर्माइनी ने उसे बचा लिया। उन दोनों ने हैग्रिड का एक-एक हाथ थामकर उसका बोझ सँभाल लिया। फिर वे तीनों उसे झोपड़ी के अंदर ले गए। उन्होंने हैग्रिड को एक कुर्सी पर बिठा दिया। वह अपना चेहरा टेबल पर टिकाकर ज़ोर-ज़ोर से सिसकता रहा। उसका चेहरा आँसुओं से चमक रहा था, जो उसकी खिचड़ी दाढ़ी पर बहते हुए नीचे आ रहे थे।

'हैग्रिड, क्या हुआ?' हर्माइनी ने हैरान होकर पूछा।

हैरी को टेबल पर एक सरकारी पत्र दिखा, जो खुला पड़ा था।

'यह क्या है, हैग्रिड?'

हैग्रिड की सिसकियाँ तेज़ हो गईं, लेकिन उसने हैरी की तरफ़ पत्र बढ़ा दिया, जो उसे ज़ोर-ज़ोर से पढ़ने लगा :

प्रिय श्री हैग्रिड,

आपकी कक्षा में गरुड़अश्व ने एक विद्यार्थी पर हमला किया था। उस मामले की पूरी जाँच करने के बाद हमने प्रोफ़ेसर डम्बलडोर की यह बात मान ली है कि इस दुर्भाग्यपूर्ण घटना के लिए आप ज़िम्मेदार नहीं हैं।

'यह तो बहुत अच्छी बात है, हैग्रिड!' रॉन ने हैग्रिड का कंधा थपथपाते हुए कहा। लेकिन हैग्रिड सुबकता रहा और उसने अपना दैत्याकार हाथ हिलाते हुए हैरी को आगे पढ़ने का इशारा किया।

बहरहाल, हमें उस गरुड़अश्व की चिंता है। हमने यह .फैसला किया है कि हम मिस्टर लूसियस मैल्फ़ॉय की शिकायत पर विचार करेंगे और इस मामले को .खतरनाक प्राणी .खात्मा समिति के सामने रखेंगे। इस मामले की सुनवाई 20 अप्रैल को होगी और हम चाहेंगे कि आप उस दिन लंदन में समिति के ऑफ़िस में अपने गरुड़अश्व को लेकर उपस्थित हों। हम यह भी चाहते हैं कि इस दौरान उस गरुड़अश्व को एकांत में और अच्छी तरह बाँधकर रखा जाए।

आपका ...

फिर स्कूल के गवर्नरों की सूची थी।

'ओह,' रॉन ने कहा। 'लेकिन हैग्रिड, तुमने तो कहा था कि बकबीक अच्छा गरुड़अश्व है। मुझे पूरा यक़ीन है कि वह छूट जाएगा –'

'तुम ख़तरनाक प्राणी ख़ात्मा समिति के उन बदमाश लोगों को नहीं जानते!' हैग्रिड ने अपनी आस्तीन से आँखें पोंछते हुए भरे गले से कहा। 'वे दिलचस्प प्राणियों के दुश्मन हैं!'

हैग्रिड की झोपड़ी के कोने से अचानक एक आवाज़ आई, जिसे सुनकर हैरी, रॉन और हर्माइनी तीनों ने तेज़ी से घूमकर देखा। बकबीक कोने में लेटकर कुछ चबा रहा था, जिससे पूरे फ़र्श पर ख़ून फैल रहा था।

'हमसे यह नहीं हुआ कि हम उसे बर्फ़ में बाहर बँधा छोड़ दें!' हैग्रिड ने कहा। 'अकेला! और वह भी क्रिसमस पर!'

हैरी, रॉन और हर्माइनी ने एक-दूसरे की तरफ़ देखा। 'दिलचस्प प्राणियों' के बारे में उनके और हैग्रिड के विचार ज़मीन-आसमान जितने अलग थे। जो प्राणी हैग्रिड को 'दिलचस्प' लगते थे, वही दूसरों को 'भयंकर जानवर' लगते थे। लेकिन इस मामले में ऐसा नहीं था। बकबीक ख़ास ख़तरनाक नहीं था। सच तो यह था कि हैग्रिड के पिछले रिकॉर्ड को देखते हुए वह सचमुच बहुत अच्छा जानवर था।

'तुम्हें उसके बचाव की तैयारी करना चाहिए, हैग्रिड,' हर्माइनी ने हैग्रिड की विशाल बाँह पर हाथ रखते हुए कहा। 'मुझे विश्वास है कि बकबीक को सुरक्षित जानवर साबित किया जा सकता है।'

'उससे कोई फ़र्क़ नहीं पड़ेगा!' हैग्रिड ने सुबकते हुए कहा। 'ख़ात्मा विभाग के सब दुष्ट लोग लूसियस मैल्फ़ॉय की जेब में हैं! सब उससे डरते हैं! और अगर हम यह मुकदमा हार गए, तो बेचारा बकबीक -'

हैग्रिड ने अपनी उँगली से गला काटने का इशारा किया, फिर जमकर रोने लगा और अपने हाथों में अपना सिर छिपा लिया।

हैरी ने कहा, 'हैग्रिड, डम्बलडोर ने कुछ नहीं किया?'

'वे हमारे लिए पहले ही बहुत कुछ कर चुके हैं,' हैग्रिड ने दर्द भरे स्वर में कहा। 'अभी उनके सामने भी बहुत सी समस्याएँ हैं। दमपिशाचों को महल से दूर रखने के कारण पहले ही लोग उनकी काफ़ी बुराई कर रहे हैं। उधर सिरियस ब्लैक आस-पास मंडरा रहा है -'

रॉन और हर्माइनी ने तत्काल हैरी की तरफ़ देखा। वे उम्मीद कर रहे थे कि अब हैरी हैग्रिड पर आग-बबूला होगा कि उसने उसे ब्लैक के बारे में सच्चाई क्यों नहीं बताई। लेकिन हैग्रिड इतना दुखी और दहशत में था कि हैरी ने इस बारे में उससे कुछ नहीं कहा।

उसने कहा, 'सुनो हैग्रिड। हार मत मानना! हर्माइनी सही कहती है। तुम्हें बकबीक के बचाव की तैयारी करनी चाहिए। गवाही देने के लिए तुम हमें बुला सकते हो -'

'मुझे लगता है कि मैंने गरुड़अश्व को चिढ़ाने संबंधी एक मुकदमे के बारे में पढ़ा है, जिसमें गरुड़अश्व छूट गया था,' हर्माइनी ने सोचते हुए कहा। 'हैग्रिड, मैं अपनी किताबों में देखकर बताऊँगी कि सचमुच क्या हुआ था।'

हैग्रिड अब भी ज़ोर-ज़ोर से विलाप कर रहा था। हैरी और हर्माइनी ने

रॉन की तरफ़ देखा कि वह उनकी मदद करे।

रॉन ने बोला, 'मैं चाय बनाकर लाता हूँ।'

हैरी ने उसे घूरकर देखा।

रॉन ने कंधे उचकाते हुए कहा, 'जब भी कोई परेशान होता है, तो मेरे मम्मी यही करती हैं।'

आख़िरकार, जब चाय का धुआँ उड़ाता मग हैग्रिड के सामने आ गया और उन तीनों ने उसकी मदद के बार-बार आश्वासन दिए, तो हैग्रिड ने एक टेबलक्लॉथ के आकार के रूमाल में अपनी नाक सुड़कते हुए कहा, 'तुम लोग ठीक कहते हो। हमें ख़ुद पर क़ाबू रखना चाहिए। हमें ख़ुद को सँभालना चाहिए...'

फ़ैंग नाम का कुत्ता झिझकते हुए टेबल के नीचे से बाहर आ गया और उसने अपना सिर हैग्रिड के घुटने पर रख दिया।

हैग्रिड ने एक हाथ से फ़ैंग को थपथपाते हुए और दूसरे हाथ से अपना चेहरा पोंछते हुए कहा, 'कुछ समय से हम होश में नहीं थे। बकबीक की चिंता में डूबे हुए थे। हम इस बात से भी दुखी थे कि कोई भी विद्यार्थी हमारी क्लास को पसंद नहीं करता है –'

हर्माइनी ने तत्काल झूठ बोल दिया, 'कौन कहता है ? हमें तुम्हारी क्लास बहुत पसंद है!'

'हाँ, तुम्हारी क्लास हमें बहुत अच्छी लगती है!' रॉन ने टेबल के नीचे अपनी उँगलियाँ बाँधते हुए कहा। 'फ़्लॉबरवर्म्स कैसे हैं ?'

'मर गए,' हैग्रिड ने उदासी से कहा। 'बहुत ज़्यादा सलादपत्ती खाने से।'

'अरे नहीं!' रॉन ने कहा; उसका होंठ फड़क रहा था।

हैग्रिड ने अचानक काँपते हुए कहा, 'और हम दमपिशाचों के कारण भी परेशान हैं। जब भी हम थ्री ब्रूमस्टिक्स में कुछ पीने जाते हैं, तो हर बार हमें उनके पास से गुज़रना पड़ता है। हमें लगता है, जैसे हम दोबारा अज़्काबान में पहुँच गए हों –'

फिर वह ख़ामोश होकर अपनी चाय सुड़कने लगा। हैरी, रॉन और हर्माइनी अपनी साँस रोककर उसे देखते रहे। उन्होंने पहले कभी हैग्रिड को अज़्काबान की क़ैद का ज़िक्र करते नहीं सुना था। कुछ समय बाद हर्माइनी ने झिझकते हुए पूछा, 'हैग्रिड, क्या वहाँ का माहौल बहुत भयंकर है ?'

'तुम लोग कल्पना भी नहीं कर सकते हो,' हैग्रिड ने धीरे से कहा। 'दुनिया में इतनी बुरी कोई दूसरी जगह नहीं है। हमें लग रहा था, हम पागल हो

रहे हैं। हम रात-दिन बुरी घटनाओं के बारे में ही सोचते रहते थे ... जिस दिन हमें हॉगवर्ट्स से निकाला गया था ... जिस दिन हमारे डैडी की मौत हुई थी .. . जिस दिन हमारा नॉरबर्ट हमसे दूर हो गया था ...'

उसकी आँखों में आँसू भरे आए। नॉरबर्ट ड्रैगन का वह बच्चा था, जिसे हैग्रिड ने ताश के खेल में जीता था।

'कुछ समय बाद तो इंसान यह भी भूल जाता है कि वह आख़िर कौन है। उसे यह लगने लगता है कि ज़िंदा रहने का कोई मतलब नहीं है। हम भी यही सोचने लगे थे कि अगर हम नींद में ही मर जाएँ, तो कितना अच्छा रहेगा ... जब दमपिशाचों ने हमें छोड़ा, तो हमें ऐसा लगा, जैसे हमारा दूसरा जन्म हुआ है। वहाँ से निकलते ही सारी अच्छी चीज़ें बाढ़ की लहर की तरह तेज़ी से हमारे दिमाग़ में आ गईं। ज़िंदगी में हमें इतना अच्छा पहले कभी नहीं लगा। लेकिन याद रहे, दमपिशाच हमें छोड़ना नहीं चाहते थे।'

'लेकिन तुम तो बेगुनाह थे!' हर्माइनी बोली।

हैग्रिड ने फुफकारते हुए कहा।

'इससे उन्हें क्या लेना-देना ? उन्हें इसकी परवाह नहीं है। उन्हें तो बस सौ-दो सौ इंसान चाहिए, जिनमें से वे जोंक की तरह चिपककर सारी ख़ुशी चूस सकें। उन्हें इस बात की रत्ती भर भी परवाह नहीं होती कि कौन बेगुनाह है और कौन गुनाहगार है।'

हैग्रिड एक पल के लिए ख़ामोश हुआ और अपनी चाय के कप को देखता रहा। फिर वह धीमे से बोला, 'हम सोच रहे थे कि बकबीक को कहीं भगा दें . .. उससे कहें कि वह उड़कर दूर चला जाए ... लेकिन गरुड़अश्व को यह बात कैसे समझाई जा सकती है कि उसे छिप जाना चाहिए ? और - और हम क़ानून तोड़ने से भी डरते हैं ...' उसने उनकी तरफ़ देखा और एक बार फिर उसके चेहरे पर आँसू बह निकले। 'हम दोबारा अज़्काबान नहीं जाना चाहते हैं।'

*

हालाँकि हैग्रिड के घर की यात्रा सुखद अनुभव नहीं था, लेकिन उसका वैसा ही असर हुआ, जैसा रॉन और हर्माइनी चाहते थे। हालाँकि हैरी अब भी ब्लैक को नहीं भूला था, लेकिन अब वह ख़तरनाक प्राणी ख़ात्मा समिति के ख़िलाफ़ मुकदमा जीतने में हैग्रिड की मदद करना चाहता था, इसलिए वह अपने बदले के बारे में लगातार नहीं सोच सकता था। अगले दिन हैरी, रॉन और हर्माइनी लाइब्रेरी में गए। जब वे गरुड़द्वार के ख़ाली हॉल में वापस लौटे, तो उनके हाथ में बहुत सी किताबें थीं, जिनकी मदद से वे बकबीक के बचाव की तैयारी करना

चाहते थे। वे तीनों चटकती आग के सामने बैठकर ख़ूँख़ार जानवरों के मशहूर मुकदमों वाली धूल भरी किताबों के पन्ने धीरे-धीरे पलटते रहे। जब भी किसी को कोई काम की चीज़ नज़र आती थी, तो वे बीच-बीच में उस पर बात कर लेते थे।

'यह देखो ... 1722 में एक मुकदमा था ... लेकिन गरुड़अश्व को सज़ा हो गई – देखो तो सही, उन्होंने उसके साथ क्या किया था, कितना भयानक दृश्य है –'

'इससे मदद मिलेगी, देखो – सींग वाले नृसिंह ने 1296 में किसी पर हमला किया, लेकिन उन्होंने उसे छोड़ दिया – अरे नहीं, ऐसा तो सिर्फ़ इसलिए हुआ था, क्योंकि सब लोग उसके पास जाने से डर रहे थे ...'

इसी दौरान महल में क्रिसमस की भव्य सजावट हो चुकी थी, हालाँकि इसका आनंद लेने के लिए हॉगवर्ट्स में बहुत कम विद्यार्थी बचे थे। गलियारों में शूलपर्णी और मिसलटो के मोटे तोरणद्वार बँधे थे, हर सूट ऑफ़ आर्मर के भीतर रहस्यमय रोशनी चमक रही थी और बड़े हॉल में बारह क्रिसमस ट्री रख दिए गए थे, जिन पर सुनहरे सितारे चमक रहे थे। खाने की ज़ोरदार और स्वादिष्ट ख़ुशबू गलियारों में भरी थी। क्रिसमस की शाम तक यह ख़ुशबू इतनी ज़्यादा तेज़ हो गई कि स्कैबर्स भी उसे सूँघने के लिए रॉन की जेब से अपनी नाक बाहर निकालने लगा।

क्रिसमस की सुबह रॉन ने हैरी को तकिया मारकर जगाया।

'ओए! तोहफ़े!'

हैरी ने अपना चश्मा पहनकर अपने बिस्तर के नीचे वाले हिस्से को देखा, जहाँ कुछ पार्सल रखे थे। रॉन पहले से ही अपने तोहफ़ों पर लिपटे काग़ज़ फाड़ रहा था।

'मम्मी ने एक और स्वेटर भेजा है ... *फिर से* मेहरून रंग का है ... देखो उन्होंने तुम्हें भी स्वेटर भेजा है या नहीं।'

उन्होंने हैरी के लिए भी स्वेटर भेजा था। मिसेज वीज़्ली ने उसे एक लाल स्वेटर भेजा था, जिसके सामने गरुड़द्वार का शेर बना था। इसके अलावा उन्होंने घर पर बनी एक दर्जन मिन्स पाई, क्रिसमस केक और नट ब्रिटल का डिब्बा भी भेजा था। जब हैरी ने इन सब चीज़ों को एक तरफ़ हटाकर रखा, तो उसे इनके नीचे एक लंबा और पतला पैकेट देखा।

'वह क्या है ?' रॉन ने मेहरून मोज़ों का पैकेट खोलते हुए पूछा।

'पता नहीं ...'

हैरी ने पार्सल पर लिपटे काग़ज़ को फाड़ा और उसके मुँह से आह निकल गई – एक शानदार चमचमाती जादुई झाड़ू उसके बिस्तर पर गिर गई। रॉन के हाथ से मोज़े छूट गए और वह झाड़ू को ज़्यादा क़रीब से देखने के लिए अपने बिस्तर से कूद गया।

'मुझे विश्वास नहीं हो रहा है,' उसने भारी आवाज़ में कहा।

यह फ़ायरबोल्ट थी। यह हैरी के सपनों की वही झाड़ू थी, जिसे देखने के लिए वह छूमंतर गली में हर रोज़ जाता था। जब उसने उसे ऊपर उठाया, तो उसका हैंडल चमकने लगा। उसके हाथ में आते ही झाड़ू थरथराने लगी। फिर हैरी ने उसे छोड़ दिया। झाड़ू बिना किसी सहारे के हवा में झूलने लगी और उसके सवार होने के लिए आदर्श ऊँचाई पर स्थिर हो गई। हैरी की निगाह हैंडल के ऊपरी सिरे पर लिखे सुनहरे रजिस्ट्रेशन नंबर से खिसककर नीचे आई और उसने चिकनी, तराशी हुई टहनियों से बनी पूँछ को देखा।

रॉन ने धीमे से पूछा, 'इसे किसने भेजा है?'

'देखो, शायद अंदर कोई कार्ड हो?' हैरी ने कहा।

रॉन ने फ़ायरबोल्ट पर लिपटे काग़ज़ को पूरी तरह फाड़ दिया।

'कुछ भी नहीं है! तुम पर इतने पैसे किसने ख़र्च किए होंगे?'

हैरी ने हैरानी से कहा, 'मैं शर्त लगा सकता हूँ कि डर्स्ली परिवार ने तो नहीं किए होंगे।'

'मैं शर्त लगा सकता हूँ कि डम्बलडोर ने भेजी होगी,' रॉन ने फ़ायरबोल्ट के चारों तरफ़ घूमते हुए कहा। उसकी आँखें इसके हर इंच की सुंदरता को निहार रही थीं। 'उन्होंने तुम्हें गुमनाम तरीक़े से अदृश्य चोगा भी तो भेजा था ...'

'वह मेरे डैडी का था,' हैरी बोला। 'डम्बलडोर ने तो उसे सिर्फ़ मुझ तक पहुँचाया था। झाड़ू की बात अलग है। वे मुझ पर सैकड़ों गैलियन ख़र्च नहीं करेंगे। वे विद्यार्थियों को इस तरह की चीज़ें कैसे बाँट सकते हैं –'

'इसीलिए तो उन्होंने अपना नाम नहीं लिखा है!' रॉन ने कहा। 'ताकि मैल्फ़ॉय जैसे मूर्ख लोग पक्षपात का आरोप न लगाएँ। देखो, हैरी –' रॉन ने ज़ोर से हँसते हुए कहा, *'मैल्फ़ॉय!* ज़रा सोचो तो सही, जब मैल्फ़ॉय तुम्हें इस झाड़ू पर देखेगा, तो उसका क्या हाल होगा! वह तो सुअर की तरह पगला जाएगा! यह एक अंतर्राष्ट्रीय *स्तर* की झाड़ू है, है ना!'

'मुझे यक़ीन नहीं हो रहा है,' हैरी ने फ़ायरबोल्ट पर हाथ फिराते हुए कहा। रॉन मैल्फ़ॉय के बारे में कल्पना करके ज़ोर-ज़ोर से हँसने लगा और हैरी के बिस्तर पर औंधा हो गया। हैरी बुदबुदाया, *'आख़िर कौन – ?'*

'मैं जानता हूँ,' रॉन ने अपनी हँसी रोकते हुए कहा। 'मैं जानता हूँ कि कौन हो सकता है – शायद ल्यूपिन!'

'क्या ?' अब हैरी हँसने लगा था। *'ल्यूपिन ?* सुनो, अगर उनके पास इतने पैसे होते, तो वे ख़ुद के लिए नए दुशाले ख़रीद सकते थे।'

'हाँ, पर वे तुम्हें पसंद करते हैं,' रॉन बोला। 'और जब तुम्हारी निम्बस टूटी थी, उस समय वे बाहर गए थे। उन्होंने इसके बारे में सुना होगा और छूमंतर गली में जाकर तुम्हारे लिए यह ख़रीद ली होगी –'

'तुम क्या कह रहे हो, वे बाहर गए थे ?' हैरी ने कहा। 'जब मैं वह मैच खेल रहा था, तो वे बीमार थे।'

'पर वे अस्पताल में तो नहीं थे,' रॉन ने कहा। 'मैं स्नेप की सज़ा के अनुसार उस समय वहाँ पर बैडपैन साफ़ कर रहा था, याद है ना ?'

हैरी ने रॉन की तरफ़ देखा और उसके माथे पर बल पड़ गए।

'मुझे नहीं लगता कि ल्यूपिन के पास इतने पैसे होंगे।'

'तुम दोनों क्यों हँस रहे हो ?'

हर्माइनी अभी-अभी आई थी। वह ड्रेसिंग गाउन में थी और क्रुकशैंक्स को उठाए हुए थी। क्रुकशैंक्स बहुत चिड़चिड़ी दिख रही थी, क्योंकि उसके गले में एक भड़कीली रस्सी बँधी थी।

'उसे यहाँ से हटाओ!' रॉन ने जल्दी से स्कैबर्स को बिस्तर से उठाकर अपने पाजामे की जेब में रख लिया। लेकिन हर्माइनी उसकी बात नहीं सुन रही थी। उसने क्रुकशैंक्स को सीमस के ख़ाली बिस्तर पर पटक दिया और मुँह खोलकर फ़ायरबोल्ट को देखने लगी।

'ओह, *हैरी!* तुम्हें *यह* किसने भेजी है ?'

'पता नहीं,' हैरी बोला। 'इसके साथ कोई कार्ड नहीं था।'

उसे यह देखकर हैरानी हुई कि हर्माइनी इस ख़बर से रोमांचित नहीं हुई और उसने कोई अंदाज़ा नहीं लगाया। इसके बजाय उसका चेहरा उतर गया और उसने अपना होंठ काट लिया।

रॉन बोला, 'तुम्हें क्या हुआ ?'

'पता नहीं,' हर्माइनी ने धीमे से कहा, 'लेकिन यह अजीब है, है ना ? मेरा मतलब है, यह बहुत अच्छी झाड़ू है, है ना ?'

रॉन ने जमकर आह भरी।

फिर वह बोला, 'हर्माइनी, यह दुनिया की सबसे अच्छी झाड़ू है।'

'तब तो यह बहुत महँगी होगी ...'

'शायद इसकी क़ीमत नागशक्ति की सारी झाड़ुओं से ज़्यादा होगी,' रॉन ने ख़ुश होते हुए कहा।

हर्माइनी बोली, 'देखो ... हैरी को इतनी महँगी झाड़ू कौन भेजेगा और अपना नाम भी नहीं बताएगा?'

'किसे परवाह है?' रॉन ने अधीरता से कहा। 'सुनो हैरी, क्या मैं इसकी सवारी कर सकता हूँ?'

हर्माइनी तीखी आवाज़ में बोली, 'मुझे नहीं लगता कि हाल-फ़िलहाल किसी को इस झाड़ू की सवारी करना चाहिए!'

हैरी और रॉन उसकी तरफ़ देखते रह गए।

'तुम्हें क्या लगता है, हैरी को इससे क्या करना चाहिए - फ़र्श साफ़ करना चाहिए?' रॉन बोला।

लेकिन हर्माइनी जवाब दे पाए, इससे पहले ही क्रुकशैंक्स सीमस के बिस्तर से कूदी और उसने सीधे रॉन के सीने पर छलाँग लगा दी।

'उसे - यहाँ - से - बाहर - निकालो!' रॉन गरजा। उसने क्रुकशैंक्स को अपने से दूर हटाने की कोशिश की। उधर स्कैबर्स रॉन के कंधे के ऊपर से उछलकर भागने की कोशिश कर रहा था। रॉन ने स्कैबर्स की पूँछ पकड़ ली और क्रुकशैंक्स को लात जमाने की कोशिश की। क्रुकशैंक्स के बजाय उसका पैर हैरी के संदूक से टकराया, जो खुल गया। इसके बाद रॉन दर्द से कराहते हुए लँगड़ाने लगा।

क्रुकशैंक्स की पूँछ अचानक खड़ी हो गई। कमरे में एक तीखी सीटी बजने लगी थी। मुख़बिर यंत्र वरनॉन अंकल के पुराने मोज़े से बाहर निकल आया था और फ़र्श पर चमकते हुए घूम रहा था।

'मैं उसके बारे में तो भूल ही गया था!' हैरी ने नीचे झुकते हुए मुख़बिर यंत्र को उठाया। 'मैं इन मोज़ों को कभी नहीं पहनता हूँ ...'

मुख़बिर यंत्र उसकी हथेली में घूमता रहा ओर सीटी बजाता रहा। उसे देखकर क्रुकशैंक्स को ग़ुस्सा आ रहा था और वह गुर्रा रही थी।

'हर्माइनी, अच्छा यह होगा कि तुम अपनी बिल्ली को यहाँ से ले जाओ,' रॉन ने ग़ुस्से से कहा, जो इस समय अपने पैर मलते हुए हैरी के बिस्तर पर बैठा था। 'तुम उस चीज़ को बंद नहीं कर सकते?' वह हैरी से बोला, जब हर्माइनी धड़धड़ाती हुई कमरे से बाहर निकली। क्रुकशैंक्स की पीली आँखें अब भी बुरे इरादे से रॉन पर जमी थीं।

हैरी ने मुख़बिर यंत्र को एक बार फिर मोज़े में रखकर उसे संदूक में बंद कर दिया। अब कमरे में सिर्फ़ रॉन की आवाज़ सुनाई दे रही थी, जो दर्द और ग़ुस्से से कराह रहा था। स्कैबर्स रॉन के हाथ पर लेटा हुआ था। हैरी ने काफ़ी समय बाद स्कैबर्स को रॉन की जेब से बाहर देखा था। उसे यह देखकर दुख भी हुआ और हैरानी भी कि कभी मोटा-ताज़ा दिखने वाला स्कैबर्स अब बहुत दुबला हो गया था। उसके बहुत से बाल भी झड़ गए थे।

'उसकी हालत अच्छी नहीं दिख रही है, है ना?' हैरी बोला।

'सब तनाव के कारण है!' रॉन बोला। 'अगर वह मूर्ख बिल्ली उसे परेशान न करे, तो उसकी हालत सुधर जाएगी!'

लेकिन हैरी को जादुई जानवरों की दुकान वाली महिला की बात याद आ गई, जिसने कहा था कि आम तौर पर चूहे तीन साल तक ही ज़िंदा रहते हैं। उसे यह भी लगा कि अगर स्कैबर्स में कोई छिपी हुई शक्तियाँ नहीं हैं, जिन्हें उसने कभी प्रदर्शित नहीं किया है, तो वह अपनी ज़िंदगी के आख़िरी दौर में पहुँच गया है। हालाँकि रॉन अक्सर शिकायत करता था कि स्कैबर्स बोरिंग और बेकार है, लेकिन हैरी यह बात अच्छी तरह जानता था कि स्कैबर्स के मरने पर रॉन को बहुत दुख होगा।

उस सुबह गरुड़द्वार के हॉल में क्रिसमस की भावना बहुत कमज़ोर थी। हर्माइनी ने क्रुकशैंक्स को अपने कमरे में बंद कर दिया था, लेकिन वह इस बात पर रॉन से ग़ुस्सा थी कि उसने क्रुकशैंक्स को लात मारने की कोशिश की थी। रॉन अब भी इस बात पर ग़ुस्सा था कि क्रुकशैंक्स ने स्कैबर्स को एक बार फिर खाने की कोशिश की थी। हैरी ने उन दोनों के बीच सुलह कराने की कोशिश छोड़ दी और फ़ायरबोल्ट की जाँच करने में जुट गया, जिसे वह अपने साथ हॉल में ले आया था। न जाने क्यों हर्माइनी इस बात से भी चिढ़ रही थी। उसने कहा कुछ नहीं, लेकिन वह झाड़ू को इस तरह देखती रही, जैसे वह भी उसकी बिल्ली की बुराई कर रही हो।

लंच के समय वे बड़े हॉल में गए। उन्होंने देखा कि हाउस की टेबलें दीवारों के पास पहुँच गई हैं और अब कमरे के बीच में सिर्फ़ एक टेबल ही रखी। उसके चारों तरफ़ बारह कुर्सियाँ रखी थीं। प्रोफ़ेसर डम्बलडोर, मैक्गॉनेगल, स्नेप, स्प्राउट और फ़्लिटविक कुर्सियों पर बैठे थे। वहाँ पर चौकीदार फ़िल्च भी था, जिसने अपना सदाबहार भूरा कोट आख़िरकार उतार दिया था। उसकी जगह पर वह एक बहुत पुराना और थोड़ा ढीला दिखने वाला टेल कोट पहने था। वहाँ पर सिर्फ़ तीन और विद्यार्थी थे : दो फ़र्स्ट ईयर के, जो बहुत घबराए दिख रहे थे और एक नागशक्ति का फ़िफ़्थ ईयर का विद्यार्थी, जिसका चेहरा मनहूस था।

जब हैरी, रॉन और हर्माइनी टेबल के पास पहुँचे, तो डम्बलडोर बोले, 'क्रिसमस की शुभकामनाएँ! चूँकि हम लोग इतने कम हैं, इसलिए हमें लगा कि हाउसों की टेबलों का उपयोग करना मूर्खतापूर्ण होगा ... बैठ जाओ, बैठ जाओ!'

हैरी, रॉन और हर्माइनी टेबल के कोने पर लाइन से पास-पास बैठ गए।

'पटाख़े!' डम्बलडोर ने उत्साह से कहा और स्नेप की तरफ़ एक बड़ा सफ़ेद पटाख़ा बढ़ाया, जिन्होंने अनिच्छा से इसे चलाया। बंदूक के धमाके की तरह पटाख़ा उड़ा और उसमें से जादूगरनी का एक बड़ा सा हैट गिरा, जिस पर गिद्ध बना था।

हैरी को बहुरूपिया याद आ गया और उसने रॉन की तरफ़ देखा। फिर दोनों के चेहरे पर मुस्कान आ गई। स्नेप का मुँह उतर गया था और उन्होंने उस हैट को डम्बलडोर की तरफ़ बढ़ा दिया। डम्बलडोर ने तत्काल हैट की अदला-बदली करके स्नेप को अपना जादूगरों वाला हैट दे दिया।

'शुरू करो!' उन्होंने टेबल से कहा और चारों तरफ़ मुस्कराते हुए देखा।

जब हैरी भुने हुए मसालेदार आलू ले रहा था, तो बड़े हॉल का दरवाज़ा एक बार फिर खुला। प्रोफ़ेसर ट्रिलोनी उनकी तरफ़ इस तरह आ रही थीं, जैसे वे पहियों पर चल रही हों। उन्होंने इस ख़ास मौक़े पर हरी चमकदार पोशाक पहन रखी थी, जिससे वे बड़े आकार वाली चमकदार तितली लग रही थीं।

डम्बलडोर ने उठते हुए कहा, 'सिबिल, कितना सुखद आश्चर्य है!'

'मैं भाग्य-दर्पण देख रही थी, हेडमास्टर,' प्रोफ़ेसर ट्रिलोनी ने अपनी धीमी आवाज़ में कहा, 'और मुझे यह देखकर हैरानी हुई कि मैं अकेले लंच करने के बजाय आप लोगों के साथ लंच कर रही हूँ। भाग्य के इशारों को मैं नज़रअंदाज़ कैसे कर सकती थी? इसलिए मैं जल्दी से अपने टॉवर से निकली। देर से आने के लिए माफ़ी चाहती हूँ ...'

'कोई बात नहीं, कोई बात नहीं,' डम्बलडोर बोले। उनकी आँखें चमक रही थीं। 'मैं एक कुर्सी का इंतज़ाम कर देता हूँ –'

उन्होंने अपनी छड़ी घुमाकर हवा से एक कुर्सी का इंतज़ाम कर दिया, जो कुछ पल घूमी और फिर प्रोफ़ेसर स्नेप तथा मैक्गॉनेगल की कुर्सियों के बीच आवाज़ करती हुई गिर गई। लेकिन प्रोफ़ेसर ट्रिलोनी उस पर नहीं बैठीं। उनकी बड़ी-बड़ी आँखें टेबल के चारों तरफ़ घूम रही थीं और अचानक उनके मुँह से चीख़ निकल गई।

'मैं नहीं बैठ सकती, हेडमास्टर! अगर मैं टेबल पर बैठी, तो हम तेरह लोग हो जाएँगे! इससे ज़्यादा दुर्भाग्यपूर्ण और कुछ नहीं हो सकता! हमें यह नहीं

भूलना चाहिए कि जब तेरह लोग एक साथ खाते हैं, तो सबसे पहले उठने वाला सबसे पहले मर जाता है!'

'हम यह ख़तरा मोल ले लेंगे, सिबिल,' प्रोफ़ेसर मैक्गॉनेगल ने अधीरता से कहा। 'बैठ जाओ, टर्की बिलकुल ठंडी हो गई है।'

प्रोफ़ेसर ट्रिलोनी झिझकते हुए ख़ाली कुर्सी पर बैठ गईं। उनकी आँखें बंद थीं और उनका चेहरा भिंचा हुआ था, जैसे वे आशा कर रही हों कि किसी भी समय टेबल पर बिजली गिर जाएगी। प्रोफ़ेसर मैक्गॉनेगल ने सबसे पास वाले प्याले में एक बड़ा चम्मच डाला।

'ट्राइप लोगी, सिबिल ?'

प्रोफ़ेसर ट्रिलोनी ने उनकी बात अनसुनी कर दी। उन्होंने अपनी आँखों को दोबारा खोलकर एक बार फिर चारों तरफ़ देखा और पूछा, 'प्रोफ़ेसर ल्यूपिन कहाँ हैं ?'

'मुझे दुख है कि वे फिर से बीमार पड़ गए हैं,' डम्बलडोर ने कहते हुए इशारा किया कि हर व्यक्ति खाने का सामान ख़ुद परोसे। 'बहुत दुर्भाग्यपूर्ण था कि उन्हें क्रिसमस के दिन ही बीमार पड़ना था।'

'लेकिन निश्चित रूप से तुम्हें तो यह पता होगा, सिबिल ?' प्रोफ़ेसर मैक्गॉनेगल ने अपनी भौंहें उठाते हुए कहा।

प्रोफ़ेसर ट्रिलोनी ने प्रोफ़ेसर मैक्गॉनेगल को बहुत ठंडी निगाह से देखते हुए धीमे से कहा, 'निश्चित रूप से मुझे यह पता था, मिनर्वा। लेकिन मैं सबके सामने यह नहीं जताना चाहती हूँ कि मैं सब कुछ जानती हूँ। मैं अक्सर इस तरह अभिनय करती हूँ, जैसे मुझे भविष्य का ज्ञान नहीं है, ताकि दूसरे परेशान महसूस न करें।'

'आपके यह बताने से बहुत सी चीज़ें साफ़ हो गईं,' प्रोफ़ेसर मैक्गॉनेगल ने व्यंग्य से कहा।

प्रोफ़ेसर ट्रिलोनी की आवाज़ अचानक बहुत स्पष्ट हो गई।

'अगर तुम जानना ही चाहती हो मिनर्वा, तो मैंने देखा है कि बेचारे प्रोफ़ेसर ल्यूपिन हमारे साथ ज़्यादा समय तक नहीं रह पाएँगे। ऐसा लगता है कि वे यह बात ख़ुद भी जानते हैं कि उनके पास बहुत कम समय है। जब मैंने उनसे भाग्य-दर्पण में झाँकने को कहा, तो वे तत्काल भाग खड़े हुए -'

'अच्छा!' प्रोफ़ेसर मैक्गॉनेगल ने रूखेपन से कहा।

'मुझे नहीं लगता,' डम्बलडोर ने मुस्कराते हुए, लेकिन थोड़ी ऊँची आवाज़ में कहा, जिससे प्रोफ़ेसर मैक्गॉनेगल और प्रोफ़ेसर ट्रिलोनी की बातचीत

बंद हो गई, 'कि प्रोफ़ेसर ल्यूपिन की जान को तत्काल कोई ख़तरा है। सीवियरस, तुमने उनके लिए काढ़ा तो बना दिया था?'

'हाँ हेडमास्टर,' स्नेप ने कहा।

'अच्छी बात है,' डम्बलडोर बोले। 'तब तो वे जल्दी ही ठीक हो जाएँगे ... डेरेक, तुमने यह तो चखा ही नहीं? यह बहुत बढ़िया है।'

डम्बलडोर ने उसका नाम लेकर उससे कुछ कहा, इस वजह से फ़र्स्ट ईयर के उस बच्चे का चेहरा लाल पड़ गया और उसने काँपते हाथों से वह डिश उठा ली।

प्रोफ़ेसर ट्रिलोनी ने क्रिसमस का डिनर ख़त्म होने तक लगभग सामान्य व्यवहार किया, जो दो घंटे तक चला। जब क्रिसमस के डिनर के कारण पेट लगभग फटने वाला था, तब कहीं जाकर उन्होंने खाना बंद किया। वे अब भी अपने पटाख़े वाले हैट पहने हुए थे। जब हैरी और रॉन टेबल पर से सबसे पहले उठे, तो प्रोफ़ेसर ट्रिलोनी ज़ोर से चीख़ीं।

'मेरे प्यारे बच्चो! तुममें से पहले कौन उठा है? कौन?'

'क्या पता,' रॉन ने हैरी को परेशानी से देखते हुए कहा।

'मुझे लगता है कि इससे ज़्यादा फ़र्क़ नहीं पड़ता है,' प्रोफ़ेसर मैक्गॉनेगल ने ठंडेपन से कहा, 'जब तक कि कोई पागल आदमी कुल्हाड़ी लेकर दरवाज़े के बाहर इंतज़ार न कर रहा हो कि वह प्रवेश हॉल में आने वाले पहले व्यक्ति का सिर काट दे।'

यहाँ तक कि रॉन भी हँसने लगा। प्रोफ़ेसर ट्रिलोनी बहुत बुरा मान गईं।

'चल रही हो?' हैरी ने हर्माइनी से पूछा।

'नहीं,' हर्माइनी बुदबुदाई। 'मुझे प्रोफ़ेसर मैक्गॉनेगल से कुछ कहना है।'

जब रॉन और हैरी प्रवेश हॉल में पहुँचे, तो उन्हें कुल्हाड़ी वाला कोई पागल आदमी नहीं मिला। रॉन ने जम्हाई लेते हुए कहा, 'शायद हर्माइनी यह पूछना चाहती होगी कि क्या वह कुछ और विषय ले सकती है।'

जब वे तस्वीर के छेद के पास पहुँचे, तो वहाँ पर सर केडोगन क्रिसमस का जश्न मना रहा था। मोटे खच्चर के अलावा उसके साथ दो-तीन संन्यासी और हॉगवर्ट्स के पुराने हेडमास्टर थे। उसने अपने कनटोपे को ऊपर उठाया और शराब का गिलास उठाकर उनसे कहा।

'क्रिसमस - की - शुभकामनाएँ! पासवर्ड?'

'कमीने कुत्ते,' रॉन बोला।

'आप ही होंगे!' सर केडोगन ने गरजते हुए तस्वीर का दरवाज़ा खोल दिया, ताकि वे अंदर जा सकें।

हैरी सीधे अपने कमरे में गया। वहाँ से उसने अपनी फ़ायरबोल्ट उठाई। फिर उसने जादुई झाड़ू की सर्विसिंग किट उठाई, जो हर्माइनी ने उसके जन्मदिन पर तोहफ़े में दी थी। यह दोनों चीज़ें लेकर वह हॉल में लौट आया। वह फ़ायरबोल्ट को और सुंदर बनाना चाहता था, लेकिन उसे समझ में नहीं आ रहा था कि वह क्या करे। उसकी टहनियाँ मुड़ी नहीं थीं, इसलिए उन्हें काटा नहीं जा सकता था। हैंडल पहले से ही इतना चमक रहा था कि उस पर पॉलिश करने का कोई फ़ायदा नहीं था। वह और रॉन हर कोण से इसे देख-देखकर ख़ुश होते रहे, जब तक कि तस्वीर का छेद नहीं खुला और हर्माइनी प्रोफ़ेसर मैक्गॉनेगल के साथ अंदर नहीं आई।

हालाँकि प्रोफ़ेसर मैक्गॉनेगल गरुड़द्वार की प्रमुख थीं, लेकिन हैरी ने उन्हें गरुड़द्वार के हॉल में पहले सिर्फ़ एक बार देखा था। उस समय वे एक बहुत गंभीर घोषणा करने आई थीं। हैरी और रॉन फ़ायरबोल्ट को पकड़कर उन्हें घूरते रहे। हर्माइनी दूर जाकर बैठ गई। उसने सबसे पास रखी किताब उठा ली और उसके पीछे अपना चेहरा छिपा लिया।

'तो यह बात है?' प्रोफ़ेसर मैक्गॉनेगल ने अँगीठी के पास से आते हुए फ़ायरबोल्ट को घूरकर कहा। 'मिस ग्रेंजर ने अभी-अभी मुझे बताया है कि किसी ने तुम्हें एक झाड़ू भेजी है, पॉटर।'

हैरी और रॉन ने पलटकर हर्माइनी को देखा। उसने अपनी किताब उलटी पकड़ रखी थी और किताब के ऊपर उसका माथा लाल दिख रहा था।

'क्या मैं इसे ले सकती हूँ?' प्रोफ़ेसर मैक्गॉनेगल ने पूछा, लेकिन उन्होंने जवाब का इंतज़ार किए बिना ही उनके हाथों से फ़ायरबोल्ट ले ली। उन्होंने इसके हैंडल से लेकर पूँछ तक हर चीज़ की सावधानी से जाँच की। 'हूँ! और इसके साथ किसी तरह की कोई चिट्ठी नहीं थी, पॉटर? कोई कार्ड नहीं था? किसी तरह का कोई संदेश नहीं था?'

'नहीं,' हैरी ने सपाट स्वर में कहा।

'अच्छा ...' प्रोफ़ेसर मैक्गॉनेगल बोलीं। 'मुझे इसे ले जाना पड़ेगा, पॉटर।'

'क-क्या?' हैरी लड़खड़ाते हुए खड़ा हुआ। 'क्यों?'

'यह जाँच करनी पड़ेगी कि कहीं इस पर जादू-टोना तो नहीं किया गया है,' प्रोफ़ेसर मैक्गॉनेगल ने कहा। 'ज़ाहिर है, मैं इसकी विशेषज्ञ नहीं हूँ, लेकिन

मैडम हूच और प्रोफ़ेसर फ़्लिटविक इसका पुर्ज़ा-पुर्ज़ा खोल देंगे –'

'पुर्ज़ा-पुर्ज़ा खोल देंगे?' रॉन ने दोहराया, जैसे प्रोफ़ेसर मैक्गॉनेगल पागल हो गई हों।

प्रोफ़ेसर मैक्गॉनेगल बोलीं, 'इसमें कुछ हफ़्ते से ज़्यादा समय नहीं लगेगा। अगर हमें यक़ीन हो गया कि इस पर कोई जादू-टोना नहीं किया गया है, तो यह तुम्हें वापस मिल जाएगी।'

'इसके साथ कोई गड़बड़ नहीं है!' हैरी ने काँपती हुई आवाज़ में कहा। 'मेरा यक़ीन कीजिए, प्रोफ़ेसर –'

'तुम यह कैसे जान सकते हो, पॉटर,' प्रोफ़ेसर मैक्गॉनेगल ने दयालुता भरे अंदाज़ में कहा, 'जब तक कि तुम इस पर सवारी न कर लो। और ऐसा तब तक नहीं हो सकता, जब तक कि हमें यह यक़ीन न हो जाए कि इसके साथ कोई छेड़छाड़ नहीं की गई है। मैं तुम्हें जानकारी देती रहूँगी।'

प्रोफ़ेसर मैक्गॉनेगल मुड़ीं और फ़ायरबोल्ट को उठाकर तस्वीर के छेद से बाहर चली गईं। हालाँकि उनके जाने के बाद तस्वीर का छेद बंद हो गया था, लेकिन फिर भी हैरी उसी तरफ़ घूरता रहा। उसके हाथ में अब भी हाई-फ़िनिश पॉलिश का डिब्बा था। फिर रॉन ने हर्माइनी की तरफ़ देखते हुए कहा।

'तुम भागती हुई मैक्गॉनेगल के पास क्यों गई थीं?'

हर्माइनी ने अपनी पुस्तक एक तरफ़ फेंक दी। उसका चेहरा अब भी गुलाबी था, लेकिन वह उठकर रॉन के सामने तनकर खड़ी हो गई।

'क्योंकि मैंने सोचा – और प्रोफ़ेसर मैक्गॉनेगल भी मुझे से सहमत हैं – कि शायद हैरी को यह झाड़ू सिरियस ब्लैक ने भेजी है!'

अध्याय बारह

पितृदेव

हैरी जानता था कि हर्माइनी के इरादे अच्छे थे, लेकिन इसके बावज़ूद वह उससे नाराज़ था। वह कुछ समय तक दुनिया की सबसे अच्छी झाड़ू का मालिक था, लेकिन हर्माइनी की दख़लंदाज़ी के कारण झाड़ू उसके हाथ से चली गई थी। अब तो वह यह भी नहीं जानता था कि वह उस झाड़ू को दोबारा देख भी पाएगा या नहीं। वह अच्छी तरह से जानता था कि फ़ायरबोल्ट में अब तक कोई गड़बड़ी नहीं थी। लेकिन जादू-टोना विरोधी जाँचों के बाद उसका न जाने क्या हाल होगा ?

रॉन भी हर्माइनी पर आगबबूला था। जहाँ तक उसका सवाल था, वह यह मानता था कि एकदम नई फ़ायरबोल्ट के पुर्ज़े-पुर्ज़े खोलकर उसकी जाँच करना किसी अपराध से कम नहीं है। बहरहाल, हर्माइनी अपने काम को सही मानती थी, फिर भी वह हॉल में आने से कतराने लगी। हैरी और रॉन जानते थे कि उसने लाइब्रेरी में शरण ले ली होगी, लेकिन उन्होंने उसे मनाने की कोई कोशिश नहीं की। कुल मिलाकर, जब नए साल के कुछ समय बाद ही स्कूल के बाक़ी विद्यार्थी लौट आए और गरुड़द्वार टॉवर एक बार फिर भीड़ तथा शोर से भर गया, तो वे ख़ुश हुए।

वुड ने टर्म शुरू होने से पहले वाली रात को हैरी से अकेले में बातचीत की।

उसने पूछा, 'क्रिसमस अच्छी रही ?' फिर जवाब का इंतज़ार किए बिना ही वह बैठ गया और धीमी आवाज़ में बोला, 'मैं क्रिसमस के दौरान सोच रहा था, हैरी। अह, पिछले मैच के बारे में। अगर दमपिशाच अगले मैच में भी आ गए ... मेरा मतलब है ... हमारा क्या होगा अगर तुम - एक बार फिर -'

वुड अजीब तरीक़े से वाक्य को अधूरा छोड़ते हुए रुक गया।

'मैं उसका हल निकालने की कोशिश कर रहा हूँ,' हैरी ने तत्काल कहा। 'प्रोफ़ेसर ल्यूपिन ने कहा था कि वे मुझे यह सिखा देंगे कि दमपिशाचों को दूर कैसे भगाया जा सकता है। शायद वे इसी सप्ताह से सिखाना शुरू कर देंगे। उन्होंने कहा था कि वे क्रिसमस के बाद यह काम करेंगे।'

'अच्छा,' वुड के चेहरे की परेशानी अब कम हो गई। 'अगर ऐसा है, तो बहुत अच्छा है – मैं सचमुच नहीं चाहता हूँ कि तुम्हारी जगह किसी और को खोजी बनाऊँ, हैरी। और क्या तुमने नई झाड़ू का ऑर्डर दे दिया है?'

'नहीं,' हैरी बोला।

'क्या! तब तो तुम्हें जल्दी से जल्दी यह काम कर डालना चाहिए – देखो, चीलघात से होने वाले मैच में तुम उस शूटिंग स्टार पर नहीं कर उड़ सकते!'

'उसे क्रिसमस के तोहफ़े में फ़ायरबोल्ट मिली थी,' रॉन बोला।

'*फ़ायरबोल्ट?* नहीं! तुम मज़ाक़ कर रहे हो? असली *फ़ायरबोल्ट?*'

'इतना ख़ुश होने की ज़रूरत नहीं है, ऑलिवर,' हैरी ने उदासी से कहा। 'वह फ़ायरबोल्ट अब मेरे पास नहीं है। उसे ज़ब्त कर लिया गया है।' और फिर उसने पूरी बात बताई कि फ़ायरबोल्ट पर इस समय जादू-टोने की जाँच हो रही है।

'जादू-टोना? उस पर जादू-टोना कैसे हो सकता है?'

'सिरियस ब्लैक,' हैरी ने थके अंदाज़ में कहा। 'लोग मानते हैं कि वह मेरे पीछे पड़ा है। इसलिए मैक्गॉनेगल को लगता है कि वह मुझे यह झाड़ू भेज सकता है।'

वुड ने इस तरफ़ ध्यान नहीं दिया कि एक कुख्यात ख़ूनी उसके खोजी के पीछे पड़ा है और बोला, 'पर ब्लैक फ़ायरबोल्ट कैसे ख़रीद सकता है! वह इस समय छिपा हुआ है! पूरा देश उसकी तलाश कर रहा है! वह क्वालिटी क्विडिच सप्लाइज़ में जाकर झाड़ू कैसे ख़रीद सकता है?'

'मैं जानता हूँ,' हैरी बोला, 'लेकिन मैक्गॉनेगल फिर भी उसके पुर्ज़े-पुर्ज़े खोलना चाहती हैं –'

वुड का चेहरा पीला पड़ गया।

'मैं उनसे इस बारे में बात करूँगा हैरी,' वुड ने वादा किया। 'मैं उन्हें सही स्थिति बताऊँगा ... फ़ायरबोल्ट ... असली फ़ायरबोल्ट, हमारी टीम में ... आख़िर हमारी तरह वे भी तो चाहती हैं कि गरुड़द्वार जीत जाए ... मैं उन्हें सही स्थिति बताऊँगा ... *फ़ायरबोल्ट* ...'

*

अगले दिन से क्लासें फिर शुरू हो गईं। कोई भी जनवरी की ठंडी सुबह जंगल के पास दो घंटे नहीं बिताना चाहता था, लेकिन हैग्रिड ने वहाँ पर आग जला दी थी। इस आग में सैलेमेंडर छिपकलियाँ घूम रही थीं, जिनकी हरकतें देखकर सबको मज़ा आ गया। विद्यार्थियों ने सूखी लकड़ियाँ और पत्तियाँ बटोरकर आग को जलाए रखा। आग को पसंद करने वाली सैलेमंडर छिपकलियाँ आग से सफ़ेद हो गए लट्ठों पर ऊपर-नीचे घूमती रहीं। इसके बजाय ज्योतिष की नए टर्म की पहली क्लास में उन्हें ज़रा कम मज़ा आया। प्रोफ़ेसर ट्रिलोनी अब उन्हें हस्तरेखा शास्त्र पढ़ा रही थीं। उन्होंने हैरी को यह जानकारी देने में ज़रा भी देर नहीं की कि उसके हाथ की जीवनरेखा जितनी छोटी है, उतनी उन्होंने आज तक किसी के हाथ में नहीं देखी।

हैरी गुप्त कलाओं से रक्षा की क्लास में जाने के लिए बेताब था। वुड से हुई बातचीत के बाद वह जल्दी से जल्दी दमपिशाच-विरोधी प्रशिक्षण लेना चाहता था।

जब हैरी ने क्लास के अंत में प्रोफ़ेसर ल्यूपिन को उनका वादा याद दिलाया, तो वे बोले, 'अरे हाँ! मुझे सोचने दो ... गुरुवार की शाम को आठ बजे ? जादू का इतिहास का क्लासरूम इतना बड़ा है कि हम वहाँ पर प्रैक्टिस कर सकते हैं ... इस बारे में मुझे बहुत सोच-विचार करना होगा कि हम यह काम कैसे करेंगे ... ज़ाहिर है, प्रैक्टिस करने के लिए हम महल में असली दमपिशाच को तो ला नहीं सकते हैं ...'

जब वे गलियारे से होते हुए डिनर करने जा रहे थे, तो रॉन बोला, 'वे अब भी बीमार दिख रहे हैं, है ना ? तुम्हें क्या लगता है, उन्हें क्या हुआ है ?'

उन्हें पीछे से किसी की अजीब हँसी सुनाई दी। वहाँ पर हर्माइनी थी, जो एक सूट ऑफ़ आर्मर के नीचे बैठी हुई अपना बैग दोबारा जमा रही थी। बैग में इतनी पुस्तकें भरी हुई थीं कि वह बंद होने का नाम ही नहीं ले रहा था।

रॉन ने चिढ़कर पूछा, 'तुम हम पर हँस क्यों रही हो ?'

'किसी बात पर नहीं,' हर्माइनी ने अपने बैग को फिर से अपने कंधे पर टाँगते हुए ऊँची आवाज़ में कहा।

'नहीं, तुम हँस रही थीं,' रॉन बोला। 'मैंने कहा था कि ल्यूपिन के साथ क्या गड़बड़ है और यह सुनकर तुम हँसने लगी थीं -'

'क्या यह साफ़ नज़र नहीं आता है ?' हर्माइनी ने अपनी समझदारी झाड़ते हुए कहा।

रॉन झुँझलाकर बोला, 'अगर तुम नहीं बताना चाहती हो, तो मत बताओ।'

'अच्छी बात है,' हर्माइनी ने घमंड से कहा और चली गई।

'वह कुछ नहीं जानती है,' रॉन ने ग़ुस्से से हर्माइनी को घूरते हुए कहा। 'वह तो सिर्फ़ यह कोशिश कर रही थी कि हम उससे दोबारा बात करने लगें।'

*

गुरुवार की शाम को आठ बजे हैरी गरुड़द्वार के हॉल से निकलकर जादू का इतिहास के क्लासरूम तक गया। क्लासरूम ख़ाली था और वहाँ पर अँधेरा था। हैरी ने अपनी छड़ी से बत्तियाँ जला दीं। पाँच मिनट के इंतज़ार के बाद प्रोफ़ेसर ल्यूपिन भी आ गए। वे एक बड़ा संदूक उठाकर लाए थे, जिसे उन्होंने प्रोफ़ेसर बिन की डेस्क पर रख दिया।

'यह क्या है?' हैरी ने पूछा।

'एक और बहुरूपिया है,' ल्यूपिन ने अपना चोगा खोलते हुए कहा। 'मैं मंगलवार से पूरे महल में किसी बहुरूपिए को ढूँढ़ रहा था और ख़ुशक़िस्मती से यह बहुरूपिया मुझे मिस्टर फ़िल्च की फ़ाइलों वाली अलमारी के भीतर छिपा मिल गया। असली दमपिशाच का यही सबसे अच्छा विकल्प है। तुम्हें देखते ही बहुरूपिया दमपिशाच में बदल जाएगा और तुम उस पर प्रैक्टिस कर सकते हो। प्रैक्टिस के बाद मैं उसे अपने ऑफ़िस में बंद रखूँगा। मेरी डेस्क में एक ड्रॉअर है, जो उसे पसंद आएगा।'

'ठीक है,' हैरी ने कहा। वह ऐसा दिखाने की कोशिश कर रहा था, जैसे वह डरने के बजाय ख़ुश हो रहा हो कि ल्यूपिन ने असली दमपिशाच का इतना अच्छा विकल्प खोज लिया था।

'तो ...' प्रोफ़ेसर ल्यूपिन ने अपनी छड़ी बाहर निकाली और हैरी को भी ऐसा ही करने का इशारा किया। 'मैं आज तुम्हें जो मंत्र सिखाने जा रहा हूँ, वह बहुत ऊँचे स्तर का जादू है, हैरी – सामान्य जादूगरी के स्तर से बहुत ऊँचा। इसे पितृदेव सम्मोहन कहा जाता है।'

'यह किस तरह काम करता है?' हैरी ने घबराते हुए पूछा।

ल्यूपिन ने कहा, 'देखो, जब यह ठीक तरह से काम करता है, तो इससे एक पितृदेव उत्पन्न होता है, जो दमपिशाच-विरोधी होता है। पितृदेव तुम्हारी रक्षा करता है और तुम्हारे तथा दमपिशाच के बीच एक कवच का काम करता है।'

हैरी के मन में अचानक एक तस्वीर आई कि वह हैग्रिड के आकार के किसी व्यक्ति के पीछे दुबका हुआ है, जिसके हाथ में एक बड़ा मुद्गर है। प्रोफ़ेसर ल्यूपिन ने आगे कहा, 'पितृदेव एक तरह की सकारात्मक शक्ति है। यह उन्हीं

चीज़ों का प्रतिरूप होता है, जिन्हें दमपिशाच अपना भोजन बनाते हैं – आशा, ख़ुशी, जीवित रहने की इच्छा – लेकिन चूँकि पितृदेव आम इंसानों की तरह निराश नहीं हो सकता है, इसलिए दमपिशाच उस पर अपना असर नहीं डाल पाते हैं। लेकिन मैं तुम्हें चेतावनी देना चाहूँगा हैरी! हो सकता है यह सम्मोहन तुमसे न बन पाए, क्योंकि यह बहुत ऊँचे स्तर का जादू है। कई योग्य जादूगरों को भी इसमें मुश्किल आती है।'

हैरी ने उत्सुकता से पूछा, 'पितृदेव कैसा दिखता है?'

'हर जादूगर का पितृदेव अलग-अलग होता है।'

'और इसे कैसे उत्पन्न किया जाता है?'

'एक मंत्र से! लेकिन ऐसा तभी होगा, जब मंत्र पढ़ते समय तुम अपना पूरा ध्यान किसी बहुत सुखद याद पर केंद्रित करो।'

हैरी ने सुखद याद की तलाश करने की कोशिश की। निश्चित रूप से डर्स्ली परिवार में हुई किसी घटना से काम नहीं चलेगा। आख़िरकार, उसने उस पल को चुना, जब उसने पहली बार झाड़ू की सवारी की थी।

'ठीक है,' उसने कहा और यह याद करने की कोशिश की कि उस समय उसे कितना अद्‌भुत एहसास हुआ था।

'मंत्र यह है –' ल्यूपिन ने अपना गला साफ़ किया, *'पितृदेव संरक्षणम्!'*

'पितृदेव संरक्षणम्,' हैरी ने दोहराया, 'पितृदेव संरक्षणम्।'

'अपनी सुखद याद पर अच्छी तरह ध्यान केंद्रित कर रहे हो?'

'हाँ –' हैरी ने अपने विचारों को झाड़ू की पहली सवारी पर केंद्रित करने की कोशिश करते हुए कहा। *'पितृदेव संरक्षतम्* – नहीं, *संरक्षणम्* – माफ़ कीजिए – *पितृदेव संरक्षणम्, पितृदेव संरक्षणम्* –'

अचानक उसकी छड़ी के किनारे से एक चीज़ निकली, जो सफ़ेद धुएँ की लकीर की तरह दिख रही थी।

'क्या आपने उसे देखा?' हैरी ने रोमांचित होकर कहा। 'कुछ हुआ था!'

'बहुत बढ़िया,' ल्यूपिन ने मुस्कराते हुए कहा। 'तो फिर ठीक है – दमपिशाच पर इसका अभ्यास करने के लिए तैयार हो?'

'हाँ,' हैरी ने अपनी छड़ी को बहुत कसकर पकड़ते हुए और ख़ाली क्लासरूम के बीच में खिसकते हुए कहा। उसने उड़ने पर अपने दिमाग़ को केंद्रित करने की कोशिश की, लेकिन उसके दिमाग़ में रह-रहकर कोई और ही विचार आ रहा था ... अब उसे किसी भी पल अपनी माँ की आवाज़ एक बार फिर सुनाई दे सकती है ... लेकिन उसे इस बारे में नहीं सोचना चाहिए, वरना उसे

उनकी आवाज़ दोबारा सुनाई दे जाएगी और वह उसे नहीं सुनना चाहता था .. . या दरअसल वह सुनना चाहता था?

ल्यूपिन ने संदूक का ढक्कन खोल दिया।

संदूक में से एक दमपिशाच धीमे से निकला और उसने अपना नक़ाब से ढँका चेहरा हैरी की तरफ़ घुमाया। उसने अपने चमकते गिलगिले हाथ से अपना चोगा पकड़ रखा था। क्लासरूम के चारों तरफ़ की बत्तियाँ झपकीं और फिर बुझ गईं। दमपिशाच ने संदूक से बाहर क़दम रखा और हैरी की तरफ़ ख़ामोशी से बढ़ने लगा। फिर उसने एक गहरी, खरखराती तेज़ साँस खींची। हैरी को तेज़ ठंड की लहर का एहसास हुआ –

'पितृदेव संरक्षणम्!' हैरी चीख़ा। *'पितृदेव संरक्षणम्! पितृदेव –'*

लेकिन क्लासरूम और दमपिशाच अब धुँधले हो रहे थे ... हैरी एक बार फिर सफ़ेद कोहरे की खाई में नीचे गिर रहा था ... अब उसे अपनी माँ की आवाज़ काफ़ी तेज़ सुनाई दे रही थी – *'हैरी को नहीं! हैरी को नहीं! रहम करो – मैं कुछ भी करूँगी –'*

'दूर हट जाओ, मूर्ख औरत – दूर हट जाओ, इसी समय –'

'हैरी!'

हैरी झटके से एक बार फिर असली दुनिया में आ गया। वह फ़र्श पर पीठ के बल लेटा था। क्लासरूम की बत्तियाँ एक बार फिर जल गई थीं। उसे यह पूछने की ज़रूरत नहीं थी कि क्या हुआ था।

'माफ़ कीजिए,' बुदबुदाते हुए वह बैठ गया। उसे एहसास हुआ कि उसके चश्मे के पीछे से ठंडा पसीना बह रहा था।

ल्यूपिन ने पूछा, 'तुम ठीक तो हो?'

'हाँ ...' हैरी एक डेस्क का सहारा लेकर खड़ा हुआ और उस पर झुक गया।

'यह लो –' ल्यूपिन ने उसे एक चॉकलेट मेंढक पकड़ा दिया। 'अगली कोशिश करने से पहले इसे खा लो। मुझे उम्मीद नहीं थी कि तुम यह काम पहली बार में कर लोगे। सच तो यह है कि अगर तुम इसे पहली बार में कर लेते, तो मुझे बहुत हैरानी होती।'

'अब तो हालत और बिगड़ती जा रही है,' हैरी मेंढक का सिर खाते हुए बुदबुदाया। 'मैंने अपनी माँ की आवाज़ इस बार और भी तेज़ सुनी – और उसकी – वोल्डेमॉर्ट की –'

ल्यूपिन का चेहरा अब और पीला दिखने लगा।

'हैरी, अगर तुम यह नहीं करना चाहते हो, तो रहने दो। मैं समझता हूँ –'

'मैं यह करना चाहता हूँ!' हैरी ने तेज़ी से कहा और बचे हुए चॉकलेट मेंढक को अपने मुँह में भर लिया। 'मुझे यह करना ही है! अगर दमपिशाच चीलघात वाले मैच में आ गए, तो क्या होगा ? मैं दोबारा गिरना बर्दाश्त नहीं कर सकता। अगर हम यह मैच भी हार गए, तो हमारे हाथ से क्विडिच कप निकल जाएगा!'

'तो फिर ठीक है ...' ल्यूपिन ने कहा। 'तुम्हें किसी और याद को चुनना चाहिए, जो सचमुच सुखद हो। फिर तुम्हें उस पर अपना पूरा ध्यान केंद्रित करना होगा ... तुम्हारी पिछली याद ज़्यादा शक्तिशाली नहीं थी ...'

हैरी ने अपने दिमाग़ पर ज़ोर डाला। फिर वह इस नतीजे पर पहुँचा कि जब गरुड़द्वार ने पिछले साल हाउस चैंपियनशिप जीती थी, वह याद निश्चित रूप से सुखद थी। उसने दोबारा अपनी छड़ी कसकर पकड़ ली और क्लासरूम के बीच में पहुँच गया।

'तैयार हो ?' ल्यूपिन ने संदूक के ढक्कन को पकड़ते हुए पूछा।

'तैयार हूँ,' हैरी बोला। वह अपने दिमाग़ को गरुड़द्वार की जीत के सुखद विचारों से भरने की कोशिश कर रहा था। साथ ही यह कोशिश भी कर रहा था कि वह इस बारे में न सोचे कि संदूक खुलने के बाद क्या होगा।

'चलो!' ल्यूपिन ने ढक्कन खोलते हुए कहा। कमरा एक बार फिर बहुत ठंडा और अंधकारमय हो गया। दमपिशाच आगे की तरफ़ लहराया, उसने खरखराती साँस खींची। उसका एक सड़ा-गला हाथ हैरी की तरफ़ बढ़ा –

'पितृदेव संरक्षणम्!' हैरी चिल्लाया। 'पितृदेव संरक्षणम्! पितृदेव संरक्ष–'

सफ़ेद कोहरा उसकी आँखों को धुँधला करने लगा ... बड़ी, धुँधली आकृतियाँ अब उसके चारों तरफ़ हिल रही थीं ... फिर एक नई आवाज़ आई, एक आदमी की आवाज़, जो दहशत में चिल्ला रहा था –

'लिली, हैरी को लेकर चली जाओ! वह आ गया है! जाओ! भागो! मैं उसे सँभालता हूँ –'

किसी के द्वारा कमरे का दरवाज़ा भड़भड़ाने की आवाज़ आई – फिर तेज़ आवाज़ में एक दरवाज़ा खुला – ऊँचे सुर में कोई तीखी हँसी हँस रहा था –

'हैरी! हैरी! ... जागो ...'

ल्यूपिन हैरी के चेहरे को जमकर थपथपा रहे थे। इस बार तो हैरी को यह समझने में एक मिनट लग गया कि वह क्लासरूम के धूल भरे फ़र्श पर लेटा हुआ

था।

'मैंने अपने डैडी की आवाज़ सुनी,' हैरी बुदबुदाया। 'यह पहली बार है, जब मैंने उनकी आवाज़ सुनी है – उन्होंने वोल्डेमॉर्ट से मुक़ाबला करने की कोशिश की थी, ताकि मम्मी को भागने का समय मिल जाए ...'

हैरी को अचानक एहसास हुआ कि उसके चेहरे पर पसीने के साथ-साथ आँसू भी बह रहे थे। उसने अपना चेहरा झुकाकर दुशाले से पोंछा और अपने जूते के लैस बाँधने का नाटक किया, ताकि ल्यूपिन उसके आँसू न देख पाएँ।

'तुमने जेम्स की आवाज़ सुनी?' ल्यूपिन ने एक अजीब सी आवाज़ में पूछा।

'हाँ ...' सूखे चेहरे के साथ हैरी ने ऊपर देखा। 'आप उन्हें जानते हैं?'

'हाँ – मैं जानता हूँ।' ल्यूपिन ने कहा। 'वास्तव में हम हॉगवर्ट्स में दोस्त थे। सुनो, हैरी – शायद हमें आज रात यहीं रुक जाना चाहिए। यह सम्मोहन बहुत ऊँचे स्तर का है ... मुझे तुम्हें इतनी मुश्किल में डालने वाली सलाह देनी ही नहीं चाहिए थी ...'

'नहीं!' हैरी ने कहा। वह दोबारा उठकर खड़ा हो गया। 'मैं एक बार और कोशिश करूँगा! मैं ज़्यादा सुखद बातों के बारे में नहीं सोच रहा हूँ, यही असली कारण है ... ज़रा ठहरिए ...'

उसने अपने दिमाग़ पर ज़ोर डाला। एक सचमुच, सचमुच सुखद याद . .. ऐसी याद, जिससे वह एक अच्छा और शक्तिशाली पितृदेव उत्पन्न कर सके ...

जिस पल उसने पहली बार सुना था कि वह जादूगर है और डर्स्ली परिवार से निकलकर हॉगवर्ट्स जाने वाला है! इससे ज़्यादा सुखद याद और कौन सी हो सकती है ... जब उसने सुना था कि वह प्रिविट ड्राइव छोड़कर जाने वाला है, तो उसे कैसा लगा था, उसने यह याद करने की पूरी कोशिश की। फिर वह उछलकर खड़ा हो गया और एक बार फिर संदूक के सामने पहुँच गया।

'तैयार?' ल्यूपिन ने कहा, जिनके चेहरे पर ऐसा भाव था कि जैसे वे यह काम मजबूरी में कर रहे थे। 'सुखद याद पर अच्छी तरह ध्यान केंद्रित कर लो। ठीक है – अब शुरू करते हैं!'

उन्होंने तीसरी बार संदूक का ढक्कन खोला और उसमें से दमपिशाच बाहर निकला। कमरा ठंडा और अंधकारमय हो गया –

'**पितृदेव संरक्षणम्!**' हैरी गरजा। '**पितृदेव संरक्षणम्! पितृदेव संरक्षणम्!**'

हैरी के दिमाग़ के अंदर की चीख़ एक बार फिर शुरू हो गई थी। फ़र्क़ यह

था कि इस बार ऐसा लग रहा था, जैसे यह किसी बेसुरे वाद्ययंत्र से आ रही हो। यह कभी धीमी, कभी तेज़ होती थी ... उसे अब भी दमपिशाच दिखाई दे रहा था ... जो रुक गया था ... और फिर हैरी की छड़ी के सिरे से एक बड़ी, सफ़ेद छाया बाहर निकली और उसके तथा दमपिशाच के बीच में मंडराने लगी। हालाँकि हैरी के पैर काँप रहे थे, लेकिन वह अब भी अपने पैरों पर खड़ा था ... हालाँकि उसे यह नहीं मालूम था कि वह कब तक खड़ा रह पाएगा ...

'हास्यांतरण!' ल्यूपिन ने आगे कूदते हुए कहा।

एक ज़ोरदार कड़ाक की आवाज़ हुई और दमपिशाच के साथ ही हैरी का धुंध भरा पितृदेव भी ग़ायब हो गया। हैरी एक कुर्सी में धँस गया। उसके पैर काँप रहे थे और वह इतनी थकान महसूस कर रहा था, जैसे अभी-अभी मील भर दौड़कर आ रहा हो। उसने कनखियों से देखा कि प्रोफ़ेसर ल्यूपिन बहुरूपिए को अपनी छड़ी से संदूक में वापस भेज रहे हैं। बहुरूपिया उनके सामने पहुँचते ही सफ़ेद गेंद में बदल गया था।

'बहुत बढ़िया!' ल्यूपिन ने हैरी की तरफ़ क़दम बढ़ाते हुए कहा। 'बहुत बढ़िया, हैरी! निश्चित रूप से यह एक अच्छी शुरुआत थी!'

'क्या हम एक और कोशिश कर सकते हैं? बस एक और?'

'अभी नहीं,' ल्यूपिन ने दृढ़ता से कहा। 'एक रात के लिए इतनी कोशिशें काफ़ी हैं। अब –'

उन्होंने हैरी को हनीड्यूक्स की बड़ी चॉकलेट पकड़ा दी।

'पूरी चॉकलेट खा लो, वरना मैडम पॉमफ़्री मेरी जान के पीछे पड़ जाएँगी। अगले सप्ताह इसी समय?'

'ठीक है,' हैरी ने कहा। उसने चॉकलेट खाते-खाते देखा कि ल्यूपिन उन बत्तियों को बुझा रहे थे, जो दमपिशाच के ग़ायब होने के बाद दोबारा जल गई थीं। तभी उसके मन में एक विचार आया।

'प्रोफ़ेसर ल्यूपिन?' उसने कहा। 'अगर आप मेरे डैडी को जानते थे, तब तो आप सिरियस ब्लैक को भी जानते होंगे।'

ल्यूपिन तत्काल पलटे।

उन्होंने तेज़ी से पूछा, 'तुम्हारे मन में यह विचार कैसे आया?'

'कुछ नहीं – मेरा मतलब है, मैं बस यह जानता हूँ कि वे हॉगवर्ट्स में दोस्त थे ...'

ल्यूपिन के चेहरे पर राहत के भाव आ गए।

'हाँ, मैं उसे जानता था,' उन्होंने तनाव भरी आवाज़ में कहा। 'या मुझे

लगता था कि मैं उसे जानता था। हैरी, अब जल्दी से चलते हैं, बहुत देर हो गई है।'

हैरी क्लासरूम से बाहर निकलकर, गलियारे में चलते हुए एक मोड़ पर मुड़ा। फिर वह एक सूट ऑफ़ आर्मर के पीछे से एक चक्करदार रास्ते पर घूमा और चॉकलेट खाने के लिए नीचे बैठ गया। वह सोच रहा था कि उसे ब्लैक का ज़िक्र नहीं करना चाहिए था, क्योंकि यह स्पष्ट था कि ल्यूपिन उसके बारे में बातें नहीं करना चाहते थे। फिर हैरी अपने माता-पिता के बारे में सोचने लगा ...

हालाँकि उसने ढेर सारी चॉकलेट खाई थी, फिर भी उसे ऐसा लग रहा था जैसे उसकी सारी ताक़त चली गई है। हालाँकि अपने मरते हुए माता-पिता के आख़िरी शब्द सुनना भयंकर अनुभव था, लेकिन हैरी ने बचपन के बाद उनकी सिर्फ़ यही आवाज़ें सुनी थीं। उसे लगा कि उसके मन में शायद उनकी आवाज़ सुनने की इच्छा थी। लेकिन अगर उसके मन में यह इच्छा रही, तो वह कभी सही पितृदेव उत्पन्न नहीं कर पाएगा ...

'वे मर चुके हैं,' उसने ख़ुद को सख़्ती से याद दिलाया। 'वे मर चुके हैं, और उनके आख़िरी शब्द सुनने से वे वापस नहीं लौटेंगे। अगर तुम क्विडिच कप जीतना चाहते हो, तो बेहतर यही होगा कि ख़ुद को सँभाल लो।'

वह उठकर खड़ा हो गया, अपने मुँह में चॉकलेट का आख़िरी टुकड़ा भरा और गरुड़द्वार के हॉल की तरफ़ चल दिया।

*

टर्म शुरू होने के एक सप्ताह बाद चीलघात और नागशक्ति का मैच हुआ। नागशक्ति की टीम जीत तो गई, लेकिन बहुत कम अंकों से। वुड के अनुसार यह गरुड़द्वार के लिए अच्छी ख़बर थी, क्योंकि चीलघात को हराने के बाद गरुड़द्वार दूसरे स्थान पर पहुँच जाएगा। इसलिए अब वह अपनी टीम से सप्ताह में पाँच दिन प्रैक्टिस करवाने लगा। इसका मतलब था कि ल्यूपिन की दमपिशाच-विरोधी कक्षाओं को मिलाकर (जो छह क्विडिच प्रैक्टिस से ज़्यादा दम निकाल लेती थी) हैरी के पास सप्ताह में सिर्फ़ एक ही रात बचती थी, जिसमें वह अपना होमवर्क कर सकता था। इसके बाद भी उसका तनाव हर्माइनी जितना नहीं था। ऐसा लगता था कि बहुत ज़्यादा पढ़ाई का बोझ आख़िरकार अब हर्माइनी पर हावी हो गया था। हर रात को बिना नागा किए वह हॉल के एक कोने में दिखती थी। उसकी पुस्तकें कई टेबलों पर फैली रहती थीं। अंकों के जादुई महत्व के चार्ट, पुरातन लिपियों की डिक्शनरियाँ, भारी सामान उठाते मगलुओं के चित्र और नोट्स की बहुत सी फ़ाइलें। वह शायद ही कभी किसी से बोलती थी और जब

भी कोई उसकी पढ़ाई में बाधा डालता था, तो वह उसे झिड़क देती थी।

'वह ऐसा कैसे कर रही है?' रॉन ने एक शाम को हैरी से बुदबुदाकर कहा। उस समय हैरी स्नेप के दिए निबंध को पूरा कर रहा था, जो पकड़ में न आने वाले जहरों के बारे में था। हैरी ने नज़रें उठाकर देखा। हर्माइनी पुस्तकों के इतने ऊँचे ढेर के पीछे बैठी थी कि मुश्किल से दिखाई दे रही थी।

'क्या?'

'हर्माइनी इतनी सारी क्लासों में कैसे जा रही है!' रॉन ने कहा। 'आज सुबह मैंने उसे अंकों के जादुई महत्व वाली प्रोफ़ेसर वेक्टर से बातें करते सुना था। दोनों कल की क्लास के बारे में बात कर रही थीं। लेकिन हर्माइनी वहाँ नहीं हो सकती थी, क्योंकि उस समय तो वह हमारे साथ जादुई प्राणियों की देखभाल की क्लास में थी! ये दोनों क्लासें एक ही समय लगती हैं। और अर्नी मैकमिलन ने मुझे बताया है कि हर्माइनी ने मगलुओं का अध्ययन की एक भी क्लास नहीं छोड़ी है, जबकि उस विषय की आधी क्लासें ज्योतिष के समय ही लगती हैं और अजीब बात यह है कि उसने ज्योतिष की भी कोई क्लास नहीं छोड़ी है!'

हैरी के पास इतना समय नहीं था कि वह उस वक़्त हर्माइनी के असंभव टाइमटेबल के रहस्य को सुलझाने की कोशिश करता। उसे दरअसल स्नेप का निबंध पूरा करना ही था। बहरहाल, दो पल बाद ही उसके सामने एक और बाधा आ गई। वहाँ पर वुड आ गया था।

'बुरी ख़बर है, हैरी। मैं अभी प्रोफ़ेसर मैक्गॉनेगल से फ़ायरबोल्ट के बारे में बात करने गया था। उन्होंने – उन्होंने मुझे बुरी तरह झिड़क दिया। उन्होंने कहा कि मेरी प्राथमिकताएँ ग़लत थीं। वे कह रही थीं कि मुझे कप जीतने की ज़्यादा परवाह है, तुम्हारी ज़िंदगी की परवाह नहीं है। सिर्फ़ इसलिए, क्योंकि मैंने उनसे कहा था कि अगर सुनहरी गेंद को पकड़ने के बाद फ़ायरबोल्ट तुम्हें फेंक दे, तो इस बात से कोई फ़र्क़ नहीं पड़ता है।' वुड ने अविश्वास में अपना सिर हिलाया। 'सच्ची, जिस तरह वे मुझ पर चिल्ला रही थीं ... किसी को भी लगता, जैसे मैंने कोई बहुत भयानक बात कह दी हो। फिर मैंने उनसे पूछा कि वे फ़ायरबोल्ट को कितने समय तक अपने पास रखेंगी ...' उसने मुँह बनाकर प्रोफ़ेसर मैक्गॉनेगल की गंभीर आवाज़ की नक़ल की, ' "जब तक ज़रूरी होगा, वुड" ... मुझे लगता है अब तुम्हें नई झाड़ू का ऑर्डर दे ही देना चाहिए, हैरी। *कौन सी झाड़ू* किताब के पीछे ऑर्डर फ़ॉर्म है ... तुम निम्बस 2001 ख़रीद सकते हो, जैसी मैल्फ़ॉय के पास है।'

हैरी ने वुड से साफ़ शब्दों में कह दिया, 'मैं ऐसी कोई चीज़ नहीं ख़रीदूँगा, जो मैल्फ़ॉय को अच्छी लगती हो।'

*

जनवरी अब फरवरी में बदल गई थी, लेकिन भयंकर ठंडे मौसम में कोई बदलाव नहीं आया। चीलघात और गरुड़द्वार का मैच क़रीब आता जा रहा था, लेकिन हैरी ने अभी तक नई झाड़ू का ऑर्डर नहीं दिया था। अब वह रूप-परिवर्तन की हर कक्षा के बाद प्रोफ़ेसर मैक्गॉनेगल से फ़ायरबोल्ट के बारे में पूछता था। रॉन उसके पीछे आशा से खड़ा रहता था और हर्माइनी अपना चेहरा घुमा लेती थी।

जब यह बारहवीं बार हुआ, तो प्रोफ़ेसर मैक्गॉनेगल ने उसके मुँह खोलने से पहले ही कहा, 'नहीं पॉटर, तुम्हें झाड़ू अभी वापस नहीं मिल सकती। हमने अधिकांश शापों की जाँच कर ली है, लेकिन प्रोफ़ेसर फ़्लिटविक कहते हैं कि इस पर प्रक्षेपण टोना भी हो सकता है। जाँच पूरी होने पर मैं तुम्हें तत्काल बता दूँगी। अब मेहरबानी करके मुझे तंग मत करो।'

स्थिति और भी बुरी इसलिए थी, क्योंकि हैरी का दमपिशाच-विरोधी प्रशिक्षण उतना अच्छा नहीं चल रहा था, जितनी उसे उम्मीद थी। कई हफ़्तों की प्रैक्टिस के बाद भी बहुरूपिए-दमपिशाच के पास आने पर वह एक धुँधली सफ़ेद छाया ही उत्पन्न कर पाता था और उसका पितृदेव इतना कमज़ोर रहता था कि वह दमपिशाच को भगा नहीं पाता था। वह किसी अर्ध-पारदर्शी बादल की तरह सिर्फ़ बीच में मंडराता रहता था। उसे वहाँ पर रखने में हैरी की शक्ति कम होती जाती थी। हैरी को ख़ुद पर ग़ुस्सा आ रहा था। वह इस बात के लिए अपराधी महसूस कर रहा था कि उसके मन में अपने माता-पिता की आवाज़ दोबारा सुनने की इच्छा थी।

'तुम ख़ुद से कुछ ज़्यादा ही उम्मीद कर रहे हो,' प्रोफ़ेसर ल्यूपिन ने चौथी प्रैक्टिस में सख़्ती से कहा। 'तेरह साल के जादूगर के लिए धुँधला पितृदेव उत्पन्न करना भी बहुत बड़ी सफलता है। तुम अब बेहोश नहीं हो रहे हो।'

'मुझे लगता था कि पितृदेव दमपिशाचों को दूर भगा देगा,' हैरी ने निराशा से कहा। 'इससे वे ग़ायब हो जाएँगे -'

'ऐसा सिर्फ़ शक्तिशाली पितृदेव करता है,' ल्यूपिन ने कहा। 'लेकिन तुमने इतने कम समय में बहुत कुछ सीख लिया है। अगर दमपिशाच तुम्हारे अगले क्विडिच मैच में आते भी हैं, तो भी तुम उन्हें दूर रखकर ज़मीन पर उतर सकते हो।'

'आपने कहा था कि अगर दमपिशाच ज़्यादा होंगे, तो इस काम में मुश्किल आएगी,' हैरी बोला।

'मुझे तुम पर पूरा भरोसा है,' ल्यूपिन ने मुस्कराते हुए कहा। 'यह लो -

अब तुम्हें पुरस्कार मिलना चाहिए। थ्री ब्रूमस्टिक्स से एक ऐसी चीज़ लाया हूँ, जो शायद तुमने पहले कभी नहीं चखी होगी –'

उन्होंने अपने ब्रीफ़केस से दो बोतलें निकालीं।

'बटरबियर!' हैरी ने बिना सोचे-समझे बोल दिया। 'हाँ, मुझे यह बहुत पसंद है!'

ल्यूपिन ने अपनी एक भौंह तान ली।

हैरी ने तत्काल झूठ बोल दिया, 'वो क्या था – हॉग्समीड से रॉन और हर्माइनी मेरे लिए लाए थे।'

'अच्छा,' ल्यूपिन ने कहा, हालाँकि वे अब भी उसे थोड़ी शक भरी निगाह से देख रहे थे। 'चलो – चीलघात के ख़िलाफ़ गरुड़द्वार की जीत के नाम पर! हालाँकि टीचर होने के नाते मुझे किसी हाउस का पक्ष नहीं लेना चाहिए ...' उन्होंने जल्दी से आगे जोड़ दिया।

वे तब तक चुपचाप बटरबियर पीते रहे, जब तक कि हैरी ने वह बात नहीं कह दी, जिसके बारे में वह कुछ समय से सोच रहा था।

'दमपिशाच के नक़ाब के पीछे क्या होता है ?'

प्रोफ़ेसर ल्यूपिन ने सोचते हुए अपनी बोतल नीचे की।

'देखो, जो लोग सचमुच यह बात जानते हैं, वे इस स्थिति में नहीं रहते हैं कि हमें बता सकें। देखो, दमपिशाच अपना नक़ाब सिर्फ़ तभी हटाता है, जब वह अपने आख़िरी और सबसे बुरे हथियार का इस्तेमाल करता है।'

'वह क्या ?'

'इसे दमपिशाच का चुंबन कहा जाता है,' ल्यूपिन ने थोड़ा मुस्कराते हुए कहा। 'दमपिशाच जिसे पूरी तरह नष्ट करना चाहते हैं, उसे वे चूम लेते हैं। मुझे लगता है कि नक़ाब के अंदर किसी तरह का मुँह होता होगा, क्योंकि वे अपने जबड़े को अपने शिकार के मुँह पर कसकर जमा लेते हैं – और फिर उसकी आत्मा चूस लेते हैं।'

हैरी को ठसका लगा और उसके मुँह से बटरबियर का घूँट बाहर निकलकर छलक गया।

'क्या – वे मार डालते हैं – ?'

'अरे नहीं,' ल्यूपिन ने कहा। 'उससे भी बुरा। आत्मा के बिना भी इंसान तब तक ज़िंदा रह सकता है, जब तक उसका दिल और दिमाग़ काम करता रहे। लेकिन तब ख़ुद के बारे में कोई एहसास नहीं होगा, कोई याद नहीं होगी ... कुछ भी नहीं होगा। इसके बाद इस स्थिति को ठीक करने का कोई उपाय नहीं होता

है। इंसान बस ज़िंदा रहता है। किसी ख़ाली सीपी की तरह। और उसकी आत्मा हमेशा के लिए चली जाती है।'

थोड़ी और बटरबियर पीने के बाद ल्यूपिन बोले, 'यही सज़ा सिरियस ब्लैक का इंतज़ार कर रही है। आज सुबह ही *दैनिक जादूगर* में यह ख़बर छपी है। मंत्रालय ने दमपिशाचों को अनुमति दे दी है कि अगर उन्होंने उसे पकड़ लिया, तो वे उसका चुंबन ले सकते हैं।'

हैरी एक पल के लिए तो स्तब्ध रह गया, जब उसने सोचा कि किसी की आत्मा उसके मुँह से चूस ली जाती है। लेकिन फिर उसने ब्लैक के बारे में सोचा।

'वह इसी क़ाबिल है,' उसने अचानक कहा।

'तुम्हें ऐसा लगता है?' ल्यूपिन ने हल्के अंदाज़ में कहा। 'क्या तुम्हें सचमुच लगता है कि किसी को इतनी बड़ी सज़ा मिलना चाहिए?'

'हाँ,' हैरी ने आक्रोश भरे स्वर में कहा। 'कुछ... कुछ चीज़ों के लिए...'

वह ल्यूपिन को उस बातचीत के बारे में बताना चाहता था, जो उसने थ्री ब्रूमस्टिक्स में ब्लैक के बारे में छिपकर सुनी थी। वह उन्हें बताना चाहता था कि ब्लैक ने उसके माता-पिता को किस तरह धोखा दिया था, लेकिन उसने कुछ नहीं कहा, क्योंकि उसे यह भी बताना पड़ता कि वह बिना अनुमति के हॉग्समीड गया था। वह जानता था कि ल्यूपिन इस बात को पसंद नहीं करेंगे। इसलिए उसने अपनी बटरबियर ख़त्म की, ल्यूपिन को धन्यवाद दिया और जादू का इतिहास के क्लासरूम से बाहर आ गया।

हैरी अधूरे मन से सोच रहा था, काश उसने यह नहीं पूछा होता कि दमपिशाच के नक़ाब के पीछे क्या होता है। इस सवाल का जवाब बहुत भयानक था। आत्मा निकलते समय कैसा लगता होगा, वह इस दुखद विचार में इतना खोया हुआ था कि वह सीधे प्रोफ़ेसर मैक्गॉनेगल से टकरा गया, जो सीढ़ियाँ उतर रही थीं।

'देखकर चला करो, पॉटर!'

'सॉरी, प्रोफ़ेसर –'

'मैं अभी गरुड़द्वार के हॉल में तुम्हें ही ढूँढ़ने गई थी। यह देखो, यह रही तुम्हारी झाड़ू। हमने इस पर सारे मंत्रों और जादू-टोनों की जाँच कर ली है, लेकिन हमें इसमें कोई गड़बड़ी नहीं मिली – शायद कहीं पर तुम्हारा कोई बहुत अच्छा दोस्त है, पॉटर ...'

हैरी का मुँह खुला रह गया। उसे उसकी फ़ायरबोल्ट वापस मिल गई थी और यह पहले जितनी ही शानदार दिख रही थी।

'क्या मैं इसे वापस ले सकता हूँ ?' हैरी ने धीमे से पूछा। 'सचमुच ?'

'सचमुच ?' प्रोफ़ेसर मैक्गॉनेगल ने मुस्कराते हुए कहा, 'मुझे लगता है कि शनिवार के मैच से पहले तुम्हें इसकी सवारी की आदत डालनी होगी, है ना ? और पॉटर – जीतने की कोशिश करना। वरना हम लगातार आठवें साल भी कप नहीं जीत पाएँगे, जैसा प्रोफ़ेसर स्नेप ने मुझे पिछली रात को याद दिलाया था ...'

अवाक होकर हैरी फ़ायरबोल्ट को लेकर सीढ़ियाँ चढ़कर गरुड़द्वार टॉवर में ले जाने लगा। जब वह एक मोड़ पर मुड़ा, तो उसने रॉन को तेज़ी से अपनी तरफ़ आते देखा। वह जमकर मुस्करा रहा था।

'उन्होंने तुम्हें यह वापस कर दी ? बहुत बढ़िया! सुनो, क्या मैं इस पर सवारी कर सकता हूँ ? कल ?'

'हाँ ... बिलकुल ...' हैरी ने कहा। उसका दिल एक महीने में पहली बार ख़ुश हुआ था। 'सुनो – हमें हर्माइनी से सुलह कर लेना चाहिए। वह सिर्फ़ मदद करना चाहती थी ...'

'हाँ, ठीक है,' रॉन बोला। 'वह अभी हॉल में है – पढ़ रही है।'

वे गरुड़द्वार के हॉल की तरफ़ जाने वाले गलियारे में मुड़े। वहाँ पर उन्हें नेविल लाँगबॉटम दिखा, जो सर केडोगन से विनती कर रहा था। केडोगन उसे अंदर नहीं जाने दे रहा था।

'मैंने सारे पासवर्ड लिख लिए थे,' नेविल ने आँसू भरकर कहा, 'लेकिन वे ग़ुम गए हैं!'

'सफ़ेद झूठ बोल रहे हो!' सर केडोगन गरजा। फिर हैरी और रॉन को देखकर वह बोला, 'गुड ईवनिंग, मेरे अच्छे युवा सैनिको! आकर इस पागल को जंज़ीरों में बाँध दो। यह ज़बर्दस्ती अंदर घुसने की कोशिश कर रहा है!'

'चुप रहो,' रॉन ने कहा, जब हैरी और वह नेविल के पास आए।

'मेरे पासवर्ड ग़ुम गए हैं!' नेविल ने दुखी अंदाज़ में कहा। 'मैंने उससे इस हफ़्ते के सारे पासवर्ड पूछ लिए थे, क्योंकि वह उन्हें बदलता रहता है और मैंने उन्हें न जाने कहाँ रख दिया है!'

'ऊलजलूल पशोपेश,' हैरी ने सर केडोगन से कहा, जो बहुत निराश दिख रहा था। उसने मन मारकर हॉल का दरवाज़ा खोला। हैरी के अंदर जाते ही हॉल में रोमांच का माहौल बन गया। सबने अपना सिर उसकी तरफ़ घुमा लिया। अगले ही पल हैरी के चारों तरफ़ भीड़ लग गई। सब लोग उसकी फ़ायरबोल्ट को देखकर चिल्ला रहे थे।

'तुम्हें यह कहाँ मिली, हैरी ?'

'क्या तुम मुझे इस पर एक बार बैठने दोगे?'

'क्या तुमने इसकी सवारी की है, हैरी?'

'चीलघात के जीतने की तो कोई संभावना ही नहीं है, उनके पास तो क्लीनस्वीप सेवन्स हैं!'

'क्या मैं इसे *पकड़* सकता हूँ, हैरी?'

दस मिनट तक फ़ायरबोल्ट चारों तरफ़ एक से दूसरे हाथ में घूमी और सबने इसकी हर बात की तारीफ़ की। इसके बाद जब भीड़ छँट गई, तो हैरी और रॉन को हर्माइनी साफ़ दिखने लगी। हर्माइनी ही ऐसी एकमात्र विद्यार्थी थी, जो उनके पास भागकर नहीं आई थी। वह अपनी पढ़ाई में जुटी थी और जान-बूझकर उनसे नज़रें नहीं मिला रही थी। हैरी और रॉन उसकी टेबल के पास पहुँचे। आख़िरकार हर्माइनी ने निगाह उठाकर उनकी तरफ़ देखा।

'मुझे यह वापस मिल गई है,' हैरी ने मुस्कराते हुए उसे फ़ायरबोल्ट दिखाई।

रॉन बोला, 'देखा, हर्माइनी? इसमें कोई गड़बड़ नहीं थी!'

'हो तो सकती थी!' हर्माइनी ने कहा। 'मेरा मतलब है, अब यह तसल्ली तो हो गई कि यह सुरक्षित है!'

'हाँ, मुझे लगता है,' हैरी ने कहा। 'बेहतर होगा कि मैं इसे ऊपर रख आऊँ –'

'मैं ले जाता हूँ!' रॉन ने उत्साह से कहा। 'मुझे स्कैबर्स को उसका रैट टॉनिक भी देना है।'

उसने फ़ायरबोल्ट ली और उसे इस तरह सँभालकर पकड़ा, जैसे वह काँच की हो। फिर वह उसे उठाकर लड़कों के कमरे तक जाने वाली सीढ़ियों पर चढ़ने लगा।

'क्या मैं बैठ सकता हूँ?' हैरी ने हर्माइनी से पूछा।

'हाँ, क्यों नहीं,' हर्माइनी ने एक कुर्सी से चर्मपत्रों का बड़ा ढेर हटाते हुए कहा।

हैरी ने भरी हुई टेबल को देखा। वहाँ पर अंकों के जादुई महत्व का एक लंबा निबंध रखा था, जिसकी स्याही अब भी चमक रही थी। मगलुओं का अध्ययन वाला निबंध तो उससे भी लंबा था ('स्पष्ट करें कि मगलुओं को बिजली की ज़रूरत क्यों होती है') और फिर उसने पुरातन लिपियों के उस अनुवाद को भी देखा, जिस पर हर्माइनी इस समय काम कर रही थी।

'तुम इतनी पढ़ाई कैसे कर लेती हो?' हैरी ने उससे पूछा।

'ज़ाहिर है – कड़ी मेहनत करके,' हर्माइनी बोली। पास से हैरी ने देखा कि वह भी ल्यूपिन जितनी ही थकी लग रही थी।

'तुम अपने एक-दो विषय छोड़ क्यों नहीं देती हो?' हैरी ने पूछा। उस समय हर्माइनी अपनी पुस्तकें उठाकर पुरातन लिपियों की डिक्शनरी खोज रही थी।

हर्माइनी हैरान होकर बोली, 'मैं ऐसा नहीं कर सकती!'

'अंकों का जादुई महत्व बड़ा कठिन विषय लगता है,' हैरी ने अंकों के एक बहुत ही जटिल दिखने वाले चार्ट को उठाते हुए कहा।

'अरे नहीं, यह तो बहुत अच्छा विषय है!' हर्माइनी ने उत्साह से कहा। 'यह मेरा प्रिय विषय है! यह तो –'

लेकिन अंकों का जादुई महत्व के बारे में और क्या अच्छी बातें थीं, यह हैरी कभी नहीं जान पाया। ठीक उसी समय लड़कों के कमरे से एक दबी हुई चीख़ सुनाई दी। पूरा हॉल ख़ामोश होकर प्रवेश द्वार की तरफ़ देखने लगा। फिर तेज़ी से चलते क़दमों की आवाज़ आई, जो लगातार पास आती जा रही थी – और फिर, रॉन दिखाई दिया। वह एक चादर घसीटकर ला रहा था।

'देखो!' वह चीख़ा और हर्माइनी की टेबल के पास आया। **'देखो!'** वह चीख़ा और चादर को हर्माइनी के चेहरे के बिलकुल पास कर दिया।

'रॉन, क्या – ?'

'स्कैबर्स! देखो! स्कैबर्स!' हर्माइनी रॉन से दूर हट रही थी और बुरी तरह बौखला रही थी। हैरी ने उस चादर को देखा, जिसे रॉन पकड़े हुआ था। उस पर लाल धब्बा था। ऐसा लग रहा था, जैसे उस पर कोई चीज़ लगी हुई थी –

'ख़ून है!' रॉन स्तब्ध ख़ामोशी के बीच चीख़ा। **'स्कैबर्स मर गया है! और तुम जानती हो, फ़र्श पर क्या था?'**

'न – नहीं,' हर्माइनी ने काँपती आवाज़ में कहा।

रॉन ने हर्माइनी के पुरातन लिपियों के अनुवाद पर कोई चीज़ फेंकी, जिसे देखने के लिए हर्माइनी और हैरी आगे झुके। लिपियों के अजीबोगरीब आकारों के ऊपर बिल्ली के कुछ लंबे बाल पड़े थे।

अध्याय तेरह

गरुड़द्वार और चीलघात का मैच

ऐसा लगता था कि अब रॉन और हर्माइनी की दोस्ती ख़त्म हो गई है। दोनों एक-दूसरे से इतने नाराज़ थे कि हैरी को यह समझ में नहीं आ रहा था कि उनमें अब सुलह कैसे हो सकती है।

रॉन इसलिए ग़ुस्सा था, क्योंकि हर्माइनी ने अपनी बिल्ली की स्कैबर्स को खाने की कोशिशों को कभी गंभीरता से नहीं लिया था, उसने उसकी पर्याप्त निगरानी नहीं की थी और वह अब भी क्रुकशैंक्स को निर्दोष जताते हुए रॉन को सुझाव दे रही थी कि वह लड़कों के पलंगों के नीचे स्कैबर्स को खोजे। दूसरी तरफ़, हर्माइनी का दावा था कि रॉन के पास इस बात का कोई सबूत नहीं है कि क्रुकशैंक्स ने स्कैबर्स को खाया था और उसके बाल तो वहाँ पर क्रिसमस के दिन से हो सकते हैं। इसके अलावा हर्माइनी यह भी कह रही थी कि रॉन तो क्रुकशैंक्स से उसी समय से चिढ़ा हुआ था, जब से वह जादुई जानवरों की दुकान में उसके सिर पर कूदी थी।

व्यक्तिगत रूप से हैरी को यक़ीन था कि क्रुकशैंक्स ने स्कैबर्स को खा लिया है। जब उसने हर्माइनी को यह बताने की कोशिश की कि सभी सबूत इसी दिशा में संकेत कर रहे हैं, तो वह हैरी पर भी भन्ना गई।

'ठीक है, तुम भी रॉन का पक्ष लो। मैं जानती थी तुम ऐसा ही करोगे!' उसने तीखी आवाज़ में कहा। 'पहले फ़ायरबोल्ट, अब स्कैबर्स, सब मेरी ही ग़लती है, है ना! मुझे अकेला छोड़ दो हैरी, मुझे अभी बहुत पढ़ना है!'

रॉन ने अपने चूहे की मौत को दिल पर ले लिया था।

'छोड़ो भी रॉन, तुम ही तो हमेशा कहा करते थे कि स्कैबर्स बहुत बोरिंग है,' फ्रेड ने तसल्ली देते हुए कहा। 'और वह काफ़ी समय से बीमार भी दिख रहा

था। वह बूढ़ा हो गया था। शायद उसके लिए यह अच्छा ही रहा कि उसे बिल्ली ने तत्काल खा लिया। एक ही झटके में उसका काम तमाम हो गया होगा – शायद उसे कुछ भी महसूस नहीं हुआ होगा।'

'*फ्रेड,*' जिनी ने ग़ुस्से से कहा।

जॉर्ज बोला, 'तुम ही तो कहते थे कि वह सिर्फ़ खाता और सोता रहता है।'

रॉन ने दुख से कहा, 'उसने एक बार हमें बचाने के लिए गॉइल को काटा था! याद है ना, हैरी?'

'हाँ, यह सच है,' हैरी बोला।

'वह उसके जीवन का महानतम क्षण था,' फ्रेड ने अपनी मुस्कराहट रोकने की कोशिश करते हुए कहा। 'गॉइल की उँगली पर बने निशान को उसकी स्मृति के स्मारक के रूप में रहने दो। अब छोड़ो भी रॉन, हॉग्समीड जाकर एक नया चूहा ख़रीद लाना। दुख मनाने से क्या फ़ायदा?'

रॉन को ख़ुश करने की आख़िरी कोशिश में हैरी ने उसे यह लालच दिया कि वह मैच के पहले होने वाली गरुड़द्वार टीम की आख़िरी प्रैक्टिस में चले और प्रैक्टिस ख़त्म होने के बाद फ़ायरबोल्ट की सवारी कर ले। इससे क्विडिच पिच की तरफ़ जाते समय कुछ समय के लिए रॉन के दिमाग़ से स्कैबर्स निकल गया और वह बोला, 'बहुत बढ़िया! क्या मैं इस पर उड़कर कुछ गोल मार सकता हूँ?'

मैडम हूच अब भी हैरी की निगरानी करने के लिए गरुड़द्वार की प्रैक्टिस को देख रही थीं। बाक़ी लोगों की तरह ही वे भी फ़ायरबोल्ट से बहुत प्रभावित हुईं। प्रैक्टिस शुरू होने से पहले उन्होंने उसे अपने हाथ में लिया और उन लोगों को विशेषज्ञ की तरह समझाया।

'इसके संतुलन को देखो! अगर निम्बस सीरीज़ में कोई गड़बड़ी है, तो वह यह है कि कुछ साल बाद वह एक तरफ़ थोड़ा सा झुक जाती है। उन्होंने फ़ायरबोल्ट के हैंडल को भी आधुनिक बना दिया है। यह क्लीनस्वीप्स से थोड़ा पतला है। इसे देखकर मुझे पुरानी सिल्वर एरोज़ की याद आ जाती है – बड़े दुख की बात है कि अब वह झाड़ू बनना बंद हो गई है। मैंने उसी पर उड़ना सीखा था और वह बहुत अच्छी झाड़ू थी ...'

वे कुछ समय तक इसी तरह बोलती रहीं, जब तक कि वुड ने परेशान होकर यह नहीं कहा, 'मैडम हूच? क्या हैरी को फ़ायरबोल्ट वापस मिल सकती है? हमें प्रैक्टिस करना है ...'

'अरे हाँ – ठीक है – यह लो पॉटर,' मैडम हूच ने कहा। 'मैं वीज़्ली के

साथ स्टेडियम में बैठती हूँ ...'

फिर वे और रॉन पिच से चले गए और स्टेडियम में बैठ गए। गरुड़द्वार की टीम वुड के चारों तरफ़ इकट्ठी हो गई और कल के मैच से पहले वुड के आख़िरी निर्देशों का इंतज़ार करने लगी।

'हैरी, मुझे अभी-अभी पता चला है कि चीलघात खोजी के रूप में किसे खिला रहा है। चो चैंग को। वह फ़ोर्थ ईयर में पढ़ती है और बहुत सुंदर भी है ... मुझे उम्मीद थी कि वह पूरी तरह फ़िट नहीं होगी, क्योंकि उसे चोट लगी हुई थी ...' वुड ने मुँह बनाते हुए इस बात पर चिढ़ जताई कि चो चैंग अब पूरी तरह ठीक हो गई थी। इसके बाद वह बोला, 'दूसरी बात, उसके पास कॉमेट 260 झाड़ू है, जो फ़ायरबोल्ट के सामने बच्ची लगेगी।' उसने हैरी की झाड़ू को तारीफ़ भरी निगाह से देखते हुए कहा, 'ठीक है, अब सब लोग उड़ो -'

आख़िरकार हैरी अपनी फ़ायरबोल्ट पर सवार हुआ और ज़मीन पर पैर मारकर ऊपर उठा।

यह तो उसकी कल्पना से भी ज़्यादा अच्छा अनुभव था। फ़ायरबोल्ट हल्के से छूते ही मुड़ जाती थी। ऐसा लगता था जैसे वह उसके इशारों के बजाय उसके विचारों के हिसाब से चलती थी। फ़ायरबोल्ट पिच के पार इतनी तेज़ी से गई कि पूरा स्टेडियम हरे और भूरे झोंके की तरह धुंधला दिखने लगा। हैरी ने उसे इतनी तेज़ी से मोड़ा कि एलिसिया स्पिनेट की चीख़ निकल गई। इसके बाद उसने पूरी तरह नियंत्रित गोता लगाया, घास भरी पिच को अपने पैर की उँगलियों से छुआ और एक बार फिर हवा में तीस, चालीस, पचास फ़ुट ऊपर पहुँच गया -

'हैरी, मैं सुनहरी गेंद छोड़ रहा हूँ!' वुड ने आवाज़ दी।

हैरी मुड़ा और एक पहलवान के साथ गोल तक रेस लगने लगा। उसने पहलवान को आसानी से हरा दिया। फिर उसने देखा कि सुनहरी गेंद वुड के पीछे से निकल रही है। दस सेकंड बाद सुनहरी गेंद हैरी की मुट्ठी में थी।

टीम ने ख़ुशी का ज़ोरदार इज़हार किया। हैरी ने एक बार फिर सुनहरी गेंद छोड़ दी, उसे एक मिनट का समय दिया और फिर उसके पीछे उड़ने लगा। वह दूसरे खिलाड़ियों के बीच से कलाबाज़ियाँ खाते हुए निकला। उसने सुनहरी गेंद को केटी बेल के घुटने के पास मंडराते देखा और एक बार फिर उसे आसानी से पकड़ लिया।

यह अब तक की सबसे अच्छी प्रैक्टिस थी। टीम फ़ायरबोल्ट के होने से इतनी प्रेरित थी कि उसने एक भी ग़लती किए बिना अपना सबसे अच्छा प्रदर्शन किया। जब वे दोबारा ज़मीन पर आए, तो वुड एक भी ग़लती नहीं निकाल पाया, जो जॉर्ज वीज़्ली के अनुसार पहली बार हुआ था।

'मुझे नहीं लगता कि कल हमें कोई भी जीतने से रोक सकता है!' वुड बोला। 'जब तक कि – हैरी, तुमने अपनी दमपिशाच वाली समस्या तो सुलझा ली है, है ना ?'

'हाँ,' हैरी ने अपने कमज़ोर पितृदेव के बारे में सोचते हुए कहा। वह सोच रहा था कि काश उसका पितृदेव थोड़ा ज़्यादा शक्तिशाली होता।

'ऑलिवर, डम्बलडोर का सख़्त आदेश है कि दमपिशाच दोबारा मैच में नहीं आएँगे,' फ्रेड ने विश्वास से कहा।

'काश ऐसा ही हो,' वुड ने कहा। '*ख़ैर* – सभी लोगों का खेल बहुत अच्छा था। अब टॉवर में चलते हैं – सभी लोग आज जल्दी सो जाना ...'

हैरी ने वुड से कहा, 'मैं थोड़ी देर यहीं रुक रहा हूँ। रॉन फ़ायरबोल्ट की सवारी करना चाहता है।' बाक़ी पूरी टीम चेंजिंग रूम की तरफ़ चली गई, जबकि हैरी रॉन के पास पहुँचा। मैडम हूच अपनी सीट पर सो गई थीं।

'लो,' हैरी ने रॉन को फ़ायरबोल्ट थमाते हुए कहा।

रॉन के चेहरे पर बेहद आनंद का भाव था। अँधेरा होने लगा था, लेकिन रॉन उत्साह से झाड़ू पर चढ़ा और आसमान में उड़ चला। हैरी उसे देखते हुए पिच पर घूमता रहा। जब रात हो गई, तो मैडम हूच अचानक जागीं। उन्होंने हैरी और रॉन को डाँटा कि उन दोनों ने उन्हें पहले क्यों नहीं जगाया। फिर उन्होंने उन्हें तत्काल महल लौटने का आदेश दिया।

हैरी ने फ़ायरबोल्ट कंधे पर रखी और रॉन के साथ अंधेरे स्टेडियम से बाहर निकला। वे लोग फ़ायरबोल्ट के बेहतरीन संतुलन, बेमिसाल गति और शानदार सवारी के बारे में बातें करते जा रहे थे। अभी वे महल से आधी दूरी पर ही थे कि तभी हैरी को बाईं तरफ़ एक ऐसी चीज़ दिखाई दी, जिससे उसका दिल धक्क रह गया – दो आँखें अँधेरे में चमक रही थीं।

हैरी एकदम रुक गया। उसका दिल उसकी पसलियों से टकराने लगा।

'क्या हुआ ?' रॉन बोला।

हैरी ने इशारा किया। रॉन अपनी छड़ी निकालकर बुदबुदाया, 'प्रकाशित भव!'

रोशनी की एक किरण घास के उस पार तक गई और एक पेड़ के निचले हिस्से से टकराई, जिससे उसकी शाखाएँ चमकने लगीं। क्रुकशैंक्स पत्तियों के बीच में दुबकी हुई थी।

'वहाँ से बाहर निकल!' रॉन गरजा। उसने नीचे झुककर घास पर पड़ा पत्थर उठाया, लेकिन इससे पहले कि वह और कुछ कर पाता, क्रुकशैंक्स अपनी

लंबी पूँछ हिलाकर ग़ायब हो गई।

'देखा?' रॉन ने ग़ुस्से से पत्थर नीचे फेंकते हुए कहा। 'हर्माइनी ने अब भी उसे खुले घूमने की पूरी छूट दे रखी है - शायद वह स्कैबर्स को हज़म करने के लिए कुछ चिड़ियों को खाना चाहती होगी ...'

हैरी ने कुछ नहीं कहा। उसने राहत भरी गहरी साँस ली। एक पल के लिए तो उसे यह लगा था कि वे आँखें ग्रिम की थीं। वे एक बार फिर महल की तरफ़ चल दिए। हैरी को थोड़ी शर्म आ रही थी कि वह दहशत में आ गया था। शर्म की वजह से वह रास्ते भर रॉन से कुछ नहीं बोला। और जब तक वे रोशनी से भरे प्रवेश हॉल में नहीं पहुँच गए, तब तक उसने इधर-उधर भी नहीं देखा।

*

अगली सुबह हैरी अपने कमरे के बाक़ी विद्यार्थियों के साथ नाश्ता करने गया। सब लोगों का यह विचार था कि फ़ायरबोल्ट के सम्मान में सबको उसके पीछे चलना चाहिए। जैसे ही हैरी बड़े हॉल में पहुँचा, विद्यार्थियों के सिर फ़ायरबोल्ट की दिशा में घूम गए और बहुत रोमांचपूर्ण बातें सुनाई देने लगीं। हैरी को यह देखकर अच्छा लगा कि नागशक्ति की टीम इतनी हैरान थी, जैसे उस पर बिजली गिर गई हो।

'क्या तुमने उसका चेहरा देखा?' रॉन ने मैल्फ़ॉय की तरफ़ ख़ुशी से देखते हुए कहा। 'उसे यक़ीन ही नहीं हो रहा है! यह तो बहुत बढ़िया है!'

वुड भी फ़ायरबोल्ट की रोशनी में चमक रहा था।

'इसे यहाँ पर रख दो, हैरी,' उसने झाड़ू टेबल के बीच में रख दी। उसने जान-बूझकर उसके नाम वाला हिस्सा ऊपर रखा था, ताकि सबको साफ़ समझ में आ जाए कि यह फ़ायरबोल्ट है। जल्दी ही चीलघात और मेहनतकश के विद्यार्थी अपनी टेबलों से उठकर फ़ायरबोल्ट को देखने आने लगे। सेडरिक डिगोरी ने आकर हैरी को बधाई दी कि उसके पास अब निम्बस से भी ज़्यादा अच्छी झाड़ू आ गई थी। पर्सी की चीलघात की गर्लफ्रेंड पेनीलोप क्लियरवाटर ने आकर पूछा कि क्या वह फ़ायरबोल्ट को पकड़ सकती है।

जब पेनीलोप फ़ायरबोल्ट को क़रीब से देख रही थी, तो पर्सी ने उत्साह से कहा, 'देखो पेनी, कोई गड़बड़ मत करना! पेनीलोप और मुझमें शर्त लगी है,' उसने टीम को बताया। 'मैच में कौन जीतेगा, इस बात पर दस गैलियन की शर्त है!'

पेनीलोप ने फ़ायरबोल्ट को नीचे रखकर, हैरी को धन्यवाद दिया और अपनी टेबल पर लौट गई।

'हैरी – जीतना ज़रूर,' पर्सी ने चिंता भरी धीमी आवाज़ में कहा। *'मेरे पास दस गैलियन नहीं हैं।* हाँ, मैं आ रहा हूँ, पेनी!' और वह टोस्ट खाने के लिए पेनीलोप के पास चला गया।

'तुम उस झाड़ू को सँभाल तो सकते हो ना, पॉटर ?' धीरे-धीरे बोलती एक ठंडी आवाज़ आई।

ड्रेको मैल्फ़ॉय झाड़ू को क़रीब से देखने के लिए आ गया था। क्रैब और गॉइल भी उसके पीछे-पीछे थे।

'हाँ, मुझे तो ऐसा ही लगता है,' हैरी ने लापरवाही से कहा।

'इसमें बहुत सी विशेषताएँ हैं, है ना ?' मैल्फ़ॉय की आँखें दुर्भावना से चमक रही थीं। 'अफ़सोस की बात है कि इसमें पैराशूट नहीं लगा है – कहीं दमपिशाच आ गए तो!'

क्रैब और गॉइल ही-ही करके हँसने लगे।

'अफ़सोस की बात है कि तुम अपने शरीर में एक और हाथ नहीं लगा सकते हो, मैल्फ़ॉय,' हैरी बोला। 'तब शायद तुम उससे सुनहरी गेंद पकड़ सकते हो।'

गरुड़द्वार की टीम ज़ोर से हँसने लगी। मैल्फ़ॉय की पीली आँखें सिकुड़ गईं और वह दूर चला गया। उन्होंने देखा कि वह नागशक्ति की बाक़ी टीम के पास पहुँच गया है। नागशक्ति टीम के लोग अपने सिर उसके क़रीब लाकर उससे कुछ पूछ रहे थे। इसमें कोई शक नहीं था कि वे मैल्फ़ॉय से यह पूछ रहे होंगे कि क्या हैरी की झाड़ू सचमुच फ़ायरबोल्ट थी।

पौने ग्यारह बजे गरुड़द्वार की टीम चेंजिंग रूम की तरफ़ चल दी। मौसम मेहनतकश वाले मैच से पूरी तरह अलग था। आज आसमान साफ़ था और बहुत हल्की-हल्की हवा चल रही थी। आज देखने में कोई समस्या नहीं थी और हालाँकि हैरी थोड़ा घबरा रहा था, लेकिन उसे भी उस रोमांच का अनुभव हो रहा था, जो सिर्फ़ क्विडिच मैच में ही हो सकता है। आवाज़ों से उन्हें पता चला कि स्कूल के बाक़ी लोग स्टेडियम में आने लगे हैं। हैरी ने स्कूल का काला दुशाला उतारा और अपनी जेब से छड़ी निकालकर अपनी टीशर्ट के भीतर रख ली, जिसे वह अपने क्विडिच के दुशाले के नीचे पहनने वाला था। वह यह उम्मीद कर रहा था कि काश उसे छड़ी की ज़रूरत न पड़े। फिर वह यह सोचने लगा कि क्या प्रोफ़ेसर ल्यूपिन भी मैच देखने आएँगे।

जब गरुड़द्वार की टीम चेंजिंग रूम से बाहर निकलने की तैयारी कर रही थी, तो वुड ने उन सबसे कहा, 'तुम लोग जानते हो कि हमें क्या करना है। अगर हम यह मैच हार गए, तो हम टूर्नामेंट से बाहर हो जाएँगे। बस उसी तरह खेलना,

जिस तरह कल की प्रैक्टिस में खेले थे और हम यह मैच जीत जाएँगे!'

वे लोग तालियों के भारी शोर के बीच पिच पर पहुँचे। चीलघात की टीम नीले दुशालों में थी और पहले ही पिच पर आ चुकी थी। टीम में सिर्फ़ एक ही लड़की थी – उनकी खोजी चो चैंग। उसकी लंबाई हैरी से कुछ इंच कम होगी। हालाँकि हैरी उस वक़्त घबरा रहा था, लेकिन उसका ध्यान इस तरफ़ गया कि वह बहुत सुंदर थी। जब दोनों टीमें आमने-सामने अपने कप्तानों के पीछे खड़ी हुईं, तो वह हैरी की तरफ़ देखकर मुस्कराई। अचानक हैरी के पेट में एक झटका लगा, जिसका उसकी घबराहट से कोई लेना-देना नहीं था।

'वुड, डेवीज़, हाथ मिलाओ,' मैडम हूच ने तेज़ी से कहा। वुड ने चीलघात के कप्तान से हाथ मिलाया।

'अपनी-अपनी झाड़ुओं पर सवार हो जाओ ... मेरी सीटी बजते ही ... तीन - दो - एक -'

हैरी हवा में उड़ने लगा। फ़ायरबोल्ट बाक़ी सभी झाड़ुओं से ज़्यादा तेज़ी से ऊपर जा रही थी। हैरी स्टेडियम में चारों तरफ़ उड़ने लगा और सुनहरी गेंद की तलाश करने लगा। उसे कमेंट्री साफ़ सुनाई दे रही थी, जो वीज़्ली बंधुओं का मित्र ली जॉर्डन कर रहा था।

'और खेल शुरू हो गया है। इस मैच का एक बड़ा रोमांच फ़ायरबोल्ट है, जिस पर गरुड़द्वार का हैरी सवारी कर रहा है। *कौन सी झाड़ू* के अनुसार इस साल की विश्व चैंपियनशिप में शामिल होने वाले विभिन्न देशों की टीमें फ़ायरबोल्ट को ही चुनना चाहती हैं -'

तभी बीच में प्रोफ़ेसर मैक्गॉनेगल की आवाज़ सुनाई दी, 'जॉर्डन, यह तो बताओ कि मैच में क्या हो रहा है?'

'आप बिलकुल ठीक कह रही हैं, प्रोफ़ेसर - मैं तो सिर्फ़ थोड़ी अतिरिक्त की जानकारी दे रहा था। वैसे फ़ायरबोल्ट में ऑटोमेटिक ब्रेक भी है और -'

'जॉर्डन!'

'ठीक है, ठीक है, गेंद गरुड़द्वार के पास है, गरुड़द्वार की केटी बेल गोल की तरफ़ बढ़ रही हैं ...'

हैरी केटी की विपरीत दिशा में उड़ने लगा और सुनहरी गेंद की झलक देखने के लिए चारों तरफ़ ताकने लगा। उसने देखा कि चो चैंग उसके ठीक पीछे उड़ रही थी। इसमें कोई शक नहीं था कि वह बहुत अच्छी उड़ान भरती थी। वह बार-बार उसके सामने आ जाती थी, जिससे उसे मजबूरन अपनी दिशा बदलनी पड़ती थी।

'हैरी, उसे अपनी झाड़ू की रफ़्तार तो दिखाओ!' फ्रेड ने चिल्लाकर कहा, जब वह उस पहलवान की दिशा में तेज़ी से गया, जो एलिसिया की तरफ़ जा रहा था।

चीलघात के गोल के पास हैरी ने फ़ायरबोल्ट की रफ़्तार बढ़ा दी। चो पीछे रह गई। जैसे ही केटी ने मैच का पहला गोल किया और गरुड़द्वार की टीम ख़ुशी से झूमने लगी, कि तभी हैरी को सुनहरी गेंद दिख गई – वह ज़मीन के पास थी और एक बैरियर के पास मंडरा रही थी।

हैरी ने गोता लगाया। चो ने उसे गोता लगाते देखा और वह भी उसके पीछे-पीछे चल दी। हैरी अपनी रफ़्तार बढ़ा रहा था। रोमांच उस पर हावी हो रहा था। गोता लगाने में वह विशेष माहिर था। वह सुनहरी गेंद से दस फ़ुट दूर था –

तभी चीलघात के मारक ने एक पहलवान को उसकी तरफ़ मार दिया, जो अचानक उसके सामने आ गया। हैरी ने उससे बचने के लिए अपनी दिशा बदली और पहलवान एक इंच दूर से निकल गया। इन कुछ ही महत्वपूर्ण पलों में सुनहरी गेंद ग़ायब हो गई।

गरुड़द्वार के समर्थकों के मुँह से निराशा की 'ओओओओओह' निकल गई, लेकिन चीलघात के समर्थकों ने अपने मारक को शाबाशी देते हुए ज़ोरदार तालियाँ बजाईं। जॉर्ज वीज़्ली ने अपने ग़ुस्से का इज़हार करते हुए दूसरे पहलवान को उसी मारक की तरफ़ निशाना लगाकर मारा। मारक बौखला गया और पहलवान से बचने के लिए उसे हवा में पलटी खानी पड़ी।

'गरुड़द्वार अस्सी-शून्य से आगे है और देखिए फ़ायरबोल्ट कितनी तेज़ी से आगे जा रही है! पॉटर सचमुच इसकी रफ़्तार का लाभ उठा रहा है। इसके घुमाव पर ध्यान दें – चैंग की कॉमेट इसका मुक़ाबला नहीं कर सकती है। फ़ायरबोल्ट का सटीक संतुलन इन लंबी उड़ानों में ही नज़र आता है –'

'जॉर्डन! क्या तुम्हें फ़ायरबोल्ट का विज्ञापन करने के पैसे मिल रहे हैं? कमेंट्री करो!'

चीलघात की टीम अब जवाबी हमला कर रही थी। चीलघात ने तीन गोल कर दिए थे, जिस वजह से अब गरुड़द्वार की टीम सिर्फ़ पचास अंक ही आगे थी। अगर चो उससे पहले सुनहरी गेंद पकड़ लेगी, तो चीलघात की टीम जीत जाएगी। हैरी नीचे की तरफ़ आ गया और ऐसा करते समय चीलघात के एक धावक से टकराते-टकराते बचा। वह हड़बड़ी में पिच पर इधर-उधर देख रहा था। तभी उसे फड़फड़ाते हुए छोटे पंखों की सुनहरी झलक दिख गई – सुनहरी गेंद गरुड़द्वार के गोल के चक्कर लगा रही थी ...

हैरी ने अपनी रफ़्तार बढ़ा ली। उसकी आँखें सुनहरी गेंद पर जमी थीं – लेकिन अगले ही पल चो चैंग उसके ठीक सामने आकर उसका रास्ता रोकने लगी –

'हैरी, यह शराफत दिखाने का समय नहीं है!' वुड गरजा, जब हैरी चो से टकराने से बचने के लिए घूमने लगा। **'अगर ज़रूरत हो, तो उसे उसकी झाड़ू से गिरा दो!'**

हैरी ने घूमने के बाद चो की झलक देखी। वह हँस रही थी, क्योंकि सुनहरी गेंद एक बार फिर ग़ायब हो गई थी। हैरी ने अपनी फ़ायरबोल्ट को ऊपर उठाया और जल्दी ही वह मैच से बीस फ़ुट ऊपर पहुँच गया। कनखियों से उसने देखा कि चो उसका पीछा कर रही है ... ऐसा लग रहा था कि उसने सुनहरी गेंद खोजने के बजाय उसका पीछा करने का फ़ैसला कर लिया था। तो फिर ठीक है ... अगर वह उसका पीछा ही करना चाहती है, तो उसे इसका परिणाम भी भुगतना होगा ...

उसने एक बार फिर गोता लगाया। चो को लगा कि हैरी को सुनहरी गेंद दिख गई है, इसलिए उसने भी गोता लगा दिया। हैरी अपने गोते से बहुत तेज़ी से बाहर निकल आया और ऊपर की तरफ़ उड़ने लगा। चो नीचे गिरने लगी। हैरी एक बार फिर गोली की रफ़्तार से उड़ने लगा और फिर उसे सुनहरी गेंद तीसरी बार दिखाई दी। वह चीलघात वाले छोर पर पिच के ऊपर चमक रही थी।

उसने अपनी रफ़्तार बढ़ाई। उसके कई फ़ुट नीचे चो ने भी अपनी रफ़्तार बढ़ा ली। वह जीत रहा था, वह हर पल सुनहरी गेंद के पास पहुँच रहा था – तभी –

'ओह!' चो ने चीख़ते हुए इशारा किया।

हैरी का ध्यान भटक गया और उसने नीचे देखा।

तीन ऊँचे, काले, नक़ाबपोश दमपिशाच उसकी तरफ़ देख रहे थे।

वह सोचने के लिए नहीं रुका। उसने अपने दुशाले में हाथ डाला, अपनी छड़ी बाहर निकाली और गरजते हुए बोला, 'पितृदेव संरक्षणम्!'

उसकी छड़ी के सिरे से एक बड़ी सी सफ़ेद चीज़ बाहर निकली। हैरी जानता था कि वह सफ़ेद चीज़ सीधे दमपिशाचों पर हमला करने जाएगी, लेकिन वह इसे देखने के लिए नहीं रुका। हैरानी की बात यह थी कि उसका दिमाग़ी संतुलन अब भी क़ायम था। उसने आगे की तरफ़ देखा – अब वह सुनहरी गेंद के बहुत क़रीब था। अपनी छड़ी को पकड़े हुए उसने अपना हाथ फैलाया और संघर्ष करती छोटी सी सुनहरी गेंद को अपनी उँगलियों में बंद कर लिया।

मैडम हूच की सीटी बजी। हैरी बीच हवा में घूमा। उसने छह लाल आकृतियों को अपनी तरफ़ आते देखा। अगले ही पल पूरी टीम ने उसे इतनी कसकर गले लगा लिया कि वह अपनी झाड़ू से गिरते-गिरते बचा। नीचे गरुड़द्वार के विद्यार्थियों का शोर सुनाई दे रहा था।

'शाबाश!' वुड बहुत देर तक चिल्लाता रहा। एलिसिया, एंजेलिना और केटी ने हैरी को चूम लिया। फ्रेड ने तो उसे इतनी कसकर गले लगाया कि हैरी को लगा, जैसे उसका सिर अलग होने वाला हो। पूरी तरह से अस्त-व्यस्त हालत में टीम जैसे-तैसे ज़मीन पर पहुँची। जब हैरी अपनी झाड़ू पर से उतरा, तो उसने देखा कि गरुड़द्वार के समर्थक भागकर पिच पर आ रहे थे और रॉन सबसे आगे था। इससे पहले कि उसे कुछ पता चल पाता, ख़ुशी से चिल्लाती भीड़ ने उसे घेर लिया।

'हाँ!' रॉन चीख़ा और हैरी के हाथ को हवा में उठा दिया। 'वाह! वाह!'

'बहुत अच्छे, हैरी!' पर्सी ने बहुत ख़ुश दिखते हुए कहा। 'मैं दस गैलियन जीत गया! मैं जाकर पेनीलोप को ढूँढ़ता हूँ -'

'कमाल कर दिया, हैरी!' सीमस फ़िनिगन चिल्लाया।

'बहुत बढ़िया!' हैग्रिड ने गरुड़द्वार के विद्यार्थियों के सिरों के ऊपर से गरजते हुए कहा।

'कितना बढ़िया पितृदेव था,' हैरी के कान में एक धीमी सी आवाज़ आई।

हैरी ने पलटकर देखा। वहाँ प्रोफ़ेसर ल्यूपिन खड़े थे, जो ख़ुश भी थे और हैरान भी।

हैरी ने रोमांचित होकर कहा, 'दमपिशाचों का मुझ पर ज़रा भी असर नहीं हुआ! मुझे कुछ भी नहीं लगा।'

'ऐसा इसलिए था, क्योंकि वे - अह - दमपिशाच नहीं थे,' प्रोफ़ेसर ल्यूपिन ने कहा। 'आकर ख़ुद देख लो -'

वे हैरी को भीड़ से निकालकर पिच के कोने तक ले गए।

ल्यूपिन ने कहा, 'तुमने तो मैल्फ़ॉय को डरा ही दिया था।'

हैरी घूरने लगा। मैल्फ़ॉय, क्रैब, गॉइल और नागशक्ति का कप्तान मार्कस फ़्लिंट ज़मीन पर पड़े हुए थे। वे सब अपने लंबे, काले, नक़ाब वाले दुशालों से बाहर निकलने की कोशिश कर रहे थे। ऐसा लग रहा था कि मैल्फ़ॉय गॉइल के कंधों पर खड़े होकर दमपिशाच बनने का नाटक कर रहा था। प्रोफ़ेसर मैक्गॉनेगल उनके पास खड़ी थीं और बहुत ग़ुस्से में लग रही थीं।

वे उन पर बरस रही थीं, 'बहुत ही घटिया चाल थी! गरुड़द्वार के खोजी

को नुक़सान पहुँचाने की ओछी और कायराना कोशिश थी! तुम सबको सज़ा मिलेगी और इस बात के लिए नागशक्ति के पचास पॉइंट काटे जाते हैं! मैं तुम लोगों को माफ़ नहीं करूँगी। मैं इस बारे में प्रोफ़ेसर डम्बलडोर से बात करूँगी! लो, वे यहीं आ गए!'

अगर गरुड़द्वार की जीत पर कोई चीज़ मोहर लगा सकती थी, तो वह यह थी। हैरी के पास खड़ा रॉन हँसते-हँसते दोहरा हो गया, जब उसने मैल्फ़ॉय को अपने दुशाले से बाहर निकलने के लिए संघर्ष करते देखा। गॉइल का सिर अब भी उसके अंदर उलझा हुआ था।

'चलो, हैरी!' जॉर्ज ने उसके पास आते हुए कहा। 'जश्न मनाते हैं! गरुड़द्वार के हॉल में, अभी!'

'ठीक है,' हैरी ने कहा। काफ़ी समय बाद वह इतना ख़ुश हुआ था। वह और उसकी टीम के खिलाड़ी अपने लाल दुशाले पहने-पहने ही सबसे आगे चले और स्टेडियम से निकलकर महल में पहुँच गए।

*

उन्हें ऐसा महसूस हो रहा था, जैसे उन्होंने क्विडिच कप जीत लिया हो। उनका जश्न रात तक चलता रहा। फ्रेड और जॉर्ज वीज़्ली एक-दो घंटे के लिए ग़ायब हो गए। जब वे वापस आए, तो उनके हाथों में बटरबियर की बोतलें थीं, पंपकिन फिज था और हनीड्यूक्स की ढेर सारी मिठाइयाँ थीं।

'तुम लोग ये चीज़ें कैसे लाए?' एंजेलिना जॉनसन ने पूछा, जब जॉर्ज भीड़ की तरफ़ पिपरमेंट मेंढक उछालने लगा।

'मूनी, वर्मटेल, पैडफ़ुट और प्रॉन्ग्स की मदद से,' फ्रेड ने हैरी के कान में बुदबुदाकर कहा।

सिर्फ़ एक विद्यार्थी इस जश्न में शामिल नहीं हुआ। हर्माइनी एक कोने में बैठकर एक मोटी किताब पढ़ने की कोशिश कर रही थी, जिसका शीर्षक था : *ब्रिटिश मगलुओं का घरेलू जीवन और सामाजिक आदतें।* हैरी उस टेबल से दूर हट गया, जहाँ फ्रेड और जॉर्ज बटरबियर की बोतलें हिलाने लगे थे। वह हर्माइनी के पास पहुँचा।

उसने पूछा, 'क्या तुम मैच देखने आई थीं?'

'हाँ, हाँ,' हर्माइनी ने अजीब सी ऊँची आवाज़ में कहा, लेकिन नज़रें नहीं उठाईं। 'मैं बहुत ख़ुश हूँ कि हम जीत गए और मैं सोचती हूँ कि तुम बहुत अच्छा खेले, लेकिन मुझे यह किताब सोमवार तक पूरी पढ़ना है।'

'चलो हर्माइनी, आकर कुछ खा लो,' हैरी ने रॉन की तरफ़ देखते हुए सोचा कि क्या वह इस ख़ुशी भरे माहौल में अपने झगड़े को भुला देगा।

'मैं नहीं खा सकती, हैरी। मुझे अभी चार सौ बाईस पेज और पढ़ने हैं!' हर्माइनी ने कहा, जिसकी आवाज़ में दहशत साफ़ झलक रही थी। 'वैसे भी ... ' उसने रॉन की तरफ़ देखा, '*वह* नहीं चाहता कि मैं जश्न में शामिल होऊँ।'

इस बात पर बहस की कोई गुंजाइश नहीं थी, क्योंकि रॉन ने उसी समय ज़ोर से कहा, 'अगर स्कैबर्स को नहीं खाया गया होता, तो वह भी फ़ज फ़्लाइज़ खा लेता। उसे यह बहुत पसंद थी –'

हर्माइनी की आँखों से आँसू बहने लगे। इससे पहले कि हैरी कुछ कह या कर पाए, उसने अपनी बड़ी किताब हाथ में उठाई और फिर सुबकते हुए लड़कियों के कमरे की तरफ़ दौड़ लगा दी।

'क्या तुम उसे थोड़ी राहत नहीं दे सकते?' हैरी ने रॉन से धीरे से पूछा।

'नहीं,' रॉन ने सीधा जवाब दिया। 'अगर वह स्कैबर्स के मरने पर दुखी होती, तो यह हो सकता था – लेकिन वह तो अपनी ग़लती मानने को तैयार ही नहीं है। वह तो अब भी ऐसा जताती है, जैसे स्कैबर्स कहीं छुट्टियाँ मनाने गया हो।'

गरुड़द्वार का जश्न तभी ख़त्म हुआ, जब प्रोफ़ेसर मैक्गॉनेगल रात को एक बजे अपने चौकड़ी वाले ड्रेसिंग गाउन और जूड़े में जाली बाँधकर वहाँ पर आईं। उन्होंने सबको बिस्तर पर जाने का आदेश दिया। हैरी और रॉन सीढ़ियाँ चढ़कर अपने कमरे में गए। वे अब भी मैच के बारे में ही बातें कर रहे थे। आख़िरकार थकान से चूर हैरी अपने बिस्तर पर गया। चंद्रमा की रोशनी से बचने के लिए उसने अपने बिस्तर के पर्दे लगा लिए। फिर वह लेटा और एक पल में ही सो गया ...

उसने एक बहुत ही अजीब सपना देखा। वह एक जंगल में जा रहा था। उसकी फ़ायरबोल्ट उसके कंधे पर थी। वह किसी चाँदी जैसी सफ़ेद चीज़ का पीछा कर रहा था। वह चीज़ आगे के पेड़ों से घूमती हुई निकल रही थी और हैरी को पत्तियों के बीच सिर्फ़ उसकी झलक दिख रही थी। उसके पास जाने के लिए वह तेज़ी से चलने लगा, लेकिन सामने वाली चीज़ भी तेज़ी से चलने लगी। हैरी भागने लगा और किसी जानवर के पंजों की आवाज़ से उसे पता चला कि वह भी भागने लगा है। अब वह तेज़ी से भाग रहा था, लेकिन सामने वाला जानवर भी उतनी ही तेज़ी से भाग रहा था। फिर वह खुले मैदान तक पहुँचने वाले एक मोड़ पर मुड़ा और –

'आ आ आ आ आ आ आ ह ह ह ह ह ह ह! न हीं हीं हीं हीं हीं हीं हीं!'

हैरी अचानक जागा, उसे लगा जैसे किसी ने कसकर थप्पड़ मार दिया हो। घुप्प अँधेरे में उसने अपने पर्दे को टटोला। उसे अपने चारों तरफ़ आवाज़ें सुनाई दे रही थीं। कमरे के दूसरी तरफ़ से सीमस फ़िनिगन की आवाज़ आई।

'क्या हुआ ?'

फिर हैरी को ऐसा लगा, जैसे उसने कमरे का दरवाज़ा बंद होने की आवाज़ सुनी है। आख़िरकार उसने अपने पर्दे के बीच की जगह ढूँढ़ ली और पर्दा खोल दिया। उसी समय डीन थॉमस ने अपनी बत्ती जला दी।

रॉन अपने बिस्तर पर बैठा था। उसके बिस्तर का एक तरफ़ का पर्दा पूरी तरह से खुला था और उसके चेहरे पर ज़बर्दस्त दहशत का भाव था।

'ब्लैक! सिरियस ब्लैक! उसके हाथ में चाकू था!'

'क्या ?'

'यहाँ! अभी हाल! उसने पर्दा फाड़ दिया! मुझे जगा दिया!'

'तुम्हें यक़ीन है, तुम सपना तो नहीं देख रहे थे, रॉन ?' डीन ने पूछा।

'पर्दों की हालत देख लो! मैं तुमसे कह रहा हूँ ना, वह यहीं पर था!'

वे सब बिस्तर से उतर गए। हैरी कमरे के दरवाज़े तक सबसे पहले पहुँचा। फिर वे सब भागते हुए सीढ़ियों से नीचे उतरे। उनके पीछे दरवाज़ों के खुलने की आवाज़ें आईं और कई लोग उनींदी आवाज़ में बोले।

'कौन चिल्लाया था ?'

'तुम लोग क्या कर रहे हो ?'

हॉल में आग बुझ रही थी, लेकिन अब भी उसकी चमक बाक़ी थी, जिसमें जश्न के अवशेष थे। अब हॉल ख़ाली था।

'तुम्हें यक़ीन है कि तुम सपना तो नहीं देख रहे थे, रॉन ?'

'मैं तुमसे कह रहा हूँ, मैंने ब्लैक को देखा था!'

'इतना शोर क्यों हो रहा है ?'

'प्रोफ़ेसर मैक्गॉनेगल ने हमें बिस्तर पर जाने को कहा था!'

कुछ लड़कियाँ सीढ़ियों से उतरकर नीचे आ गई थीं और अपने ड्रेसिंग गाउन में जम्हाई ले रही थीं। लड़के भी दिखाई देने लगे थे।

'बहुत बढ़िया, क्या जश्न अब तक मन रहा है ?' फ्रेड वीज़्ली ने ख़ुश होते हुए पूछा।

'सब लोग अपने-अपने कमरे में जाओ!' पर्सी ने हॉल में तेज़ी से आते

हुए और अपने हेड बॉय के बैज को अपने पाजामे पर लगाते हुए कहा।

'पर्सी - सिरियस ब्लैक आया था!' रॉन ने धीमे से कहा। **'हमारे कमरे में! उसके हाथ में चाकू था! उसने मुझे जगा दिया!'**

हॉल बिलकुल ख़ामोश हो गया।

'बकवास मत करो!' पर्सी ने हैरान दिखते हुए कहा। 'तुमने ज़्यादा खा लिया होगा, रॉन – तुमने बुरा सपना देखा होगा –'

'जब मैं तुमसे कह रहा हूँ –'

'अब बस भी करो! बहुत मस्ती कर ली है!'

प्रोफ़ेसर मैक्गॉनेगल फिर से आ गई थीं। हॉल में दाख़िल होते समय उन्होंने दरवाज़े को धमाके के साथ बंद किया और चारों तरफ़ ग़ुस्से से देखने लगीं।

'मैं ख़ुश हूँ कि गरुड़द्वार ने मैच जीत लिया है, लेकिन यह तो मूर्खता है! पर्सी, मुझे तुमसे यह उम्मीद नहीं थी!'

'मैंने इसकी अनुमति नहीं दी है, प्रोफ़ेसर!' पर्सी ने ग़ुस्से से विद्यार्थियों को घूरते हुए कहा। 'मैं इन सबको बिस्तर पर जाने के लिए कह रहा था! मेरे भाई रॉन ने बुरा सपना देखा था –'

'वह बुरा सपना नहीं था!' रॉन चीख़ा। **'प्रोफ़ेसर, जब मेरी आँख खुली, तो सिरियस ब्लैक मेरे बिस्तर के पास खड़े होकर मुझे देख रहा था। उसके हाथ में चाकू था!'**

प्रोफ़ेसर मैक्गॉनेगल ने उसकी तरफ़ घूरकर देखा।

'बेवकूफ़ी की बातें मत करो वीज़्ली, वह तस्वीर के छेद में से अंदर कैसे आ सकता है?'

'उससे पूछो!' रॉन ने काँपती हुई उँगली से सर केडोगन की तस्वीर की तरफ़ इशारा करते हुए कहा। 'उससे पूछो कि क्या उसने किसी को अंदर आते देखा है –'

रॉन को शक से देखते हुए प्रोफ़ेसर मैक्गॉनेगल ने तस्वीर को दोबारा खोला और बाहर गईं। पूरा हॉल साँस रोककर सुन रहा था।

'सर केडोगन, क्या तुमने अभी किसी आदमी को गरुड़द्वार टॉवर में अंदर जाने दिया था?'

'बिलकुल!' सर केडोगन ने चिल्लाकर कहा।

हॉल के बाहर और भीतर सब लोग ख़ामोश और स्तब्ध रह गए।

'तुमने – तुमने अंदर जाने दिया?' प्रोफ़ेसर मैक्गॉनेगल बोलीं। 'लेकिन – लेकिन पासवर्ड!'

'उसके पास पासवर्ड था!' सर केडोगन ने गर्व से कहा। 'उसके पास पूरे हफ़्ते के पासवर्ड थे! वह एक काग़ज़ में से पासवर्ड पढ़ रहा था!'

प्रोफ़ेसर मैक्गॉनेगल तस्वीर के छेद में से निकलकर दोबारा अंदर आईं और स्तब्ध भीड़ के सामने खड़ी हो गईं। उनका चेहरा चॉक की तरह सफ़ेद था।

'किसने,' उन्होंने काँपती आवाज़ में कहा, 'किस महामूर्ख ने इस हफ़्ते के पासवर्ड लिखकर उन्हें लापरवाही से रख दिया था?'

सन्नाटा छा गया। फिर एक थरथराती चीख़ सुनाई दी। सिर से पैर तक बुरी तरह काँपते हुए नेविल लाँगबॉटम ने धीरे-धीरे अपना हाथ हवा में उठाया।

अध्याय चौदह

स्नेप की दुर्भावना

उस रात को गरुड़द्वार हाउस में किसी को नींद नहीं आई। वे जानते थे कि महल की फिर तलाशी हो रही है। पूरा हाउस रात भर हॉल में बैठकर यह सुनने का इंतज़ार करता रहा कि क्या ब्लैक को पकड़ लिया गया है। प्रोफ़ेसर मैक्गॉनेगल ने सुबह आकर उन्हें बताया कि वह दोबारा भाग गया है।

अगले दिन वे जहाँ भी गए, वहाँ उन्हें ज़्यादा कड़ी सुरक्षा नज़र आई। प्रोफ़ेसर फ़्लिटविक महल के अगले दरवाज़े को सिरियस ब्लैक की बड़ी तस्वीर दिखाकर उसे पहचानना सिखा रहे थे। फ़िल्च गलियारों में घूमकर दीवारों की छोटी-छोटी दरारें और चूहों के बिल बंद कर रहा था। सर केडोगन को हटा दिया गया था। उसकी तस्वीर एक बार फिर सातवीं मंज़िल की वीरान जगह पर पहुँच गई थी। मोटी औरत एक बार फिर लौट आई थी। हालाँकि उसका हुलिया तो बिलकुल ठीक हो चुका था, लेकिन वह अब भी बहुत घबराई हुई थी। वह इसी शर्त पर फिर से हाउस की रखवाली करने को तैयार हुई कि उसे अतिरिक्त सुरक्षा दी जाएगी। उसकी रक्षा के लिए दो बुरे दिखने वाले दैत्यों को पहरेदार बनाया गया था। वे गलियारे में डरावने अंदाज़ में घूमते रहते थे, हुँकारों में बातें करते थे और अपने-अपने मुद्गरों की तुलना करते थे।

हैरी यह देखे बिना नहीं रह सका कि तीसरी मंज़िल पर एक आँख वाली चुड़ैल की मूर्ति पर अब भी कोई पहरा नहीं दे रहा था। ऐसा लग रहा था कि फ़्रेड और जॉर्ज का यह अनुमान सही था कि सिर्फ़ वे ही (और अब हैरी, रॉन और हर्माइनी भी) उसके भीतर छिपे ख़ुफ़िया रास्ते के बारे में जानते थे।

हैरी ने रॉन से पूछा, 'तुम्हें क्या लगता है, हमें इसके बारे में किसी को बता देना चाहिए?'

'यह बात तो तय है कि वह हनीड्यूक्स के रास्ते से नहीं आ रहा है,' रॉन

ने मना करते हुए कहा। 'अगर दुकान का ताला टूटा होता, तो हमें अब तक ख़बर लग जाती।'

हैरी ख़ुश था कि रॉन इस दिशा में सोच रहा था। अगर एक आँख वाली चुड़ैल का रास्ता बंद हो जाता, तो वह दोबारा कभी हॉग्समीड नहीं जा पाता।

रॉन तत्काल मशहूर हो गया। ज़िंदगी में पहली बार लोग हैरी के बजाय उसकी तरफ़ ज़्यादा ध्यान दे रहे थे और स्पष्ट था कि रॉन को भी इसमें मज़ा आ रहा था। हालाँकि रात की घटना की वजह से वह अब भी बुरी तरह हिला हुआ था, लेकिन वह उसके बारे में सबको ख़ुशी-ख़ुशी बताता था और पूरे विस्तार से बताता था।

'... मैं सोया हुआ था, तभी मेरे कान में आवाज़ आई, जैसे कोई चीज़ फट रही हो। मुझे लगा कि शायद मैं कोई सपना देख रहा हूँ। लेकिन फिर मुझे ठंडी हवा का झोंका महसूस हुआ ... मैं जाग गया। मेरे बिस्तर के पर्दे का एक हिस्सा नीचे गिरा हुआ था ... मैंने करवट बदली ... और तब जाकर मैंने देखा कि वह मेरे बिलकुल पास खड़ा था ... किसी कंकाल की तरह ... उसके बाल बहुत बड़े और गंदे थे ... उसके हाथ में बहुत लंबा चाकू था, बारह इंच का होगा ... फिर उसने मेरी तरफ़ देखा, मैंने उसकी तरफ़ देखा। फिर मैं चीख़ा और वह भाग गया।'

'वह भाग क्यों गया ?' रॉन ने हैरी से पूछा, जब उसकी खौफ़नाक कहानी सुन रही सेकंड ईयर की लड़कियाँ वहाँ से चली गईं। 'वह भाग क्यों गया ?'

हैरी भी इसी बात पर हैरान हो रहा था। अगर ब्लैक ग़लत बिस्तर पर पहुँच गया था, तो फिर वह रॉन को ख़ामोश करके हैरी की तरफ़ क्यों नहीं बढ़ा ? ब्लैक ने बारह साल पहले यह साबित कर दिया था कि वह बेक़सूर लोगों की हत्या करने से परहेज़ नहीं करता है। और इस बार तो उसके सामने पाँच निहत्थे लड़के थे, जिनमें से चार सो रहे थे।

'वह जानता होगा कि तुम्हारी चीख़ सुनकर लोग जाग जाएँगे और उसे महल से बाहर निकलने में बहुत मुश्किल होगी,' हैरी ने सोचते हुए कहा। 'तस्वीर के छेद से बाहर निकलने से पहले उसे पूरे हाउस को मारना पड़ता ... फिर उसे टीचर्स से भी मुक़ाबला करना पड़ता ...'

नेविल की हालत बहुत शर्मनाक थी। प्रोफ़ेसर मैक्गॉनेगल उससे इतनी ज़्यादा नाराज़ थीं कि उन्होंने उस पर यह प्रतिबंध लगा दिया था कि वह अब कभी हॉग्समीड घूमने नहीं जा पाएगा। उन्होंने उसे सज़ा भी दी थी। इसके अलावा उन्होंने सबको हिदायत दे दी थी कि कोई भी नेविल को पासवर्ड नहीं बताए। बेचारे नेविल को हर रात को हॉल के बाहर इंतज़ार करना पड़ता था,

ताकि कोई उसे अपने साथ हॉल के भीतर ले जाए। जब पहरेदारी कर रहे दैत्य उसकी तरफ़ ग़ुस्से से घूरते थे, तो वह दहल जाता था। बहरहाल, इनमें से कोई भी सज़ा उतनी गंभीर नहीं थी, जितनी उसकी दादी ने उसे दी थी। ब्लैक की घुसपैठ के दो दिन बाद उसकी दादी ने नेविल को एक भोंपू भेजा। यह वह सबसे बुरी चीज़ थी, जो हॉगवर्ट्स के किसी भी विद्यार्थी को नाश्ते की मेज़ पर मिल सकती थी।

स्कूल के उल्लू बड़े हॉल में पंख फड़फड़ाते हुए आए। वे हमेशा की तरह डाक लेकर आए थे। एक बड़ा करैल उल्लू अपनी चोंच में लाल लिफ़ाफ़ा दबाकर नेविल के सामने पहुँचा। नेविल के मुँह से आह निकल गई। हैरी और रॉन नेविल के सामने ही बैठे थे। उन्होंने झट से पहचान लिया कि यह भोंपू था - रॉन को पिछले साल उसकी मम्मी ने एक भोंपू भेजा था।

'दौड़ लगाओ, नेविल,' रॉन ने सलाह दी।

नेविल ने तत्काल यही किया। उसने लिफ़ाफ़ा उठाया और उसे बम की तरह पकड़ते हुए हॉल से बाहर भागा। यह देखकर नागशक्ति की टेबल पर ठहाके गूँजने लगे। प्रवेश हॉल में भोंपू में विस्फोट हो गया और नेविल की दादी की आवाज़ गूँजने लगी। जादू की वजह से उनकी आवाज़ सामान्य से सौ गुना तेज़ हो गई थी। वे चिल्ला-चिल्लाकर नेविल को फटकार रही थीं कि उसकी वजह से पूरे परिवार का सिर शर्म से झुक गया है।

हैरी नेविल के लिए इतना दुखी हो रहा था कि वह यह देख ही नहीं पाया कि उसके लिए भी एक चिट्ठी आई थी। हेडविग ने उसकी कलाई पर अपनी चोंच मारकर उसका ध्यान खींचा।

'आउच! ओह - धन्यवाद, हेडविग ...'

जब हेडविग नेविल की कॉर्नफ़्लेक्स वाली प्लेट में से खाने लगी, तो हैरी ने अपना लिफ़ाफ़ा खोला। अंदर चिट्ठी में लिखा था :

प्रिय हैरी और रॉन,

आज शाम को लगभग छह बजे हमारे साथ चाय पीने के बारे में क्या विचार है? हम आकर तुम्हें महल से ले जाएँगे। ***प्रवेश हॉल में हमारा इंतज़ार करना, तुम्हें अकेले बाहर जाने की इजाज़त नहीं है।***

हैग्रिड

'शायद वह ब्लैक के बारे में पूरी कहानी सुनना चाहता होगा!' रॉन बोला।

उस शाम छह बजे हैरी और रॉन गरुड़द्वार टॉवर से बाहर आए। वे पहरेदारी कर रहे दैत्यों के पास से दौड़ते हुए निकले और प्रवेश हॉल की तरफ़ बढ़े।

हैग्रिड पहले से ही उनका इंतज़ार कर रहा था।

'अच्छा हैग्रिड!' रॉन बोला। 'मुझे लगता है कि तुम शनिवार की रात वाली घटना के बारे में सुनना चाहते होगे, है ना?'

'हमने उसके बारे में सब कुछ पहले ही सुन लिया है,' हैग्रिड ने महल का सामने वाला दरवाज़ा खोलकर उन्हें बाहर ले जाते हुए कहा।

'ओह,' रॉन थोड़ा निराश दिखने लगा।

हैग्रिड के केबिन में दाख़िल होने पर उन्हें जो पहली चीज़ दिखी, वह बकबीक था। वह हैग्रिड के पैबंद लगे गद्दे पर पसरा हुआ था। उसके विशाल पंख उसके शरीर के पास कसकर बंद थे। वह किसी मरे हुए जानवर को खाने में जुटा था। इस अप्रिय दृश्य से अपनी आँखें हटाते हुए हैरी ने वार्डरोब के दरवाज़े पर लटकी चीज़ें देखीं। वहाँ पर एक बहुत भयानक पीली और नारंगी टाई थी। वहाँ एक बड़ा और भूरा सूट भी टँगा था।

हैरी ने पूछा, 'यह सब किसलिए, हैग्रिड?'

'ख़तरनाक प्राणी ख़ात्मा समिति के सामने बकबीक का मुकदमा है,' हैग्रिड ने कहा। 'इस शुक्रवार को। हम उसे लेकर लंदन जा रहे हैं। हमने नाइट बस में दो बिस्तर रिज़र्व भी करा लिए हैं ...'

हैरी अपराधी महसूस करने लगा। वह बिलकुल भूल ही गया था कि बकबीक का मुकदमा इतना क़रीब है। और रॉन के चेहरे पर आए परेशानी के भाव देखकर वह समझ गया कि रॉन भी यह बात भूल गया था। वे अपना यह वादा भी भूल गए थे कि वे बकबीक के पक्ष में सबूत इकट्ठे करने में मदद करेंगे। फ़ायरबोल्ट के आने के बाद उनके दिमाग़ से यह बात बिलकुल ही निकल गई थी।

हैग्रिड ने उनके लिए चाय उड़ेली और उन्हें एक प्लेट नाश्ता दिया। हैरी और रॉन ने नाश्ते को छुआ तक नहीं। हैग्रिड की पाककला के बारे में उन्हें कोई ख़ास अच्छे अनुभव नहीं थे।

'हमें तुम दोनों से कुछ बातचीत करनी है,' हैग्रिड ने उन दोनों के बीच में बैठते हुए कहा। वह असामान्य रूप से गंभीर दिख रहा था।

हैरी ने पूछा, 'किस बारे में?'

'हर्माइनी के बारे में,' हैग्रिड ने कहा।

रॉन ने पूछा, 'हर्माइनी को क्या हुआ?'

'वह बहुत परेशान है। क्रिसमस के बाद वह हमसे कई बार मिलने आई है। अकेलापन महसूस कर रही है। हैरी, पहले तो तुम अपनी फ़ायरबोल्ट के कारण उससे बात नहीं कर रहे थे और रॉन, अब तुम उससे इसलिए बात नहीं कर रहे हो, क्योंकि उसकी बिल्ली ने –'

'– स्कैबर्स को खा लिया!' रॉन ने ग़ुस्से से वाक्य पूरा किया।

'क्योंकि उसकी बिल्ली ने वही किया, जो सभी बिल्लियाँ करती हैं,' हैग्रिड ने दृढ़ता से आगे कहा। 'तुम शायद यह बात नहीं जानते हो, लेकिन वह इस बारे में कई बार रो चुकी है। इस समय उसे पढ़ाई में भी बहुत मुश्किल आ रही है। हमारे हिसाब से उसने अपने मुँह में इतना बड़ा कौर भर लिया है कि उससे चबाते नहीं बन रहा है। उस पर पढ़ाई का भारी बोझ है। लेकिन इसके बावज़ूद उसने बकबीक के मुकदमे में हमारी मदद करने का समय निकाल लिया ... उसने सचमुच बहुत अच्छे सबूत खोजकर हमें दिए हैं ... हमें लगता है कि अब उसके बचने की काफ़ी संभावना है ...'

'हैग्रिड, हमें माफ़ कर दो – हमें भी मदद करनी चाहिए थी –' हैरी ने अजीब तरीक़े से कहा।

'हम तुम्हें दोष नहीं दे रहे हैं!' हैग्रिड ने हैरी की माफ़ी को एक तरफ़ करते हुए कहा। 'ईश्वर जानता है कि तुम कितनी मेहनत कर रहे हो। हमने तुम्हें दिन-रात क्विडिच की प्रैक्टिस करते देखा है – लेकिन हम तुम्हें बता दें, तुम दोनों को झाड़ुओं या चूहों के बजाय अपनी मित्र को ज़्यादा महत्त्व देना चाहिए। हमें बस इतना ही कहना है।'

हैरी और रॉन ने एक-दूसरे की तरफ़ परेशानी से देखा।

'रॉन, जब ब्लैक ने तुम्हें लगभग चाकू से मार ही दिया था, तब वह सचमुच बहुत दुखी थी। हर्माइनी बहुत भली लड़की है, इसके बावज़ूद तुम दोनों उससे बात नहीं कर रहे हो –'

'अगर वह उस बिल्ली से पीछा छुड़ा ले, तो मैं उससे दोबारा बात करने लगूँगा!' रॉन ने ग़ुस्से से कहा। 'लेकिन वह तो उसे गोद में लिए घूमती है! वह बिल्ली पागल है, लेकिन हर्माइनी उसके ख़िलाफ़ एक शब्द भी नहीं सुनना चाहती है!'

'देखो, लोग-बाग अपने पालतू जानवरों के बारे में कई बार थोड़े सनकी होते हैं,' हैग्रिड ने समझदारी से कहा। उसके पीछे बकबीक ने मुर्दा जानवर की

कुछ हड्डियाँ हैग्रिड के तकिए पर गिरा दीं।

इसके बाद उन्होंने इस बारे में बात की कि क्विडिच कप में गरुड़द्वार के जीतने की संभावना बढ़ गई है। नौ बजे हैग्रिड उन्हें महल तक छोड़ने आया।

हॉल में लौटने पर उन्होंने देखा कि बहुत से विद्यार्थी नोटिस बोर्ड के आस-पास खड़े थे।

'हॉग्समीड, अगले सप्ताह!' रॉन ने नए नोटिस को पढ़ने के लिए सिरों के ऊपर से झाँककर देखा। जब वे बैठ गए, तो रॉन ने धीरे से पूछा, 'तुम भी चलोगे ?'

'देखो, फ़िल्च ने हनीड्यूक्स वाले ख़ुफ़िया रास्ते पर कोई पहरेदार नियुक्त नहीं किया है ...' हैरी ने और भी धीरे से कहा।

'हैरी!' उसके दाएँ कान में एक आवाज़ आई। हैरी चौंक गया और उसने पलटकर देखा। हर्माइनी उनके ठीक पीछे वाली टेबल पर बैठी थी और बीच में बनी पुस्तकों की दीवार के कारण वह उन्हें दिखाई नहीं दी थी।

हर्माइनी बोली, 'हैरी, अगर तुम दोबारा हॉग्समीड गए ... तो मैं प्रोफ़ेसर मैक्गॉनेगल को नक़्शे के बारे में बता दूँगी!'

'देखा हैरी, वह क्या बोल रही है ?' रॉन हर्माइनी की तरफ़ देखे बिना ही गुर्राया।

'रॉन, तुम उसे अपने साथ कैसे ले जा सकते हो ? सिरियस ब्लैक ने *तुम्हारे* साथ जो किया है, उसके बाद! मैं बिलकुल सच कह रही हूँ, मैं सचमुच बता दूँगी –'

'तो अब तुम हैरी को स्कूल से निकलवाना चाहती हो!' रॉन ने ग़ुस्से से कहा। 'क्या तुम इस साल हमें पहले ही काफ़ी नुक़सान नहीं पहुँचा चुकी हो ?'

हर्माइनी ने जवाब देने के लिए मुँह खोला, लेकिन तभी क्रुकशैंक्स हल्की सी आवाज़ निकालती हुई उछलकर उसकी गोद में बैठ गई। हर्माइनी ने डरते-डरते रॉन के चेहरे की तरफ़ देखा और क्रुकशैंक्स को उठाकर तेज़ी से लड़कियों के कमरे की तरफ़ चल दी।

'तो अब ऐसा करते हैं,' रॉन ने हैरी से कहा, जैसे उनकी बातचीत में किसी ने बाधा न डाली हो। 'पिछली बार तो तुम कुछ भी नहीं देख पाए थे। तुम तो ज़ोन्को की दुकान में भी नहीं गए थे!'

हैरी ने आस-पास देखकर तसल्ली कर ली कि हर्माइनी तो नहीं सुन रही है।

'ठीक है,' उसने कहा। 'लेकिन मैं इस बार अपना अदृश्य चोगा भी साथ

लेकर चलूँगा।'

*

शनिवार की सुबह हैरी अदृश्य चोगे को बैग में और नक़्शे को जेब में रखकर बाक़ी सबके साथ नाश्ता करने गया। हर्माइनी टेबल पर उसे शक भरी निगाहों से देखती रही, लेकिन हैरी ने उससे नज़रें नहीं मिलाईं। उसने इस बात का भी ध्यान रखा कि बाक़ी विद्यार्थियों के बाहर निकलते समय हर्माइनी यह देख ले कि वह प्रवेश हॉल में संगमरमर की सीढ़ियाँ चढ़कर वापस ऊपर जा रहा था।

'अच्छा!' हैरी ने रॉन से कहा। 'लौटकर मुझे बताना कि तुमने क्या-क्या देखा!'

रॉन ने मुस्कराकर उसे आँख मारी।

हैरी फ़ुर्ती से तीसरी मंज़िल पर गया और अपनी जेब से नक़्शा निकाला। एक आँख वाली चुड़ैल के पीछे छिपते हुए उसने नक़्शे की तह खोली। एक छोटा सा बिंदु उसकी तरफ़ आ रहा था। हैरी ने उसके नाम को ग़ौर से देखा। उस बिंदु के पास लिखा था 'नेविल लाँगबॉटम।'

हैरी ने तत्काल अपनी छड़ी बाहर निकाली और बुदबुदाया, 'नीचे धँस!' फिर उसने अपना बैग मूर्ति के छेद में डाल दिया। लेकिन वह उसमें घुस पाता, इससे पहले ही नेविल मोड़ पर आ गया।

'हैरी! मैं तो भूल ही गया था कि तुम भी हॉग्समीड नहीं जा रहे हो!'

'हाय नेविल,' हैरी ने तत्काल मूर्ति से दूर हटते हुए और नक़्शे को अपनी जेब में रखते हुए कहा। 'तुम क्या करने जा रहे हो?'

'कुछ नहीं,' नेविल ने कंधे उचकाए। 'एक्सप्लोडिंग स्नैप खेलें?'

'अभी नहीं – मैं लाइब्रेरी जा रहा हूँ। मुझे ख़ून पीने वाले पिशाचों वाला निबंध पूरा करना है, जो ल्यूपिन ने दिया है –'

'मैं भी चलता हूँ!' नेविल ने उत्साह से कहा। 'मैंने भी वह निबंध नहीं लिखा है!'

'ज़रा ठहरो – हाँ, मैं तो भूल ही गया था कि मैंने कल रात को ही वह निबंध पूरा लिख लिया था!'

'यह तो बहुत बढ़िया है, तब तो तुम मेरी मदद कर सकते हो!' नेविल ने कहा। उसका गोल चेहरा अब परेशान दिख रहा था। 'मैं लहसुन के बारे में नहीं समझ पाया – क्या उन्हें यह खाना पड़ता है या फिर –'

नेविल के मुँह से एक हल्की सी चीख़ निकल पड़ी, जब उसने हैरी के कंधों

के ऊपर से देखा।

वहाँ पर स्नेप खड़े थे। नेविल जल्दी से हैरी के पीछे छिप गया।

'तुम दोनों यहाँ क्या कर रहे हो ?' स्नेप ने उन दोनों की तरफ़ देखते हुए कहा। 'मुलाक़ात के लिए यह अजीब जगह है –'

हैरी को यह देखकर बहुत परेशानी हुई कि स्नेप की काली आँखें दोनों तरफ़ के दरवाजों पर गईं और फिर एक आँख वाली चुड़ैल पर रुक गईं।

'हम यहाँ मुलाक़ात नहीं कर रहे हैं,' हैरी ने कहा। 'हम तो बस यहाँ पर टकरा गए हैं।'

'सचमुच ?' स्नेप ने कहा। 'पॉटर, यह तुम्हारी आदत है कि तुम अक्सर ऐसी जगहों पर पहुँच जाते हो, जहाँ तुम्हें नहीं होना चाहिए। और हमेशा उसके पीछे कोई न कोई कारण ज़रूर होता है ... मैं तुम दोनों को गरुड़द्वार हाउस में वापस जाने की सलाह देता हूँ, जहाँ से तुम आए हो।'

हैरी और नेविल बिना कुछ कहे वहाँ से चल दिए। जब वे मोड़ पर मुड़े, तो हैरी ने पलटकर देखा कि स्नेप एक आँख वाली चुड़ैल के सिर पर हाथ फिरा रहे थे और उसे काफ़ी ग़ौर से देख रहे थे।

मोटी औरत की तस्वीर के पास पहुँचकर हैरी नेविल से पीछा छुड़ाने में कामयाब हो गया। उसने उसे पासवर्ड बता दिया और फिर यह नाटक किया कि वह ख़ून पीने वाले पिशाचों का निबंध लाइब्रेरी में छोड़ आया है। इसके बाद वह जल्दी से पलटकर वहाँ से भाग लिया। पहरा दे रहे दैत्यों की नज़रों से दूर होने के बाद उसने दोबारा नक़्शा बाहर निकाला और उसे अपनी नाक के पास सटा लिया।

तीसरी मंज़िल का गलियारा अब वीरान दिख रहा था। हैरी ने नक़्शे को बहुत ध्यान से देखा। उसे यह देखकर बहुत राहत मिली कि 'सीवियरस स्नेप' का छोटा बिंदु अब अपने ऑफ़िस में था।

वह भागकर एक आँख वाली चुड़ैल के पास पहुँचा। उसने उसका कूबड़ खोला और अंदर घुसकर नीचे फिसलने लगा। कुछ समय बाद वह भी अपने बैग के पास ख़ुफ़िया गलियारे में पहुँच गया। उसने एक बार फिर नक़्शे पर लिखे शब्द मिटाए और भागने लगा।

*

अदृश्य चोगे में पूरी तरह छिपा हुआ हैरी हनीड्यूक्स से बाहर सूरज की रोशनी में निकला और उसने रॉन की पीठ पर हाथ रख दिया।

उसने बुदबुदाकर कहा, 'मैं हूँ।'

रॉन ने दबे होंठों से पूछा, 'तुम्हें इतनी देर कैसे हो गई?'

'स्नेप वहाँ पर घूम रहे थे ...'

वे लोग हाई स्ट्रीट की तरफ़ चल दिए।

'तुम कहाँ हो?' रॉन अपने मुँह के कोने से बुदबुदाया। 'क्या तुम साथ में चल रहे हो? तुम जब अदृश्य होते हो, तो बहुत अजीब लगता है ...'

वे लोग पोस्ट ऑफ़िस तक गए। वहाँ पर रॉन ने नाटक किया कि वह मिस्र में बिल के पास चिट्ठी भेजने के लिए उल्लुओं की क़ीमत देख रहा है। वह चाहता था कि हैरी वहाँ के माहौल को अच्छी तरह से देख ले। वहाँ कम से कम तीन सौ उल्लू बैठे होंगे, जो उसकी तरफ़ देख रहे थे और शोर मचा रहे थे। वहाँ पर भारी-भरकम उल्लू तो थे ही, छोटे-छोटे उल्लू भी थे, जो सिर्फ़ हनीड्यूक्स में ही स्थानीय डाक पहुँचाते थे। ये उल्लू इतने छोटे थे कि हैरी की मुट्ठी में समा सकते थे।

फिर वे ज़ोन्को की दुकान में गए। वहाँ पर हॉगवर्ट्स के इतने सारे विद्यार्थी थे कि हैरी को बहुत फूँक-फूँक कर क़दम रखना पड़ा। वह नहीं चाहता था कि उसका पैर किसी पर पड़ जाए और वह विद्यार्थी दहशत के मारे चीख़ने लगे। वहाँ पर इतनी मज़ेदार चीज़ें थीं कि फ्रेड और जॉर्ज को भी मज़ा आ जाता। हैरी ने फुसफुसाते हुए रॉन को चीज़ें ख़रीदने के लिए कहा और अपने चोगे के नीचे से उसे कुछ गैलियन भी दिए। जब वे ज़ोन्को की दुकान से बाहर निकले, तो उनका पर्स काफ़ी ख़ाली हो चुका था। बहरहाल, उनकी जेबें फूल चुकी थीं, क्योंकि उनमें गोबर बम, हिचकी मिठाइयाँ, मेंढक के अंडों का साबुन और नाक काटने वाले चाय के कप रखे थे।

दिन सुहाना और हवादार था। दोनों को लगा कि ऐसे मौसम में खुली हवा में घूमना चाहिए, इसलिए वे थ्री ब्रूमस्टिक्स के आगे वाली चढ़ाई चढ़कर चीख़ती हवेली को देखने गए, जिसे ब्रिटेन की सबसे भुतहा इमारत माना जाता था। यह बाक़ी गाँव से थोड़ी दूर थी। बंद खिड़कियों और उजाड़ बगीचे के कारण चीख़ती हवेली दिन के उजाले में भी डरावनी दिख रही थी।

जब वे फ़ेंस से टिककर चीख़ती हवेली को देखने लगे, तो रॉन बोला, 'हॉगवर्ट्स के भूत तक यहाँ आने से कतराते हैं। मैंने लगभग सिरकटे निक से एक बार पूछा था ... वह कहता है, भूतों का यह मानना है कि यहाँ पर बहुत ख़राब भूत रहते हैं। कोई भी अंदर नहीं जा सकता ... ज़ाहिर है फ्रेड और जॉर्ज ने कोशिश की थी, लेकिन अंदर घुसने के सभी दरवाज़े बंद हैं ...'

चढ़ाई चढ़ने के कारण हैरी को गर्मी लगने लगी थी। वह सोच रहा था कि

कुछ मिनट के लिए चोगा उतारकर ठंडी हवा खा ले, लेकिन तभी उसे थोड़ी दूर पर कुछ आवाज़ें सुनाई दीं। ऐसा लग रहा था कि कोई पहाड़ी की दूसरी तरफ़ से हवेली की ओर आ रहा था। कुछ पल बाद मैल्फ़ाय नज़र आया। उसके पीछे क्रैब और गॉइल भी थे। मैल्फ़ाय उन्हें कुछ बता रहा था।

'...मेरे डैडी का उल्लू कभी भी आ सकता है। सुनवाई में वे यह बताने गए हैं कि मेरे हाथ का कितना बुरा हाल हुआ था... वे यह भी बताएँगे कि मैं तीन महीने तक उसका इस्तेमाल नहीं कर पाया...'

क्रैब और गॉइल खी-खी करते हुए हँसे।

'मैं सचमुच चाहता हूँ कि उस बड़े बालों वाले मूर्ख को गरुड़अश्व का बचाव करते सुन सकूँ... "वह किसी का भी नुक़सान नहीं कर सकता है, क़सम से -"... समझ लो कि अब वह गरुड़अश्व किसी भी हालत में नहीं बच सकता-'

मैल्फ़ॉय को अचानक रॉन दिख गया, जिससे उसके पीले चेहरे पर तुरंत एक दुष्ट मुस्कान आ गई।

'तुम क्या कर रहे हो, वीज़्ली?'

मैल्फ़ॉय ने रॉन के पीछे उजाड़ हवेली को देखा।

'वीज़्ली, ऐसा लगता है कि तुम यहाँ पर रहने के बारे में सोच रहे हो? शायद यह सपना देख रहे हो कि तुम्हारा अपना बेडरूम हो? मैंने सुना है कि तुम्हारा पूरा परिवार एक ही कमरे में सोता है - क्या यह सच है?'

हैरी ने रॉन का दुशाला पीछे से खींचा, ताकि रॉन मैल्फ़ॉय पर हमला न कर दे।

उसने रॉन के कान में फुसफुसाकर कहा, 'उसे मुझ पर छोड़ दो।'

यह इतना सुनहरा अवसर था कि हैरी इसे छोड़ना नहीं चाहता था। हैरी चुपचाप रेंगता हुआ मैल्फ़ॉय, क्रैब और गॉइल के पीछे गया और नीचे झुककर उसने कीचड़ उठा लिया।

मैल्फ़ॉय ने रॉन से कहा, 'हम अभी तुम्हारे दोस्त हैग्रिड के बारे में ही बातें कर रहे थे। हम यह कल्पना कर रहे थे कि वह ख़तरनाक प्राणी ख़ात्मा समिति के सामने क्या कह रहा होगा। तुम्हें क्या लगता है, जब उसके गरुड़अश्व का सिर काट दिया जाएगा, तो क्या वह रोएगा -'

छपाक!

मैल्फ़ॉय के सिर पर कीचड़ पड़ने से उसका सिर झटके से आगे की तरफ़ हो गया। उसके सुनहरे बाल अचानक कीचड़ में सन गए थे।

'क्या है -'

रॉन ठहाके मार कर हँस रहा था कि उसे खड़े रहने के लिए फेंस का सहारा लेना पड़ा। मैल्फ़ॉय, क्रैब और गॉइल पलटकर चारों तरफ़ पागलों की तरह देखते रहे। मैल्फ़ॉय अपने बाल साफ़ करने की कोशिश कर रहा था।

'कौन था? यह किसने किया?'

'यहाँ पर भूत रहते हैं, है ना?' रॉन बोला। उसके बोलने का अंदाज़ ऐसा था, जैसे वह मौसम के बारे में बातें कर रहा हो।

क्रैब और गॉइल डरे हुए दिख रहे थे। उनकी उभरी हुई मांसपेशियाँ भूतों से मुक़ाबला नहीं कर सकती थीं। मैल्फ़ॉय पागलों की तरह ख़ाली जगह को घूर रहा था।

हैरी थोड़ा आगे बढ़ा, जहाँ पर बहुत बदबूदार और हरा सा कीचड़ पड़ा था।

छपाक!

इस बार क्रैब और गॉइल पर भी कीचड़ की बरसात हो गई। गॉइल ग़ुस्से से कूदने लगा और अपनी छोटी-छोटी बेजान आँखों को साफ़ करने की कोशिश करने लगा।

'कीचड़ उधर से आया था!' मैल्फ़ॉय ने अपना चेहरा साफ़ किया और हैरी से छह फ़ुट दूर इशारा किया।

क्रैब आगे बढ़ा। उसके लंबे हाथ किसी प्रेत की तरह आगे फैले हुए थे। हैरी ने उससे बचते हुए एक छड़ी उठाई और क्रैब की पीठ पर दे मारी। छड़ी किसने मारी है, यह देखने के लिए जब क्रैब गुलाँटियाँ खाने लगा, तो हैरी मन ही मन हँसी के मारे दोहरा हो गया। चूँकि क्रैब को आस-पास सिर्फ़ रॉन ही दिखाई दे रहा था, इसलिए वह रॉन की तरफ़ बढ़ा, लेकिन हैरी ने बीच में अपना पैर अड़ा दिया। क्रैब लड़खड़ाया - और उसका बड़ा पैर हैरी के चोगे में उलझ गया। हैरी को झटका लगा और चोगा उसके सिर से फिसल गया।

एक पल के लिए मैल्फ़ॉय हैरी के हवा में झूलते सिर को घूरता रहा।

'आआआह!' वह हैरी के सिर की तरफ़ इशारा करते हुए चीख़ा। फिर वह पलटकर तेज़ी से पहाड़ी से नीचे भागने लगा। क्रैब और गॉइल भी उसके पीछे दौड़ने लगे।

हैरी ने चोगे को दोबारा सही किया, लेकिन तब तक बहुत देर हो चुकी थी।

'हैरी!' रॉन ने हैरी के अदृश्य होने की दिशा में घूरते हुए कहा, 'भलाई इसी में है कि तुम जल्दी से दौड़ लगा दो! मैल्फ़ॉय किसी को बता पाए - इससे

पहले ही तुम महल में वापस लौट जाओ, जल्दी –'

'मिलते हैं,' हैरी ने कहा और फिर हॉग्समीड जाने वाले रास्ते पर बेतहाशा भागने लगा।

मैल्फ़ॉय ने जो देखा था, क्या उसे उस पर विश्वास होगा? क्या मैल्फ़ॉय की बात पर किसी को यक़ीन होगा? डम्बलडोर के अलावा कोई भी अदृश्य चोगे के बारे में नहीं जानता था। अगर मैल्फ़ॉय ने अपना मुँह खोला, तो डम्बलडोर तो समझ ही जाएँगे कि क्या हुआ होगा। यह सोचकर हैरी के पेट में खलबली होने लगी।

हनीड्यूक्स में वापस लौटने पर हैरी भंडार कक्ष की सीढ़ियाँ उतरकर चोर दरवाज़े के अंदर घुसा। उसने अपना चोगा उतारकर हाथ में पकड़ लिया और गलियारे में भागने लगा ... यह बात तो तय थी कि मैल्फ़ॉय उससे पहले महल में पहुँच जाएगा... पर सब कुछ इस पर निर्भर था कि उसे किसी टीचर को खोजने में कितना समय लगेगा? हैरी बुरी तरह हाँफ रहा था और उसकी पसलियों में दर्द हो रहा था, लेकिन उसने अपनी रफ़्तार तब तक धीमी नहीं की, जब तक कि वह एक आँख की चुड़ैल वाले दरवाज़े के क़रीब नहीं पहुँच गया। उसने सोचा कि उसे चोगा यहीं छिपा देना चाहिए, क्योंकि अगर मैल्फ़ॉय ने किसी टीचर को ख़बर दे दी होगी, तो उसका भांडा फूट जाएगा। हैरी ने अपना चोगा एक अँधेरे कोने में छिपा दिया और पूरी तेज़ी से ऊपर चढ़ने लगा। पसीने की वजह से उसके हाथ ऊपर चढ़ते समय फिसल रहे थे। चुड़ैल के कूबड़ के अंदर पहुँचकर उसने उसे अपनी छड़ी से थपथपाया। फिर उसने बाहर निकलकर कूबड़ को बंद किया। जब वह मूर्ति के पीछे से कूदकर बाहर आया, तो उसे आवाज़ आई कि कोई तेज़ क़दमों से उसी तरफ़ आ रहा है।

आने वाला कोई और नहीं, स्नेप थे। उनका दुशाला हवा में लहरा रहा था और वे तेज़ी से हैरी की तरफ़ आकर उसके सामने आकर रुक गए।

वे बोले, 'तो!'

उनके चेहरे पर विजय का भाव था। हैरी ने मासूम दिखने की कोशिश की, हालाँकि वह अच्छी तरह से जानता था कि उसके चेहरे पर पसीना था और उसके हाथ कीचड़ में सने थे। अपने हाथों को स्नेप की नज़रों से छिपाने के लिए हैरी ने उन्हें अपनी जेब में रख लिया।

स्नेप ने कहा, 'मेरे पीछे आओ, पॉटर।'

हैरी उनके पीछे-पीछे सीढ़ियों से उतरा। स्नेप की नज़र बचाकर उसने अपने कीचड़ सने हाथ दुशाले के भीतरी हिस्से से पोंछने की कोशिश की। वे सीढ़ियों से उतरकर तहख़ाने में पहुँचे और स्नेप के ऑफ़िस के भीतर गए।

हैरी यहाँ पहले सिर्फ़ एक बार आया था और वह तब भी बहुत मुश्किल में था। उसने देखा कि स्नेप ने पिछली बार से अब तक के बीच कुछ नई भयानक गिलगिली चीज़ें इकट्ठी कर ली थीं, जो उनकी डेस्क के पीछे शेल्फ़ों पर रखी थीं। आग की रोशनी में चमकते भयानक शेल्फ़ माहौल को और डरावना बना रहे थे।

'बैठो,' स्नेप ने कहा।

हैरी बैठ गया, लेकिन स्नेप खड़े रहे।

फिर स्नेप बोले, 'मैल्फ़ॉय ने मुझे अभी-अभी एक अजीब कहानी सुनाई है, पॉटर।'

हैरी ने कोई जवाब नहीं दिया।

'उसने मुझे बताया कि चीख़ती हवेली के पास उसे वीज़्ली मिला था – जो अकेला दिख रहा था।'

अब भी हैरी कुछ नहीं बोला।

'मैल्फ़ॉय का कहना है कि वह वीज़्ली से बातें कर रहा था कि तभी किसी ने उसके सिर पर कीचड़ फेंका। तुम्हें क्या लगता है, क्या हुआ होगा?'

हैरी ने थोड़ा हैरान दिखने की कोशिश की।

'मुझे क्या मालूम, प्रोफ़ेसर।'

स्नेप की आँखें हैरी की आँखों को बेध रही थीं। यह गरुड़अश्व को घूरने की तरह ही था। हैरी ने कोशिश की कि उसकी पलकें न झपकें।

'फिर मैल्फ़ॉय ने एक बहुत ही अजीब दृश्य देखा। क्या तुम कल्पना कर सकते हो कि वह क्या हो सकता है, पॉटर?'

'नहीं,' हैरी ने कहा, जो अब मासूम बनकर उत्सुकता दिखाने की कोशिश कर रहा था।

'उसे तुम्हारा सिर दिखा पॉटर, जो हवा में तैर रहा था।'

एक लंबी ख़ामोशी छा गई।

'शायद उसे मैडम पॉमफ्री के पास जाना चाहिए,' हैरी ने कहा। 'अगर वह इस तरह की चीज़ें देख रहा है, तो –'

'तुम्हारा सिर हॉग्समीड में क्या कर रहा था, पॉटर?' स्नेप ने धीमे से कहा। 'तुम्हारे सिर को हॉग्समीड जाने की इजाज़त नहीं है। तुम्हारे शरीर के किसी भी हिस्से को हॉग्समीड जाने की इजाज़त नहीं है।'

'मैं जानता हूँ,' हैरी बोला। वह पूरी कोशिश कर रहा था कि उसके चेहरे

पर अपराधबोध या डर की झलक न दिखे। 'ऐसा लगता है, मैल्फ़ॉय को दृष्टिभ्रम हुआ होगा –'

'मैल्फ़ॉय को दृष्टिभ्रम नहीं हुआ था,' स्नेप गुर्राए। उन्होंने नीचे झुककर उस कुर्सी के दोनों हत्थों पर अपने हाथ रख दिए जिस पर हैरी बैठा था और अपना चेहरा हैरी के चेहरे के बिलकुल पास लाकर कहा, 'अगर तुम्हारा सिर हॉग्समीड में था, तो तुम्हारा बाक़ी शरीर भी वहीं था।'

'मैं गरुड़द्वार हाउस में था,' हैरी ने कहा। 'जैसा आपने कहा था –'

'क्या कोई इस बात की गवाही दे सकता है ?'

हैरी कुछ नहीं बोला। स्नेप के पतले चेहरे पर कुटिल मुस्कान आ गई।

उन्होंने दोबारा सीधे खड़े होते हुए कहा, 'जादू मंत्रालय और सभी लोग मशहूर हैरी पॉटर को सिरियस ब्लैक से बचाने की कोशिश कर रहे हैं, लेकिन मशहूर हैरी पॉटर अपनी मनमर्ज़ी का मालिक है। उसकी सुरक्षा के बारे में सामान्य लोग चिंता करते हैं, तो करते रहें! मशहूर हैरी पॉटर की तो जहाँ मर्ज़ी होगी, वहाँ जाएगा और परिणामों की परवाह नहीं करेगा।'

हैरी चुप रहा। स्नेप उसे उकसाना चाहते थे, ताकि वह सच्चाई उगल दे। लेकिन उसने संकल्प कर लिया था कि वह सच्चाई नहीं बताएगा। स्नेप के पास कोई सबूत नहीं था – अब तक।

फिर स्नेप की आँखों में चमक आ गई, जब उन्होंने अचानक कहा, 'पॉटर, तुम बिलकुल अपने पिता की तरह हो। वे भी बहुत घमंडी थे। क्विडिच के खेल में थोड़ी सी योग्यता होने की वजह से उन्हें लगता था कि वे हम सब लोगों से श्रेष्ठ थे। वे अपने दोस्तों और चमचों के साथ पूरे स्कूल में घमंड से इतराते फिरते थे ... तुम दोनों में बहुत सी बातें एक जैसी हैं।'

हैरी ख़ुद को रोक पाए, इससे पहले ही उसके मुँह से निकल पड़ा, 'मेरे पिता *घमंडी* नहीं थे। और मैं भी नहीं हूँ।'

'तुम्हारे पिता भी नियमों को ज़्यादा महत्त्व नहीं देते थे,' स्नेप आगे बोलते रहे। उनके पतले चेहरे पर नफ़रत के भाव थे। 'नियम तुच्छ लोगों के लिए थे, क्विडिच कप विजेताओं के लिए नहीं थे। उनका सिर घमंड से इतना फूला हुआ था –'

'चुप रहिए!'

हैरी अचानक उछलकर खड़ा हो गया। प्रिविट ड्राइव में गुजारी आख़िरी रात के बाद से उसे इतना ग़ुस्सा फिर कभी नहीं आया था। उसे यह परवाह भी नहीं थी कि यह सुनने के बाद स्नेप का चेहरा सख़्त हो गया था और उनकी काली

आँखें ख़तरनाक तरीक़े से चमकने लगी थीं।

'तुमने मुझसे क्या कहा, पॉटर ?'

हैरी चीख़ा, 'मैंने आपसे कहा कि आप मेरे डैडी के बारे में ग़लत-सलत बातें न कहें! मैं सच्चाई जानता हूँ। उन्होंने आपकी जान बचाई थी! डम्बलडोर ने मुझे सब बता दिया है! अगर मेरे डैडी आपको नहीं बचाते, तो आज आप यहाँ नहीं खड़े होते!'

स्नेप की भूरी चमड़ी अब फटे दूध के रंग की हो गई।

'और क्या हेडमास्टर ने तुम्हें यह भी बताया कि तुम्हारे पिता ने किन हालात में मेरी जान बचाई थी ?' उन्होंने फुसफुसाकर पूछा। 'या फिर उन्होंने यह सोचकर पूरी बात नहीं बताई कि इसे सुनने के बाद पॉटर के नाज़ुक कानों को तकलीफ़ होगी ?'

हैरी ने अपने होंठ काट लिए। वह पूरी बात नहीं जानता था और वह स्नेप के सामने यह मानने को तैयार नहीं था – लेकिन स्नेप ने सच्चाई का अंदाज़ा लगा लिया।

'पॉटर, मैं यह नहीं चाहता हूँ कि तुम अपने पिता पर झूठा घमंड करो,' उन्होंने अपने चेहरे पर एक भयंकर मुस्कान लाते हुए कहा। 'क्या तुम उनके किसी गौरवशाली या बहादुरी के काम की कल्पना कर रहे हो ? मैं तुम्हें सच्चाई बताता हूँ – ताकि तुम किसी मुगालते में न रहो। तुम्हारे देवता समान पिता और उनके मित्रों ने मेरे साथ एक बहुत ही घटिया मज़ाक़ किया था, जिसकी वजह से मेरी जान जा सकती थी, लेकिन आख़िरी समय पर तुम्हारे पिता डर गए और उन्होंने मुझे बचा लिया। उन्होंने जो किया था, उसमें बहादुरी की कोई बात नहीं थी। वे मेरे साथ-साथ अपनी भी जान बचा रहे थे। अगर उनका मज़ाक़ कामयाब हो जाता, तो उन्हें हॉगवर्ट्स से निकाल दिया जाता।'

अब स्नेप के ऊबड़-खाबड़, पीले दाँत बाहर दिखने लगे थे।

उन्होंने अचानक थूक उड़ाते हुए कहा, 'अपनी जेब दिखाओ, पॉटर!'

हैरी ज़रा भी नहीं हिला। उसके कानों में सायँ-सायँ की आवाज़ होने लगी थी।

'अपनी जेब दिखाओ, वरना हम सीधे हेडमास्टर के पास चलते हैं! अपनी जेब दिखाओ, पॉटर!'

दहशत से काँपते हुए हैरी ने ज़ोन्को की जादुई चीज़ें और नक़्शा बाहर निकाला।

स्नेप ने ज़ोन्को का थैला उठाया।

'यह रॉन ने मुझे दिया था। वह – जब आख़िरी बार हॉग्समीड गया था, तो यह सामान लाया था –' हैरी ने कहा। वह मन ही मन यह प्रार्थना कर रहा था स्नेप रॉन से पूछताछ करें, इससे पहले उसे रॉन को चेतावनी देने का समय मिल जाए।

'अच्छा? और तुम तभी से इतना सारा सामान अपनी जेब में लेकर घूम रहे हो? कितना प्रेम है ... और यह क्या है?'

स्नेप ने नक़्शा उठा लिया। हैरी ने पूरी कोशिश की कि उसके चेहरे पर कोई भाव न आए।

उसने कंधे उचकाते हुए कहा, 'कुछ नहीं, ख़ाली चर्मपत्र है।'

स्नेप ने हैरी पर नज़र जमाए रखी और चर्मपत्र को उलट-पलटकर देखा।

'निश्चित रूप से तुम्हें इतने *पुराने* चर्मपत्र की ज़रूरत नहीं होगी?' उन्होंने कहा। 'क्यों न मैं – इसे फेंक दूँ?'

उन्होंने आग की तरफ़ इशारा किया।

'नहीं!' हैरी तत्काल बोला।

'तो!' अब स्नेप के लंबे नथुने फड़कने लगे थे। 'क्या यह भी मिस्टर वीज़्ली का ही बेशक़ीमती उपहार है? या फिर यह – कुछ और है? कोई ख़त, जो शायद अदृश्य स्याही में लिखा हुआ है? या – फिर शायद इसमें दमपिशाचों के पास से गुज़रे बिना हॉग्समीड में पहुँचने का तरीक़ा लिखा हो?'

हैरी की आँखें झपक गईं। स्नेप की आँखें चमक रही थीं।

'ज़रा ठहरो, ज़रा ठहरो ...' उन्होंने अपनी छड़ी बाहर निकालकर डेस्क पर नक़्शे को खोला। फिर छड़ी से चर्मपत्र को छूते हुए वे बोले, 'सारे राज़ खोल दो!'

कुछ नहीं हुआ। हैरी ने अपने काँपते हाथों को छिपाने के लिए अपनी मुट्ठियाँ बाँध लीं।

'तुम्हारे अंदर जो भी छिपा है, वह सब बता दो!' स्नेप ने नक़्शे को ज़ोर से ठोंकते हुए कहा।

नक़्शा कोरा का कोरा ही रहा। शांत रहने के लिए हैरी गहरी, ठंडी साँसें ले रहा था।

स्नेप ने नक़्शे पर छड़ी मारते हुए कहा, 'हॉगवर्ट्स के प्रोफ़ेसर सीवियरस स्नेप तुम्हें आदेश देते हैं कि तुम अपने अंदर छिपी जानकारी प्रकट कर दो!'

ऐसा लगा जैसे कोई अदृश्य हाथ इस पर लिख रहा हो – नक़्शे की चिकनी सतह पर शब्द उभरने लगे।

'मिस्टर मूनी प्रोफ़ेसर स्नेप को शुभकामनाएँ देते हैं और उनसे यह विनती करते हैं कि वे अपनी बहुत बड़ी नाक दूसरों के मामलों में न अड़ाएँ।'

स्नेप सन्न रह गए। हैरी भी यह संदेश पढ़कर अवाक रह गया। लेकिन नक़्शा यहीं नहीं रुका। इस वाक्य के नीचे और वाक्य उभर आए।

'मिस्टर प्रॉन्ग्स मिस्टर मूनी की बातों से सहमत हैं, और यह जोड़ना चाहते हैं कि प्रोफ़ेसर स्नेप बदसूरत और मूर्ख हैं।'

अगर स्थिति इतनी गंभीर नहीं होती, तो हैरी को यह बहुत मज़ेदार लगता। इसके बाद भी शब्द उभरते रहे ...

'मिस्टर पैडफ़ुट इस बात पर हैरान हैं कि तुम जैसा बेवकूफ़ प्रोफ़ेसर कैसे बन गया।'

हैरी ने दहशत में अपनी आँखें बंद कर लीं। जब उसने आँखें खोलीं, तो नक़्शे पर आख़िरी शब्द उभर आए।

'मिस्टर वर्मटेल प्रोफ़ेसर स्नेप का अभिवादन करते हैं और यह सलाह देते हैं कि वे अपने गंदे और चिपचिपे बाल धोकर आएँ।'

हैरी धमाके का इंतज़ार करने लगा।

'तो ...' स्नेप ने धीमे से कहा। 'हमें इसकी जाँच करना होगी ...'

आग के पास जाकर उन्होंने अँगीठी पर रखे जार से मुट्ठी भर चमकता पाउडर उठाया और उसे लपटों में फेंक दिया।

'ल्यूपिन!' स्नेप ने आग की दिशा में कहा। 'एक मिनट यहाँ आइए! मुझे आपसे बात करनी है'

पूरी तरह से हैरान हैरी ने आग की तरफ़ देखा। उसमें एक बड़ा आकार उभर रहा था, जो बहुत तेज़ी से घूम रहा था। कुछ पल बाद प्रोफ़ेसर ल्यूपिन अँगीठी में से बाहर निकलकर अपने गंदे दुशाले पर लग गई राख झड़ा रहे थे।

ल्यूपिन ने धीमे से पूछा, 'तुमने बुलाया, सीवियरस ?'

'हाँ,' स्नेप ने कहा। अपनी मेज़ के पास आते समय उनका चेहरा ग़ुस्से से ऐंठ गया था। 'मैंने पॉटर से उसकी जेब ख़ाली करवाई थी। उसकी जेब में यह निकला था।'

स्नेप ने चर्मपत्र की तरफ़ इशारा किया, जिस पर मूनी, वर्मटेल, पैडफ़ुट और प्रॉन्ग्स के शब्द अब भी चमक रहे थे। ल्यूपिन के चेहरे पर एक अजीब सा

भाव आ गया।

'तो ?' स्नेप ने पूछा।

ल्यूपिन नक़्शे की तरफ़ घूरते रहे। हैरी को ऐसा लगा, जैसे ल्यूपिन बहुत तेज़ी से सोच रहे थे।

'तो ?' स्नेप ने एक बार फिर पूछा। 'मुझे लगता है, किसी ने इस चर्मपत्र पर शैतानी जादू किया है। ल्यूपिन, तुम इस क्षेत्र के विशेषज्ञ हो। तुम्हें क्या लगता है, पॉटर को यह चीज़ कहाँ मिली होगी ?'

ल्यूपिन ने अपनी नज़रें उठाईं और हैरी की दिशा में देखते हुए उसे बीच में न बोलने का इशारा किया।

'शैतानी जादू ?' उन्होंने धीमे से दोहराया। 'क्या तुम्हें सचमुच ऐसा लगता है, सीवियरस ? मुझे तो लगता है कि यह चर्मपत्र हर पढ़ने वाले के बारे में अपमानजनक बातें कहता है। यह बचकाना है, लेकिन ख़तरनाक नहीं है। मुझे लगता है कि हैरी ने इसे जोक-शॉप से ख़रीदा होगा –'

'अच्छा ?' स्नेप ने कहा। उनका जबड़ा अब ग़ुस्से के कारण सख़्त हो गया था। 'तुम्हें लगता है कि उसे यह जोक-शॉप में मिला होगा ? कहीं ऐसा तो नहीं कि यह उसे *सीधे निर्माताओं से मिला हो ?'*

हैरी को समझ में नहीं आया कि स्नेप क्या कहना चाह रहे थे। और ल्यूपिन ने भी ऐसा ही जताया।

'तुम्हारा मतलब है, मिस्टर वर्मटेल या इनमें से किसी और से है ?' उन्होंने पूछा। 'हैरी, क्या तुम इनमें से किसी को जानते हो ?'

'नहीं,' हैरी ने जल्दी से कहा।

'देखा सीवियरस ?' ल्यूपिन ने स्नेप की तरफ़ मुड़ते हुए कहा। 'मुझे तो यह ज़ोन्को की दुकान का सामान लगता है –'

जैसे नाटक में प्रवेश करने का संकेत हुआ हो, रॉन ठीक उसी तरह सही समय पर धड़धड़ाता हुआ ऑफ़िस में घुसा। वह बुरी तरह हाँफ रहा था, और स्नेप की डेस्क से जरा सी दूरी पर ही रुका। उसने अपने सीने पर हाथ रखकर बोलने की कोशिश की।

'मैंने – हैरी – को – वह – सामान – दिया – था,' उसकी साँस अटक गई। 'ज़ोन्को – की – दुकान – में – बहुत – समय – पहले – ख़रीदा – था ...'

'देखा!' ल्यूपिन ने ताली बजाई और ख़ुश होकर चारों तरफ़ देखा। 'इससे सारी गुत्थी सुलझ गई! सीवियरस, इसे मैं रख लेता हूँ।' उन्होंने नक़्शे को तह

करके अपने दुशाले के भीतर रख लिया। 'हैरी और रॉन, तुम मेरे साथ आओ। मुझे अपने ख़ून पीने वाले पिशाचों के निबंध के बारे में तुमसे कुछ कहना है। माफ़ करना, सीवियरस।'

जब वे स्नेप के ऑफ़िस से निकले, तो हैरी की हिम्मत नहीं हुई कि वह स्नेप की तरफ़ देख ले। वह, रॉन और ल्यूपिन बिना कुछ बोले प्रवेश हॉल तक गए। फिर हैरी ल्यूपिन की तरफ़ मुड़ा।

'प्रोफ़ेसर, मैं –'

'मैं बहाने नहीं सुनना चाहता हूँ,' ल्यूपिन ने तुरंत बीच में बोलते हुए कहा। उन्होंने वीरान प्रवेश हॉल में चारों तरफ़ देखा और धीमी आवाज़ में कहा, 'मुझे मालूम है कि मिस्टर फ़िल्च ने इस नक़्शे को कई साल पहले ज़ब्त कर लिया था। हाँ, मैं जानता हूँ कि यह नक़्शा है,' उन्होंने हैरी और रॉन को हैरान देखते हुए कहा। 'मैं यह नहीं जानना चाहता कि यह तुम्हारे पास कैसे आया। लेकिन मैं इस बात पर *हैरान* हूँ कि तुमने इसे लौटाया क्यों नहीं। ख़ास तौर पर उस घटना के बाद, जब एक विद्यार्थी ने अपने पासवर्ड लापरवाही से ग़ुमा दिए थे। और मैं तुम्हें यह नक़्शा वापस नहीं दूँगा, हैरी।'

हैरी को यही उम्मीद थी, इसलिए उसने विरोध नहीं किया। वह तो पूरी बात समझने के लिए उत्सुक था।

'स्नेप को ऐसा क्यों लगा कि यह मुझे निर्माताओं ने दिया होगा?'

'क्योंकि ...' ल्यूपिन झिझके, 'क्योंकि इस नक़्शे को बनाने वाले तुम्हें लालच देकर स्कूल से बाहर निकलवाना चाहते थे। उन्हें यह बहुत मज़ेदार लगता।'

'क्या आप उन्हें *जानते* हैं?' हैरी प्रभावित होते हुए बोला।

'हम मिल चुके हैं,' ल्यूपिन ने रूखेपन से कहा। वे इस समय जितने गंभीर दिख रहे थे, उतने पहले कभी नहीं दिखे थे।

'हैरी, अब मुझ से दोबारा यह उम्मीद मत करना कि मैं तुम्हें बचाऊँगा। सिरियस ब्लैक को तुम्हें बहुत गंभीरता से लेना चाहिए। दमपिशाचों के पास आने पर तुम्हारे कानों में जो आवाज़ें सुनाई देती हैं, उनका तो तुम पर असर होना चाहिए। हैरी, तुम्हारे माता-पिता ने तुम्हारी जान बचाने के लिए अपनी जान दी थी। इसका बदला तुम यह दे रहे हो कि उनके इतने बड़े त्याग को एक जादुई नक़्शे के कारण जोखिम में डाल दो।'

वे दूर चले गए। हैरी को स्नेप के ऑफ़िस में जितना बुरा लग रहा था, उससे ज़्यादा बुरा उसे इस वक़्त लग रहा था। धीरे-धीरे वह और रॉन संगमरमर

की सीढ़ियाँ उतरे। जैसे ही हैरी एक आँख वाली चुड़ैल के पास पहुँचा, उसे अदृश्य चोगे की याद आ गई। अदृश्य चोगा अब भी चुड़ैल के अंदर ही पड़ा था, लेकिन उसकी हिम्मत नहीं हुई कि वह जाकर उसे उठा लाए।

'सब मेरी ग़लती थी,' रॉन ने अचानक कहा। 'मैंने ही तुम्हें जाने की सलाह दी थी। ल्यूपिन सही कहते हैं, हमने बेवकूफ़ी का काम किया था। हमें यह नहीं करना चाहिए था -'

उसने बात अधूरी छोड़ दी। वे उस गलियारे में पहुँच गए थे, जहाँ दैत्य पहरा दे रहे थे। हर्माइनी उनकी तरफ़ आ रही थी। उसके चेहरे पर नज़र डालते ही हैरी को यह यक़ीन हो गया कि उसे सारी घटना मालूम हो गई थी। उसके मन में यह दहशत होने लगी - क्या हर्माइनी ने प्रोफ़ेसर मैक्गॉनेगल को बता दिया था ?

जब हर्माइनी उनके पास आकर रुक गई, तो रॉन ग़ुस्से से बोला, 'हमारी हँसी उड़ाने आई हो ? या फिर हमारी चुगली करके चली आ रही हो ?'

'नहीं,' हर्माइनी बोली। उसके हाथ में एक चिट्ठी थी और उसके होंठ काँप रहे थे। 'मैं तुम्हें यह ख़बर सुनाना चाहती हूँ ... हैग्रिड मुकदमा हार गया है। बकबीक को मौत की सज़ा सुनाई गई है।'

अध्याय पन्द्रह

क्विडिच का फ़ाइनल

'उसने - उसने मुझे यह चिट्ठी भेजी है,' हर्माइनी ने चिट्ठी आगे बढ़ाते हुए कहा।

हैरी ने चिट्ठी ले ली। उसके अंदर का चर्मपत्र गीला था। आँसू की बड़ी-बड़ी बूँदों के कारण स्याही कई जगह पर इतनी फैल गई थी कि उसे पढ़ना बहुत मुश्किल था।

प्रिय हर्माइनी,

हम हार गए। हमें उसे हॉगवर्ट्स लाने की इजाज़त मिल गई है। मृत्युदंड की तारीख़ बाद में तय होगी।

बीकी को लंदन में ख़ूब मज़ा आया।

तुमने हमारी जो मदद की है, उसे हम कभी नहीं भूलेंगे।

हैग्रिड

'वे लोग ऐसा नहीं कर सकते,' हैरी बोला। 'वे ऐसा नहीं कर सकते। बकबीक ख़तरनाक नहीं है।'

'मैल्फ़ॉय के डैडी ने ख़तरनाक प्राणी ख़ात्मा समिति को डरा दिया है,' हर्माइनी अपनी आँख पोंछते हुए बोली। 'तुम तो जानते ही हो कि वे कैसे हैं। समिति में बहुत से मूर्ख बूढ़े थे और सब के सब डरे हुए थे। ज़ाहिर है अपील होगी, जैसी कि हमेशा होती है। लेकिन मुझे ज़रा भी उम्मीद नहीं है ... कुछ भी तो नहीं बदलेगा।'

'नहीं, कुछ तो बदलेगा,' रॉन ने आवेश से कहा। 'तुम्हें इस बार अकेले मेहनत नहीं करनी पड़ेगी, हर्माइनी। मैं भी मदद करूँगा।'

'ओह रॉन!'

हर्माइनी ने अपनी बाँहें रॉन के गले में डाल दीं और फूट-फूट कर रोने लगी। इससे रॉन बहुत दहशत में आ गया और उसके सिर के ऊपरी हिस्से को अजीब ढंग से थपथपाने लगा। आख़िरकार, हर्माइनी दूर हट गई।

वह सुबकते हुए बोली, 'रॉन, मुझे स्कैबर्स के बारे में सचमुच बहुत अफ़सोस है ...'

'ओह - वह - बूढ़ा हो चुका था,' रॉन ने कहा। हर्माइनी ने उसे छोड़ दिया था, इस बात से वह राहत महसूस कर रहा था। 'और वह किसी काम का भी नहीं था। हो सकता है, मम्मी-डैडी अब मेरे लिए एक उल्लू ख़रीद दें।'

*

ब्लैक की दूसरी घुसपैठ के बाद से विद्यार्थियों की सुरक्षा के इंतज़ाम इतने कड़े हो गए थे कि हैरी, रॉन और हर्माइनी के लिए शाम को हैग्रिड के घर जाना असंभव हो गया था। उन्हें उससे बात करने का इकलौता मौक़ा जादुई प्राणियों की देखभाल की क्लास में मिलता था।

बकबीक के फ़ैसले से उसे सदमा लगा था।

'सब हमारी ग़लती है। वहाँ हमारी बोलती बंद हो गई थी। वे सब वहाँ पर काले दुशालों में बैठे थे और हम अपने नोट्स गिराते जा रहे थे। हर्माइनी, हम वे तारीख़ें भी भूल गए, जो तुमने हमें लिखकर दी थीं। फिर लूसियस मैल्फ़ॉय खड़ा हुआ और उसने अपनी बात रखी। और ख़तरनाक प्राणी ख़ात्मा समिति के लोगों ने ठीक वैसा ही किया, जैसा उसने कहा था ...'

'अब भी अपील बाक़ी है!' रॉन ने ग़ुस्से से कहा। 'अभी हार मत मानो, हम इस बार मेहनत करेंगे!'

इसके बाद वे लोग बाक़ी क्लास के साथ महल वापस लौटने लगे थे। आगे उन्हें मैल्फ़ॉय दिखा, जो क्रैब और गॉइल के साथ चल रहा था। वह पीछे मुड़कर अपमानजनक हँसी हँस रहा था।

'कोई फ़ायदा नहीं होगा, रॉन,' हैग्रिड ने दुख भरी आवाज़ में कहा, जब वे महल की सीढ़ियों तक पहुँचे। 'पूरी समिति लूसियस मैल्फ़ॉय की जेब में है। हम तो बस यह कोशिश कर रहे हैं कि बीकी का बचा हुआ समय बहुत अच्छा गुज़रे। हम उसके लिए इतना तो कर ही सकते हैं ...'

हैग्रिड मुड़ा और तेज़ी से अपनी झोपड़ी की तरफ़ चल दिया। उसने अपना चेहरा अपने रूमाल में छिपा लिया था।

'उस रोतले को देखो!'

मैल्फ़ॉय, क्रैब और गॉइल महल के दरवाज़े के भीतर छिपकर उनकी बातें सुन रहे थे।

'क्या तुमने कभी इतना घटिया आदमी देखा है ?' मैल्फ़ॉय ने कहा। 'और वह हमारा टीचर है!'

हैरी और रॉन ग़ुस्से से मैल्फ़ॉय की तरफ़ बढ़े, लेकिन हर्माइनी सबसे पहले उसके पास पहुँची – **चटाक!**

हर्माइनी ने अपनी पूरी ताक़त से मैल्फ़ॉय को थपाड़ा मार दिया था। मैल्फ़ॉय लड़खड़ा गया। हैरी, रॉन, क्रैब और गॉइल हैरान रह गए, जब हर्माइनी ने अपना हाथ दोबारा उठाया।

'दोबारा कभी हैग्रिड को घटिया आदमी कहने की *हिम्मत* मत करना, गंदे – दुष्ट कहीं के –'

'हर्माइनी!' रॉन ने कमज़ोर स्वर में कहा और हर्माइनी के दोबारा उठे हाथ को पकड़ने की कोशिश की।

'दूर हट जाओ, रॉन!'

हर्माइनी ने अपनी छड़ी बाहर निकाल ली। मैल्फ़ॉय पीछे हट गया। क्रैब और गॉइल उसके आदेश के इंतज़ार में उसकी तरफ़ ताक रहे थे, क्योंकि उनके दिमाग़ पूरी तरह चकरा गए थे।

'चलो,' मैल्फ़ॉय बुदबुदाया और अगले ही पल वे तीनों नागशक्ति के तहख़ाने की तरफ़ जाने वाले गलियारे में ओझल हो गए।

'हर्माइनी!' रॉन ने दोबारा कहा। वह हैरान और प्रभावित दिख रहा था।

'हैरी, अच्छा होगा कि तुम उसे क्विडिच के फ़ाइनल में हरा दो!' हर्माइनी ने तीखी आवाज़ में कहा। 'मैं नागशक्ति की जीत को सहन नहीं कर पाऊँगी!'

'सम्मोहन की क्लास का समय हो गया है,' रॉन ने हर्माइनी को तारीफ़ भरी नज़रों से देखते हुए कहा। 'अच्छा होगा कि हम चल दें।'

वे संगमरमर की सीढ़ियाँ चढ़कर प्रोफ़ेसर फ़्लिटविक की क्लास की तरफ़ चल दिए।

जैसे ही हैरी ने क्लासरूम का दरवाज़ा खोला, प्रोफ़ेसर फ़्लिटविक ने थोड़ा फटकारते हुए कहा, 'तुम लोगों को देर हो गई, बच्चो! जल्दी से अंदर आ जाओ

और अपनी छड़ियाँ बाहर निकाल लो। हम लोग आज प्रसन्नता सम्मोहन का अभ्यास कर रहे हैं। हमने पहले ही जोड़ियाँ बना ली हैं –'

हैरी और रॉन जल्दी से पीछे वाली डेस्क पर गए और अपने बैग खोल लिए। रॉन ने पीछे पलटकर देखा।

'हर्माइनी कहाँ गई ?'

हैरी ने भी पलटकर देखा। हर्माइनी क्लास में दाख़िल नहीं हुई थी, हालाँकि हैरी ने जब दरवाज़ा खोला था, तो वह ठीक उसके पास खड़ी थी।

'बड़ी अजीब बात है,' हैरी ने रॉन को घूरते हुए कहा। 'शायद – शायद वह बाथरूम गई हो ?'

लेकिन हर्माइनी क्लास ख़त्म होने तक नहीं लौटी।

'प्रसन्नता सम्मोहन से उसे अच्छा लगता,' रॉन ने कहा, जब सभी विद्यार्थी लंच के लिए जाने लगे। सब खुलकर मुस्करा रहे थे, क्योंकि प्रसन्नता सम्मोहन की वजह से वे बहुत ख़ुश महसूस कर रहे थे।

हर्माइनी लंच में भी नज़र नहीं आई। एप्पल पाई ख़त्म होते-होते प्रसन्नता सम्मोहन का असर कम होने लगा और हैरी तथा रॉन को चिंता होने लगी।

'कहीं ऐसा तो नहीं कि मैल्फ़ॉय ने उसे कुछ कर दिया हो ?' रॉन ने चिंता से कहा, जब वे गरुड़द्वार टॉवर की तरफ़ जाने वाली सीढ़ियों पर तेज़ी से चढ़े।

वे पहरा देने वाले दैत्यों के पास से गुज़रे, मोटी औरत को पासवर्ड बताया ('अटकनचटकन') और तस्वीर के छेद से होते हुए हॉल में पहुँच गए।

हर्माइनी एक टेबल पर बैठी थी। वह गहरी नींद में थी और उसका सिर *अंकों का जादुई महत्व* की एक खुली किताब पर रखा था। रॉन उसके एक तरफ़ बैठ गया और हैरी दूसरी तरफ़। हैरी ने उसे हिलाकर जगाया।

'क-क्या ?' हर्माइनी चौंककर जागी और घबराकर चारों तरफ़ देखने लगी। 'क्या चलने का समय हो गया है ? हमें अब कौन सी क्लास में जाना है ?'

'ज्योतिष की, लेकिन उसमें अभी बीस मिनट बाक़ी हैं,' हैरी बोला। 'हर्माइनी, तुम सम्मोहन की क्लास में क्यों नहीं आईं ?'

'क्या ? ओह नहीं!' हर्माइनी चीख़ी। 'मैं सम्मोहन की क्लास में जाना तो भूल ही गई!'

'लेकिन तुम भूल कैसे सकती हो ?' हैरी बोला। 'क्लासरूम के बाहर तक तो तुम हमारे साथ आई थीं!'

'मुझे यक़ीन नहीं हो रहा है!' हर्माइनी ने दुखी होते हुए कहा। 'क्या प्रोफ़ेसर फ़्लिटविक ग़ुस्सा हो रहे थे? ओह, यह सब मैल्फ़ॉय के कारण हुआ है। मैं उसके बारे में सोच रही थी और फिर मैं सब कुछ भूल गई!'

'तुम्हें पता है, हर्माइनी?' रॉन ने अंकों का जादुई महत्व की उस बड़ी किताब को देखते हुए कहा, जिसका प्रयोग हर्माइनी तकिए के रूप में कर रही थी। 'मुझे लगता है कि अब तुम बर्दाश्त नहीं कर पा रही हो। तुम बहुत ज़्यादा पढ़ने की कोशिश कर रही हो।'

'नहीं, ऐसी बात नहीं है!' हर्माइनी ने अपनी आँखों पर से बाल हटाते हुए कहा और अपने बैग की तलाश करते हुए इधर-उधर देखा। 'मुझसे बस एक ग़लती हो गई है! बस इतनी सी बात है! अच्छा होगा कि मैं प्रोफ़ेसर फ़्लिटविक के पास जाकर उनसे माफ़ी माँग लूँ ... मैं तुमसे ज्योतिष की क्लास में मिलती हूँ!'

हर्माइनी बीस मिनट बाद प्रोफ़ेसर ट्रिलोनी की क्लासरूम में जाने वाली सीढ़ियों पर उनसे मिली। वह बहुत परेशान लग रही थी।

'मुझे यक़ीन नहीं हो रहा है कि मैंने प्रसन्नता सम्मोहन वाली क्लास छोड़ दी! और मेरा दावा है कि यह सम्मोहन परीक्षा में आएगा। प्रोफ़ेसर फ़्लिटविक ने इशारा किया था कि यह परीक्षा में आ सकता है!'

वे साथ-साथ सीढ़ी चढ़कर धुँधले, दमघोंटू मीनार कक्ष में पहुँचे। हर छोटी टेबल पर एक भाग्य-दर्पण चमक रहा था, जिसमें मोती जैसी सफ़ेद धुँध भरी थी। हैरी, रॉन और हर्माइनी एक साथ गोल टेबल के पास रखी कुर्सियों पर बैठ गए।

'मुझे लग रहा था कि भाग्य-दर्पण अगले टर्म में शुरू होगा,' रॉन बुदबुदाया। वह चारों तरफ़ सावधानी से ताक रहा था कि प्रोफ़ेसर ट्रिलोनी कहीं छिपकर सुन तो नहीं रही हैं।

'शिकायत मत करो। इसका मतलब यह है कि हस्तरेखा से हमारा पीछा छूट गया है,' हैरी ने बुदबुदाकर कहा। 'वे जब भी मेरा हाथ देखती थीं, तो हर बार उनके साँस खींचने से मैं तो तंग आ गया था।'

'स्वागत है!' चिर-परिचित धीमी आवाज़ आई और प्रोफ़ेसर ट्रिलोनी हर बार की तरह इस बार भी अँधेरे के बीच से नाटकीय तरीक़े से प्रकट हुईं। पार्वती और लैवेंडर रोमांच से थिरक उठीं। उनके चेहरे उनके भाग्य-दर्पण की दूधिया रोशनी में चमक रहे थे।

'मैंने भाग्य-दर्पण को थोड़ा पहले पढ़ाने का फ़ैसला किया है,' प्रोफ़ेसर ट्रिलोनी ने कहा। वे आग की तरफ़ पीठ करके बैठ गईं और चारों तरफ़ देखने लगीं। 'ज्योतिष शास्त्र से मुझे पता चला है कि भाग्य-दर्पण तुम्हारी परीक्षा में

आएगा, इसलिए मैं तुम्हें पर्याप्त प्रैक्टिस कराना चाहती हूँ।'

हर्माइनी हँसी।

'सच्ची ... "ज्योतिष शास्त्र से उन्हें पता चला है" ... पेपर कौन बनाता है ? वे बनाती हैं! कितनी अद्‌भुत भविष्यवाणी है!' उसने अपनी आवाज़ धीमी रखने का कष्ट नहीं किया।

यह कहना मुश्किल था कि प्रोफ़ेसर ट्रिलोनी ने उसके शब्द सुने या नहीं, क्योंकि उनका चेहरा अँधेरे में छिपा था। बहरहाल, उन्होंने आगे इस तरह कहा, जैसे उन्होंने कुछ नहीं सुना था।

उन्होंने सपनीली आवाज़ में कहा, 'भाग्य-दर्पण में देखना एक बहुत ही जटिल कला है। मुझे उम्मीद नहीं है कि जब तुम पहली बार इसकी अनंत गहराई में झाँकोगे, तो तुममें से कोई भी इसमें कुछ देख पाएगा। हम अपने चेतन मस्तिष्क और बाहरी आँखों को शिथिल करने का अभ्यास करेंगे' – रॉन बेक़ाबू होकर हँसने लगा और हँसी की आवाज़ को दबाने के लिए उसे मुँह में मुट्ठी भरना पड़ी – 'ताकि हमारा अवचेतन मस्तिष्क और अंदरूनी आँख साफ़ देख सकें। अगर क़िस्मत अच्छी रही, तो शायद क्लास के अंत तक तुममें से कुछ लोग भविष्य को देखने लगेंगे।'

और फिर क्लास शुरू हो गई। कम से कम हैरी को भाग्य-दर्पण में घूरना बेवकूफ़ी लग रही थी। वह अपना ध्यान केंद्रित करने की कोशिश कर रहा था, जबकि उसके दिमाग़ में 'यह बकवास है' जैसे विचार लगातार मंडरा रहे थे। इससे कोई मदद नहीं मिली कि रॉन दबी आवाज़ में हँसता जा रहा था और हर्माइनी बुदबुदाते हुए बुरा-भला कह रही थी।

'कुछ दिखा ?' हैरी ने पंद्रह मिनट तक शांति से भाग्य-दर्पण में देखने के बाद उनसे पूछा।

'हाँ, इस टेबल पर जलने का निशान है,' रॉन ने इशारा करके बताया। 'किसी के हाथ से मोमबत्ती गिर गई होगी।'

'यह समय की बर्बादी है,' हर्माइनी ने फुफकारते हुए कहा। 'इसके बजाय मैं कोई ढंग का काम कर सकती थी। मैं प्रसन्नता सम्मोहन का अभ्यास कर सकती थी –'

प्रोफ़ेसर ट्रिलोनी पास से गुज़रीं।

उन्होंने अपने कड़े खनकाते हुए कहा, 'अपने भाग्य-दर्पण की छायाओं की भविष्यवाणी का विश्लेषण करने में किसे मेरी मदद चाहिए ?'

'मुझे मदद की ज़रूरत नहीं है,' रॉन ने धीमे से कहा। 'इसका मतलब तो

एकदम साफ़ है। इसका मतलब यह है कि आज रात को बहुत कोहरा होगा।'

हैरी और हर्माइनी दोनों की ही हँसी छूट पड़ी।

'क्या करते हो!' प्रोफ़ेसर ट्रिलोनी बोलीं, जब सबके सिर उनकी दिशा में घूम गए। पार्वती और लैवेंडर उन्हें बहुत ग़ुस्से से देख रही थीं। 'तुम लोग भविष्य-दृष्टि के कंपनों में बाधा डाल रहे हो!' वे उनकी टेबल के पास आईं और उनके भाग्य-दर्पण में झाँकने लगीं। हैरी को अपना दिल डूबता महसूस हुआ। उसे यक़ीन था कि वे क्या कहेंगी ...

'यहाँ पर कुछ है!' प्रोफ़ेसर ट्रिलोनी ने फुसफुसाकर कहा और अपना चेहरा दर्पण के पास किया, जिससे उनके बड़े चश्मे में उसके दो प्रतिबिंब नज़र आने लगे। 'कोई चीज़ हिल रही है ... लेकिन यह है क्या ?'

हैरी अपना सब कुछ दाँव पर लगाने को तैयार था, जिसमें उसकी फ़ायरबोल्ट भी शामिल थी, कि चाहे वह जो भी चीज़ हो, अच्छी नहीं होगी। और निश्चित रूप से ऐसा ही था ...

'अरे ...' प्रोफ़ेसर ट्रिलोनी ने साँस खींचते हुए हैरी को घूरा। 'यहाँ पर, बिलकुल साफ़ दिख रहा है ... वह तुम्हारी तरफ़ बढ़ता चला आ रहा है और क़रीब आता जा रहा है ... ग्रि-'

हर्माइनी बीच में ज़ोर से बोल पड़ी, 'कहीं *फिर* से वह बेवकूफ़ *ग्रिम* तो नहीं है!'

प्रोफ़ेसर ट्रिलोनी अपनी बड़ी आँखें उठाकर हर्माइनी के चेहरे को देखा। पार्वती ने फुसफुसाकर लैवेंडर से कुछ कहा, और वे दोनों भी हर्माइनी को घूरने लगीं। प्रोफ़ेसर ट्रिलोनी उठकर खड़ी हुईं और उसे ग़ुस्से से घूरने लगीं।

'बड़े अफ़सोस के साथ कहना पड़ रहा है कि जिस पल तुमने इस क्लास में क़दम रखा था, उसी पल मैं समझ गई थी कि तुममें ज्योतिष की महान कला समझने के गुण नहीं हैं। दरअसल मुझे याद नहीं है कि आज तक मुझे ऐसा कोई और विद्यार्थी मिला हो, जिसका दिमाग़ इतना कुंद हो।'

एक पल की ख़ामोशी रही। फिर -

'ठीक है!' हर्माइनी अचानक बोली। फिर वह उठकर खड़ी हुई और *भविष्य का ख़ुलासा* किताब अपने बैग में ठूँस ली। 'ठीक है!' उसने अपने कंधे पर बैग लटकाया, जिससे रॉन उसकी कुर्सी से गिरते-गिरते बचा। 'मैं छोड़ रही हूँ! मैं जा रही हूँ!'

पूरी क्लास हैरानी से देखती रही, जब हर्माइनी ने दरवाज़े पर लात मारकर उसे खोला और फिर सीढ़ियाँ उतरकर ओझल हो गई।

क्लास को दोबारा व्यवस्थित होने में कुछ मिनट लग गए। ऐसा लगता था कि प्रोफ़ेसर ट्रिलोनी ग्रिम के बारे में सब कुछ भूल गई थीं। वे हैरी और रॉन की टेबल के पास से तत्काल चली गईं। उनकी साँस थोड़ी तेज़ चलने लगी, जब उन्होंने अपने पतले शॉल को और कसकर लपेट लिया।

'ऊऊऊऊऊ!' लैवेंडर ने अचानक कहा, जिससे हर कोई चौंक गया। 'ऊऊऊऊऊ, प्रोफ़ेसर ट्रिलोनी। मुझे अभी-अभी याद आया! आपने पहले ही उसके छोड़कर जाने की भविष्यवाणी कर दी थी, है ना ? है ना, प्रोफ़ेसर ? *"ईस्टर के आस-पास हममें से कोई एक हमें हमेशा के लिए छोड़कर चला जाएगा!"* आपने यह बात बहुत पहले ही बता दी थी, प्रोफ़ेसर!'

प्रोफ़ेसर ट्रिलोनी रेशमी अंदाज़ में मुस्कराईं।

'हाँ, मैं सचमुच जानती थी कि मिस ग्रेंजर हमें छोड़कर चली जाएगी। बहरहाल मैं यह आशा कर रही थी कि शायद मैंने ग़लत विश्लेषण कर लिया हो ... अंदरूनी आँख कष्टदायक भी हो सकती है ...'

लैवेंडर और पार्वती बहुत प्रभावित दिख रही थीं। वे इस तरह से बैठ गईं, ताकि प्रोफ़ेसर ट्रिलोनी उनकी टेबल पर आ सकें।

'हर्माइनी आज कितने मज़े में होगी, है ना ?' रॉन ने बुदबुदाकर हैरी से कहा।

'हाँ ...'

हैरी ने भाग्य-दर्पण में देखा, लेकिन उसे उसमें सफ़ेद धुँध के सिवाय कुछ नहीं दिखा। क्या प्रोफ़ेसर ट्रिलोनी को सचमुच ग्रिम दोबारा दिखा था ? क्या वह उसे भी दिखेगा ? क्विडिच फ़ाइनल क़रीब आ रहा था, इसलिए वह किसी घातक दुर्घटना का शिकार नहीं होना चाहता था।

*

ईस्टर की छुट्टियाँ आनंददायक नहीं थीं। थर्ड ईयर के विद्यार्थियों को कभी इतना सारा होमवर्क नहीं करना पड़ा था। नेविल लाँगबॉटम की हालत बहुत ख़राब थी और सिर्फ़ उसी का यह हाल नहीं था।

'इसे छुट्टी कौन कह सकता है!' सीमस फ़िनिगन एक दोपहर को हॉल में गरजा। 'परीक्षा अभी कोसों दूर है, आख़िर वे लोग चाहते क्या हैं ?'

लेकिन हर्माइनी को जितनी पढ़ाई करनी थी, उतनी किसी को भी नहीं करनी थी। ज्योतिष विषय के छूटने के बाद भी उसके पास बाक़ी विद्यार्थियों से ज़्यादा विषय थे। आम तौर पर वह रात को सबसे आख़िर में हॉल छोड़कर जाती

थी और अगली सुबह सबसे पहले लाइब्रेरी में पहुँचती थी। ल्यूपिन की तरह ही उसकी आँखों के नीचे भी काले निशान दिखने लगे थे और ऐसा लगता था जैसे वह किसी भी पल रोने लगेगी।

रॉन ने बकबीक के मुकदमे में अपील की ज़िम्मेदारी ले ली थी। वह जब अपना होमवर्क नहीं कर रहा होता था, तब मोटी-मोटी किताबें पढ़ता रहता था, जिनके नाम इस तरह के थे : *गरुड़अश्व के मनोविज्ञान की हैंडबुक* और *पशु या पिशाच : गरुड़अश्व की क्रूरता का अध्ययन*। वह अपने काम में इतना व्यस्त था कि वह क्रुकशैंक्स पर ग़ुस्सा होना भी भूल गया था।

इस दौरान हैरी को अपने होमवर्क के साथ-साथ हर दिन क्विडिच की प्रैक्टिस भी करनी पड़ती थी। इसके अलावा वुड के साथ रणनीति पर अंतहीन चर्चा तो होती ही रहती थी। गरुड़द्वार-नागशक्ति का मैच ईस्टर की छुट्टियों के बाद पड़ने वाले पहले शनिवार को होने वाला था। नागशक्ति की टीम टूर्नामेंट में पूरे दो सौ पॉइंट से आगे थी। इसका मतलब था (जैसा कि वुड अपनी टीम को बार-बार याद दिलाता था) कि उन्हें कप जीतने के लिए दो सौ पॉइंट से ज़्यादा अंतर से मैच जीतना पड़ेगा। इसका यह भी मतलब था कि जीतने का दारोमदार ख़ास तौर पर हैरी के कंधों पर होगा, क्योंकि सुनहरी गेंद पकड़ने पर एक सौ पचास पॉइंट मिलते थे।

'तुम्हें सुनहरी *गेंद* सिर्फ़ *तभी* पकड़ना है, जब हम पचास पॉइंट से *ज़्यादा* अंतर से आगे हों,' वुड हैरी को बार-बार बताता था। 'सिर्फ़ तभी हैरी, जब हम पचास से ज़्यादा पॉइंट से आगे हों, वरना हम मैच तो जीत जाएँगे, लेकिन कप हार जाएँगे। तुम समझ गए ना? तुम्हें सुनहरी गेंद सिर्फ़ तभी पकड़ना है, जब हम –'

'मैं जानता हूँ, ऑलिवर,' हैरी चिल्लाकर बोला।

पूरा गरुड़द्वार हाउस आने वाले मैच की दीवानगी में डूबा था। गरुड़द्वार ने आख़िरी बार क्विडिच कप तब जीता था, जब मशहूर चार्ली वीज़्ली (रॉन का बड़ा भाई) खोजी था। उसके बाद से अब तक ऐसा नहीं हुआ था। लेकिन हैरी को विश्वास था कि इस बार क्विडिच कप को जीतने की जितनी हसरत उसके मन में है, उतनी उसकी टीम के किसी भी खिलाड़ी के, यहाँ तक कि वुड के मन में भी नहीं होगी। हैरी और मैल्फ़ॉय की दुश्मनी अब चरम बिंदु पर थी। मैल्फ़ॉय अब भी हॉग्समीड में कीचड़ फेंकने वाली घटना से जला-भुना था। वह और भी ज़्यादा ग़ुस्सा इसलिए था, क्योंकि हैरी न जाने कैसे सज़ा पाने से बच गया था। दूसरी ओर हैरी यह नहीं भूला था कि चीलघात वाले मैच में मैल्फ़ॉय ने उसे झाड़ू पर से गिराने की कोशिश की थी। बकबीक के मामले की वजह से उसने संकल्प

कर लिया था कि वह पूरे स्कूल के सामने मैल्फ़ॉय को हरा देगा।

किसी को भी याद नहीं था कि किसी मैच के पहले कभी इतना ज़्यादा तनावपूर्ण माहौल रहा था। छुट्टियाँ ख़त्म होते-होते दोनों टीमों और हाउसों के बीच का तनाव चरम सीमा पर पहुँच चुका था। गलियारों में छुटपुट झगड़े होने लगे थे, जिनके परिणामस्वरूप गरुड़द्वार का फ़ोर्थ ईयर का एक विद्यार्थी और नागशक्ति का सिक्स्थ ईयर का एक विद्यार्थी अस्पताल में पहुँच गए, क्योंकि उनके कान से पौधे अंकुरित होने लगे थे।

हैरी के लिए यह समय ख़ास तौर पर बुरा था। उसके क्लास में जाते समय नागशक्ति के विद्यार्थी टाँग अड़ाकर उसे गिराने की कोशिश करते थे। वह जहाँ भी जाता था, वहाँ क्रैब और गॉइल प्रकट हो जाते थे, लेकिन जब वे उसे विद्यार्थियों से घिरा देखते थे, तो निराश होकर चले जाते थे। वुड ने सबको निर्देश दे रखा था कि हैरी के साथ हमेशा कोई न कोई रहना चाहिए, क्योंकि नागशक्ति के विद्यार्थी उसे चोट पहुँचाने की कोशिश कर सकते हैं। पूरे गरुड़द्वार हाउस ने इस चुनौती को उत्साह के साथ स्वीकार किया। अब हैरी के लिए समय पर क्लास में पहुँच पाना असंभव हो रहा था, क्योंकि उसके आस-पास हमेशा बहुत से विद्यार्थी बातें करते हुए चलते थे। हैरी अपने बजाय अपनी फ़ायरबोल्ट की सुरक्षा के बारे में ज़्यादा चिंतित था। जब वह उस पर सवारी नहीं कर रहा होता था, तो उसे सँभालकर अपने संदूक में बंद कर देता था और अक्सर क्लासों के बीच के ख़ाली समय में गरुड़द्वार हाउस में भागकर यह जाँच करने जाता था कि फ़ायरबोल्ट सुरक्षित है या नहीं।

*

मैच से पहले वाली रात को गरुड़द्वार के हॉल में सभी सामान्य गतिविधियाँ बंद हो गई थीं। यहाँ तक कि हर्माइनी ने भी अपनी किताबें एक तरफ़ रख दीं।

उसने परेशानी से कहा, 'मैं पढ़ नहीं सकती हूँ। मेरा ध्यान भटक रहा है।'

वहाँ काफ़ी शोर हो रहा था। फ्रेड और जॉर्ज वीज़्ली तनाव दूर करने के लिए सामान्य से ज़्यादा हल्ला मचा रहे थे और ज़्यादा शरारतें कर रहे थे। ऑलिवर वुड एक कोने में क्विडिच पिच के मॉडल पर झुका हुआ था और उस पर रखे छोटे मोहरों को अपनी छड़ी से कुरेदते हुए बुदबुदाता जा रहा था। एंजेलिना, एलिसिया और केटी फ्रेड और जॉर्ज के चुटकुलों पर हँस रही थीं। हैरी रॉन और हर्माइनी के साथ इन सबसे थोड़ी दूरी पर बैठा हुआ था। वह बहुत कोशिश कर रहा था कि अगले दिन के बारे में न सोचे, क्योंकि जब भी वह ऐसा करता था, तो हर बार उसे यह भयानक एहसास होता था कि कोई बहुत बड़ी

चीज उसके पेट से बाहर निकलने की कोशिश कर रही है।

हालाँकि हर्माइनी ख़ुद बहुत दहशत में लग रही थी, लेकिन उसने हिम्मत बँधाते हुए कहा, 'जीत तुम्हारी ही होगी।'

'तुम्हारे पास *फ़ायरबोल्ट* है!' रॉन बोला।

'हाँ ...' हैरी ने कहा; उसके पेट में खलबली मची हुई थी।

उसे राहत का एहसास हुआ, जब वुड अचानक खड़े होकर चिल्लाया, 'सभी खिलाड़ी! अपने-अपने बिस्तर पर!'

*

हैरी अच्छी तरह से नहीं सो पाया। उसने सपना देखा कि वह ज़्यादा देर तक सोता रह गया था और वुड चीख़ रहा था, 'तुम कहाँ थे ? हमें तुम्हारी बजाय नेविल को खिलाना पड़ा!' फिर उसने सपना देखा कि मैल्फ़ॉय और नागशक्ति की टीम के बाक़ी खिलाड़ी मैच में ड्रैगनों पर सवारी कर रहे थे। वह तूफ़ानी रफ़्तार से उड़ रहा था और मैल्फ़ॉय के ड्रैगन के मुँह से निकलने वाली लपटों से बचने की कोशिश कर रहा था, तभी उसे यह एहसास हुआ कि वह अपनी फ़ायरबोल्ट भूल आया था। वह ऊँचाई से गिरने लगा और एक झटके के साथ जागा।

हैरी को कुछ पल बाद जाकर यह समझ में आया कि मैच तो अभी हुआ ही नहीं था, वह सुरक्षित रूप से बिस्तर में लेटा था और नागशक्ति की टीम को निश्चित रूप से ड्रैगनों पर सवारी करने की अनुमति नहीं दी जाएगी। उसे बहुत प्यास लग रही थी, इसलिए वह ख़ामोशी से अपने बिस्तर से नीचे उतरा और खिड़की के नीचे रखे चाँदी के जग में से पानी पीने गया।

बाहर शांति और सन्नाटा था। हवा बिलकुल नहीं चल रही थी और अँधेरे जंगल के पेड़ों के ऊपरी हिस्सों पर हवा का कोई नामोनिशान नहीं था। लड़ाकू पेड़ स्थिर खड़ा था और मासूम दिख रहा था। ऐसा लग रहा था, जैसे मैच के लिए आदर्श मौसम रहेगा।

हैरी ने अपना गिलास रख दिया। वह अपने बिस्तर पर जाने के लिए मुड़ने ही वाला था कि तभी उसकी निगाह किसी चीज़ पर पड़ी। कोई जानवर चाँदनी में नहाए लॉन के पार जा रहा था।

हैरी अपने बिस्तर के पास वाली टेबल तक भागकर गया, उसने अपना चश्मा उठाकर पहना और फिर तेज़ी से खिड़की के पास वापस लौटा। यह ग्रिम नहीं हो सकता था - अभी नहीं - मैच के ठीक पहले -

उसने एक बार फिर मैदान की तरफ़ देखा। एक मिनट तक हड़बड़ी में

नज़र दौड़ाने के बाद उसे जानवर दिखाई दिया। अब वह जानवर जंगल के कोने पर घूम रहा था ... वह ग्रिम नहीं था ... वह तो बिल्ली थी ... हैरी ने राहत में खिड़की की चौखट पकड़ ली, जब उसने उसकी पूँछ को पहचान लिया। वह तो क्रुकशैंक्स थी ...

या फिर क्रुकशैंक्स के साथ *कोई और* भी था ? हैरी ने ग़ौर से देखते हुए अपनी नाक खिड़की के काँच से सटा ली। क्रुकशैंक्स लगभग रुक गई थी। हैरी को लगा कि उसे पेड़ों की छाया में कोई और चीज़ भी हिलती दिखाई दे रही थी।

और अगले ही पल वह चीज़ सामने आ गई : बड़े बालों वाला एक विशाला काला कुत्ता। वह कुत्ता चुपके से लॉन के पार जा रहा था और क्रुकशैंक्स उसके साथ चल रही थी। हैरी घूरता रह गया। इसका क्या मतलब हो सकता है ? अगर क्रुकशैंक्स को भी कुत्ता दिखाई दे रहा है, तो फिर वह हैरी की मौत का अपशकुन कैसे हो सकता है ?

'रॉन!' हैरी ने फुसफुसाकर कहा। 'रॉन! उठो!'-

'ऐं ?'

'मैं चाहता हूँ कि तुम कुछ देखो!'

'बहुत अँधेरा है, हैरी,' रॉन भारी आवाज़ में बुदबुदाया। 'तुम किस बारे में बातें कर रहे हो ?'

'वहाँ नीचे -'

हैरी ने तत्काल खिड़की के बाहर देखा।

क्रुकशैंक्स और कुत्ता दोनों ही ग़ायब हो चुके थे। हैरी खिड़की की चौखट पर चढ़ा, ताकि महल की छाया में नीचे देख सके, लेकिन वहाँ कोई नहीं था। वे कहाँ चले गए थे ?

तेज़ ख़र्राटे की आवाज़ से उसे यह पता चल गया कि रॉन एक बार फिर सो गया था।

*

हैरी और गरुड़द्वार की टीम के बाक़ी खिलाड़ी अगले दिन जब बड़े हॉल में पहुँचे, तो ज़ोरदार हर्षध्वनि से उनका स्वागत हुआ। हैरी मुस्कराए बिना नहीं रह सका, जब उसने देखा कि चीलघात और मेहनतकश की टेबलों की तरफ़ से भी तालियाँ बज रही थीं। अलबत्ता नागशक्ति की टेबल हाय-हाय कर रही थी। हैरी का ध्यान इस तरफ़ भी गया कि मैल्फ़ॉय का चेहरा आज हमेशा से कहीं ज़्यादा पीला दिख रहा था।

वुड ने पूरे नाश्ते के दौरान अपनी टीम को अच्छी तरह खाने के लिए प्रेरित किया, हालाँकि उसने ख़ुद कुछ नहीं खाया। फिर बाक़ी लोगों के नाश्ता ख़त्म करने से पहले ही अपने खिलाड़ियों को लेकर जल्दी से पिच की तरफ़ चल दिया, ताकि टीम माहौल और मौसम का जायज़ा ले सके। उनके बड़े हॉल से निकलने पर एक बार फिर ज़ोरदार हर्षध्वनि हुई।

'गुड लक, हैरी!' चो चैंग बोली। हैरी का चेहरा लाल हो गया।

'**ठीक है** ... हवा बिलकुल भी नहीं चल रही है ... सूरज थोड़ा ज़्यादा चमक रहा है, इससे तुम्हें देखने में थोड़ी परेशानी हो सकती है, इस बात का ध्यान रखना ... ज़मीन सख़्त है, अच्छा है, इससे हम तेज़ी से ऊपर पहुँचेंगे ...'

वुड पिच पर चहलक़दमी करता रहा और अपने पीछे चल रही टीम के साथ चारों तरफ़ देखता रहा। आख़िरकार महल का सामने वाला दरवाज़ा खुला और विद्यार्थी मैच देखने स्टेडियम की तरफ़ आने लगे।

'चेंजिंग रूम में चलो,' वुड ने कहा।

अपने लाल दुशाले पहनते समय कोई कुछ नहीं बोला। हैरी सोच रहा था कि क्या उन्हें भी उसी की तरह लग रहा होगा : जैसे उसने नाश्ते में कोई अजीब सी अकड़ने वाली चीज़ खा ली हो। फिर वुड बोला, '**ठीक है**, समय हो गया, अब चलो ...'

भारी शोर-शराबे के बीच वे पिच तक चलकर गए। भीड़ में तीन-चौथाई लोगों ने लाल गुलाब के बिल्ले लगा रखे थे और वे लाल झंडे लहरा रहे थे, जिन पर गरुड़द्वार का शेर बना हुआ था। इसके अलावा, वे बैनर भी लहरा रहे थे, जिन पर लिखा था, 'गरुड़द्वार जीतेगा!' और 'कप शेरों का है!' बहरहाल, नागशक्ति के गोल के पीछे लगभग दो सौ लोग हरे दुशालों में बैठे थे। उनके झंडों पर नागशक्ति का साँप चमक रहा था और प्रोफ़ेसर स्नेप सबसे आगे वाली लाइन में बैठे थे। वे भी बाक़ी सबकी तरह हरे दुशाले में थे और उनके चेहरे पर एक भद्दी सी मुस्कराहट थी।

'और ये आ गई गरुड़द्वार की टीम!' ली जॉर्डन चीख़ा, जो हमेशा की तरह आज भी कमेंट्री कर रहा था। 'पॉटर, बेल, जॉनसन, स्पिनेट, जॉर्ज वीज़्ली, फ़्रेड वीज़्ली और वुड। इसे पिछले कुछ सालों में हॉगवर्ट्स की सबसे अच्छी टीम माना जाता है -'

ली के शब्दों पर नागशक्ति वाले सिरे से 'हाय-हाय' होने लगी।

'और यह नागशक्ति की टीम आ गई, जिसका नेतृत्व कप्तान फ़्लिंट कर रहा है। उसने कुछ खिलाड़ी बदले हैं और ऐसा लगता है कि उसने योग्यता पर कम और डील-डौल पर ज़्यादा ध्यान दिया है -'

नागशक्ति के दर्शकों ने एक बार फिर 'हाय-हाय' की। बहरहाल हैरी ने सोचा कि ली की बात सही थी। मैल्फ़ॉय नागशक्ति की टीम का सबसे छोटा खिलाड़ी था; बाक़ी सबका डील-डौल भारी-भरकम था।

मैडम हूच बोलीं, 'कप्तानो, हाथ मिलाओ!'

फ़्लिंट और वुड ने एक-दूसरे से कसकर हाथ मिलाया। ऐसा लग रहा था, जैसे दोनों ही सामने वाले की उँगलियाँ तोड़ने की कोशिश कर रहे थे।

'अपनी-अपनी झाड़ुओं पर चढ़ो!' मैडम हूच ने कहा। 'तीन... दो... एक...'

उनकी सीटी की आवाज़ भीड़ के शोरगुल में डूब गई, जब चौदह झाड़ुएँ हवा में उठीं। हैरी के बाल पीछे की तरफ़ उड़ रहे थे और हवा में उड़ने के रोमांच में उसका डर ग़ायब हो गया। उसने चारों तरफ़ देखा। मैल्फ़ॉय उसके पीछे था। हैरी सुनहरी गेंद की तलाश में तेज़ी से चल दिया।

'और गरुड़द्वार के पास तूफ़ान है। गरुड़द्वार की एलिसिया स्पिनेट तूफ़ान को लेकर सीधे नागशक्ति के गोल की तरफ़ बढ़ रही है, शाबाश एलिसिया! आह, नहीं – नागशक्ति के वॉरिंगटन ने तूफ़ान को छीन लिया है और वह तेज़ी से चला जा रहा है – धड़ाक – जॉर्ज वीज़्ली ने पहलवान को अच्छे तरीक़े से मारा, जिसकी वजह से वॉरिंगटन के हाथ से तूफ़ान छूट गया, जिसे जॉनसन ने पकड़ लिया। एक बार फिर तूफ़ान गरुड़द्वार के पास है, आगे बढ़ो एंजेलिना – मॉन्टेग्यू को कुशलता से पार किया – *बचना एंजेलिना, उधर से पहलवान आ रहा है!* – **उसने स्कोर कर लिया! गरुड़द्वार दस-शून्य से आगे है!'**

पिच के सिरे से घूमकर एंजेलिना ने हवा में मुक्का मारा। नीचे लाल दुशालों का समुद्र ख़ुशी से हिलोरें मारने लगा –

'आउच!'

मार्कस फ़्लिंट ने एंजेलिना को टक्कर मार दी, जिसकी वजह से वह अपनी झाड़ू से गिरते-गिरते बची।

'सॉरी!' फ़्लिंट ने भीड़ की 'हाय-हाय' के बीच में कहा। 'सॉरी, उसे देख नहीं पाया!'

अगले ही पल, फ़्रेड वीज़्ली ने अपना मारक वाला मुद्‌गर फ़्लिंट के सिर के पिछले हिस्से पर दे मारा। फ़्लिंट की नाक उसकी झाड़ू के हैंडल से इतनी ज़ोर से टकराई कि उसमें से ख़ून बहने लगा।

'बहुत हो गया!' मैडम हूच चीख़कर उनके बीच आ गईं। 'गरुड़द्वार को पेनल्टी, क्योंकि उसकी धावक पर जबरन हमला किया गया! नागशक्ति को भी

पेनल्टी, क्योंकि *उसके* धावक को जान-बूझकर चोट पहुँचाई गई!'

'नहीं मैडम!' फ्रेड चीख़ा, लेकिन मैडम हूच ने अपनी सीटी बजा दी और एलिसिया पेनल्टी लेने के लिए आगे पहुँची।

दर्शक ख़ामोशी से देखने लगे। ली ने चिल्लाकर कहा, 'दिखा दो, एलिसिया! **वाह! उसने कीपर को छका दिया! गरुड़द्वार बीस-शून्य से आगे हो चुका है!**'

हैरी ने फ़ायरबोल्ट को तेज़ी से घुमाया, ताकि वह फ़्लिंट को देख सके, जिसकी नाक से अब भी काफ़ी ख़ून बह रहा था। वह नागशक्ति की पेनल्टी लेने जा रहा था। वुड अपना जबड़ा भींचकर गरुड़द्वार के गोल के सामने मंडरा रहा था।

जब फ़्लिंट मैडम हूच की सीटी का इंतज़ार कर रहा था, तो ली जॉर्डन ने दर्शकों को बताया, 'ज़ाहिर है, वुड बहुत बढ़िया कीपर है! बहुत अच्छे! इसे बचाना बहुत मुश्किल है – सचमुच बहुत मुश्किल है – **लेकिन कमाल हो गया! मुझे इस पर यक़ीन नहीं हो रहा है! वुड ने इसे बचा लिया!**'

राहत की साँस लेते हुए हैरी उड़ चला और सुनहरी गेंद की तलाश में चारों तरफ़ नज़रें दौड़ाने लगा, लेकिन उसका ध्यान ली की कमेंट्री के हर शब्द पर भी था। उसके लिए यह अनिवार्य था कि वह मैल्फ़ॉय को सुनहरी गेंद से तब तक दूर रखे, जब तक कि गरुड़द्वार की टीम पचास से ज़्यादा पॉइंट से आगे न हो ...

'गरुड़द्वार के पास तूफ़ान है, नहीं, नागशक्ति के पास है – नहीं! – फिर से तूफ़ान गरुड़द्वार के पास है और केटी बेल आगे बढ़ रही है – **यह जान-बूझकर किया गया था!**'

नागशक्ति का धावक मॉन्टेग्यू केटी के ठीक सामने लहराते हुए आया और तूफ़ान के बजाय उसने केटी का सिर पकड़ लिया। केटी हवा में घूम गई, लेकिन अपनी झाड़ू पर बने रहने में कामयाब हुई। बहरहाल, उसके हाथ से तूफ़ान छूट गया।

मैडम हूच की सीटी एक बार फिर गूँजी। वे उड़कर मॉन्टेग्यू के पास पहुँचीं और उस पर चिल्लाने लगीं। एक मिनट बाद केटी ने पेनल्टी लेकर एक और गोल कर दिया।

'**तीस-शून्य! यह लो, गंदे, धोखेबाज़** –'

'जॉर्डन, अगर तुम ढंग से कमेंट्री नहीं कर सकते –'

'मैं तो सिर्फ़ सच्चाई बता रहा हूँ, प्रोफ़ेसर!'

हैरी को एक ज़ोरदार रोमांचक झटका लगा। उसे सुनहरी गेंद दिख गई थी – वह गरुड़द्वार के गोलपोस्ट के नीचे चमक रही थी, लेकिन वह अभी उसे नहीं पकड़ सकता था। और अगर मैल्फ़ॉय ने उसे देख लिया ...

अचानक हैरी ने ऐसा अभिनय किया, जैसे उसे सुनहरी गेंद दिख गई हो। उसने तत्काल अपनी फ़ायरबोल्ट मोड़ी और नागशक्ति के गोल की तरफ़ बढ़ने लगा। उसकी चाल सफल हो गई। मैल्फ़ॉय भी तेज़ी से उसके पीछे उड़ने लगा। ज़ाहिर है, वह यह सोच रहा था कि हैरी को वहाँ पर सुनहरी गेंद दिख गई है...

शटाक।

एक पहलवान हैरी के दाएँ कान के पास से गुज़रा। इसे नागशक्ति के दैत्याकार मारक डेरिक ने मारा था। अगले ही पल –

शटाक।

दूसरा पहलवान हैरी की कोहनी को छूता हुआ निकल गया। बोल नामक दूसरा मारक भी क़रीब आ रहा था।

हैरी को एक हल्की सी झलक दिखी कि बोल और डेरिक दोनों उसकी तरफ़ अलग-अलग दिशाओं से उड़ते हुए आ रहे थे और उन्होंने अपने मुद्गर उठा रखे थे –

उसने बिलकुल आख़िरी पल अपनी फ़ायरबोल्ट को ऊपर की तरफ़ किया, जिस वजह से बोल और डेरिक की ज़ोरदार टक्कर हो गई।

जब नागशक्ति के मारक अपना-अपना सिर मलते हुए एक-दूसरे से अलग हुए, तो ली जॉर्डन ने हँसते हुए कहा, 'हा हा हा! बुरी बात है, लड़को! फ़ायरबोल्ट को हराने के लिए थोड़ी ज़्यादा फ़ुर्ती दिखानी चाहिए थी! और गरुड़द्वार के पास एक बार फिर तूफ़ान है। जॉनसन ने तूफ़ान को अपने कब्जे में कर लिया – उसके पास फ़्लिंट है – उसकी आँख में गुदगुदी कर दो, एंजेलिना! – मैं तो मज़ाक़ कर रहा था, प्रोफ़ेसर, सिर्फ़ मज़ाक़ कर रहा था – अरे नहीं – फ़्लिंट ने तूफ़ान को छीन लिया है, वह गरुड़द्वार के गोल की तरफ़ बढ़ रहा है, वुड गोल बचाओ –!'

लेकिन फ़्लिंट ने गोल कर दिया। नागशक्ति के दर्शकों में ख़ुशी का विस्फोट हुआ और ली ने इतनी गंदी गाली दी कि प्रोफ़ेसर मैक्गॉनेगल ने उससे जादुई मेगाफ़ोन छीनने की कोशिश की।

'सॉरी प्रोफ़ेसर, सॉरी! यह दोबारा नहीं होगा! तो, गरुड़द्वार तीस-दस से आगे है और तूफ़ान गरुड़द्वार के पास है –'

हैरी अब तक जितने भी मैच खेला था, यह उनमें सबसे गंदा मैच साबित हो रहा था। नागशक्ति के खिलाड़ी इस बात पर ग़ुस्सा थे कि गरुड़द्वार ने इतनी जल्दी लीड ले ली थी। वे तूफ़ान छीनने के लिए हर हथकंडा अपना रहे थे। बोल ने एलिसिया को अपने मुद्गर से मार दिया और यह कहने की कोशिश की कि उसने एलिसिया को पहलवान समझा था। जॉर्ज वीज़्ली ने बदला लेते हुए बोल के मुँह पर कोहनी दे मारी। मैडम हूच ने दोनों टीमों को पेनल्टी दे दी। वुड ने एक बार फिर शानदार तरीक़े से गोल बचा लिया, जिससे स्कोर चालीस-दस हो गया।

सुनहरी गेंद एक बार फिर ग़ायब हो गई थी। मैल्फ़ॉय अब भी हैरी के क़रीब ही था, जो सुनहरी गेंद की खोज में चारों तरफ़ देख रहा था - एक बार गरुड़द्वार की टीम पचास पॉइंट आगे तो हो जाए ...

केटी ने गोल कर दिया। पचास-दस। फ्रेड और जॉर्ज उसके आस-पास पहरा दे रहे थे। नागशक्ति के खिलाड़ी इस गोल से चिढ़कर केटी को नुक़सान न पहुँचाएँ, इसलिए उन्होंने अपने मुद्गर उठा रखे थे। बोल और डेरिक ने फ्रेड और जॉर्ज की अनुपस्थिति का लाभ उठाते हुए वुड को घायल कर दिया। उन्होंने दोनों पहलवान वुड की तरफ़ दे मारे, जो एक के बाद एक उसके पेट में लगे। वुड की हवा निकल गई और वह अपनी झाड़ू को पकड़े-पकड़े ही घूम गया।

मैडम हूच ने अपना आपा खो दिया।

वे बोल और डेरिक पर बरसते हुए चीख़ीं, *'जब तक तूफ़ान गोल के आस-पास न हो, तब तक कीपर पर हमला नहीं किया जाता है!* गरुड़द्वार को पेनल्टी!'

और एंजेलिना ने पेनल्टी लेकर गोल कर दिया। साठ-दस। कुछ पल बाद फ्रेड वीज़्ली ने वॉरिंगटन की तरफ़ पहलवान मार दिया, जिससे उसके हाथ से तूफ़ान छूट गया। एलिसिया ने तूफ़ान को पकड़कर नागशक्ति के गोल में डाल दिया : सत्तर-दस।

गरुड़द्वार के दर्शक इतनी ज़ोर से चीख़ने लगे कि उनका गला बैठ गया - गरुड़द्वार की टीम साठ पॉइंट से आगे थी और अगर हैरी इस समय सुनहरी गेंद पकड़ ले, तो वे कप जीत जाएँगे। हैरी जब पिच के चारों तरफ़ उड़ रहा था, तो उसे महसूस हुआ कि उस पर सैकड़ों आँखें जमी हुई थीं। मैल्फ़ॉय हैरी के ठीक पीछे उड़ रहा था।

और फिर हैरी को सुनहरी गेंद दिख गई। वह उससे बीस फ़ुट ऊपर चमक रही थी।

हैरी ने अपनी रफ़्तार बढ़ा दी। हवा उसके कानों में गरज रही थी। उसने अपना हाथ फैलाया, लेकिन अचानक फ़ायरबोल्ट धीमी हो रही थी -

दहशत से उसने नीचे की तरफ़ देखा। मैल्फ़ॉय ने आगे झुककर फ़ायरबोल्ट की पूँछ पकड़ ली थी और उसे पूरी ताक़त से खींच रहा था।

'तुम -'

हैरी को इतना ग़ुस्सा आया कि वह मैल्फ़ॉय को मारना चाहता था, लेकिन वह उसके पास तक नहीं पहुँच सकता था। फ़ायरबोल्ट को पकड़ने की कोशिश के कारण मैल्फ़ॉय हाँफने लगा था, लेकिन उसकी आँखों में शैतानी चमक थी। वह जो चाहता था, वह हो गया था - सुनहरी गेंद फिर ग़ायब हो गई थी।

'पेनल्टी! गरुड़द्वार को पेनल्टी! मैंने इतना घटिया खेल पहले कभी नहीं देखा!' मैडम हूच चीख़ीं। फिर वे मैल्फ़ॉय को डाँटने के लिए उड़कर गईं, जो वापस अपनी निम्बस 2001 पर बैठ रहा था।

'**धोखेबाज़, निकम्मे!**' ली जॉर्डन मेगाफ़ोन में चिल्ला रहा था और प्रोफ़ेसर मैक्गॉनेगल की पहुँच से दूर नाच रहा था। '**घटिया, मक्कार** -'

प्रोफ़ेसर मैक्गॉनेगल ने भी उसे रोकने की कोशिश नहीं की। दरअसल उनकी भी मुट्ठी मैल्फ़ॉय की दिशा में लहरा रही थी। उनका हैट गिर गया था और वे भी ग़ुस्से से चिल्ला रही थीं।

एलिसिया ने गरुड़द्वार की तरफ़ से पेनल्टी ली, लेकिन वह इतनी ग़ुस्से में थी कि तूफ़ान गोल से कई फ़ुट दूर से गुज़र गया। गरुड़द्वार की टीम की एकाग्रता भंग हो रही थी और नागशक्ति के खिलाड़ी मैल्फ़ॉय की चालबाज़ी से बहुत ख़ुश थे। मैल्फ़ॉय ने हैरी के ख़िलाफ़ जो हरकत की थी, उससे उनका उत्साह बढ़ गया था।

'नागशक्ति के पास तूफ़ान है, नागशक्ति की टीम गोल की तरफ़ बढ़ रही है - मॉन्टेग्यू ने गोल कर दिया -' ली ने आह भरते हुए कहा। 'गरुड़द्वार की टीम सत्तर-बीस से आगे है ...'

हैरी अब मैल्फ़ॉय के इतने पास उड़ रहा था कि उनके घुटने आपस में टकरा रहे थे। हैरी मैल्फ़ॉय को सुनहरी गेंद के आस-पास भी नहीं पहुँचने देना चाहता था ...

'दूर हटो, पॉटर!' मैल्फ़ॉय ने कुंठा में चीख़ा, जब उसने मुड़ने की कोशिश की, लेकिन देखा कि हैरी ने उसका रास्ता रोक रखा है।

'गरुड़द्वार की एंजेलिना जॉनसन ने तूफ़ान छीन ली है, ***चलो एंजेलिना, चलो!***'

हैरी ने चारों तरफ़ देखा। मैल्फ़ॉय को छोड़कर नागशक्ति का हर खिलाड़ी, यहाँ तक कि नागशक्ति का रक्षक भी एंजेलिना की तरफ़ उड़कर आ

रहा था – वे सब उसका रास्ता रोकने वाले थे –

हैरी ने फ़ायरबोल्ट को घुमाकर इतनी नीचे झुकाया कि वह हैंडल पर लेट गया और फिर तेज़ी से आगे बढ़ा। गोली की रफ़्तार से वह नागशक्ति के खिलाड़ियों की तरफ़ जाने लगा।

'आआआआआआहहहहहह!'

तेज़ी से फ़ायरबोल्ट आती देखकर वे तितर-बितर हो गए। एंजेलिना का रास्ता साफ़ हो गया था।

'उसने गोल कर दिया! उसने गोल कर दिया! गरुड़द्वार अस्सी-बीस से आगे है!'

हैरी सिर के बल स्टैंड्स में घुसने वाला था। लेकिन वह रुका, पलटा और दोबारा पिच के बीचोबीच आ गया।

और फिर उसने एक ऐसी चीज़ देखी, जिससे उसका दिल धक्क रह गया। मैल्फ़ॉय गोता लगा रहा था और उसके चेहरे पर विजय की झलक थी – नीचे घास से कुछ फ़ुट ऊपर सुनहरी झलक दिख रही थी।

हैरी ने फ़ायरबोल्ट को नीचे की तरफ़ धकेला, लेकिन मैल्फ़ॉय मीलों आगे था।

'चलो! चलो! चलो!' हैरी ने अपनी झाड़ू को प्रेरित किया। वह मैल्फ़ॉय की बराबरी पर आ रहा था ... जब बोल ने हैरी की तरफ़ पहलवान मारा, तो वह अपनी झाड़ू के हैंडल पर लेट गया ... वह मैल्फ़ॉय के टखनों पर था ... उसकी बराबरी पर था –

हैरी ने ख़ुद को आगे फेंका और अपने दोनों हाथ झाड़ू पर से हटा लिए। उसने मैल्फ़ॉय की बाँह रास्ते से हटाई और –

'हाँ!'

उसने गोता पूरा करते हुए हवा में अपना हाथ उठाया। ऐसा लग रहा था, जैसे पूरे स्टेडियम में ज़ोरदार विस्फोट हो गया हो। हैरी भीड़ के ऊपर उड़ता रहा। उसके कान में एक अजीब सी आवाज़ हो रही थी। छोटी सी सुनहरी गेंद उसकी मुट्ठी में कसकर बंद थी और उसकी उँगलियों के बीच अपने पंख निराशाजनक ढंग से फड़फड़ा रही थी।

फिर वुड उसकी तरफ़ तेज़ी से आया। आँसुओं के कारण उसकी नज़रें धुँधली हो गई थीं। उसने हैरी को गर्दन से पकड़ा और उसके कंधे पर सिर टिकाकर सुबकने लगा। हैरी को दो झटके लगे, जब फ़्रेड और जॉर्ज आकर उससे टकराए। फिर एंजेलिना, एलिसिया और केटी की आवाज़ें आईं, *'हमने कप जीत*

लिया! हमने कप जीत लिया!' बाँहों में बाँहें डाले गरुड़द्वार की टीम जमकर चीख़ती हुई ज़मीन पर उतरी।

लाल दुशालों के समर्थकों की लहरें पर लहरें बैरियर पार करके पिच पर भागती हुई आईं। खिलाड़ियों की पीठ पर हाथों की बौछार हो रही थी। हैरी को शोर सुनाई दे रहा था और यह एहसास हो रहा था कि लोग उसे गले लगाने के लिए उस पर कूद रहे हैं। कुछ समय बाद भीड़ ने उसे और टीम के बाक़ी खिलाड़ियों को अपने कंधों पर बैठा लिया। रोशनी में आने के बाद हैरी को हैग्रिड दिखा, जिसने ऊपर से नीचे तक लाल गुलाब वाले बिल्ले लगा रखे थे – 'तुमने उन्हें हरा दिया, हैरी, तुमने उन्हें हरा दिया! ठहरो, हम जाकर बकबीक को बताते हैं!' पर्सी भी सारी गरिमा भूलकर पागलों की तरह ऊपर-नीचे कूद रहा था। प्रोफ़ेसर मैक्गॉनेगल वुड से भी ज़्यादा तेज़ी से सुबक रही थीं और गरुड़द्वार के विशाल झंडे से अपनी आँखें पोंछ रही थीं। उधर रॉन और हर्माइनी हैरी के पास आने की कोशिश कर रहे थे। उनके मुँह से शब्द नहीं निकल रहे थे। वे सिर्फ़ खुलकर मुस्कराते रहे, जब हैरी को स्टैंड्स तक ले जाया गया। स्टैंड्स में डम्बलडोर बड़ा क्विडिच कप हाथ में लिए उनका इंतज़ार कर रहे थे।

सुबकते हुए वुड ने हैरी को कप दिया और उसने इसे हवा में उठाया। हैरी को महसूस हुआ कि अगर इस समय एक भी दमपिशाच आस-पास होता, तो वह दुनिया का सबसे अच्छा पितृदेव उत्पन्न कर सकता था।

अध्याय सोलह

प्रोफ़ेसर ट्रिलोनी की भविष्यवाणी

क्विडिच कप जीतने का हैरी का जश्न कम से कम एक हफ़्ते तक चला। ऐसा लग रहा था, जैसे मौसम भी जश्न मना रहा हो। जून का महीना आने वाला था, बादल आसमान से ग़ायब हो चुके थे और दिन गरमाने लगे थे। मौसम इतना अच्छा रहता था कि सब मैदान में टहलना चाहते थे, बर्फ़ डला क़द्दू का जूस लेकर घास पर पसरना चाहते थे, खुले आसमान के नीचे गॉबस्टोन्स खेलना चाहते थे या फिर झील में विशाल समुद्रफ़ेनी के करतब देखना चाहते थे।

लेकिन वे ऐसा नहीं कर सकते थे। परीक्षाएँ सिर पर आ चुकी थीं, इसलिए बाहर मौज-मस्ती करने के बजाय विद्यार्थियों को मजबूरन महल के भीतर रुकना पड़ता था और पढ़ाई करनी पड़ती थी। पढ़ाई पर ध्यान केंद्रित करना मुश्किल था, क्योंकि हवा के ललचाने वाले झोंके खिड़कियों से अंदर आते रहते थे। यहाँ तक कि फ्रेड और जॉर्ज वीज़्ली भी अब पढ़ाई करने लगे थे। वे ओ.डब्ल्यू.एल. (ऑर्डिनरी विज़ार्डिंग लेवल्स) की परीक्षा में बैठने वाले थे। पर्सी अपने एन.ई.डब्ल्यू.टी. (नास्टिली एग्ज़ॉस्टिंग विज़ार्डिंग टेस्ट्स) की परीक्षा में बैठने वाला था, जो हॉगवर्ट्स की सबसे बड़ी परीक्षा थी। चूँकि पर्सी जादू मंत्रालय में जाना चाहता था, इसलिए वह परीक्षा में सबसे ऊँचा ग्रेड पाना चाहता था। वह बहुत तनाव में रहता था, इसलिए शाम के बाद हॉल की शांति भंग करने वाले हर विद्यार्थी को बहुत सख़्त सज़ा देने लगा था। अगर कोई पर्सी से ज़्यादा तनाव में था, तो वह हर्माइनी थी।

हैरी और रॉन ने उससे यह पूछना छोड़ दिया था कि वह एक साथ कई क्लासों में कैसे जाती है, लेकिन वे ख़ुद को नहीं रोक सके, जब उन्होंने उसकी परीक्षा का टाइमटेबल देखा। पहले कॉलम में लिखा था :

सोमवार

9 बजे, अंकों के जादुई महत्व का ऐतिहासिक अध्ययन

9 बजे, रूप-परिवर्तन

लंच

1 बजे, सम्मोहन

1 बजे, पुरातन लिपियों का अध्ययन

'हर्माइनी ?' रॉन ने डरते-डरते कहा, क्योंकि इन दिनों जब भी हर्माइनी से कुछ पूछा जाता था, तो वह ग़ुस्सा हो जाती थी। 'अह – क्या तुम्हें यक़ीन है कि तुमने परीक्षा का समय ठीक उतारा है ?'

'क्या ?' हर्माइनी ने अपनी परीक्षा का टाइमटेबल उठाकर उसकी जाँच की। 'हाँ, बिलकुल।'

'क्या तुमसे यह पूछना ठीक रहेगा कि तुम एक साथ दो परीक्षाओं में कैसे बैठ सकती हो ?' हैरी बोला।

'नहीं,' हर्माइनी ने डपटते हुए कहा। 'क्या तुममें से किसी ने मेरी *न्यूमरोलॉजी एंड ग्रैमेटिका* किताब देखी है ?'

'अरे हाँ, यह इतनी मज़ेदार थी कि मैंने रात को मनोरंजन के तौर पर पढ़ने के लिए उठा ली थी,' रॉन ने बहुत धीमे से कहा। हर्माइनी अपनी टेबल पर रखे चर्मपत्रों के ढेर को इधर-उधर सरकाकर अपनी पुस्तक ढूँढ़ रही थी। तभी खिड़की पर पंख टकराने की आवाज़ आई और उसमें से हेडविग अंदर आई। उसकी चोंच में एक चिट्ठी दबी थी।

'हैग्रिड ने भेजी है,' हैरी ने चिट्ठी खोलते हुए कहा। 'बकबीक की अपील छह तारीख़ को है।'

'उसी दिन हमारी परीक्षा ख़त्म हो रही है,' हर्माइनी बोली। वह अब भी हर जगह अपनी किताब ढूँढ़ रही थी।

'और कुछ लोग इसके लिए यहाँ आ रहे हैं,' हैरी अब भी चिट्ठी पढ़ रहा था। 'जादू मंत्रालय का एक प्रतिनिधि, और – और एक जल्लाद।'

हर्माइनी ने हैरानी से ऊपर देखा।

'वे अपील में जल्लाद को क्यों ला रहे हैं! इसका मतलब तो यह है कि वे पहले ही फ़ैसला कर चुके हैं!'

'हाँ, ऐसा ही लगता है,' हैरी ने धीमे से कहा।

'वे ऐसा नहीं कर सकते!' रॉन गरजा। 'मैंने उसके लिए ढेर सारी किताबें पढ़ने में *बहुत सा समय* लगाया है। वे उसे नज़रअंदाज़ नहीं कर सकते हैं!'

लेकिन हैरी को यह भयंकर एहसास हो चुका था कि ख़तरनाक प्राणी ख़ात्मा समिति मिस्टर मैल्फ़ॉय के इशारे पर नाच रही थी। क्विडिच फ़ाइनल में गरुड़द्वार की जीत के बाद से ड्रेको काफ़ी क़ायदे में रहता था, लेकिन कुछ दिन बाद उसका पुराना घमंड फिर से लौट आया था। उसकी व्यंग्य भरी टिप्पणियों से हैरी को पता चला कि बकबीक की मौत की सज़ा में कोई हेर-फेर नहीं हो सकता। मैल्फ़ॉय बहुत ख़ुश था कि उसकी वजह से बकबीक को यह सज़ा दी जा रही है। हैरी बहुत संयम रख रहा था और ऐसे अवसरों पर मैल्फ़ॉय को हर्माइनी की तरह थपाड़ा मारने से ख़ुद को रोक रहा था। सबसे बुरी बात तो यह थी कि उनके पास हैग्रिड से मिलने जाने का न तो समय था, न ही मौक़ा, क्योंकि सुरक्षा नियम अब भी कठोर थे और हैरी की हिम्मत नहीं हो रही थी कि वह एक आँख वाली चुड़ैल के अंदर से अपना अदृश्य चोगा ले आए।

*

परीक्षा वाला सप्ताह शुरू हो गया और महल में एक अजीब सी ख़ामोशी छा गई। थर्ड ईयर के रूप-परिवर्तन के विद्यार्थी सोमवार को लंच की छुट्टी में बाहर निकले। वे लड़खड़ा रहे थे। उनके चेहरे बुझे हुए थे। वे अपने-अपने प्रदर्शन की तुलना कर रहे थे और दुखी हो रहे थे कि उन्हें कितने मुश्किल काम दिए गए थे, जिनमें टीपॉट को कछुए में बदलना शामिल था। हर्माइनी ने बाक़ी सबको चिढ़ा दिया, जब वह बार-बार इस बात पर अफ़सोस करती रही कि उसका कछुआ थोड़ा छोटा दिख रहा था। बाक़ी सबकी चिंताएँ इससे बहुत ज़्यादा बड़ी थीं।

'मेरे कछुए में तो पूँछ की जगह पर एक टोंटी थी, कितने शर्म की बात थी ...'

'क्या कछुओं के मुँह से भाप निकलती है ?'

'उसके ऊपर लकड़ी जैसा कवच रह गया था। क्या तुम्हें लगता है कि इसकी वजह से मेरे नंबर कट जाएँगे ?'

फिर फटाफट लंच करने के बाद वे सम्मोहन की परीक्षा के लिए सीढ़ियाँ चढ़कर ऊपर गए। हर्माइनी ने सही कहा था। प्रोफ़ेसर फ़्लिटविक ने परीक्षा में सचमुच प्रसन्नता सम्मोहन दिया था। हैरी ने तनाव के कारण इस सम्मोहन को थोड़ा ज़्यादा कर दिया, जिससे उसके पार्टनर रॉन को हँसी के बुरे दौरे पड़ने लगे। उसे एक घंटे तक एक शांत कमरे में रखना पड़ा, तब कहीं जाकर वह ख़ुद सम्मोहन करने के लिए तैयार हो पाया। डिनर के बाद विद्यार्थी फटाफट

अपने-अपने हॉल में गए : आराम करने के लिए नहीं, बल्कि जादुई प्राणियों की देखभाल, जादुई काढ़े और खगोलशास्त्र का रिवीज़न शुरू करने के लिए।

अगली सुबह जादुई प्राणियों की देखभाल की परीक्षा में हैग्रिड बहुत परेशान दिख रहा था। इस काम में उसका दिल नहीं लग रहा था। उसने क्लास के लिए फ़्लॉबरवर्म्स का एक बड़ा टब रख दिया था और उन्हें बता दिया था कि परीक्षा में पास होने के लिए फ़्लॉबरवर्म्स को एक घंटे बाद तक ज़िंदा रहना चाहिए। चूँकि फ़्लॉबरवर्म्स सबसे अच्छी हालत में तब रहते थे, जब उन्हें उनके हाल पर छोड़ दिया जाए, इसलिए यह उनकी ज़िंदगी की सबसे आसान परीक्षा थी। इसके अलावा, इस वजह से हैरी, रॉन और हर्माइनी को हैग्रिड से बातचीत करने का मौक़ा भी मिल गया।

हैग्रिड इस बहाने से झुका कि वह यह देख रहा है कि हैरी का फ़्लाबरवर्म अभी ज़िंदा है या नहीं। उसने धीमे से कहा, 'बीकी अब थोड़ा उदास हो रहा है। बहुत लंबे समय से उसे अंदर बंद रखा गया है। लेकिन फिर भी ... हम परसों जान जाएँगे - इस पार या उस पार।'

उस दोपहर को जादुई काढ़े की परीक्षा थी, जो बहुत भयंकर थी। हैरी ने लाख कोशिश की, लेकिन उसका दुविधा में डालने वाला काढ़ा गाढ़ा होने का नाम ही नहीं ले रहा था। स्नेप प्रतिशोध के आनंद के साथ उसे घूरते रहे और जाने से पहले उन्होंने अपने काग़ज़ पर एक ऐसी संख्या लिखी, जो ज़ीरो जैसी लग रही थी।

फिर आधी रात को सबसे ऊँची मीनार पर खगोलशास्त्र की परीक्षा हुई। बुधवार की सुबह जादू का इतिहास का पेपर था। इसमें हैरी ने वह सब कुछ लिख डाला, जो फ़्लोरियन फ़ोर्टेस्क्यू ने उसे मध्ययुगीन चुड़ैलों के जलाने के बारे में बताया था। उसकी बहुत इच्छा हो रही थी कि इस दमघोंटू क्लासरूम में उसके पास फ़ोर्टेस्क्यू की चोको-नट आइसक्रीम भी होती, तो कितना अच्छा होता। बुधवार की दोपहर में जड़ी-बूटियों का ज्ञान की परीक्षा थी। तपते सूरज के नीचे ग्रीनहाउस में उन्होंने परीक्षा दी और इसके बाद वे एक बार फिर हॉल में लौट आए। उनकी गर्दन के पिछले हिस्से सूरज की गर्मी में झुलस चुके थे और वे हसरत से सोच रहे थे कि कल इस वक़्त तक सारी झंझट ख़त्म हो जाएगी।

गुरुवार की सुबह गुप्त कलाओं से रक्षा की परीक्षा हुई। प्रोफ़ेसर ल्यूपिन ने अब तक की सबसे असामान्य परीक्षा रखी। विद्यार्थियों को सूरज की रोशनी में बाधाओं को पार करना था। उन्हें एक गहरे कीचड़ भरे गड्ढे के पार निकलना था, जिसमें एक ग्रिंडिलो था। इसके बाद उन्हें लाल टोपी नामक जानवरों से भरे कई गड्ढों को पार करना था, दलदल के एक टुकड़े को पार करते समय हिंकीपंक

की दिग्भ्रमित करने वाली हरकतों को नज़रअंदाज़ करना था और फिर एक पुराने संदूक में उतरकर एक बहुरूपिए से मुक़ाबला करना था।

'बहुत बढ़िया, हैरी,' ल्यूपिन बुदबुदाए, जब हैरी संदूक से मुस्कराते हुए बाहर आया। 'पूरे नंबर।'

अपनी सफलता से आनंदित होकर हैरी ने रॉन और हर्माइनी को देखा। रॉन ने हिंकीपंक के पास पहुँचने तक तो अच्छा प्रदर्शन किया, लेकिन हिंकीपंक ने उसे राह से भटका दिया और वह दलदल में कमर तक धँस गया। हर्माइनी ने हर चीज़ बहुत बढ़िया की, जब तक कि वह बहुरूपिए वाले संदूक में नहीं गई। एक मिनट तक भीतर रहने के बाद वह चीख़ती हुई बाहर निकली।

'हर्माइनी!' ल्यूपिन ने हैरान होकर पूछा। 'क्या हुआ ?'

'प्रो-प्रो-प्रोफ़ेसर मैक्गॉनेगल!' हर्माइनी ने हकलाते हुए संदूक की तरफ़ इशारा किया। 'वे-वे कह रही थीं कि मैं हर विषय में फेल हो गई हूँ!'

हर्माइनी को शांत करने में थोड़ा वक़्त लगा। जब आख़िरकार उसने ख़ुद पर क़ाबू पा लिया, तो वह, हैरी और रॉन वापस महल की तरफ़ चल दिए। रॉन अब हर्माइनी की बहुरूपिए वाली घटना पर हँसना चाहता था, लेकिन तभी सीढ़ियों के ऊपर दिखने वाले दृश्य के कारण उनके बीच होने वाली बहस रुक गई।

धारीदार चोगे में पसीना-पसीना हो रहे कॉर्नेलियस फ़ज वहाँ खड़े होकर मैदान को देख रहे थे। वे हैरी को देखकर चौंक गए।

'हैलो हैरी!' वे बोले। 'मुझे लगता है, परीक्षा देकर आ रहे हो ? ख़त्म हो गई ?'

'हाँ,' हैरी ने कहा। चूँकि जादू मंत्री के साथ हर्माइनी और रॉन के बातचीत के संबंध नहीं थे, इसलिए वे अजीब तरीक़े से पीछे रुक गए।

'सुहाना दिन है,' फ़ज ने झील को देखते हुए कहा। 'अफ़सोस ... अफ़सोस ...'

उन्होंने गहरी आह भरकर हैरी की तरफ़ देखा।

'मैं यहाँ पर एक अप्रिय काम के सिलसिले में आया हूँ, हैरी। पागल गरुड़अश्व को मौत की सज़ा देते समय ख़तरनाक प्राणी ख़ात्मा समिति को एक गवाह की ज़रूरत थी। चूँकि मैं ब्लैक को खोजने के अभियान की निगरानी के सिलसिले में हॉगवर्ट्स आ ही रहा था, इसलिए उन्होंने मुझसे यह आग्रह किया कि मैं ही गवाह बन जाऊँ।'

'इसका मतलब है कि अपील हो चुकी है ?' रॉन आगे बढ़कर बीच में

बोला।

'नहीं, नहीं, अपील तो आज दोपहर को है,' फ़ज ने रॉन को उत्सुकता से देखते हुए कहा।

'तब तो हो सकता है, आपको मौत की सज़ा में गवाह बनना ही न पड़े!' रॉन दृढ़ता से बोला। 'गरुड़अश्व छूट भी सकता है!'

फ़ज जवाब दे पाएँ, इससे पहले ही दो जादूगर महल के दरवाज़े से अंदर आए। एक तो इतना बूढ़ा था कि वह उनकी आँखों के सामने ही मौत के मुँह में जाता दिख रहा था। दूसरा लंबा-तगड़ा था और उसकी पतली काली मूँछ थी। हैरी समझ गया कि वे ख़तरनाक प्राणी ख़ात्मा समिति के प्रतिनिधि हैं, क्योंकि बहुत बूढ़े जादूगर ने हैग्रिड की झोपड़ी की तरफ़ देखकर कमज़ोर आवाज़ में कहा, 'अब यह काम करने के लिए मैं बहुत बूढ़ा हो चुका हूँ ... दो बजे, है ना, फ़ज ?'

काली मूँछ वाला आदमी अपने बेल्ट में रखी किसी चीज़ पर उँगलियाँ फिरा रहा था। हैरी ने देखा कि वह चमचमाते फरसे की धार पर अपना बड़ा अँगूठा फिरा रहा था। रॉन ने कुछ कहने के लिए मुँह खोला, लेकिन हर्माइनी ने उसे पसलियों में कसकर कोहनी मारी और प्रवेश हॉल की तरफ़ चलने का इशारा किया।

'तुमने मुझे क्यों रोका ?' रॉन ने ग़ुस्से से कहा, जब वे लंच करने के लिए बड़े हॉल में दाख़िल हुए। 'तुमने उन्हें देखा ? उन्होंने तो फरसा भी तैयार कर लिया है! यह तो सरासर अन्याय है!'

'रॉन, तुम्हारे डैडी जादू मंत्रालय में काम करते हैं। तुम उनके बॉस से इस तरह की बातें नहीं कह सकते!' हर्माइनी ने उसे समझाया, लेकिन वह ख़ुद भी बहुत परेशान दिख रही थी। 'अगर हैग्रिड इस बार अपना संतुलन क़ायम रखे और मुकदमे में अपना पक्ष सही ढंग से रखे, तो वे बकबीक को मौत की सज़ा नहीं दे सकते ...'

लेकिन हैरी जानता था कि हर्माइनी को भी अपनी बातों पर यक़ीन नहीं था। लंच करते समय उनके चारों तरफ़ विद्यार्थी रोमांचित होकर बातें कर रहे थे। शाम तक परीक्षा ख़त्म होने की उम्मीद से वे ख़ुश थे। लेकिन हैरी, रॉन और हर्माइनी हैग्रिड तथा बकबीक की चिंता में खोए हुए थे, इसलिए वे चर्चा में शामिल नहीं हुए।

हैरी और रॉन की आख़िरी परीक्षा ज्योतिष की थी। हर्माइनी की आख़िरी परीक्षा मगलुओं का अध्ययन थी। वे एक साथ संगमरमर की सीढ़ियाँ चढ़े। हर्माइनी ने पहली मंज़िल पर उनका साथ छोड़ दिया। हैरी और रॉन सातवीं

मंज़िल तक गए, जहाँ उनकी क्लास के कई विद्यार्थी प्रोफ़ेसर ट्रिलोनी की क्लास तक जाने वाली घुमावदार सीढ़ी पर बैठे थे और आख़िरी मिनट में रिवीज़न करके याद करने की कोशिश कर रहे थे।

जब हैरी और रॉन नेविल के पास बैठे, तो उसने उन्हें यह जानकारी दी, 'वे हम सबकी परीक्षा अलग-अलग लेंगी।' उसने *भविष्य का ख़ुलासा* किताब अपनी गोद में खोल रखी थी, जिसमें भाग्य-दर्पण वाले पन्ने खुले थे। उसने दुखी होकर उनसे पूछा, 'क्या तुममें से किसी ने भाग्य-दर्पण में सचमुच *कोई चीज़* देखी है ?'

'नहीं,' रॉन लापरवाही से बोला। वह लगातार अपनी घड़ी देखता रहा। हैरी जानता था, वह यह सोच रहा होगा कि बकबीक की अपील शुरू होने में कितना वक़्त बचा है।

क्लासरूम के बाहर खड़े विद्यार्थियों की लाइन बहुत धीरे-धीरे छोटी हो रही थी। जब कोई विद्यार्थी परीक्षा देने के बाद सफ़ेद सीढ़ी से नीचे उतरता था, तो बाक़ी विद्यार्थी पूछते थे, 'उन्होंने क्या पूछा ? **ठीक** रहा ?'

लेकिन किसी ने भी कुछ नहीं बताया।

'उन्होंने मुझसे कहा कि भाग्य-दर्पण ने उन्हें बताया है कि अगर मैं तुम्हें परीक्षा के बारे में कुछ बताऊँगा, तो मेरे साथ भयानक दुर्घटना हो जाएगी!' नेविल चीख़ा, जब वह सीढ़ियाँ उतरकर हैरी और रॉन के पास लौटा, जो अब सीढ़ी के पास पहुँच चुके थे।

'यह तो बहुत बढ़िया है,' रॉन ने ग़ुस्से से कहा। 'तुम जानते हो, अब मुझे भी लगता है कि हर्माइनी उनके बारे में सही कहती थी।' (उसने अपना अँगूठा ऊपर वाले गोल दरवाज़े की तरफ़ उठाया) 'वे पुरानी धोखेबाज़ हैं।'

'हाँ,' हैरी ने अपनी घड़ी की तरफ़ देखते हुए कहा। अब दो बज चुके थे। 'काश वे थोड़ा जल्दी कर लें ...'

पार्वती जब सीढ़ी से नीचे उतरी, तो उसके चेहरे पर घमंड की चमक थी।

'वे कहती हैं कि मुझमें सच्चे ज्योतिषी के सारे गुण हैं,' उसने हैरी और रॉन को बताया। 'मैंने *बहुत सी* चीज़ें देखीं ... अच्छा, गुड लक!'

वह घुमावदार सीढ़ियों से उतरकर तेज़ी से लैवेंडर की तरफ़ चल दी।

'रोनाल्ड वीज़्ली,' उनके ऊपर से धुँध भरी परिचित, आवाज़ आई। रॉन हैरी की तरफ़ देखकर मुस्कराया और चाँदी सी चमकती सीढ़ी पर चढ़कर ओझल हो गया। अब सिर्फ़ हैरी ही बचा था, जिसकी परीक्षा होने वाली थी। वह दीवार से टिककर फ़र्श पर बैठ गया और खिड़की पर मंडराती मक्खी की आवाज़ सुनने

लगा। वह मैदान के उस पार हैग्रिड की झोपड़ी के बारे में सोच रहा था।

आख़िर लगभग बीस मिनट बाद रॉन के बड़े पैर दोबारा सीढ़ी पर नज़र आए।

'कैसा हुआ ?' हैरी ने खड़े होते हुए पूछा।

'बकवास,' रॉन बोला। 'एक भी चीज़ नहीं देख पाया, इसलिए मैंने मन से कुछ भी बोल दिया। वैसे मुझे लगता है कि उन्हें मुझ पर विश्वास नहीं हुआ ...'

'हॉल में मिलते हैं,' हैरी बुदबुदाया, जब प्रोफ़ेसर ट्रिलोनी की आवाज़ आई, 'हैरी पॉटर!'

मीनार कक्ष हमेशा से कहीं ज़्यादा गर्म था। पर्दे बंद थे, आग जली हुई थी और हमेशा रहने वाली दुर्गंध से हैरी खाँसने लगा। वह कुर्सियों और टेबलों के बीच से लड़खड़ाते हुए प्रोफ़ेसर ट्रिलोनी की तरफ़ बढ़ा, जो एक बड़े भाग्य-दर्पण के सामने बैठकर उसका इंतज़ार कर रही थीं।

'कैसे हो, मेरे बच्चे,' उन्होंने धीमे से कहा। 'भाग्य-दर्पण में देखो ... आराम से देखो ... फिर मुझे बताओ कि तुमने उसमें क्या देखा ...'

हैरी भाग्य-दर्पण पर झुका और उसमें घूरने लगा। उसने पूरी ताक़त से देखा, ताकि उसे घुमड़ते सफ़ेद कोहरे के अलावा कुछ दिख जाए, लेकिन कहीं कुछ नज़र नहीं आया।

'तो ?' प्रोफ़ेसर ट्रिलोनी ने धीमे से पूछा। 'तुम्हें क्या दिख रहा है ?'

गर्मी बहुत ज़्यादा थी और हैरी उस बदबूदार धुएँ से परेशान था, जो आग से उठ रहा था। उसे रॉन की बात याद आ गई और उसने भी नाटक करने का फ़ैसला किया।

'अर –' हैरी ने कहा, 'एक काली आकृति ... हूँ ...'

'यह किससे मिलती-जुलती है ?' प्रोफ़ेसर ट्रिलोनी ने फुसफुसाकर पूछा। 'सोचो ...'

हैरी ने अपना दिमाग़ दौड़ाया और यह बकबीक पर आकर रुका।

'गरुड़अश्व,' उसने दृढ़ता से कहा।

'सचमुच!' प्रोफ़ेसर ट्रिलोनी ने फुसफुसाकर कहा और अपने घुटनों पर रखे चर्मपत्र पर कोई चीज़ लिखी। 'मेरे बच्चे, हो सकता है तुम जादू मंत्रालय के साथ बेचारे हैग्रिड की समस्या का परिणाम देख रहे हो! ज़रा ग़ौर से देखो ... क्या गरुड़अश्व का सिर सही-सलामत है ?'

'हाँ,' हैरी ने दृढ़ता से कहा।

'क्या तुम्हें पूरा यक़ीन है?' प्रोफ़ेसर ट्रिलोनी ने उसे उकसाया। 'क्या तुम्हें पूरा यक़ीन है, बेटे? कहीं ऐसा तो नहीं कि सिर ज़मीन पर छटपटा रहा हो और कोई छायादार आकृति इसके पीछे फरसा उठाकर खड़ी हो?'

'नहीं!' हैरी ने कहा और उसका जी थोड़ा मचलाने लगा।

'ख़ून तो नहीं दिख रहा है? हैग्रिड रोता हुआ तो नहीं दिख रहा है?'

'नहीं!' हैरी ने दोबारा कहा। अब वह इस कमरे और गर्मी से जल्दी से जल्दी से जल्दी छुटकारा पाना चाहता था। 'गरुड़अश्व ख़ुश दिख रहा है, वह – उड़कर दूर जा रहा है ...'

प्रोफ़ेसर ट्रिलोनी ने आह भरी।

'अच्छा, मुझे लगता है हमें इसे यहीं पर छोड़ देना चाहिए ... थोड़ा निराशाजनक ज़रूर है ... लेकिन मुझे यक़ीन है, तुमने पूरी कोशिश की है।'

राहत के साथ उठकर हैरी ने अपना बैग उठाया और जाने के लिए मुड़ा, लेकिन तभी उसे पीछे से एक ज़ोरदार तीखी आवाज़ सुनाई दी।

'यह आज रात को होगा।'

हैरी पलट गया। प्रोफ़ेसर ट्रिलोनी अपनी कुर्सी पर सख़्त हो गई थीं। उनकी आँखें घूम गई थीं और उनका मुँह लटक गया था।

'सॉ–सॉरी?' हैरी ने कहा।

लेकिन लगता था, प्रोफ़ेसर ट्रिलोनी ने उसकी बात नहीं सुनी। उनकी आँखें घूमने लगीं। हैरी दहशत में वहीं खड़ा रहा। ऐसा लग रहा था, जैसे उन्हें कोई दौरा पड़ रहा था। वह झिझका और सोचने लगा कि क्या उसे दौड़कर अस्पताल में ख़बर करनी चाहिए। तभी प्रोफ़ेसर ट्रिलोनी दोबारा उसी तीखी आवाज़ में बोलीं, जो उनकी सामान्य आवाज़ से बहुत अलग थी :

'महान शैतानी जादूगर अकेला और मित्रविहीन है। उसके समर्थकों ने उसका साथ छोड़ दिया है। उसका सेवक बारह सालों तक बंद रहा है। आज आधी रात से पहले सेवक मुक्त हो जाएगा और अपने स्वामी से मिलने के लिए जाएगा। अपने सेवक की मदद से महान शैतानी जादूगर दोबारा उठेगा और पहले से ज़्यादा ताक़तवर और भयंकर बन जाएगा। आज ... आधी रात से पहले ... सेवक ... अपने स्वामी से ... मिलने जाएगा ...'

प्रोफ़ेसर ट्रिलोनी का सिर उनके सीने पर गिर गया। उन्होंने ज़ोर से हिचकी ली। फिर अचानक उनका सिर दोबारा तन गया।

'माफ़ करना, मेरे बच्चे,' उन्होंने सपनीली आवाज़ में कहा। 'आज इतनी

गर्मी है ... पल भर को मेरी आँख लग गई थी ...'

हैरी उन्हें घूरता रहा।

'क्या बात है?'

'आपने - आपने मुझे अभी-अभी बताया कि - महान शैतानी जादूगर दोबारा ताक़तवर बनने वाला है ... और यह भी कि उसका सेवक दोबारा उसके पास लौटने वाला है ...'

प्रोफ़ेसर ट्रिलोनी बहुत हैरान दिख रही थीं।

'महान शैतानी जादूगर? वह जिसका नाम नहीं लिया जा सकता? मेरे प्यारे बच्चे, यह कोई मज़ाक़ की बात नहीं है .... दोबारा ताक़तवर बनने वाला है ...'

'लेकिन आपने ही तो अभी कहा था! आपने कहा था कि महान शैतानी जादूगर -'

'मुझे लगता है कि तुम्हारी भी आँख लग गई होगी, बच्चे!' प्रोफ़ेसर ट्रिलोनी ने कहा। 'मैं निश्चित रूप से *इतनी* अजीबोगरीब भविष्यवाणी नहीं कर सकती हूँ!'

हैरी सीढ़ियाँ उतरते समय सोचता रहा ... क्या उसने प्रोफ़ेसर ट्रिलोनी को सच्ची भविष्यवाणी करते सुना था? या फिर वे परीक्षा को प्रभावशाली तरीक़े से ख़त्म करना चाहती थीं?

पाँच मिनट बाद वह पहरा देने वाले दैत्यों के पास से भागता हुआ जा रहा था, जो गरुड़द्वार हाउस के प्रवेश द्वार के बाहर खड़े थे। प्रोफ़ेसर ट्रिलोनी के शब्द अब भी उसके कानों में गूँज रहे थे। विद्यार्थी उससे विपरीत दिशा में जा रहे थे। वे हँस रहे थे, मज़ाक़ कर रहे थे और मैदान की तरफ़ जा रहे थे। जिस आज़ादी का उन्हें लंबे समय से इंतज़ार था, वह उन्हें मिल गई थी। जब हैरी तस्वीर के छेद में से घुसकर हॉल में पहुँचा, तो वह लगभग ख़ाली था। वहाँ पर एक कोने में बस रॉन और हर्माइनी बैठे थे।

हैरी ने हाँफते हुए कहा, 'प्रोफ़ेसर ट्रिलोनी ने अभी मुझे बताया -'

लेकिन उनके चेहरे के भाव देखकर वह तत्काल रुक गया।

'बकबीक हार गया,' रॉन ने धीमे से कहा। 'हैग्रिड ने अभी-अभी यह चिट्ठी भेजी है।'

हैग्रिड की चिट्ठी इस बार सूखी थी, उस पर आँसुओं के निशान नहीं थे, लेकिन लगता था कि उसे लिखते समय हैग्रिड का हाथ बुरी तरह काँप रहा होगा, क्योंकि इस चिट्ठी को पढ़ना मुश्किल था।

हम अपील में भी हार गए। वे लोग सूर्यास्त के समय मौत की सज़ा देंगे। तुम कुछ नहीं कर सकते हो। यहाँ मत आना। हम नहीं चाहते कि तुम वह भयानक दृश्य देखो।

हैग्रिड

'हमें जाना ही होगा,' हैरी ने तत्काल कहा। 'हम उसे अकेले जल्लाद का इंतज़ार नहीं करने दे सकते!'

'सूर्यास्त,' रॉन ने खिड़की से बाहर घूरते हुए कहा। 'हमें वहाँ जाने की इज़ाज़त कभी नहीं मिलेगी ... ख़ास तौर पर तुम्हें, हैरी ...'

हैरी ने अपना सिर अपने हाथों पर रख लिया और सोचने लगा।

'काश हमारे पास अदृश्य चोगा होता ...'

'वह कहाँ है ?' हर्माइनी ने पूछा।

हैरी ने उसे बताया कि चोगा एक आँख वाली चुड़ैल के नीचे वाले गलियारे में छिपा था।

उसने कहा, '... अगर स्नेप मुझे दोबारा उस जगह के आस-पास भी देख लेंगे, तो मैं बहुत मुश्किल में फँस जाऊँगा।'

'यह सच है,' हर्माइनी ने खड़े होते हुए कहा। 'अगर वे तुम्हें देख लेंगे तो ... वैसे चुड़ैल के कूबड़ को खोला कैसे जाता है ?'

हैरी ने कहा, 'उसे ठोंकना पड़ता है और "नीचे धँस" कहना पड़ता है, लेकिन -'

हर्माइनी ने उसके वाक्य के पूरा होने का इंतज़ार नहीं किया। उसने हॉल के पार जाकर मोटी औरत की तस्वीर खोली और ओझल हो गई।

'वह चोगा लेने तो नहीं गई है ?' रॉन ने उसके पीछे घूरते हुए कहा।

वह चोगा लेने ही गई थी। पंद्रह मिनट बाद जब हर्माइनी लौटी, तो सफ़ेद चोगा उसके दुशाले के नीचे तह किया रखा था।

'हर्माइनी, मैं नहीं जानता हूँ कि आजकल तुम्हें क्या हो गया है!' रॉन हैरानी से बोला। 'पहले तो तुमने मैल्फ़ॉय को चाँटा मारा, फिर तुम प्रोफ़ेसर ट्रिलोनी की क्लास छोड़कर चली आईं -'

हर्माइनी बहुत ख़ुश दिखने लगी।

*

वे सबके साथ डिनर के लिए तो गए, लेकिन सबके साथ गरुड़द्वार हाउस में नहीं लौटे। हैरी ने चोगा अपने दुशाले में छिपा लिया था। उसके उभार को छिपाने के लिए उसने अपने हाथ सामने बाँध रखे थे। फिर वे प्रवेश हॉल के पास वाले एक ख़ाली कमरे में गए और सुनते रहे, जब तक कि उन्हें यक़ीन नहीं हो गया कि हॉल ख़ाली हो चुका था। उन्हें हॉल के पार जाते आख़िरी लोग दिखे और दरवाज़ा बंद होने की आवाज़ आई। हर्माइनी ने अपना सिर दरवाज़े के बाहर निकाला।

'ठीक है,' वह फुसफुसाई, 'यहाँ कोई नहीं है – चोगा पहन लो –'

चोगा पहनने के बाद वे एक-दूसरे से चिपककर चल रहे थे, ताकि कोई उन्हें देख न पाए। फिर वे दबे पाँव हॉल पार करने लगे। पत्थर की सीढ़ियाँ उतरकर वे मैदान में पहुँचे। सूरज अँधेरे जंगल के पीछे डूब रहा था और पेड़ों की सबसे ऊपरी शाखाओं को चमका रहा था।

हैग्रिड की झोपड़ी के पास पहुँचकर उन्होंने दरवाज़ा खटखटाया। उसे जवाब देने में एक मिनट लगा। बाहर आकर हैग्रिड ने चारों तरफ़ देखा कि दरवाज़ा किसने खटखटाया था। उसका चेहरा पीला था और वह काँप रहा था।

'हम हैं,' हैरी ने धीमे से कहा। 'हम अदृश्य चोगा पहने हैं। हमें अंदर आने दो, ताकि हम उसे उतार सकें।'

'तुम्हें यहाँ नहीं आना चाहिए था!' हैग्रिड फुसफुसाया, लेकिन वह एक तरफ़ हट गया और वे अंदर पहुँच गए। हैग्रिड ने तत्काल दरवाज़ा बंद कर दिया और हैरी ने चोगा उतार दिया।

हैग्रिड रो नहीं रहा था, न ही उसने उनके गले लगने की कोशिश की। उसे देखकर तो ऐसा लग रहा था, जैसे उसे यह पता ही न हो कि वह कहाँ था या क्या कर रहा था। यह बेबसी आँसुओं से भी ज़्यादा बुरी थी।

'चाय पियोगे ?' उसने केतली की तरफ़ अपने काँपते हुए हाथ बढ़ाए।

हर्माइनी ने झिझकते हुए पूछा, 'बकबीक कहाँ है, हैग्रिड ?'

जग भरते समय हैग्रिड ने पूरी टेबल पर दूध छलका दिया, 'हम – हम उसे बाहर ले गए। उसे कद्दुओं वाली क्यारी में बाँध दिया है। हमने सोचा कि उसे पेड़ों को देखना चाहिए – और ताज़ी हवा की ख़ुशबू लेना चाहिए – इससे पहले कि –'

हैग्रिड का हाथ इतना जमकर काँपा कि उसके हाथ से दूध का जग छूट गया और फ़र्श पर गिरकर टूट गया।

'मैं इसे साफ़ कर देती हूँ हैग्रिड,' हर्माइनी ने जल्दी से कहा और सफ़ाई करने लगी।

'अलमारी में एक और जग है,' हैग्रिड ने बैठते हुए और आस्तीन से अपना माथा पोंछते हुए कहा। हैरी ने रॉन की तरफ़ देखा, जो निराशा से देख रहा था।

'क्या कोई कुछ नहीं कर सकता, हैग्रिड?' हैरी ने ग़ुस्से से उसके पास बैठते हुए कहा। 'डम्बलडोर –'

हैग्रिड बोला, 'उन्होंने कोशिश की थी। उनके पास समिति के फ़ैसले के ख़िलाफ़ जाने का अधिकार नहीं है। उन्होंने उन सबको बता दिया था कि बकबीक बिलकुल ठीक है, लेकिन वे लोग डरे हुए थे ... तुम तो जानते ही हो, लूसियस मैल्फ़ॉय किस तरह का है ... उसने उन्हें धमकी दी होगी ... और जल्लाद मैक्नेअर तो मैल्फ़ॉय का पुराना दोस्त है ... लेकिन यह काम जल्दी से और सफ़ाई से हो जाएगा ... और हम उसके पास रहेंगे ...'

हैग्रिड ने थूक निगला। उसकी आँखें पूरे घर में दौड़ रही थीं, मानो किसी तरह की आशा या सांत्वना की तलाश कर रही हों।

'जब यह – जब यह होगा, तो डम्बलडोर भी मौज़ूद रहेंगे। उन्होंने आज सुबह ही ख़त भेजा है। उन्होंने लिखा है कि वे हमारे पास रहना चाहते हैं। डम्बलडोर महान हैं ...'

हर्माइनी दूध का दूसरा जग ढूँढ़ने के लिए हैग्रिड की अलमारी को खँगाल रही थी। उसके मुँह से हलकी सी दबी हुई सिसकारी निकल गई। उसने नए जग को अपने हाथ में लिया और आँसुओं को रोकने की कोशिश की।

'हम भी तुम्हारे साथ रहेंगे, हैग्रिड,' उसने बोलना शुरू किया, लेकिन हैग्रिड ने अपना बालों भरा सिर हिलाया।

'तुम लोग महल वापस जाओगे। हमने तुम्हें बता दिया है, हम नहीं चाहते हैं कि तुम यह देखो। और तुम्हें वैसे भी यहाँ नहीं आना चाहिए था ... हैरी, अगर फ़ज और डम्बलडोर ने तुम्हें बिना इज़ाज़त के यहाँ पकड़ लिया, तो तुम बहुत मुश्किल में फँस जाओगे।'

अब हर्माइनी के चेहरे पर आँसू बहने लगे थे, लेकिन उसने उन्हें हैग्रिड से छिपा लिया और चाय बनाने लगी। फिर जब उसने जग में दूध डालने के लिए दूध की बोतल उठाई, तो उसके मुँह से एक चीख़ निकल गई।

'रॉन! मुझे – मुझे यक़ीन नहीं हो रहा है – यह तो *स्कैबर्स* है!'

रॉन ने उसकी तरफ़ हैरानी से देखा।

'तुम क्या कह रही हो ?'

हर्माइनी दूध के जग को टेबल पर लाई और उसे उलट दिया। दहशत भरी चीख़ के साथ दोबारा जग में जाने की कोशिश करता हुआ स्कैबर्स टेबल पर आ गिरा।

'स्कैबर्स!' रॉन बोला। 'स्कैबर्स, तुम यहाँ क्या कर रहे हो ?'

उसने भाग रहे चूहे को पकड़ लिया और उसे रोशनी में उठाकर देखा। स्कैबर्स की हालत बहुत खराब थी। वह पहले से बहुत दुबला हो गया था। बहुत सारे बाल झड़ जाने के कारण कई जगह से उसकी चमड़ी दिखने लगी थी। और वह रॉन के हाथों में इतनी बुरी तरह काँप रहा था, जैसे आज़ाद होने के लिए छटपटा रहा हो।

'सब ठीक है, स्कैबर्स!' रॉन बोला। 'आस-पास कोई बिल्ली नहीं है! यहाँ पर तुम्हें कोई नुक़सान नहीं पहुँचा सकता!'

हैग्रिड अचानक उठकर खड़ा हो गया। उसकी आँखें खिड़की पर टिकी थीं। उसका आम तौर पर लाल चेहरा अब चर्मपत्र के रंग का हो गया था।

'वे लोग आ रहे हैं ...'

हैरी, रॉन और हर्माइनी ने पलटकर देखा। कुछ लोग महल की सीढ़ियों से नीचे उतर रहे थे। सबसे आगे एल्बस डम्बलडोर थे, जिनकी सफ़ेद दाढ़ी डूबते सूरज की रोशनी में चमक रही थी। उनके साथ कॉर्नेलियस फ़ज थे। उनके पीछे थे समिति का बूढ़ा कमज़ोर सदस्य और जल्लाद मैक्नेअर।

'तुम्हें लौट जाना चाहिए,' हैग्रिड बोला। उसका पूरा शरीर काँप रहा था। 'उन्हें तुम्हें यहाँ नहीं देखना चाहिए ... चले जाओ, इसी वक़्त ...'

रॉन ने स्कैबर्स को अपनी जेब में डाला और हर्माइनी ने चोगा उठाया।

हैग्रिड बोला, 'हम तुम्हें पिछले दरवाज़े से बाहर निकाल देते हैं।'

वे उसके पीछे-पीछे पिछले दरवाज़े तक गए, जो बगीचे में खुलता था। हैरी को यह सच नहीं लग रहा था, ख़ास तौर पर तब, जब उसने बकबीक को कुछ गज दूर हैग्रिड की क़द्दू वाली क्यारी के पीछे एक पेड़ से बँधे देखा। लगता था बकबीक को एहसास हो गया था कि कोई महत्त्वपूर्ण घटना होने वाली थी। वह अपना सिर इधर-उधर हिला रहा था और घबराहट में ज़मीन पर पंजे मार रहा था।

'सब ठीक है, बीकी,' हैग्रिड ने धीमे से कहा। 'सब ठीक है ...' वह हैरी,

रॉन और हर्माइनी की तरफ़ मुड़ा। 'अब जाओ,' उसने कहा। 'चल दो।'

लेकिन वे नहीं हिले।

'हैग्रिड, हम ऐसा नहीं कर सकते –'

'हम उन्हें बता देंगे कि वास्तव में क्या हुआ था –'

'वे उसे नहीं मार सकते –'

'जाओ!' हैग्रिड ने खूँख़ार अंदाज़ में कहा। 'पहले से ही इतना झमेला है कि तुम्हें इस मुश्किल में नहीं फँसना चाहिए!'

उनके पास और कोई विकल्प नहीं था। जैसे ही हर्माइनी ने हैरी और रॉन पर भी चोगा डाला, उन्हें केबिन के सामने वाले हिस्से से आवाज़ें सुनाई दीं। हैग्रिड ने उस जगह को देखा, जहाँ वे लोग नज़रों से ओझल हुए थे।

'जल्दी जाओ,' उसने भर्राई आवाज़ में कहा। 'सुनना मत ...'

और जब किसी ने अगला दरवाज़ा खटखटाया, तो वह अपने केबिन में वापस लौट गया।

धीमे-धीमे, जैसे बेहोशी की हालत में हैरी, रॉन और हर्माइनी हैग्रिड के घर से दूर चल दिए। जब वे उसके दूसरे हिस्से में पहुँचे, तो अगला दरवाज़ा खटाक के साथ बंद हो गया।

'प्लीज़, जल्दी चलो,' हर्माइनी ने फुसफुसाकर कहा। 'मुझसे अब बर्दाश्त नहीं हो रहा है। मुझसे यह सहन नहीं हो रहा है ...'

वे महल की तरफ़ जाने वाली चढ़ाई पर चढ़ने लगे। सूर्य अब तेज़ी से डूब रहा था। साफ़ आसमान अब धूलिया रंग का हो गया था, लेकिन पश्चिम में यह माणिक की तरह लाल था।

रॉन एकदम रुक गया।

'चलो रॉन,' हर्माइनी बोली।

'स्कैबर्स – वह छटपटा रहा है –'

रॉन अब झुक गया था और स्कैबर्स को अपनी जेब में रोककर रखने की कोशिश कर रहा था, लेकिन चूहा बुरी तरह छटपटा रहा था, चीख़ रहा था और रॉन के हाथ में अपने दाँत गड़ाने की कोशिश कर रहा था।

रॉन उससे बोला, 'स्कैबर्स, यह मैं हूँ बेवकूफ़, मैं रॉन हूँ!'

उन्हें पीछे से एक दरवाज़े के खुलने की आवाज़ आई और फिर कई लोगों की आवाज़ें सुनाई दीं।

हर्माइनी बोली, 'ओह रॉन, जल्दी चलो, वे लोग सज़ा देने वाले हैं!'

'ठीक है - स्कैबर्स, शांत रहना -'

वे लोग आगे चल दिए। हर्माइनी की तरह ही हैरी भी यह कोशिश कर रहा था कि वह पीछे से आने वाली आवाज़ों को न सुने। रॉन एक बार फिर रुक गया।

'मैं उसे पकड़कर नहीं रख सकता - स्कैबर्स, चुप हो जाओ, सब लोग सुन लेंगे -'

चूहा ज़ोर-ज़ोर से चीख़ रहा था, लेकिन इतनी ज़ोर से नहीं कि हैग्रिड के बगीचे की आवाज़ें उन्हें सुनाई न दें। लोगों की आवाज़ें एक पल के लिए बंद हो गईं और फिर बिना चेतावनी के फरसा लहराने तथा उसके टकराने की आवाज़ सुनाई दी।

हर्माइनी उसी जगह पर लहरा गई।

'उन्होंने उसे मार डाला!' उसने हैरी से फुसफुसाकर कहा। 'मुझे इस बात का यक़ीन नहीं हो रहा है - उन्होंने उसे मार डाला!'

अध्याय सत्रह

बिल्ली, चूहा और कुत्ता

हैरी का दिमाग़ सदमे के मारे सुन्न हो गया। वे तीनों अदृश्य चोगे के नीचे दहशत में चुपचाप खड़े रहे। डूबते सूरज की आख़िरी किरणें लंबी छायाओं वाले मैदान पर ख़ून जैसी रोशनी डाल रही थीं। फिर उनके पीछे से उन्हें किसी के रोने की आवाज़ सुनाई दी।

'हैग्रिड,' हैरी बुदबुदाया। वह क्या कर रहा है, यह सोचे बिना ही वह मुड़ने को हुआ, लेकिन रॉन और हर्माइनी दोनों ने ही उसका एक-एक हाथ पकड़ लिया।

'हम नहीं जा सकते,' रॉन ने कहा, जिसका चेहरा सफ़ेद पड़ गया था। 'अगर उन्हें पता चल गया कि हम उससे मिलने गए थे, तो वह और मुश्किल में फँस जाएगा ...'

हर्माइनी की साँस उखड़ने लगी थी।

'वे - ऐसा - कैसे - कर - सकते- हैं ?' उसने रुँधे गले से कहा। 'वे ऐसा कैसे कर सकते हैं ?'

'चलो,' रॉन बोला, जिसके दाँत किटकिटाने लगे थे।

वे वापस महल की तरफ़ चल दिए। चोगे के नीचे ख़ुद को छिपाए रखने के लिए वे बहुत धीरे-धीरे चल रहे थे। रोशनी अब बहुत तेज़ी से कम हो रही थी। जब तक वे खुले मैदान में पहुँचे, चारों तरफ़ अँधेरा फैलने लगा था।

'स्कैबर्स, शांत रहो,' रॉन अपने सीने पर हाथ रखते हुए फुसफुसाया। चूहा पागलों की तरह छटपटा रहा था। रॉन अचानक रुक गया और स्कैबर्स को अपनी जेब में ढकेलने की कोशिश करने लगा। 'तुम्हें हो क्या गया है, मूर्ख चूहे ? शांत रहो - **आउच!** उसने मुझे काट लिया!'

'रॉन, चुप रहो!' हर्माइनी व्यग्रता से बुदबुदायी। 'फ़ज यहाँ पर किसी भी पल आ सकते हैं –'

'वह रुक ही नहीं – रहा है –'

स्कैबर्स बुरी तरह दहशत में था। वह अपनी पूरी ताक़त से छटपटा रहा था और रॉन की पकड़ से मुक्त होने की कोशिश कर रहा था।

'उसे *हुआ क्या* है ?'

लेकिन तभी हैरी ने देखा कि क्रुकशैंक्स उनकी तरफ़ आ रही थी और उसकी पीली आँखें अँधेरे में अजीब तरीक़े से चमक रही थीं। हैरी को यह नहीं समझ में आया था कि क्रुकशैंक्स उन्हें देखकर आई थी या स्कैबर्स की चीख़ें सुनकर।

'क्रुकशैंक्स!' हर्माइनी ने दुखी आवाज़ में कहा। 'नहीं, दूर हटो, क्रुकशैंक्स! दूर हटो!'

लेकिन बिल्ली पास आती जा रही थी –

'स्कैबर्स – **नहीं!**'

बहुत देर हो गई थी। चूहा रॉन की उँगलियों के बीच से फिसलकर ज़मीन पर गिरा और भागने लगा। क्रुकशैंक्स भी उसके पीछे-पीछे भागने लगी और इससे पहले कि हैरी या हर्माइनी रॉन को रोक पाएँ, वह अदृश्य चोगे से बाहर निकला और अँधेरे में ग़ुम हो गया।

'रॉन!' हर्माइनी दुखी स्वर में बोली।

उसने और हैरी ने एक-दूसरे की तरफ़ देखा, फिर वे भी भागने लगे। चोगे के नीचे तेज़ भागना असंभव था, इसलिए उन्होंने चोगे को उतारकर फेंक दिया। जब वे रॉन के पीछे भागे, तो चोगा उनके पीछे किसी बैनर की तरह लहराता हुआ गिर गया। आगे की तरफ़ से उन्हें रॉन के भागते हुए क़दमों की आवाज़ सुनाई दे रही थी और क्रुकशैंक्स पर चिल्लाने की आवाज़ भी।

'उससे दूर हटो – दूर हटो – स्कैबर्स, *यहाँ* आओ –'

एक ज़ोरदार धप्प की आवाज़ आई।

'पकड़ लिया! दूर हटो, गंदी बिल्ली –'

हैरी और हर्माइनी रॉन पर गिरते-गिरते बचे। वे उसके ठीक सामने आकर रुके। वह ज़मीन पर बैठा था, लेकिन स्कैबर्स उसकी जेब में पहुँच चुका था। उसने हिलते हुए उभार को अपने दोनों हाथों से कसकर पकड़ रखा था।

'रॉन – चोगे के नीचे हो जाते हैं – चलो –' हर्माइनी ने हाँफते हुए कहा।

'डम्बलडोर – मंत्रीजी – वे लोग किसी भी पल आ सकते हैं –'

लेकिन इससे पहले कि वे चोगा ओढ़ पाएँ या अपनी साँस को सही कर पाएँ, उन्हें दैत्याकार पंजों की धीमी आवाज़ सुनाई दी। अँधेरे में कोई चीज़ उछलती हुई उनकी तरफ़ आ रही थी – पीली आँखों वाला एक बड़ा, काला कुत्ता।

हैरी ने अपनी छड़ी की तरफ़ हाथ बढ़ाया, लेकिन बहुत देर हो चुकी थी। कुत्ते ने एक लंबी छलाँग लगाई और उसके अगले पंजे हैरी के सीने पर पड़े। वह पीछे की तरफ़ गिर पड़ा। हैरी ने कुत्ते की गर्म साँस महसूस की और उसके एक इंच लंबे दाँत देखे –

लेकिन छलाँग की झोंक कुत्ते को कुछ ज़्यादा ही दूर ले गई थी। वह हैरी पर से गिरा। हैरी को ऐसा लग रहा था जैसे उसकी पसलियाँ टूट गई थीं, लेकिन उसने खड़े होने की कोशिश की। उसे कुत्ते की गुर्राहट सुनाई दे रही थी, जब वह घिसटकर रुका और दोबारा हमला करने के लिए पलटा।

रॉन अब खड़ा हो चुका था। छलाँग लगाते हुए कुत्ते ने हैरी को एक तरफ़ कर दिया। कुत्ते के जबड़े हैरी के बजाय रॉन की फैली हुई बाँह पर कस गए। हैरी ने झपटकर कुत्ते के बाल पकड़ लिए। लेकिन कुत्ता रॉन को इतनी आसानी से खींचकर ले गया, जैसे वह खिलौने वाली गुड़िया हो–

फिर न जाने कहाँ से कोई चीज़ हैरी के चेहरे पर इतनी तेज़ी से टकराई कि वह एक बार फिर गिर गया। उसने हर्माइनी को भी दर्द से चीख़ते और गिरते सुना। हैरी ने अपनी छड़ी खोजी और अपनी आँखों पर आ रहे ख़ून को पोंछा –

'प्रकाशित भव!' वह फुसफुसाया।

छड़ी की रोशनी में उसे एक मोटे पेड़ का तना दिखाया। वे स्कैबर्स का पीछा करते–करते लड़ाकू पेड़ के पास आ गए थे। इसकी शाखाएँ तेज़ हवा में चरमरा रही थीं और आगे–पीछे हिलकर उन्हें पास आने से रोक रही थीं।

और लड़ाकू पेड़ के तने के ठीक नीचे कुत्ता था, जो जड़ों के बीच बने एक बड़े छेद में रॉन को घसीटकर ले जा रहा था। हालाँकि रॉन जमकर संघर्ष कर रहा था, लेकिन उसका सिर और सीना उस छेद के अंदर पहुँच चुके थे।

'रॉन!' हैरी चिल्लाया और उसके पास जाने की कोशिश की, लेकिन एक भारी डाल हवा में तेज़ आवाज़ करती आई और हैरी को मजबूरन पीछे हटना पड़ा।

उन्हें अब सिर्फ़ रॉन का एक पैर दिखाई दे रहा था, जो उसने एक जड़ में अटका लिया था, ताकि कुत्ता उसे अंदर न ले जा पाए। लेकिन तभी हवा में बंदूक

चलने की तरह चटाक की एक भयंकर आवाज़ हुई। रॉन का पैर टूट गया था और अगले ही पल उसका पैर भी अंदर चला गया था।

'हैरी – हमें उसकी मदद करना चाहिए –' हर्माइनी चीख़ी। हर्माइनी के शरीर से भी ख़ून निकल रहा था। लड़ाकू पेड़ ने उसके कंधे पर घाव कर दिया था।

'नहीं! वह कुत्ता इतना बड़ा है कि उसे खा जाएगा, हमारे पास समय नहीं है –'

'हम बिना मदद के लड़ाकू पेड़ के पार नहीं जा पाएँगे –'

तभी एक और शाखा उनकी तरफ़ हवा में तैरती हुई आई, जिसकी टहनियाँ मुक्के की तरह बँधी थीं।

'अगर वह कुत्ता अंदर जा सकता है, तो हम भी जा सकते हैं,' हैरी ने हाँफते हुए कहा। वह इधर-उधर ताक रहा था और लहराती हुई दुष्ट शाखाओं के बीच से जाने का रास्ता खोजने की कोशिश कर रहा था, लेकिन पेड़ की शाखाओं का शिकार बने बिना वह एक इंच भी आगे नहीं जा सकता था।

'ओह, मदद करो, मदद करो,' हर्माइनी दहशत में फुसफुसाई और अपनी जगह पर इधर-उधर हिलने लगी, 'प्लीज़ ...'

क्रुकशैंक्स आगे आई। वह हिलती हुई शाखाओं के बीच से किसी साँप की तरह फिसलती हुई गई और उसने अपने अगले पंजे तने की एक गाँठ पर रख दिए।

अचानक पेड़ का हिलना बंद हो गया। अब ऐसा लग रहा था, जैसे वह पेड़ संगमरमर का बना हो। उसकी एक भी पत्ती तक नहीं हिल रही थी।

'क्रुकशैंक्स!' हर्माइनी ने अनिश्चितता से फुसफुसाते हुए कहा। उसने अब हैरी का हाथ पूरी ताक़त से पकड़ लिया। 'उसे कैसे पता चला –'

'उसकी उस कुत्ते से दोस्ती है,' हैरी ने गंभीरता से कहा। 'मैंने उन दोनों को एक साथ देखा है। चलो – और अपनी छड़ी बाहर निकाल लो –'

वे लोग कुछ ही सेकंड में तने तक पहुँच गए, लेकिन वे जड़ों के छेद तक पहुँच पाते, इससे पहले ही क्रुकशैंक्स अपनी पूँछ हिलाती हुई अंदर चली गई। उसके बाद हैरी गया। वह सिर के बल अंदर रेंगा और एक ढाल पर फिसलते हुए एक बहुत नीची सुरंग की तलहटी तक पहुँचा। क्रुकशैंक्स थोड़ी आगे जा रही थी और उसकी आँखें हैरी की छड़ी की रोशनी में चमक रही थीं। कुछ सेकंड बाद हर्माइनी भी फिसलते हुए उसके पास आ गई।

उसने दहशत भरी आवाज़ में पूछा, 'रॉन कहाँ है?'

'इधर से चलते हैं,' हैरी ने कहा और क्रुकशैंक्स के पीछे झुककर चलने लगा।

'यह सुरंग बाहर कहाँ निकलती है ?' हर्माइनी ने पीछे से हाँफते हुए पूछा।

'मैं नहीं जानता ... यह उस नक़्शे में दिखती है, लेकिन फ्रेड और जॉर्ज का कहना था कि इसमें कभी कोई नहीं गया है। यह नक़्शे के किनारे से जाती है, लेकिन ऐसा लगता है कि यह हॉग्समीड तक जाती है ...'

वे जितनी तेज़ चल सकते थे, चले। उन्हें काफ़ी कमर झुकाकर चलना पड़ रहा था। आगे क्रुकशैंक्स की हिलती हुई पूँछ कभी दिखाई देती थी, कभी दिखाई देना बंद हो जाती थी। वे गलियारे में आगे बढ़ते गए। हैरी को लगा कि यह गलियारा भी हनीड्यूक्स वाले गलियारे जितना ही लंबा था। हैरी रॉन के बारे में सोच रहा था कि वह विशाल कुत्ता उसके साथ क्या कर रहा होगा ... हैरी हाँफते हुए दर्द भरी साँस ले रहा था और कमर नीची करके भाग रहा था ...

और फिर सुरंग में चढ़ाई शुरू हो गई। कुछ पल बाद एक मोड़ आया और क्रुकशैंक्स ग़ायब हो गई। अब हैरी को खुली जगह पर हल्की रोशनी दिखाई दी।

वह और हर्माइनी साँस लेने के लिए रुके और फिर आगे की तरफ़ चलने लगे। आगे क्या है, यह देखने के लिए दोनों ने अपनी छड़ियाँ उठा रखी थीं।

वहाँ एक कमरा था, जो बहुत अस्त-व्यस्त और धूल भरा था। दीवारों से वॉल पेपर उखड़ रहा था, पूरे फ़र्श पर इधर-उधर निशान थे और फ़र्नीचर का हर सामान इस तरह टूटा था, जैसे किसी ने उसे तोड़ा हो। खिड़कियाँ पूरी तरह से बंद थीं।

हैरी ने हर्माइनी की तरफ़ देखा, जो बहुत डरी हुई दिख रही थी, लेकिन उसने सिर हिलाया।

हैरी चारों तरफ़ देखते हुए छेद से बाहर निकला। कमरा ख़ाली था, लेकिन दाईं तरफ़ वाला दरवाज़ा खुला हुआ था। वहाँ एक गलियारा था, जो हॉल में जाता था। हर्माइनी ने अचानक हैरी का हाथ दोबारा पकड़ लिया। उसकी चौड़ी आँखें बंद खिड़कियों पर घूम रही थीं।

'हैरी,' उसने फुसफुसाकर कहा। 'मुझे लगता है, हम चीख़ती हवेली में हैं।'

हैरी ने चारों तरफ़ देखा। उसकी निगाह पास वाली लकड़ी की कुर्सी पर पड़ी। उसके कई हिस्से ग़ायब थे। उसका एक पाया तो पूरी तरह से उखड़ा हुआ था।

'यह भूतों ने नहीं किया है,' उसने धीमे से कहा।

उसी समय ऊपर से एक आवाज़ सुनाई दी। कोई ऊपर की मंज़िल पर चल रहा था। दोनों ने छत की तरफ़ देखा। हर्माइनी ने हैरी का हाथ इतनी कसकर पकड़ रखा था कि हैरी की उँगलियाँ सुन्न हो गई थीं। उसने हर्माइनी की तरफ़ देखा। हर्माइनी ने सिर हिलाते हुए उसका हाथ छोड़ दिया।

वे धीमे-धीमे रेंगते हुए हॉल में गए और पुरानी टूटी-फूटी सीढ़ियाँ चढ़ने लगे। फ़र्श को छोड़कर हर चीज़ पर धूल की एक मोटी परत जमी थी। फ़र्श पर एक चौड़ा और चमकता निशान था, जैसे किसी को खींचकर ऊपर ले जाया गया हो।

वे अँधेरे में ऊपर पहुँच गए।

'प्रकाशहीन भव,' वे एक साथ बोले और उनकी छड़ियों के सिरे पर जलती रोशनी ग़ायब हो गई। सिर्फ़ एक दरवाज़ा खुला था। जब वे उसकी तरफ़ रेंगते हुए गए, तो उन्हें उसके पीछे से आवाज़ें सुनाई दीं : एक हल्की कराह और बिल्ली की म्याऊँ। उन्होंने आख़िरी बार एक-दूसरे की तरफ़ देखा और सिर हिलाया।

अपने सामने छड़ी को कसकर पकड़कर हैरी ने लात मारकर दरवाज़ा खोल दिया।

धूल भरे पर्दों वाले एक शानदार पलंग पर क्रुकशैंक्स लेटी थी और उन्हें देखकर ख़ुशी से गुर्रा रही थी। उसके पास फ़र्श पर रॉन था। रॉन ने अपना पैर पकड़ रखा था, जो एक अजीब से कोण में लटका हुआ था।

हैरी और हर्माइनी भागकर उसके पास गए।

'रॉन – तुम ठीक तो हो?'

'वह कुत्ता कहाँ है?'

'वह कुत्ता नहीं है,' रॉन ने कराहते हुए कहा। उसके दाँत दर्द से भिंचे हुए थे। 'हैरी, यह एक जाल है –'

'क्या –'

'वही कुत्ता है ... वही इच्छाधारी नरपशु है ...'

रॉन हैरी के कंधों के पार घूर रहा था। हैरी पलटा। छाया में खड़े आदमी ने एक झटके से दरवाज़ा बंद कर दिया।

उसके गंदे, लटदार बाल उसकी कोहनियों तक झूल रहे थे। अगर उसकी आँखें गहरे, काले गड्ढों में चमक नहीं रही होतीं, तो वह किसी मुर्दे की तरह दिखता। उसकी पतली चमड़ी उसके चेहरे की हड्डियों के इतने पास थी कि उसका सिर किसी खोपड़ी की तरह दिख रहा था। मुस्कराने के कारण उसके पीले

दाँत साफ़ दिख रहे थे। वह सिरियस ब्लैक था।

'निरस्त्र भव!' वह चिल्लाया और रॉन की छड़ी उनकी तरफ़ कर दी।

हैरी और हर्माइनी की छड़ियाँ उनके हाथ से छूटकर हवा में उड़ने लगीं, जिन्हें ब्लैक ने पकड़ लिया। फिर उसने एक क़दम आगे बढ़ाया। उसकी आँखें हैरी पर जमी हुई थीं।

'मैंने सोचा था कि तुम अपने दोस्त की मदद करने ज़रूर आओगे,' उसने भारी आवाज़ से कहा। उसकी आवाज़ सुनकर ऐसा लग रहा था, जैसे उसने काफ़ी लंबे समय से इसका इस्तेमाल न किया हो। 'तुम्हारे पिता ने भी मेरे लिए यही किया होता। तुमने बहादुरों की तरह किसी टीचर की मदद नहीं माँगी। मैं एहसानमंद हूँ ... इससे सब कुछ बहुत आसान हो जाएगा ...'

अपने पिता के बारे में ब्लैक का ताना हैरी के कानों से उतरकर दिल तक पहुँच गया। हैरी के दिल में नफ़रत का लावा उबलने लगा और उसके अंदर का सारा डर ग़ायब हो गया। ज़िंदगी में पहली बार वह अपनी छड़ी को दोबारा अपने हाथ में पाना चाहता था, ख़ुद को बचाने के लिए नहीं, बल्कि हमला करने के लिए ... मारने के लिए। यह जाने बिना कि वह क्या कर रहा है, वह आगे की तरफ़ बढ़ा, लेकिन दोनों तरफ़ से दो हाथों ने उसे पकड़कर पीछे खींच लिया। 'नहीं हैरी!' हर्माइनी ने दहशत भरी आवाज़ में फुसफुसाकर कहा। रॉन ने ब्लैक से कहा।

'अगर तुम हैरी को मारना चाहते हो, तो उससे पहले तुम्हें हमें मारना पड़ेगा!' उसने आवेश में कहा, हालाँकि खड़े होने की कोशिश में उसके चेहरे का रंग और उड़ गया था तथा यह बोलते समय वह थोड़ा काँप रहा था।

ब्लैक की छायादार आँखों में एक अजीब सा भाव आया।

'लेट जाओ,' उसने रॉन से धीरे से कहा। 'तुम्हारे पैर में दर्द और बढ़ जाएगा।'

'तुमने सुना?' रॉन ने कमज़ोरी से कहा, हालाँकि वह खड़े रहने के लिए हैरी का सहारा ले रहा था। 'तुम्हें हम तीनों को मारना पड़ेगा!'

'आज रात को यहाँ सिर्फ़ एक ही हत्या होगी,' ब्लैक ने कहा और उसकी मुस्कराहट और चौड़ी हो गई।

'ऐसा क्यों?' हैरी ने थूक उड़ाते हुए रॉन और हर्माइनी की पकड़ से आज़ाद होने की कोशिश की। 'पिछली बार तो तुम्हें इस बात की ज़रा भी परवाह नहीं थी, है ना? पेटिग्रू को मारने के लिए इतने सारे मगलुओं की हत्या करने में तुम ज़रा भी नहीं हिचके थे ... अब क्या हुआ है, अज़्काबान ने दिमाग़

घुमा दिया है ?'

'हैरी!' हर्माइनी बोली। 'चुप रहो!'

'उसने मेरे मम्मी-डैडी को मार डाला था!' हैरी गरजा। ज़ोरदार झटका देकर वह हर्माइनी और रॉन की पकड़ से छूटा और उसने आगे छलाँग लगा दी –

वह जादू के बारे में भूल गया था – वह भूल गया था कि वह छोटा, दुबला और तेरह साल का लड़का था, जबकि ब्लैक एक लंबा, पूर्ण वयस्क जादूगर था। हैरी तो बस इतना जानता था कि वह ब्लैक को अपनी पूरी ताक़त से बुरी तरह चोट पहुँचाना चाहता था और उसे इस बात की परवाह नहीं थी कि बदले में उसे कितनी चोट पहुँचेगी ...

शायद ब्लैक को यह उम्मीद नहीं थी कि हैरी इतना मूर्खतापूर्ण क़दम उठाएगा। इसलिए सदमे की वजह से वह समय पर छड़ी नहीं उठा पाया। हैरी ने एक हाथ से ब्लैक की पतली कलाई कसकर पकड़ ली और उसकी छड़ियों को दूर कर दिया। हैरी का दूसरा हाथ मुक्का बनकर ब्लैक के सिर पर पड़ा। दोनों गुत्थमगुत्था होकर पीछे की तरफ़ गिरकर दीवार से टकरा गए।

हर्माइनी चीख़ रही थी! रॉन चिल्ला रहा था! ब्लैक के हाथ की छड़ियों से हवा में चिंगारियाँ निकलीं। एक चौंधियाने वाली रोशनी हुई, जो हैरी के चेहरे के कुछ इंच दूर से निकल गई। हैरी को महसूस हुआ कि उसकी हथेली में भिंचा दुबला हाथ पागलों की तरह छूटने की कोशिश कर रहा है, लेकिन उसने हाथ नहीं छोड़ा। अपने दूसरे हाथ से हैरी ब्लैक के शरीर पर कहीं भी मुक्के मार रहा था।

लेकिन ब्लैक के ख़ाली हाथ को हैरी का गला मिल गया –

'नहीं,' वह फुसफुसाया। 'मैंने बहुत समय तक इंतज़ार किया है –'

उँगलियाँ कस गईं, हैरी का गला रुँध गया और उसका चश्मा एक तरफ़ हो गया।

तभी उसे हवा में हर्माइनी का पैर दिखाई दिया। एक दर्द भरी कराह के साथ ब्लैक ने हैरी को छोड़ दिया। रॉन ब्लैक के छड़ी वाले हाथ पर कूद चुका था। तभी हैरी को छड़ियाँ ज़मीन पर गिरने की आवाज़ सुनाई दी –

जब वह शरीरों के जमघट से बाहर निकला, तो उसे अपनी छड़ी फ़र्श पर लुढ़कती दिखाई दी। उसने उसकी तरफ़ छलाँग लगाई, लेकिन –

'आह!'

क्रुकशैंक्स भी लड़ाई में कूद चुकी थी। उसने अपने दोनों पंजे हैरी के

हाथ में गहराई तक धँसा दिए। हैरी ने उसे दूर फेंक दिया, लेकिन क्रुकशैंक्स अब हैरी की छड़ी की तरफ़ लपक रही थी –

'नहीं ऐसा मत करना!' हैरी गरजा और उसने क्रुकशैंक्स को लात जमाने की कोशिश की, जिससे बिल्ली उछलकर एक तरफ़ हो गई। हैरी ने अपनी छड़ी उठा ली और घूमा –

'रास्ते से हट जाओ!' उसने चिल्लाकर रॉन और हर्माइनी से कहा।

यह बात दोहराने की ज़रूरत नहीं पड़ी। हाँफती हुई हर्माइनी अपनी और रॉन की छड़ियाँ उठाकर एक तरफ़ हो गई। उसके होंठ से ख़ून निकल रहा था। रॉन रेंगते हुए पलंग तक गया और हाँफते हुए उस पर गिर पड़ा। उसका सफ़ेद चेहरा अब हरा हो चला था और वह दोनों हाथों से अपने टूटे हुए पैर को पकड़े था।

ब्लैक दीवार के नीचे पसरा हुआ था। उसका दुबला-पतला सीना बहुत तेज़ी से ऊपर-नीचे हो रहा था, जब उसने हैरी को छड़ी लेकर धीरे-धीरे पास आते देखा, जिसकी नोक सीधे उसके दिल की तरफ़ थी।

ब्लैक ने फुसफुसाकर पूछा, 'मुझे मारना चाहते हो, हैरी?'

हैरी उसके ठीक पास आकर रुका। उसकी छड़ी अब भी ब्लैक के सीने की तरफ़ थी। ब्लैक की बाईं आँख के पास चोट का एक नीला निशान फूल रहा था और उसकी नाक से ख़ून निकल रहा था।

'तुमने मेरे माता-पिता को मार डाला,' हैरी ने कहा। उसकी आवाज़ काँप रही थी, लेकिन उसका छड़ी वाला हाथ स्थिर था।

ब्लैक ने अपनी धँसी हुई आँखों से उसे देखा।

'मैं इस बात से इंकार नहीं करता हूँ,' उसने बहुत धीमे से कहा। 'लेकिन तुम पूरी बात तो सुन लो –'

'पूरी बात?' हैरी ने दोहराया और उसके कानों पर हथौड़े बरसने लगे। 'तुमने उन्हें वोल्डेमॉर्ट के हाथों बेच दिया था! मुझे बस इतना ही जानने की ज़रूरत है!'

'तुम्हें मेरी बात सुनना चाहिए,' ब्लैक ने कहा और अब उसकी आवाज़ में बेचैनी झलक रही थी। 'अगर तुम ऐसा नहीं करोगे, तो बाद में बहुत पछताओगे ... तुम समझ नहीं रहे हो ...'

'तुम जितना सोचते हो, मैं उससे कहीं ज़्यादा समझता हूँ,' हैरी ने कहा, और उसकी आवाज़ अब पहले से ज़्यादा काँपने लगी। 'तुमने कभी मेरी माँ की आवाज़ नहीं सुनी, है ना? मेरी माँ ... जब वोल्डेमॉर्ट से मुझे बचाने की कोशिश

कर रही थीं ... और यह सब तुम्हारे कारण हुआ था ... यह सब तुम्हारे कारण हुआ था ...'

इससे पहले कि उनमें से कोई भी कुछ और कह पाता, कोई चीज़ हैरी के पास से गुज़री। क्रुकशैंक्स उछलकर ब्लैक के सीने पर बैठ गई थी, सीधे उसके दिल के ऊपर। ब्लैक ने पलकें झपकाकर बिल्ली को देखा।

उसने क्रुकशैंक्स को अपने से दूर धकेलने की कोशिश करते हुए कहा, 'हट जाओ।'

लेकिन क्रुकशैंक्स ने अपने पंजे ब्लैक के दुशाले में धँसा दिए और हिली तक नहीं। उसने अपना बदसूरत चपटा चेहरा हैरी की तरफ़ मोड़ लिया और उसे अपनी बड़ी पीली आँखों से घूरने लगी। दाईं तरफ़, हर्माइनी सुबकने लगी।

हैरी ने ब्लैक और क्रुकशैंक्स की तरफ़ देखा। उसने छड़ी को कसकर पकड़ लिया। इससे क्या फ़र्क़ पड़ता है कि उसे बिल्ली को भी मारना पड़े? वह ब्लैक से मिली हुई थी ... अगर वह ब्लैक को बचाने के लिए मरने को तैयार थी, तो इससे हैरी को कोई फ़र्क़ नहीं पड़ता था ... अगर ब्लैक बिल्ली को बचाना चाहता था, तो इससे यही साबित होता था कि वह हैरी के माता-पिता के बजाय उस बिल्ली की ज़्यादा परवाह करता था ...

हैरी ने छड़ी सामने उठाई। अब यह काम कर डालने का समय आ गया था। अब अपने माता-पिता का बदला लेने का समय आ गया था। वह ब्लैक को मार डालेगा। उसे ब्लैक को मारना ही होगा। उसे इससे अच्छा मौक़ा नहीं मिल सकता ...

समय गुज़रता गया, लेकिन फिर भी हैरी वहीं पर खड़ा रहा। उसकी छड़ी हवा में झूल रही थी, ब्लैक उसे घूर रहा था और क्रुकशैंक्स ब्लैक के सीने पर बैठी थी। बिस्तर की तरफ़ से रॉन के साँस लेने की आवाज़ आ रही थी। हर्माइनी बिलकुल ख़ामोश थी।

और तभी एक नई आवाज़ आई –

दबे हुए क़दम फ़र्श पर गूँज रहे थे – नीचे की सीढ़ियों से कोई ऊपर की तरफ़ आ रहा था।

'हम यहाँ पर हैं!' हर्माइनी अचानक चीख़ी। **'हम यहाँ पर हैं – सिरियस ब्लैक भी है – *जल्दी आओ!'***

ब्लैक अचानक हिला, जिससे क्रुकशैंक्स गिरते-गिरते बची। हैरी ने अपनी छड़ी को और कसकर पकड़ लिया। उसके मन में एक विचार आया – *यह काम अभी कर दो!* लेकिन सीढ़ियों पर धड़धड़ाते हुए क़दमों की आवाज़ क़रीब

आती गई और हैरी ने कुछ नहीं किया।

कमरे का दरवाज़ा लाल चिंगारियों की बौछार से खुल गया और हैरी ने पलटकर देखा कि प्रोफ़ेसर ल्यूपिन धड़धड़ाते हुए कमरे में आ चुके हैं। उनके चेहरे का रंग उड़ा हुआ था और उनकी छड़ी उठी हुई थी। उन्होंने फ़र्श पर पड़े रॉन को देखा, दरवाज़े के पास दुबकी हुई हर्माइनी को देखा और हैरी को देखा, जिसने ब्लैक पर छड़ी तान रखी थी और सबसे आख़िर में ब्लैक को देखा, जो हैरी के क़दमों के पास लहूलुहान पड़ा हुआ था।

'निरस्त्र भव!' ल्यूपिन चिल्लाए।

हैरी की छड़ी एक बार फिर उसके हाथ से छूटकर उड़ गई और हर्माइनी के हाथ की दोनों छड़ियों का भी यही हाल हुआ। ल्यूपिन ने उन्हें कुशलता से लपक लिया। फिर कमरे में आगे आकर उन्होंने ब्लैक को घूरा, जिसके सीने पर अब भी क्रुकशैंक्स पहरेदार की तरह बैठी थी।

हैरी अचानक निराश हो गया। वह ब्लैक को सज़ा नहीं दे पाया। उसकी हिम्मत जवाब दे गई थी। अब ब्लैक को दमपिशाचों के हवाले कर दिया जाएगा।

फिर ल्यूपिन ने एक अजीब सी आवाज़ में कहा, जिसमें दबे हुए भाव थे। 'वह कहाँ है, सिरियस?'

हैरी ने जल्दी से ल्यूपिन की तरफ़ देखा। वह ल्यूपिन की बात का मतलब नहीं समझ पाया। ल्यूपिन किसके बारे में बोल रहे थे। वह एक बार फिर ब्लैक को देखने के लिए मुड़ा।

ब्लैक का चेहरा भावहीन था। कुछ सेकंड तक वह ज़रा भी नहीं हिला। फिर बहुत धीरे से उसने अपना हाथ उठाकर रॉन की तरफ़ इशारा किया। आश्चर्यचकित हैरी ने रॉन को देखा, जो भौंचक्का दिख रहा था।

'लेकिन तब तो ...' ल्यूपिन ब्लैक की तरफ़ इतनी ग़ौर से देख रहे थे, जैसे उसके मन की बातें पढ़ने की कोशिश कर रहे हों, '... वह पहले क्यों सामने नहीं आया? जब तक कि –' ल्यूपिन की आँखें अचानक चौड़ी हो गईं, जैसे वे ब्लैक से आगे कोई चीज़ देख रहे हों, जिसे और कोई नहीं देख सकता हो, '– जब तक कि उसी के अंदर रहस्य न छिपाया गया हो ... जब तक कि तुमने आख़िरी पल योजना न बदल ली हो ... बिना मुझे बताए?'

बहुत धीरे-धीरे ब्लैक ने सिर हिलाया और अपनी निगाह ल्यूपिन के चेहरे पर टिकाए रखी।

'प्रोफ़ेसर ल्यूपिन,' हैरी ने ज़ोर से पूछा, 'आख़िर हो क्या रहा – ?'

लेकिन वह अपना सवाल पूरा नहीं कर पाया, क्योंकि उसने जो देखा,

उससे उसकी आवाज़ गले में ही अटकी रह गई। ल्यूपिन अपनी छड़ी झुका रहे थे। अगले ही पल वे ब्लैक के पास पहुँचे, उसका हाथ पकड़ा और उसे खड़ा किया, जिससे क्रुकशैंक्स फ़र्श पर गिर गई। फिर उन्होंने ब्लैक को इस तरह गले लगा लिया, जैसे उन्हें बिछड़ा हुआ भाई मिल गया हो।

हैरी को ऐसा महसूस हुआ, जैसे उसके पेट का तला ग़ायब हो गया हो।

'मुझे यक़ीन नहीं हो रहा है!' हर्माइनी चीख़ी।

ल्यूपिन ने ब्लैक को छोड़ दिया और हर्माइनी की तरफ़ मुड़े। वह ल्यूपिन की तरफ़ आँखें फाड़कर इशारा कर रही थी, 'आप – आप –'

'हर्माइनी –'

'– आप और वो!'

'हर्माइनी, शांत हो जाओ –'

'मैंने किसी को भी नहीं बताया!' हर्माइनी चीख़ी। 'मैंने सबसे आपकी सच्चाई छिपाई –'

'हर्माइनी, प्लीज़, मेरी बात तो सुनो!' ल्यूपिन चिल्लाए। 'मैं स्पष्ट कर सकता हूँ –'

हैरी काँपने लगा था, डर से नहीं, बल्कि ग़ुस्से से।

'मैंने आप पर भरोसा किया,' उसने ल्यूपिन से चिल्लाकर कहा और उसकी आवाज़ बेक़ाबू होकर काँपने लगी थी। 'और इस पूरे समय आप उसके दोस्त थे!'

'यह सही नहीं है,' ल्यूपिन बोले। 'मैं बारह साल से सिरियस का दोस्त नहीं था, लेकिन मैं अब हूँ ... मुझे समझाने दो ...'

'नहीं!' हर्माइनी चीख़ी, 'हैरी, उन पर भरोसा मत करना, वही ब्लैक की महल में घुसने में मदद कर रहे हैं, वे तुम्हें मरा हुआ देखना चाहते हैं – *वे नरभेड़िए हैं!'*

एक ज़ोरदार ख़ामोशी छा गई। हर एक की आँखें अब ल्यूपिन पर थीं, जो बहुत शांत दिख रहे थे, हालाँकि उनका चेहरा थोड़ा पीला पड़ गया था।

'आम तौर पर तुम्हारे जवाब जितने सही होते हैं, यह वाक्य उतना सही नहीं है, हर्माइनी,' उन्होंने कहा। 'तुम्हें तीन में से एक नंबर ही मिलेगा। मैंने महल में घुसने में सिरियस की मदद नहीं की और निश्चित रूप से मैं हैरी को मरा हुआ नहीं देखना चाहता हूँ ...' एक अजीब सी सिहरन उनके चेहरे पर दौड़ गई। 'लेकिन मैं इस बात से इंकार नहीं करूँगा कि मैं एक नरभेड़िया हूँ।'

रॉन ने खड़े होने की साहसिक कोशिश की, लेकिन वह दर्द भरी कराह के साथ गिर गया। ल्यूपिन उसकी तरफ़ चिंता से बढ़े, लेकिन रॉन ने चिल्लाकर कहा, *'नरभेड़िए, मुझसे दूर ही रहो!'*

ल्यूपिन अचानक रुक गए। फिर कोशिश करके वे हर्माइनी की तरफ़ मुड़े और बोले, 'तुम कब से जानती हो?'

'बहुत समय से,' हर्माइनी ने धीरे से कहा। 'जब से मैंने प्रोफ़ेसर स्नेप का निबंध लिखा था ...'

'उन्हें ख़ुशी होगी,' ल्यूपिन ने शांति से कहा। 'उन्होंने वह निबंध इसी आशा से दिया था कि कोई शायद मेरे लक्षणों का मतलब समझ ले। क्या चंद्रमा का चार्ट देखकर तुम्हें यह समझ में आ गया था कि मैं हमेशा पूर्णिमा के समय ही बीमार होता हूँ? या फिर तुमने यह देखा था कि मेरे सामने आने पर बहुरूपिया चंद्रमा में बदल जाता है?'

'दोनों,' हर्माइनी धीरे से बोली।

ल्यूपिन विवश हँसी हँसे।

'तुम अपनी उम्र की सबसे चतुर जादूगरनी हो, हर्माइनी।'

'ऐसा नहीं है,' हर्माइनी बोली। 'अगर मैं थोड़ी भी चतुर होती, तो मैं सबको आपकी असलियत बता देती!'

'लेकिन वे पहले से ही जानते हैं,' ल्यूपिन ने कहा। 'कम से कम स्टाफ़ तो जानता ही है।'

'डम्बलडोर ने आपको नौकरी पर रखा, यह जानते हुए भी कि आप एक नरभेड़िए हैं?' रॉन ने हाँफते हुए कहा। 'क्या वे पागल हो गए हैं?'

'स्टाफ़ के कुछ लोग भी ऐसा ही सोचते थे,' ल्यूपिन ने कहा। 'डम्बलडोर को कुछ टीचर्स को यह विश्वास दिलाने में बहुत मुश्किल हुई कि मुझ पर भरोसा किया जा सकता था –'

'और वे ग़लत थे!' हैरी चीख़ा। **'आप पूरे समय उसकी मदद कर रहे थे!'** उसने ब्लैक की तरफ़ इशारा किया, जो अब जाकर पलंग पर पसर गया था। उसने अपने काँपते हाथ से अपना चेहरा छिपा लिया था। क्रुकशैंक्स भी उछलकर उसके पास पहुँच गई थी और पूँछ हिलाती हुई उसकी गोद में बैठी थी। रॉन अपने पैर को घसीटता हुआ उन दोनों से दूर खिसक गया।

'मैं सिरियस की मदद *नहीं* कर रहा हूँ,' ल्यूपिन ने कहा। 'अगर तुम मुझे मौक़ा दो, तो मैं स्पष्ट कर सकता हूँ। देखो –'

उन्होंने हैरी, रॉन और हर्माइनी की छड़ियों को अलग-अलग किया और उन्हें उनके मालिकों की तरफ़ उछाल दिया। हैरी ने हैरान होकर अपनी छड़ी पकड़ ली।

'लो,' ल्यूपिन अपनी छड़ी बेल्ट में रखते हुए बोले। 'अब तुम लोगों के पास छड़ियाँ हैं, हमारे पास नहीं हैं। अब तो तुम हमारी बात सुनोगे?'

हैरी की समझ में नहीं आ रहा था कि वह क्या जवाब दे। कहीं यह कोई चाल तो नहीं थी?

'अगर आप उसकी मदद नहीं कर रहे थे,' उसने ब्लैक की तरफ़ ग़ुस्से से देखते हुए पूछा, 'तो आपको यह कैसे पता चला कि वह यहाँ पर है?'

'नक़्शा,' ल्यूपिन ने कहा। 'नक़्शा। मैं अपने ऑफ़िस में उसे ग़ौर से देख रहा था –'

'आप जानते हैं कि उसे कैसे देखा जाता है?' हैरी ने शक करते हुए पूछा।

'ज़ाहिर है, मैं जानता हूँ कि उसे कैसे देखा जाता है,' ल्यूपिन ने अधीरता से अपना हाथ हिलाते हुए कहा। 'क्योंकि अपने दोस्तों के साथ मिलकर मैंने ही इसे बनाया था। मैं मूनी हूँ – मेरे मित्र मुझे स्कूल में इसी नाम से पुकारते थे।'

'आपने नक़्शा *बनाया* था – ?'

'महत्वपूर्ण बात यह है कि मैं आज शाम को इसे ग़ौर से देख रहा था, क्योंकि मुझे लग रहा था कि तुम, रॉन और हर्माइनी चोरी से महल के बाहर जा सकते हो। मैं जानता था कि गरुड़अश्व के मरने से पहले तुम हैग्रिड से ज़रूर मिलना चाहोगे। और मैं सही था, है ना?'

वे इधर-उधर टहलने लगे और उनकी तरफ़ देखने लगे। जब भी वे चलते समय पैर उठाते थे, तो थोड़ी धूल उड़ती नज़र आती थी।

'तुमने शायद अपने पिता का पुराना चोगा पहन रखा था, हैरी –'

'आप उस चोगे के बारे में कैसे जानते हैं?'

'मैंने जेम्स को उसके नीचे बहुत बार ग़ायब होते देखा था ...' ल्यूपिन ने एक बार फिर अधीरता से हाथ हिलाते हुए कहा। 'मुद्दे की बात यह है कि भले ही तुमने अदृश्य चोगा पहन रखा हो, लेकिन तुम नक़्शे में दिख जाते हो। मैंने देखा कि तुम मैदान को पार करते हुए हैग्रिड की झोपड़ी में पहुँचे। बीस मिनट बाद तुम हैग्रिड के यहाँ से निकलकर महल की तरफ़ वापस आने लगे। लेकिन लौटते समय तुम्हारे साथ कोई और भी था।'

'क्या ?' हैरी बोला। 'नहीं, हमारे साथ और कोई नहीं था!'

'मुझे अपनी आँखों पर भरोसा नहीं हुआ,' ल्यूपिन ने अब भी चहलक़दमी करते हुए और हैरी की बात को नज़रअंदाज़ करते हुए कहा। 'मुझे लगा कि नक़्शा ग़लत जानकारी दे रहा है। वह तुम्हारे साथ कैसे हो सकता था ?'

'कोई भी हमारे साथ नहीं था!' हैरी बोला।

'तभी मुझे एक और बिंदु दिखा, जो तेज़ी से तुम्हारी तरफ़ चला आ रहा था। उस बिंदु पर सिरियस ब्लैक का लेबल लगा था ... मैंने उसे तुमसे टकराते देखा। फिर मैंने देखा कि वह तुममें से दो लोगों को लड़ाकू पेड़ के अंदर खींचकर ले गया –'

'हममें से एक को!' रॉन ने ग़ुस्से से कहा।

'नहीं रॉन,' ल्यूपिन बोले। 'तुममें से दो को।'

उन्होंने अब चलना बंद कर दिया था और उनकी आँखें अब रॉन पर टिक गई थीं।

उन्होंने पूछा, 'क्या मैं तुम्हारे चूहे को देख सकता हूँ ?'

'क्या ?' रॉन ने कहा। 'स्कैबर्स का इससे क्या लेना-देना है ?'

'सब कुछ,' ल्यूपिन ने कहा। 'क्या मैं उसे देख सकता हूँ ?'

रॉन ने झिझकते हुए अपने दुशाले में हाथ डाला। स्कैबर्स बाहर निकला, मगर वह बुरी तरह छटपटा रहा था। वह बचकर न निकल जाए, इसलिए रॉन ने उसकी लंबी पूँछ पकड़ ली। क्रुकशैंक्स ब्लैक की गोद में खड़ी होकर फुँफकारने लगी।

ल्यूपिन रॉन के क़रीब आए। स्कैबर्स को ग़ौर से देखते समय उन्होंने अपनी साँस रोक ली।

'क्या ?' रॉन ने दोबारा कहा। उसने स्कैबर्स को कसकर पकड़ रखा था, लेकिन उसे डर लग रहा था। 'मेरे चूहे का किसी चीज़ से क्या लेना-देना है ?'

सिरियस ब्लैक अचानक बोला, 'वह चूहा नहीं है!'

'तुम्हारा क्या मतलब है – वह चूहा ही है –'

'नहीं, वह चूहा नहीं है,' ल्यूपिन ने धीमे से कहा। 'वह एक जादूगर है।'

'वह एक इच्छाधारी नरपशु है,' ब्लैक बोला, 'और उसका नाम है पीटर पेटिग्रू।'

अध्याय अठारह

मूनी, वर्मटेल, पैडफ़ुट और प्रॉन्ग्स

यह समझने में कुछ सेकंड लग गए कि यह वाक्य कितना मूर्खतापूर्ण था। फिर रॉन ने वह कह दिया, जो हैरी सोच रहा था।

'आप दोनों पागल हो गए हैं।'

'बकवास!' हर्माइनी ने धीमे से कहा।

'पीटर पेटिग्रू मर चुका है!' हैरी बोला। 'इसने उसे बारह साल पहले मार दिया है!'

उसने ब्लैक की तरफ़ इशारा किया, जिसका चेहरा बुरी तरह भिंचा हुआ था।

'मैं उसे मारना चाहता था,' ब्लैक गरजा और अब उसके पीले दाँत एक बार फिर दिख रहे थे, 'लेकिन पीटर मुझसे ज़्यादा चालाक निकला ... इस बार ऐसा नहीं होगा!'

ब्लैक ने स्कैबर्स पर छलाँग लगा दी, जिसकी वजह से क्रुकशैंक्स फ़र्श पर गिर पड़ी। जब ब्लैक का वज़न रॉन के टूटे पैर पर पड़ा, तो वह बिलबिला उठा।

'सिरियस, **नहीं!**' ल्यूपिन ने छलाँग लगाकर ब्लैक को रॉन से दूर खींचा, '**रुको!** तुम इस तरह से उसे नहीं मार सकते - इन लोगों को समझाना भी तो होगा - हमें इन लोगों को पूरी बात बतानी होगी -'

'हम इन लोगों को पूरी बात बाद में भी तो बता सकते हैं!' ब्लैक गुर्राया। वह ल्यूपिन की पकड़ से छूटने की कोशिश कर रहा था। उसका एक हाथ अब भी हवा में था, जैसे यह स्कैबर्स तक पहुँचने की कोशिश कर रहा हो। दूसरी ओर

स्कैबर्स किसी सुअर की तरह चीख़ रहा था और भागने की कोशिश में रॉन के चेहरे तथा गर्दन को खरोंच रहा था।

'उन्हें – हर – बात – जानने – का – हक़ – है!' ल्यूपिन ने हाँफते हुए कहा। वे अब भी ब्लैक को रोकने की कोशिश कर रहे थे। 'वह रॉन का पालतू चूहा था! इस कहानी के कुछ हिस्सों को तो मैं भी नहीं समझ पाया हूँ! और हैरी भी तो है – तुम्हें हैरी को सच्चाई बतानी ही होगी, सिरियस!'

ब्लैक ने संघर्ष करना छोड़ दिया, हालाँकि उसकी धँसी हुई आँखें अब भी स्कैबर्स पर टिकी हुई थीं, जो रॉन के काटे हुए, खरोंचे हुए और लहूलुहान हाथों में कसकर बंद था।

'तो फिर ठीक है,' ब्लैक ने अपनी नज़रें चूहे पर से हटाए बिना कहा। 'उन्हें जो बताना चाहते हो, बता दो। पर जल्दी करो, रीमस। मैं वह हत्या करना चाहता हूँ, जिसके लिए मुझे सज़ा हुई थी ...'

'तुम दोनों का दिमाग़ घूम गया है,' रॉन ने काँपते हुए कहा और समर्थन के लिए हैरी तथा हर्माइनी की तरफ़ देखा। 'यह बेसिर-पैर की बातें बहुत हो चुकीं। अब मैं यहाँ से जाता हूँ।'

उसने अपने सही-सलामत पैर के सहारे उठने की कोशिश की, लेकिन ल्यूपिन ने अपनी छड़ी दोबारा उठाकर स्कैबर्स की तरफ़ तान दी।

'मेरी पूरी बात सुन लो, रॉन,' उन्होंने शांत स्वर में कहा। 'बस सुनते समय पीटर को कसकर पकड़े रहना।'

'वह पीटर नहीं, स्कैबर्स है!' रॉन चीख़ा और चूहे को अपनी सामने वाली जेब में रखने की कोशिश की, लेकिन स्कैबर्स जमकर संघर्ष कर रहा था। रॉन लड़खड़ाया और लहराकर गिरने लगा, लेकिन हैरी ने उसे पकड़ लिया और बिस्तर पर धका दिया। फिर ब्लैक को नज़रअंदाज़ करते हुए हैरी ल्यूपिन की तरफ़ मुड़ा।

'बहुत से लोगों ने पेटिग्रू को मरते देखा था,' वह बोला। 'पूरी सड़क ने यह देखा था ...'

'उन्होंने वह नहीं देखा, जैसा वे सोचते थे कि उन्होंने देखा था!' ब्लैक ने आवेश में कहा। वह अब भी स्कैबर्स को रॉन के हाथों में छटपटाते हुए देख रहा था।

'सबने यही सोचा कि सिरियस ने पीटर को मार डाला,' ल्यूपिन ने सिर हिलाते हुए कहा। 'मैं भी यही मान रहा था – जब तक कि मैंने आज रात को वह नक़्शा नहीं देखा। क्योंकि नक़्शा कभी झूठ नहीं बोलता है ... पीटर ज़िंदा है।

रॉन उसे पकड़े हुए है, हैरी।'

हैरी ने रॉन की तरफ़ देखा और जब उनकी नज़रें मिलीं, तो वे मन ही मन सहमत हो गए कि ब्लैक और ल्यूपिन दोनों ही पागल हो चुके थे। उनकी कहानी बेतुकी और बेमतलब थी। स्कैबर्स पीटर पेटिग्रू कैसे हो सकता था? अज़्काबान ने ब्लैक के दिमाग़ को फिरा दिया होगा – लेकिन ल्यूपिन भी उसके सुर में सुर क्यों मिला रहे थे?

फिर हर्माइनी ने काँपती हुई आवाज़ में कहा, जैसे प्रोफ़ेसर ल्यूपिन से समझदारीपूर्ण बात करवाने की कोशिश कर रही हो।

'लेकिन प्रोफ़ेसर ल्यूपिन ... स्कैबर्स पेटिग्रू नहीं हो सकता ... यह सच नहीं हो सकता, आप जानते हैं कि यह सच नहीं हो सकता ...'

'यह सच क्यों नहीं हो सकता?' ल्यूपिन ने शांत स्वर में कहा, जैसे वे क्लास में हों और हर्माइनी ने ग्रिंडिलोज़ के साथ आने वाली कोई समस्या बताई हो।

'क्योंकि... क्योंकि अगर पीटर पेटिग्रू इच्छाधारी नरपशु होता, तो लोगों को यह पता चल जाता। प्रोफ़ेसर मैक्गॉनेगल ने हमें क्लास में इच्छाधारी नरपशुओं के बारे में पढ़ाया था। अपना होमवर्क करते समय मैंने उनकी सूची देखी थी। मंत्रालय उन जादूगरों और जादूगरनियों का रिकॉर्ड रखता है, जो जानवर बन सकते हैं। एक रजिस्टर बना रखा है, जिसमें यह बताया गया है कि वे किस जानवर का रूप धारण कर सकते हैं, उनके निशान क्या हैं और ऐसी ही बहुत सी चीज़ें ... मैंने जाकर रजिस्टर देखा था। उसमें प्रोफ़ेसर मैक्गॉनेगल का नाम था। इस सदी में सिर्फ़ सात इच्छाधारी नरपशु हुए हैं और पेटिग्रू का नाम उस सूची में नहीं था –'

हैरी मन ही मन इस बात पर दाद देने लगा कि हर्माइनी अपने होमवर्क में कितनी मेहनत करती है, लेकिन वह ऐसा ज़्यादा देर तक नहीं कर पाया, क्योंकि ल्यूपिन हँसने लगे थे।

'बिलकुल सही कहा, हर्माइनी!' वे बोले। 'लेकिन मंत्रालय को कभी मालूम नहीं पड़ा कि तीन इच्छाधारी नरपशु ऐसे भी थे, जो हॉगवर्ट्स में घूमते रहते थे, लेकिन उनके नाम का कोई रिकॉर्ड नहीं था।'

'अगर तुम उन्हें पूरी कहानी सुना रहे हो, तो जल्दी करो, रीमस,' ब्लैक गुर्राया, जो अब स्कैबर्स की हर कोशिश को ग़ौर से देख रहा था। 'मैंने बारह साल तक इंतज़ार किया है, मैं अब और इंतज़ार नहीं करना चाहता।'

'ठीक है ... लेकिन तुम्हें मेरी मदद करना होगी, सिरियस,' ल्यूपिन ने कहा। 'मैं सिर्फ़ यह जानता हूँ कि यह कैसे शुरू हुआ ...'

ल्यूपिन रुक गए। उनके पीछे एक ज़ोरदार चरमराहट की आवाज़ आई। बेडरूम का दरवाज़ा अपने आप खुल गया। पाँचों लोगों ने दरवाज़े को घूरकर देखा। फिर ल्यूपिन उसकी तरफ़ क़दम बढ़ाते हुए गए और बाहर झाँकने लगे।

'कोई नहीं है ...'

'यहाँ पर भूत रहते हैं!' रॉन बोला।

'नहीं, ऐसा नहीं है,' ल्यूपिन अब भी दरवाज़े को अजीब अंदाज़ में घूर रहे थे। 'चीख़ती हवेली में कोई भूत नहीं रहता है ... गाँव वाले जो चिल्लाने की आवाज़ें और चीख़ें सुनते थे, वे मेरी थीं।'

उन्होंने अपनी आँखों के सामने से अपने भूरे बाल हटाए, एक पल सोचा और फिर कहा, 'सारी बात यहीं से शुरू होती है – मेरे नरभेड़िया बनने से। यह सब नहीं हुआ होता, अगर नरभेड़िए ने मुझे नहीं काटा होता ... और अगर मैं इतना बेवक़ूफ़ नहीं होता ...'

वे संजीदा और थके हुए लग रहे थे। रॉन बीच में बोलना चाहता था, लेकिन हर्माइनी ने उसे रोक दिया। वह ल्यूपिन को बहुत ग़ौर से देख रही थी।

'जब मुझे नरभेड़िए ने काटा, तो मैं बहुत छोटा था। मेरे माता-पिता ने सारी कोशिश कर ली, लेकिन उन दिनों इसका कोई इलाज नहीं था। प्रोफ़ेसर स्नेप मेरे लिए जो काढ़ा बनाते हैं, वह हाल ही में खोजा गया है। इससे मैं सुरक्षित बन जाता हूँ। पूर्णिमा के ठीक पहले वाले सप्ताह में इस काढ़े को बिना नागा पीने के बाद रूप बदलते समय मैं पूरे होशोहवास में रहता हूँ ... मैं एक हानिरहित नरभेड़िया बनकर अपने ऑफ़िस में बंद हो जाता हूँ और चंद्रमा के घटने का इंतज़ार करता हूँ।

'बहरहाल, नरभेड़िया-रक्षक काढ़े की खोज से पहले मैं महीने में एक बार भयंकर भेड़िए में बदल जाता था। हॉगवर्ट्स में पढ़ना मुझे असंभव सपने की तरह लगता था। बाक़ी विद्यार्थियों के माता-पिता यह कभी नहीं चाहते कि उनके बच्चे मेरे आस-पास रहें।

'लेकिन तभी डम्बलडोर हेडमास्टर बन गए और उनका नज़रिया सहानुभूतिपूर्ण था। उन्होंने कहा कि अगर हम कुछ सावधानियाँ बरतें, तो मैं स्कूल में पढ़ सकता हूँ ...' ल्यूपिन ने आह भरकर हैरी को देखा। 'मैंने तुम्हें महीनों पहले बताया था कि जिस साल मैं हॉगवर्ट्स आया था, लड़ाकू पेड़ उसी साल लगाया गया था। सच तो यह है कि इसे लगाया ही इसलिए गया था क्योंकि मैं हॉगवर्ट्स में आया था। यह मकान –' ल्यूपिन ने उदासी से कमरे को देखते हुए कहा, '– इस तक आने वाली सुरंग – मेरे ही इस्तेमाल के लिए बनाई गई थी। महीने में एक बार मुझे महल से निकालकर इस जगह पर लाया जाता था, ताकि

मैं भेड़िया बन सकूँ। सुरंग के मुँह पर पेड़ इसलिए लगाया गया था, ताकि कोई भी मेरे पास तक न आ सके, क्योंकि मैं ख़तरनाक था।'

हैरी नहीं जानता था कि यह कहानी आगे कहाँ जाएगी, लेकिन वह पूरी तल्लीनता से सुन रहा था। ल्यूपिन के अलावा सिर्फ़ स्कैबर्स की डरी हुई चीख़ों की आवाज़ सुनाई दे रही थी।

'उन दिनों मेरा रूप-परिवर्तन भयंकर होता था। नरभेड़िए में बदलना बहुत तकलीफ़देह होता है। मुझे इंसानों से अलग कर दिया जाता था, ताकि मैं उन्हें काट न लूँ। इसलिए मैं ख़ुद को ही काटता और खरोंचता रहता था। गाँव वालों ने मेरे चिल्लाने की आवाज़ें और चीख़ें सुनकर सोचा कि वे भयंकर भूतों की आवाज़ें सुन रहे हैं। डम्बलडोर ने भी इस अफ़वाह को बढ़ावा दिया ... हालाँकि यह हवेली बरसों से शांत है, लेकिन अब भी गाँव वाले इसके पास आने से डरते हैं ...

'लेकिन मेरे रूप-परिवर्तन को छोड़ दिया जाए, तो मैं ज़िंदगी में इतना ख़ुश पहले कभी नहीं था। पहली बार मेरे पास दोस्त थे, तीन अच्छे दोस्त। सिरियस ब्लैक ... पीटर पेटिग्रू ... और ज़ाहिर है, हैरी तुम्हारे पिता - जेम्स पॉटर।

'अब, मेरे तीनों दोस्तों का ध्यान इस तरफ़ जाना ही था कि मैं महीने में एक बार ग़ायब हो जाता था। मैंने हर तरह के बहाने बनाए। मैंने उन्हें बताया कि मेरी माँ बीमार थीं और मुझे उनसे मिलने के लिए घर जाना पड़ता था ... मैं इस दहशत में था कि जिस पल उन्हें सच्चाई का पता चलेगा, वे मेरा साथ छोड़ देंगे। लेकिन हर्माइनी, उन्होंने भी तुम्हारी तरह सच्चाई का पता लगा लिया ...

'परंतु उन्होंने मेरा साथ नहीं छोड़ा। इसके बजाय उन्होंने मेरे लिए ऐसा कुछ किया, जिससे मेरा रूप-परिवर्तन न सिर्फ़ कम तकलीफ़देह हो गया, बल्कि मेरी ज़िंदगी का सबसे अच्छा समय बन गया। वे इच्छाधारी नरपशु बन गए।'

'मेरे डैडी भी ?' हैरी ने हैरान होकर पूछा।

'हाँ,' ल्यूपिन ने कहा। 'इच्छाधारी नरपशु कैसे बना जाता है, यह पता लगाने में उन्हें तीन साल लग गए। तुम्हारे पिता और सिरियस स्कूल के सबसे होशियार विद्यार्थी थे और यह अच्छी बात थी, क्योंकि इच्छाधारी नरपशु में रूप-परिवर्तन के कई बार बहुत भयंकर परिणाम होते हैं। यह भी एक कारण है कि मंत्रालय इच्छाधारी नरपशु बनने की कोशिश करने वालों पर काफ़ी कड़ी निगाह रखता है। पीटर को जेम्स और सिरियस की मदद की ज़रूरत पड़ी। आख़िरकार, हमारे फ़िफ़्थ ईयर में उन्होंने यह काम कर लिया। वे तीनों अब इच्छा होने पर जानवर बन सकते थे।'

'लेकिन इससे आपको कैसे मदद मिली ?' हर्माइनी ने अब भी हैरानी से कहा।

'वे इंसान के रूप में मेरे साथ नहीं रह सकते थे, इसलिए वे जानवर बनकर मेरे साथ रहने लगे,' ल्यूपिन ने कहा। 'नरभेड़िया सिर्फ़ इंसानों के लिए ख़तरनाक होता है। वे हर महीने जेम्स के अदृश्य चोगे में छिपकर महल से बाहर निकलते थे। फिर वे रूप बदल लेते थे ... पीटर, जो सबसे छोटा था, लड़ाकू पेड़ की हमला करती शाखाओं के नीचे से फिसलता हुआ जाता था और इसे शांत करने वाली गाँठ को दबा देता था। फिर वे सुरंग के अंदर आकर मेरे पास रहते थे। उनके साथ रहते समय मैं कम ख़तरनाक बन जाता था। मेरा शरीर तो भेड़िए की तरह रहता था, लेकिन उनके साथ रहने पर मेरा दिमाग़ भेड़ियों की तरह नहीं रहता था।'

'जल्दी करो, रीमस,' ब्लैक गुर्राया, जो स्कैबर्स को अब भी भूखे भाव से देख रहा था।

'मैं वहाँ पहुँच ही रहा हूँ, सिरियस, मैं वहाँ पहुँच ही रहा हूँ ... चूँकि अब हम सब रूप बदल सकते थे, इसलिए हमारे सामने रोमांचक संभावनाएँ खुल गई थीं। जल्दी ही हम रात को चीख़ती हवेली को छोड़कर स्कूल के मैदान और गाँव में घूमने लगे। सिरियस और जेम्स इतने बड़े जानवरों में बदलते थे, कि वे नरभेड़िए को क़ाबू में रख सकें। मुझे नहीं लगता कि हॉगवर्ट्स के किसी अन्य विद्यार्थी को हॉगवर्ट्स के मैदान और हॉग्समीड के बारे में उतनी जानकारी होगी, जितनी हमें थी ... और इस तरह हमने वह नक़्शा बनाया और उस पर अपने-अपने गुप्त नाम लिख दिए। सिरियस पैडफ़ुट है। पीटर वर्मटेल है। जेम्स प्रॉन्ग्स था।'

'वह किस तरह का जानवर -' हैरी ने पूछना शुरू किया, लेकिन हर्माइनी ने उसकी बात काट दी।

'फिर भी यह सचमुच ख़तरनाक था! अँधेरे में नरभेड़िए के साथ चारों तरफ़ घूमना! अगर आप दूसरों को चकमा देकर भाग जाते और किसी को काट लेते तो ?'

'यह एक ऐसा विचार है, जो अब मुझे कष्ट देता है,' ल्यूपिन ने भारीपन से कहा। 'और ऐसी कई घटनाएँ होते-होते बची थीं। हम बाद में उनके बारे में हँसते थे। हम उस समय छोटे थे, बिना सोचे-समझे काम करते थे - अपनी चतुराई पर हमें घमंड था।'

'मैं कई बार अपराधी महसूस करता हूँ कि मैंने डम्बलडोर का विश्वास तोड़ा था ... उन्होंने मुझे हॉगवर्ट्स में दाख़िला दिया, जब कोई दूसरा हेडमास्टर

ऐसा नहीं करता और उन्हें यह पता ही नहीं था कि मैं उन नियमों को तोड़ रहा था, जो उन्होंने मेरी और दूसरों की सुरक्षा के लिए बनाए थे। उन्हें यह कभी पता नहीं चला कि मैंने तीन साथी विद्यार्थियों को ग़ैर-क़ानूनी ढंग से इच्छाधारी नरपशु बनने के लिए प्रेरित किया था। लेकिन अगले महीने के रोमांचक अभियान की योजना बनाते समय मैं हमेशा अपनी अपराधी भावनाओं को भूल जाता था। और मैं अब भी नहीं बदला हूँ ...'

ल्यूपिन का चेहरा सख़्त हो गया और उनकी आवाज़ में ख़ुद के प्रति नफ़रत का भाव आ गया। 'इस पूरे साल मैं ख़ुद से संघर्ष करता रहा और सोचता रहा कि क्या मुझे डम्बलडोर को यह बता देना चाहिए कि सिरियस इच्छाधारी नरपशु है। लेकिन मैंने ऐसा नहीं किया। क्यों? क्योंकि मैं बहुत डरपोक था। इसका मतलब यह स्वीकार करना होता कि स्कूल में पढ़ते समय मैंने उनका विश्वास तोड़ा था और दूसरों को अपने साथ आने के लिए प्रेरित किया था ... और डम्बलडोर का विश्वास मेरे लिए बहुत मायने रखता है। उन्होंने मुझे हॉगवर्ट्स में दाख़िला दिया और उन्होंने मुझे नौकरी भी दी, जब मुझे बाक़ी सबने दूर रखा। नरभेड़िया होने के कारण मुझे कहीं नौकरी नहीं मिली। और इसलिए मैंने ख़ुद को विश्वास दिलाया कि सिरियस स्कूल में उन गुप्त कलाओं का प्रयोग करके घुस रहा है, जो उसने वोल्डेमॉर्ट से सीखी थीं और इसका उसके इच्छाधारी नरपशु होने से कोई लेना-देना नहीं था ... तो एक तरह से स्नेप मेरे बारे में शुरू से ही सही थे।'

'स्नेप?' ब्लैक ने कटुता से कहा और पहली बार स्कैबर्स से अपनी आँखें हटाकर और ल्यूपिन की तरफ़ देखा। 'स्नेप का इससे क्या लेना-देना है?'

'वह यहीं है, सिरियस,' ल्यूपिन ने भारीपन से कहा। 'वह यहाँ पर पढ़ा रहा है।' उन्होंने हैरी, रॉन और हर्माइनी को देखा।

'स्नेप स्कूल में हमारे साथ पढ़ता था। जब गुप्त कलाओं से रक्षा के टीचर के पद पर मुझे नौकरी दी गई, तो उसने इसका बहुत विरोध किया। वह पूरे साल डम्बलडोर से यही कहता रहा कि मैं भरोसे के क़ाबिल नहीं हूँ। उसके पास इसके कारण थे ... सिरियस ने उसके साथ एक ऐसा मज़ाक़ किया था, जिसमें उसकी जान जा सकती थी और उस मज़ाक़ की जड़ मैं था -'

ब्लैक ने अपमानजनक आवाज़ निकाली।

'उसके साथ यही होना चाहिए था,' उसने व्यंग्य से कहा। 'छिप-छिपकर यह पता लगाने की कोशिश करता था कि हम कहाँ जाते हैं ... वह हमें स्कूल से निकलवाना चाहता था ...

'सीवियरस की इस बात में गहरी रुचि थी कि मैं हर महीने कहाँ जाता

था,' ल्यूपिन ने हैरी, रॉन और हर्माइनी से कहा। 'तुम तो जानते हो, हम एक ही ईयर में थे और हम एक-दूसरे को पसंद नहीं करते थे। वह ख़ास तौर पर जेम्स से चिढ़ता था। मुझे लगता है कि क्विडिच पिच पर जेम्स की प्रतिभा के कारण वह उससे जलता था ... चाहे जो हो, स्नेप ने एक शाम को मुझे मैडम पॉमफ्री के साथ मैदान पार करते देखा, जब वे मुझे रूप बदलने के लिए लड़ाकू पेड़ की तरफ़ ले जा रही थीं। सिरियस ने मसखरी में स्नेप को यह बता दिया कि लड़ाकू पेड़ की जड़ वाले गलियारे में जाने के लिए वह एक लंबी छड़ी से तने की गाँठ को दबा दे। ज़ाहिर है, स्नेप ने इसकी कोशिश की - अगर वह इस हवेली तक आ गया होता, तो उसे एक खूँखार नरभेड़िया मिला होता - लेकिन जब तुम्हारे पिता ने सुना कि सिरियस ने कितना ख़तरनाक मज़ाक़ किया था, तो वे स्नेप के पीछे गए और उन्होंने अपनी जान जोखिम में डालते हुए उसे पीछे खींच लिया... लेकिन स्नेप ने सुरंग के छोर पर मुझे देख लिया। डम्बलडोर ने उसे हिदायत दी कि वह यह बात किसी को न बताए, लेकिन उस समय से वह जान गया कि मैं कौन था...'

'तो इसीलिए स्नेप आपको पसंद नहीं करते हैं,' हैरी ने धीमे से कहा, 'क्योंकि वे सोचते हैं कि आप भी उस मज़ाक़ में शामिल थे?'

'यह सही है,' ल्यूपिन के पीछे वाली दीवार से एक व्यंग्यात्मक आवाज़ आई।

सीवियरस स्नेप अदृश्य चोगा उतार रहे थे और उनकी छड़ी सीधे ल्यूपिन की तरफ़ तनी हुई थी।

अध्याय उन्नीस

लॉर्ड वोल्डेमॉर्ट का सेवक

हर्माइनी चीख़ी। ब्लैक उछलकर खड़ा हो गया। हैरी ऐसे कूदा जैसे उसे बिजली का ज़ोरदार झटका लगा हो।

'मुझे यह लड़ाकू पेड़ के पास मिला था,' स्नेप ने चोगा एक तरफ़ फेंकते हुए और अपनी छड़ी ल्यूपिन के सीने पर तानते हुए कहा। 'यह चोगा बहुत काम आया पॉटर, मैं तुम्हें धन्यवाद देता हूँ ...'

स्नेप थोड़ा हाँफ रहे थे, लेकिन उनके चेहरे पर विजय का भाव था। 'तुम शायद यह सोचकर हैरान हो रहे होगे कि मुझे यह कैसे मालूम चला कि तुम यहाँ हो ?' स्नेप ने कहा, जिनकी आँखों में चमक थी। 'ल्यूपिन, थोड़ी देर पहले मैं तुम्हारे ऑफ़िस में गया था। तुम आज अपना काढ़ा पीना भूल गए थे, इसलिए मैं काढ़ा लेकर गया था। और यह ख़ुशक़िस्मती थी कि मैंने ऐसा किया ... मेरा मतलब है, मेरी ख़ुशक़िस्मती थी। तुम्हारी डेस्क पर एक नक़्शा खुला पड़ा था। उस पर एक नज़र डालते ही मैं वह सब जान गया, जो मैं जानना चाहता था। मैंने तुम्हें इस गलियारे में भागते और ओझल होते देखा।'

'सीवियरस –' ल्यूपिन ने कहना शुरू किया, लेकिन स्नेप ने उनकी बात काट दी।

'ल्यूपिन, मैंने हेडमास्टर से बार-बार कहा था कि तुम अपने पुराने दोस्त ब्लैक को महल के अंदर लाने में मदद कर रहे हो, और यह रहा उसका सबूत। मैंने सपने में भी नहीं सोचा था कि तुम उसे छिपाने के लिए अपनी पुरानी जगह का इस्तेमाल करने की हिम्मत करोगे –'

'सीवियरस, तुम ग़लती कर रहे हो,' ल्यूपिन ने जल्दी से कहा। 'तुम्हें पूरी बात नहीं मालूम है – मैं सब कुछ स्पष्ट कर सकता हूँ – सिरियस यहाँ हैरी को मारने नहीं आया है –'

'आज रात अज़्काबान में दो और लोग जाएँगे,' स्नेप ने कहा। उसकी आँखों में अब पागलपन भरी चमक थी। 'मैं यह देखने में रुचि रखता हूँ कि डम्बलडोर इसे कैसे बर्दाश्त करते हैं... उन्हें पूरा विश्वास था कि तुम हानिरहित हो, ल्यूपिन ... जैसे नरभेड़िए को *पालतू* बनाया जा सकता हो ...'

'मूर्ख,' ल्यूपिन ने धीमे से कहा। 'क्या स्कूल के दिनों की पुरानी जलन की वजह से तुम किसी बेक़सूर आदमी को दोबारा अज़्काबान भेजोगे?'

धड़ाक! साँप जैसी पतली रस्सियाँ स्नेप की छड़ी से बाहर निकलीं और ल्यूपिन के चेहरे, कलाइयों और टखनों पर बँध गईं। इससे ल्यूपिन का संतुलन बिगड़ गया और वे फ़र्श पर गिर पड़े। वे हिल भी नहीं पा रहे थे। ग़ुस्से में गुर्राता ब्लैक स्नेप की तरफ़ बढ़ा, लेकिन स्नेप ने अपनी छड़ी सीधे ब्लैक की आँखों के बीच तान दी।

'मुझे एक कारण दो,' उन्होंने फुसफुसाकर कहा। 'मुझे इसके इस्तेमाल का एक कारण दो और मैं क़सम खाता हूँ कि मैं तुम्हें मार दूँगा।'

ब्लैक रुक गया। यह कहना मुश्किल था कि किसके चेहरे पर ज़्यादा नफ़रत थी।

हैरी अपनी जगह पर इतना स्थिर खड़ा था, जैसे उसे लक़वा मार गया हो। वह यह नहीं जानता था कि क्या किया जाए या किस पर विश्वास किया जाए। उसने रॉन और हर्माइनी की तरफ़ देखा। रॉन भी उसी की तरह दुविधा में दिख रहा था और भागने की कोशिश करते स्कैबर्स को पकड़े रखने के लिए अब भी जूझ रहा था। बहरहाल, हर्माइनी ने स्नेप की तरफ़ अनिश्चितता से एक क़दम बढ़ाकर धीमी आवाज़ में कहा, 'प्रोफ़ेसर स्नेप – इसमें – इसमें भला क्या नुक़सान होगा कि हम उनकी पूरी बात सुन लें, है ना?'

'मिस ग्रेंजर, तुम्हें स्कूल से निकाला जा सकता है,' स्नेप ने थूक उड़ाते हुए कहा। 'तुम, पॉटर और वीज़्ली एक ख़ूनी और नरभेड़िए के साथ पाए गए हो। ज़िंदगी में कम से कम एक बार तो *अपनी ज़ुबान बंद रखो।*'

'लेकिन अगर – अगर कोई ग़लती हुई –'

'**चुप रहो, मूर्ख लड़की!**' स्नेप चिल्लाए और अचानक पागल जैसे दिखने लगे। '**जिस चीज़ को तुम जानती-समझती नहीं हो, उसके बारे में मत बोलो!**' ब्लैक के चेहरे की तरफ़ तनी हुई उनकी छड़ी से कुछ चिंगारियाँ निकलने लगीं। हर्माइनी चुप हो गई।

'बदला बहुत मीठा होता है,' स्नेप ने ब्लैक से कहा। 'बड़े दिनों से हसरत थी कि तुम्हें मैं ही पकड़ूँ ...'

'तुमसे ग़लती हो रही है, सीवियरस,' ब्लैक गुर्राया। 'अगर यह लड़का अपने चूहे को महल में ले जाएगा –' उसने अपना सिर रॉन की तरफ़ झटकते हुए कहा, '– तो मैं चुपचाप वहाँ चला चलूँगा ...'

'महल तक ?' स्नेप ने रेशमी लहज़े में कहा। 'मुझे नहीं लगता कि हमें उतनी दूर तक जाना पड़ेगा। मैं तो लड़ाकू पेड़ से बाहर निकलते ही दमपिशाचों को बुला लूँगा। वे तुम्हें देखकर बहुत ख़ुश होंगे, ब्लैक ... इतने ख़ुश होंगे कि वे तुम्हें चूम लेंगे ...'

ब्लैक के चेहरे पर जो थोड़ा-बहुत रंग था, वह भी उड़ गया।

'तुम्हें – तुम्हें मेरी पूरी बात सुननी चाहिए,' उसने अटकती आवाज़ में कहा। 'चूहे – चूहे को देखो –'

लेकिन स्नेप क़ी आँखों में पागलपन भरी चमक थी, जो हैरी ने पहले कभी नहीं देखी थी। वह कुछ सुनने या समझने को तैयार ही नहीं थे।

'अब सब लोग चलो,' उन्होंने कहा। उन्होंने चुटकी बजाईं और ल्यूपिन की रस्सियों की डोर उड़कर उनके हाथ में आ गई। 'मैं नरभेड़िए को खींचकर ले चलता हूँ। शायद दमपिशाच उसे भी चूम लें –'

इससे पहले कि हैरी जान पाता कि वह क्या कर रहा है, उसने तीन क़दमों में कमरा पार किया और रास्ता रोककर दरवाज़े पर खड़ा हो गया।

'रास्ते से हट जाओ पॉटर, तुम पहले ही काफ़ी मुश्किल में हो,' स्नेप ने गुर्राकर कहा। 'अगर मैं तुम्हारी जान बचाने के लिए यहाँ पर नहीं आता –'

'प्रोफ़ेसर ल्यूपिन मुझे इस साल सैकड़ों बार मार सकते थे,' हैरी ने कहा। 'जब मैंने दमपिशाचों से रक्षा का मंत्र सीखा था, तो मैं उनके साथ कई बार अकेला था। अगर वे ब्लैक की मदद कर रहे थे, तो उन्होंने मुझे तभी क्यों नहीं मार डाला ?'

'मुझे क्या पता कि नरभेड़िए का दिमाग़ किस तरह सोचता है,' स्नेप ने ग़ुस्से से कहा। 'रास्ते से हट जाओ, पॉटर।'

'आप पागल हो चुके हैं!' हैरी चीख़ा। **'उन्होंने स्कूल में आपके साथ मज़ाक़ किया था, इसलिए आप कुछ सुनने को ही तैयार नहीं हैं –'**

'चुप रहो! मैं इस तरह की बातें नहीं सुनूँगा!' स्नेप चीख़े और पहले से कहीं ज़्यादा पागल दिखने लगे। 'पॉटर, जैसा बाप, वैसा बेटा! मैंने अभी-अभी तुम्हारी जान बचाई है। तुम्हें तो घुटनों के बल बैठकर मुझे धन्यवाद देना चाहिए। तुम इसी क़ाबिल थे कि वह तुम्हें मार देता! तुम भी अपने पिता की तरह मरते। तुम्हारी तरह उन्होंने भी ब्लैक पर भरोसा किया था। तुम भी इसी अकड़ में मरते

कि ब्लैक पर शक करना ग़लत है। अब रास्ते से हट जाओ, वरना मैं तुम्हें *ज़बर्दस्ती रास्ते से हटा दूँगा*। **रास्ते से हट जाओ, पॉटर!'**

हैरी ने एक पल में ही फ़ैसला कर लिया। स्नेप उसकी तरफ़ एक भी क़दम आगे बढ़ा पाएँ, इससे पहले ही उसने अपनी छड़ी उठा ली।

'निरस्त्र भव!' वह चीख़ा – यह कहने वाली आवाज़ अकेले उसी की नहीं थी। एक विस्फोट हुआ, जिससे दरवाज़े की चूलें हिल गईं। स्नेप हवा में उड़ते हुए दीवार से जा टकराए। फिर वे फिसलकर फ़र्श पर गिरे और उनके बालों से ख़ून बहने लगा। वे बेहोश हो चुके थे।

हैरी ने आस-पास देखा। रॉन और हर्माइनी ने भी उसी समय स्नेप को निरस्त्र करने की कोशिश की थी। स्नेप की छड़ी हवा में उछली और बिस्तर पर क्रुकशैंक्स के पास जा गिरी।

'तुम्हें ऐसा नहीं करना चाहिए था,' ब्लैक ने हैरी को देखते हुए कहा। 'तुम्हें यह काम मुझ पर छोड़ देना चाहिए था ...'

हैरी ने ब्लैक से नज़रें नहीं मिलाईं। उसे अब भी यक़ीन नहीं था कि उसने सही काम किया था।

'हमने एक टीचर पर हमला किया ... हमने एक टीचर पर हमला किया ...' हर्माइनी ने कहा और बेहोश पड़े स्नेप को भय भरी आँखों से घूरती रही। 'ओह, हम बहुत मुश्किल में फँस जाएँगे –'

ल्यूपिन अपनी रस्सियाँ खोलने के लिए जूझ रहे थे। ब्लैक ने तुरंत नीचे झुककर उनकी रस्सियाँ खोल दीं। ल्यूपिन ने सीधे खड़े होकर अपनी बाँहें मलीं, जहाँ रस्सियों के कारण निशान बन गए थे।

'धन्यवाद हैरी,' वे बोले।

हैरी ने पलटकर जवाब दिया, 'इसका यह मतलब नहीं है कि मैंने आपकी बात पर विश्वास कर लिया है।'

'तब तो अब हमें तुम्हें सबूत देना ही होगा,' ब्लैक बोला। 'सुनो लड़के – पीटर को मुझे दो। अभी।'

रॉन ने स्कैबर्स को अपने सीने से चिपका लिया।

'छोड़ो भी,' उसने कमज़ोरी से कहा। 'क्या तुम यह कहने की कोशिश कर रहे हो कि तुम अज़्काबान से सिर्फ़ *स्कैबर्स* को पकड़ने के लिए भागे थे? मेरा मतलब है ...' उसने समर्थन की तलाश में हैरी और हर्माइनी की तरफ़ देखा। '*ठीक है*, यह मान लिया कि पेटिग्रू चूहे में बदल सकता है – दुनिया में लाखों चूहे हैं – ब्लैक को अज़्काबान की क़ैद में यह कैसे पता चला कि स्कैबर्स ही पेटिग्रू

था ?'

'यह उचित सवाल है, सिरियस,' ल्यूपिन ने ब्लैक की तरफ़ मुड़कर कहा और उनकी भौंह थोड़ी तन गई। 'तुम्हें यह कैसे पता लगा कि पेटिग्रू कहाँ है ?'

ब्लैक ने अपने दुशाले के भीतर अपना पंजे जैसा हाथ डालकर एक दबा-कुचला काग़ज़ बाहर निकाला, जिसे उसने हाथ फिराकर ठीक किया और दूसरों को दिखाया।

यह रॉन और उसके परिवार की तस्वीर थी, जो पिछली गर्मी में *दैनिक जादूगर* में छपी थी। इस तस्वीर में स्कैबर्स रॉन के कंधे पर बैठा हुआ था।

ल्यूपिन ने हैरान होकर ब्लैक से पूछा, 'तुम्हें यह कैसे मिला ?'

'फ़ज से,' ब्लैक ने कहा। 'जब वे पिछले साल अज़्काबान का निरीक्षण करने आए थे, तो मैंने उनसे अख़बार माँग लिया था। और उसमें पहले पेज पर पीटर था... इस लड़के के कंधे पर बैठा हुआ... मैं उसे देखते ही तत्काल पहचान गया... मैंने उसे बहुत बार रूप बदलते देखा था! और तस्वीर के साथ यह भी लिखा था कि वह लड़का हॉगवर्ट्स जाने वाला है... जहाँ हैरी पढ़ता था...'

'हे भगवान,' ल्यूपिन ने धीमे से कहा। वे कभी स्कैबर्स को, तो कभी अख़बार की तस्वीर को घूरते रहे। 'उसका अगला पंजा...'

'उसके अगले पंजे में क्या ख़ास बात है ?' रॉन ने ग़ुस्से में पूछा।

ब्लैक बोला, 'उसकी एक उँगली ग़ायब है।'

'ज़ाहिर है,' ल्यूपिन ने कहा, 'बहुत आसान... बहुत *बढ़िया*... उसने ख़ुद यह किया था ?'

'रूप बदलने के ठीक पहले,' ब्लैक ने कहा। 'जब मैंने उसे घेर लिया, तो उसने पूरी सड़क को सुनाते हुए चिल्ला-चिल्लाकर कहा कि मैंने लिली और जेम्स को धोखा दिया था। फिर, इससे पहले कि मैं उसे शाप दे पाऊँ, उसने कमर के पीछे से छड़ी पकड़कर सड़क पर विस्फोट कर दिया और बीस फ़ुट के दायरे में मौज़ूद हर व्यक्ति को मार डाला – इसके बाद वह सीवर लाइन में बाक़ी चूहों के साथ रहने चला गया ...'

'क्या तुमने कभी नहीं सुना, रॉन ?' ल्यूपिन ने कहा। 'पीटर के शरीर का जो सबसे बड़ा हिस्सा मिला, वह उसकी उँगली थी।'

'देखिए, शायद स्कैबर्स की किसी और चूहे से लड़ाई हुई होगी! वह मेरे परिवार में बरसों से है –'

'वास्तव में, बारह साल से,' ल्यूपिन ने कहा। 'क्या तुमने कभी यह नहीं सोचा कि वह इतने लंबे समय तक ज़िंदा कैसे रहा ?'

रॉन बोला, 'हम – हम उसकी अच्छी देखभाल कर रहे थे!'

'लेकिन इस समय तो उसकी हालत अच्छी नहीं लग रही है, है ना?' ल्यूपिन ने कहा। 'मुझे लगता है, जब से उसने सुना है कि सिरियस अज़्काबान से भाग गया है, तभी से उसका वज़न कम हो रहा है...'

'वह उस पागल बिल्ली से डरा हुआ है!' रॉन ने क्रुकशैंक्स की तरफ़ इशारा किया, जो अब भी बिस्तर पर बैठी थी।

लेकिन यह सही नहीं था, हैरी ने अचानक सोचा... स्कैबर्स क्रुकशैंक्स के आने से पहले से ही बीमार दिख रहा था... रॉन के मिस्र से लौटने के समय से ... तब से जब ब्लैक भागा था...

'यह बिल्ली पागल नहीं है,' ब्लैक ने भर्राई आवाज़ में कहा। उसने अपना दुबला हाथ बढ़ाकर क्रुकशैंक्स के सिर पर हाथ फिराया। 'यह बहुत समझदार बिल्ली है। इसने तत्काल पीटर की असलियत जान ली। और जब यह मुझसे मिली, तो इसने तत्काल समझ लिया कि मैं कुत्ता नहीं हूँ। हालाँकि इसे मुझ पर भरोसा करने में कुछ समय लगा। आख़िरकार, मैंने इसे यह बता दिया कि मैं किसके पीछे पड़ा हूँ तो यह मेरी मदद करने लगी ...'

'तुम्हारा क्या मतलब है?' हर्माइनी बोली।

'इसने पीटर को पकड़कर मेरे पास लाने की कोशिश की, लेकिन इसे सफलता नहीं मिली ... इसलिए इसने गरुड़द्वार हाउस के पासवर्ड वाला काग़ज़ चुराकर मुझे दे दिया ... जहाँ तक मैं जानता हूँ, यह बिल्ली उस काग़ज़ को किसी लड़के के बिस्तर के पास रखी टेबल से उठाकर लाई थी ...'

हैरी का दिमाग़ अब इन बातों के वज़न को नहीं झेल पा रहा था। यह सब मूर्खतापूर्ण था ... और इसके बावज़ूद ...

'लेकिन पीटर को इस बारे में शक हो गया और वह भाग खड़ा हुआ... इस बिल्ली ने – तुमने इसका नाम क्रुकशैंक्स रखा है? – मुझे बताया कि पीटर चादर पर ख़ून का निशान छोड़ गया है... मुझे लगता है, उसने ख़ुद को काट लिया होगा... अपनी मौत का वह एक बार पहले भी सफल नाटक कर चुका था...'

यह सुनकर हैरी होश में आ गया।

'और उसने अपनी मौत का नाटक क्यों किया?' उसने ग़ुस्से से कहा। 'क्योंकि वह जानता था कि तुम उसे उसी तरह मारने वाले हो, जिस तरह तुमने मेरे माता-पिता को मारा था!'

'नहीं,' ल्यूपिन ने कहा। 'हैरी –'

'और अब तुम उसे मारने आए हो!'

'हाँ, मैं इसीलिए आया हूँ,' ब्लैक ने स्कैबर्स को निर्मम निगाह से देखते हुए कहा।

'तब तो मुझे तुम्हें स्नेप से नहीं बचाना चाहिए था!' हैरी चिल्लाया।

'हैरी,' ल्यूपिन ने जल्दी से कहा। 'क्या तुम्हारी समझ में नहीं आया ? पूरे समय हम यही सोच रहे थे कि सिरियस ने तुम्हारे माता-पिता को धोखा दिया था और पीटर ने उसे घेर लिया था – लेकिन सच्चाई इसके विपरीत थी। क्या तुम्हें यह दिखाई नहीं दे रहा है ? पीटर ने तुम्हारे माता-पिता को धोखा दिया था – सिरियस ने *पीटर* को घेरा था –'

'यह सही नहीं है!' हैरी चीख़ा। **'वह उनका रहस्य-रक्षक था! उसने आपके आने से पहले ही कहा था कि उसने उनकी हत्या की थी!'**

वह ब्लैक की तरफ़ इशारा कर रहा था, जिसने अपना सिर धीरे-धीरे हिलाया। उसकी धँसी आँखें अचानक चमकने लगीं।

'हैरी ... एक तरह से मैंने ही उन्हें मारा था,' उसने फटी आवाज़ में कहा। 'मैंने ही आख़िरी पल लिली और जेम्स को यह सुझाव दिया था कि वे पीटर को अपना रहस्य-रक्षक बना लें ... मैं जानता हूँ कि दोष मेरा ही है ... जिस रात को उनकी मौत हुई, उस रात को मैं पीटर को देखने गया था कि वह सुरक्षित तो था। लेकिन जब मैं उसके छिपने की जगह पर पहुँचा, तो वह वहाँ नहीं मिला। और वहाँ पर किसी तरह के संघर्ष का भी कोई निशान नहीं था। मुझे कुछ गड़बड़ लगी। मैं डर गया और सीधे तुम्हारे माता-पिता के घर की तरफ़ रवाना हो गया। वहाँ जब मैंने उनका तबाह मकान और उनके मुर्दा शरीर देखे – तो मैं समझ गया कि पीटर ने क्या किया होगा और मुझसे अनजाने में कितनी बड़ी ग़लती हो गई थी।'

उसकी आवाज़ टूट गई। वह पीछे पलट गया।

'काफ़ी हो चुका,' ल्यूपिन बोले और अब उनकी आवाज़ में इतनी दृढ़ता थी, जो हैरी ने पहले कभी नहीं सुनी थी। 'सचमुच क्या हुआ था, यह साबित करने का सिर्फ़ एक ही तरीक़ा है। रॉन, *मुझे वह चूहा दे दो।*'

रॉन ने तनाव भरी आवाज़ में ल्यूपिन से पूछा, 'अगर मैं आपको चूहा दे दूँगा, तो आप उसके साथ क्या करेंगे ?'

'उसे उसके असली रूप में आने के लिए मजबूर करेंगे,' ल्यूपिन ने कहा। 'अगर वह सचमुच चूहा है, तो उसे कोई नुक़सान नहीं होगा।'

रॉन ने झिझकते हुए आख़िरकार स्कैबर्स को ल्यूपिन के हवाले कर दिया।

स्कैबर्स बगैर रुके लगातार चीख़ने, छटपटाने और उछलने लगा। उसकी छोटी काली आँखें उसके सिर में घुसी जा रही थीं।

ल्यूपिन ने पूछा, 'तैयार, सिरियस ?'

ब्लैक पहले ही बिस्तर से स्नेप की छड़ी उठा चुका था। जब वह ल्यूपिन और छटपटाते चूहे के पास आया, तो उसकी गीली आँखों में शोले भड़क रहे थे।

उसने धीमे से पूछा, 'एक साथ ?'

'हाँ,' ल्यूपिन ने कहा। उन्होंने एक हाथ में स्कैबर्स को कसकर पकड़ रखा था और दूसरे हाथ में छड़ी को। 'तीन की आवाज़ पर। एक - दो - **तीन!**'

दोनों छड़ियों से नीली-सफ़ेद रोशनी बाहर निकली। एक पल के लिए स्कैबर्स हवा में झूलता रहा। फिर उसका छोटा काला शरीर तेज़ी से फैलने लगा। जब चूहा गिरकर फ़र्श से टकराया, तो रॉन की चीख़ निकल गई। एक बार फिर चौंधियाने वाली रोशनी हुई और फिर -

यह किसी बढ़ते हुए पेड़ की तेज़ी से चलती फ़िल्म को देखने की तरह था। ज़मीन से एक सिर तेज़ी से ऊपर की तरफ़ उग रहा था और अंग शाखाओं की तरह निकल रहे थे। अगले ही पल स्कैबर्स की जगह पर एक आदमी अपने हाथ मलते हुए और सिर झुकाए खड़ा था। क्रुकशैंक्स बिस्तर पर थूक उड़ाती हुई गुर्राने लगी। उसकी पीठ के बाल खड़े हो गए थे।

वह आदमी नाटा था। वह हैरी और हर्माइनी जितना ही लंबा होगा। उसके पतले, रंगहीन बाल बिखरे हुए थे और उसके सिर पर बड़ी सी चाँद थी। उसे देखकर ऐसा लगता था जैसे किसी मोटे आदमी का वज़न बहुत कम समय में बहुत ज़्यादा कम हो गया हो। उसकी चमड़ी स्कैबर्स की खाल की तरह ही गंदी दिख रही थी। उसकी नुकीली नाक और बहुत छोटी पनीली आँखों में भी चूहे की झलक थी। उसने चारों तरफ़ नज़रें दौड़ा उन सबकी ओर देखा। उसकी साँस तेज़ी से चल रही थी। हैरी ने देखा कि उसकी नज़रें बार-बार दरवाज़े की तरफ़ जा रही थीं।

'हैलो पीटर,' ल्यूपिन ने ऐसे ख़ुशनुमा अंदाज़ में कहा, जैसे उन्हें चूहों को पुराने दोस्तों में बदलते देखने की आदत हो। 'तुम्हें देखे हुए काफ़ी समय हो गया।'

सि-सिरियस ... री ... रीमस ...' पेटिग्रू की आवाज़ भी चूहे की चिंचियाहट जैसी थी। एक बार फिर, उसकी निगाह दरवाज़े तक गई। 'मेरे दोस्तो ... मेरे पुराने दोस्तो...'

ब्लैक का छड़ी वाला हाथ उठा, लेकिन ल्यूपिन ने चेतावनी भरे अंदाज़ में देखते हुए उसकी कलाई पकड़ ली। फिर ल्यूपिन पेटिग्रू की तरफ़ मुड़े। उनकी

आवाज़ धीमी और सहज थी।

'पीटर, हम लोग इस बारे में बातें कर रहे थे कि जिस रात को लिली और जेम्स की मौत हुई थी, उस रात को क्या हुआ था। जब हम यह बात कर रहे थे तब तुम बिस्तर पर चिंचिया रहे थे, इसलिए शायद तुमने कुछ बातें नहीं सुनी होंगी –'

'रीमस,' पेटिग्रू ने हाँफते हुए कहा। हैरी को साफ़ नज़र आ रहा था कि उसके पीले चेहरे पर पसीने की बूँदें छलछला आई थीं, 'तुम्हें उसकी बात पर यक़ीन तो नहीं है ... उसने मुझे मारने की कोशिश की थी, रीमस ...'

'यह हम सुन चुके हैं,' ल्यूपिन बहुत ठंडेपन से बोले। 'मैं तुम्हारे साथ एक-दो गुत्थियाँ सुलझाना चाहता हूँ पीटर, अगर तुम –'

'वह दोबारा मुझे मारने आया है!' पेटिग्रू अचानक ब्लैक की तरफ़ इशारा करते हुए चीख़ा। हैरी ने देखा कि उसने इसके लिए अपनी बीच की उँगली का इस्तेमाल किया, क्योंकि उसकी तर्जनी ग़ायब थी। 'उसने लिली और जेम्स को मार डाला है, और अब वह मुझे भी मारना चाहता है... मुझे बचा लो, रीमस...'

जब ब्लैक ने अपनी धंसी हुई आँखों से पेटिग्रू को घूरकर देखा, तो ब्लैक का चेहरा कंकाल जैसा दिखने लगा।

ल्यूपिन ने कहा, 'जब तक सारी बातें साफ़ नहीं हो जातीं, तब तक कोई भी तुम्हें नहीं मारेगा।'

'साफ़ नहीं हो जातीं ?' पेटिग्रू चीख़ा और एक बार फिर बौखलाकर चारों तरफ़ देखने लगा। उसकी आँखें बंद खिड़कियों पर और दरवाज़े पर गईं। 'मैं जानता था कि वह मेरे पीछे ज़रूर आएगा! मैं जानता था कि वह मेरे पीछे ज़रूर आएगा! मैं बारह साल से इस बात का इंतज़ार कर रहा हूँ!'

'तुम जानते थे कि सिरियस अज़्काबान से भागने वाला है ?' ल्यूपिन ने भौंहें उठाते हुए पूछा। 'जबकि वहाँ से पहले कभी कोई नहीं भाग पाया था ?'

'उसके पास ऐसी शैतानी ताक़तें हैं, जिनकी हम लोग कल्पना भी नहीं कर सकते!' पेटिग्रू तीखी आवाज़ में बोला। 'वरना वह वहाँ से कैसे भाग सकता था ? मुझे लगता है तुम-जानते-हो-कौन ने उसे कुछ चालें सिखा दी होंगी!'

ब्लैक हँसने लगा। उसकी भयंकर सूखी हँसी पूरे कमरे में भर गई।

उसने कहा, 'वोल्डेमॉर्ट मुझे चालें सिखाएगा ?'

पेटिग्रू वोल्डेमॉर्ट का नाम सुनकर इस तरह काँपा, जैसे ब्लैक ने उसे कोड़ा मार दिया हो।

'क्या, अपने पुराने मालिक का नाम सुनकर डर गए?' ब्लैक बोला। 'मैं तुम्हें दोष नहीं देता हूँ, पीटर। उसके साथी तुमसे ख़ुश नहीं हैं, है ना?'

'पता नहीं – तुम्हारा क्या मतलब है, सिरियस –' पेटिग्रू बुदबुदाया। अब उसकी साँस ज़्यादा तेज़ी से चलने लगी थी। उसका पूरा चेहरा अब पसीने में नहा गया था।

'तुम बारह साल तक *मुझसे* नहीं, वोल्डेमॉर्ट के साथियों से छिप रहे थे,' ब्लैक बोला। 'मैंने अज़्काबान में बहुत सी बातें सुनी हैं, पीटर ... सब यही सोचते हैं कि तुम मर चुके हो, वरना तुम्हें उनके सवालों का जवाब देना पड़ता ... मैंने सुना है कि वे अपनी नींद में हर तरह की बातें चीख़-चीख़ कर कह रहे थे। उन्हें लगता है कि तुमने लिली और जेम्स के साथ तो गद्दारी की ही थी, साथ ही वोल्डेमॉर्ट से भी गद्दारी कर दी थी। वोल्डेमॉर्ट तुम्हारी ख़बर पर पॉटर दंपति को मारने गया था ... और वहाँ पर वोल्डेमॉर्ट की हार हो गई। वोल्डेमॉर्ट के सभी साथी अज़्काबान में क़ैद नहीं हैं, है ना? उसके बहुत से साथी आज भी खुले घूम रहे हैं और यह नाटक कर रहे हैं कि उन्हें अपनी ग़लतियों पर अफ़सोस है ... अगर उन्हें यह भनक मिल गई कि तुम अब भी ज़िंदा हो, पीटर –'

'नहीं जानता ... कि तुम किस बारे में बोल रहे हो ...' पेटिग्रू ने और तीखी आवाज़ में कहा। उसने अपनी आस्तीन से चेहरा पोंछकर ल्यूपिन को देखा। 'तुम तो यह नहीं मानते हो – यह पागलपन भरी बात, रीमस –'

'पीटर, मुझे यह समझ में नहीं आ रहा है कि कोई बेक़सूर आदमी बारह साल तक चूहे के रूप में क्यों रहना चाहेगा,' ल्यूपिन ने आराम से कहा।

'बेक़सूर, लेकिन डरा हुआ!' पेटिग्रू चिंचियाया। 'अगर वोल्डेमॉर्ट के साथी मेरे पीछे थे, तो ऐसा इसलिए था, क्योंकि मैंने उसके एक ख़ास आदमी को अज़्काबान भिजवा दिया था – उसका जासूस, सिरियस ब्लैक!'

ब्लैक का चेहरा सिकुड़ गया।

'तुम्हारी हिम्मत कैसे हुई,' वह गरजा। उसकी गुर्राहट भालू के आकार के उस कुत्ते की तरह थी, जिसमें वह रूप बदल लेता था। 'मैं और वोल्डेमॉर्ट का जासूस? मैं कब अपने से ज़्यादा ताक़तवर लोगों के आस-पास रहता था? लेकिन तुम, पीटर – मैं यह कभी नहीं समझ पाऊँगा कि मैंने तुम्हें शुरू से ही जासूस क्यों नहीं माना। तुम हमेशा बड़े दोस्तों को पसंद करते थे, जो तुम्हारी रक्षा कर सकें, है ना? पहले हम थे ... मैं और रीमस ... और जेम्स ...'

पेटिग्रू ने अपना चेहरा एक बार फिर पोंछा। वह अब लगभग हाँफ रहा था। 'मैं और जासूस ... तुम्हारा दिमाग़ फिर गया है ... कभी नहीं ... मैं नहीं जानता कि तुम इस तरह की बात कैसे कह सकते –'

'लिली और जेम्स ने तुम्हें अपना रहस्य-रक्षक सिर्फ़ मेरे सुझाव पर बनाया था,' ब्लैक इतनी ज़हरीली आवाज़ में फुसफुसाया कि पेटिग्रू एक क़दम पीछे हट गया। 'मैंने सोचा था कि यह आदर्श योजना थी... एक बढ़िया चाल ... वोल्डेमॉर्ट यक़ीनन मेरे पीछे आएगा। वह सपने में भी नहीं सोच सकता था कि वे तुम जैसे कमज़ोर, प्रतिभाहीन जादूगर का इस्तेमाल करेंगे... वह तुम्हारी ज़िंदगी का सबसे अच्छा पल रहा होगा, वोल्डेमॉर्ट को यह बताना कि तुम पॉटर दंपति को उसके हवाले कर दोगे।'

पेटिग्रू अब अनाप-शनाप बुदबुदा रहा था। हैरी ने 'कल्पना की उड़ान' और 'पागलपन' जैसे शब्द सुने, लेकिन उसे साफ़ दिख रहा था कि पेटिग्रू के चेहरे का रंग उड़ गया था और वह बार-बार खिड़कियों तथा दरवाज़े को देख रहा था।

'प्रोफ़ेसर ल्यूपिन ?' हर्माइनी ने सकुचाते हुए कहा। 'क्या – क्या मैं कुछ पूछ सकती हूँ ?'

'हाँ हर्माइनी,' ल्यूपिन ने मुस्कराते हुए कहा।

'स्कैबर्स – मेरा मतलब है यह – यह आदमी – हैरी के कमरे में तीन साल से सो रहा है। अगर यह तुम-जानते-हो-कौन के लिए काम कर रहा है, तो उसने हैरी को नुक़सान पहुँचाने की कोशिश क्यों नहीं की ?'

'बहुत बढ़िया सवाल!' पेटिग्रू ने तीखी आवाज़ में हर्माइनी की तरफ़ हाथ उठाकर कहा। 'धन्यवाद! देखा रीमस ? मैंने हैरी के सिर के एक बाल तक को नुक़सान नहीं पहुँचाया! मैं ऐसा क्यों करूँगा ?'

'मैं तुम्हें इसका कारण बताता हूँ,' ब्लैक बोला। 'क्योंकि तुमने कभी किसी के लिए ऐसा कोई काम नहीं किया, जिसमें तुम्हें अपना फ़ायदा न दिखे। वोल्डेमॉर्ट बारह साल से छिपा हुआ है। लोग कहते हैं कि वह मुश्किल से ज़िंदा है। तुम किसी ऐसे जादूगर के लिए एल्बस डम्बलडोर की नाक के नीचे ख़ून नहीं करोगे, जिसने अपनी सारी शक्तियाँ खो दी हैं, है ना ? जब तुम्हें यह विश्वास हो जाता कि वह दोबारा ताक़तवर बन चुका है, तब तुम उसके पास लौटकर जाते, है ना ? वरना तुम रहने के लिए जादूगर परिवार को ही क्यों चुनते ? तुम ख़बरों की जानकारी रखना चाहते थे, है ना पीटर ? ताकि अगर तुम्हारा पुराना मालिक फिर से ताक़तवर बन जाए, तो तुम्हारे लिए उसके दल में फिर से शामिल होना सुरक्षित रहे ...'

पेटिग्रू ने कई बार अपना मुँह खोला और बंद किया। ऐसा लगता था कि उसकी बोलने की शक्ति चली गई थी।

'मिस्टर ब्लैक – सिरियस ?' हर्माइनी ने संकोच से कहा।

ब्लैक इस तरह का संबोधन सुनकर उछल पड़ा। वह हर्माइनी को घूरने लगा, क्योंकि काफ़ी लंबे समय से किसी ने उससे इतनी विनम्रता से बात नहीं की थी।

'अगर आप बुरा न मानें, तो मैं यह पूछना चाहती हूँ कि काले जादू का इस्तेमाल किए बिना आप अज़्काबान से बाहर कैसे निकले ?'

'धन्यवाद!' पेटिग्रू ने आह भरते हुए और उसकी तरफ़ तेज़ी से सिर हिलाते हुए कहा। 'बिलकुल! मैं भी यही पूछना –'

लेकिन ल्यूपिन ने उसे चुप रहने का इशारा किया। ब्लैक हर्माइनी को थोड़ा घूर रहा था, लेकिन वह उससे नाराज़ नहीं लग रहा था। वह तो सोच रहा था कि इस सवाल का जवाब कैसे दिया जाए।

उसने धीमे से कहा, 'मैं नहीं जानता कि मैंने ऐसा कैसे किया। मुझे लगता है कि मैंने अपना दिमागी संतुलन सिर्फ़ इसलिए नहीं खोया, क्योंकि मैं जानता था कि मैं बेक़सूर हूँ। यह एक सुखद विचार नहीं था, इसलिए दमपिशाच इसे चूस नहीं सकते थे... लेकिन इस विचार ने मुझे होशोहवास में रखा। मैं कौन हूँ, यह जानने के कारण... मुझे अपनी शक्तियों को क़ायम रखने में मदद मिली... इसलिए जब मुझसे सहन नहीं होता था... तो मैं अपनी कालकोठरी में रूप बदल लेता था... और कुत्ता बन जाता था। तुमको पता है, दमपिशाच देख नहीं सकते हैं...' उसने थूक निगला। 'वे लोगों की भावनाओं को महसूस करके उनकी तरफ़ जाते हैं ... कुत्ते के रूप में मेरी भावनाएँ कम मानवीय और जटिल थीं... लेकिन ज़ाहिर है, उन्होंने यह सोचा कि वहाँ के हर क़ैदी की तरह मैं भी अपना मानसिक संतुलन खो रहा हूँ, इसलिए वे इस बात से परेशान नहीं हुए। परंतु मैं बहुत कमज़ोर था और बिना छड़ी के उनसे बच निकलने की कोई उम्मीद नहीं थी...'

'लेकिन फिर मैंने उस तस्वीर में पीटर को देखा ... मुझे यह एहसास हुआ कि वह हॉगवर्ट्स में हैरी के साथ था ... अगर उसने ज़रा सी भी ख़बर सुन ली कि शैतानी जादूगर दोबारा ताक़तवर बन रहे हैं, तो वह क़दम उठाने के लिए आदर्श स्थिति में था ...'

पेटिग्रू बिना आवाज़ किए अपना सिर हिला रहा था, लेकिन पूरे समय ब्लैक की तरफ़ मंत्रमुग्ध होकर देख रहा था।

'... अगर उसे वोल्डेमॉर्ट की वापसी का यक़ीन हो जाता, तो वह तत्काल क़दम उठा सकता था ... उन्हें आख़िरी पॉटर दे सकता था। अगर वह हैरी को उनके हवाले कर देता, तो कौन यह कहने की हिम्मत कर सकता था कि उसने लॉर्ड वोल्डेमॉर्ट को धोखा दिया ? उसे तो सम्मान के साथ दल में शामिल कर लिया जाता...'

'तो इस वजह से मुझे कुछ करना था। एक मैं ही था, जो यह बात जानता था कि पीटर अब भी ज़िंदा था ...'

हैरी को याद आया कि मिस्टर वीज़्ली ने अपनी पत्नी से कहा था, 'पहरेदार कहते हैं कि वह अपनी नींद में बड़बड़ाता था ... हमेशा एक ही वाक्य बोलता था ... *"वह हॉगवर्ट्स में है।"*'

ब्लैक ने आगे कहा, 'ऐसा लगा, जैसे किसी ने मेरे सिर में आग लगा दी हो। दमपिशाच इसे नष्ट नहीं कर सकते थे ... यह सुखद भावना नहीं थी ... यह तो एक जुनून था ... लेकिन इसने मुझे शक्ति दी, इसने मेरे दिमाग़ को स्पष्ट किया। और एक रात को जब उन्होंने मुझे भोजन देने के लिए मेरी कालकोठरी का दरवाज़ा खोला, तो मैं कुत्ते के रूप में निकल भागा ... जानवरों की भावनाओं को महसूस करने में उन्हें दिक़्क़त होती है, इसलिए वे दुविधा में पड़ गए ... मैं दुबला था, बहुत दुबला ... इतना दुबला कि छड़ों के बीच से निकल गया ... मैं कुत्ते के रूप में तैरकर धरती तक पहुँचा ... मैंने उत्तर दिशा में यात्रा की और कुत्ते के रूप में हॉगवर्ट्स के मैदान में प्रवेश किया ... तब से मैं इसी जंगल में रह रहा हूँ, सिवाय उस समय के, जब मैं क्विडिच का मैच देखने गया था ... हैरी, तुम भी अपने पिता की तरह ही बढ़िया खिलाड़ी हो ...'

उसने हैरी की तरफ़ देखा। इस बार हैरी ने नज़रें नहीं चुराईं।

'मेरा यक़ीन करो,' ब्लैक ने कहा। 'मेरा यक़ीन करो। मैंने जेम्स और लिली को कभी धोखा नहीं दिया। उन्हें धोखा देने से पहले मैं मर जाना पसंद करता।'

और अंत में, हैरी ने उस पर यक़ीन कर लिया। हैरी का गला रुँधा हुआ था, इसलिए उसने सिर हिलाकर इशारे से बता दिया।

'नहीं!'

पेटिग्रू अपने घुटनों के बल बैठ गया, जैसे हैरी के हाँ कहने का मतलब यह हो कि उसे मौत की सज़ा सुना दी गई हो। वह अपने घुटनों के बल इधर-उधर हिलता रहा। उसके हाथ उसके सामने इस तरह बँधे थे, जैसे वह प्रार्थना कर रहा हो।

'सिरियस – यह मैं हूँ ... पीटर ... तुम्हारा दोस्त ... तुम मुझे जान से नहीं...'

ब्लैक ने लात मारी और पेटिग्रू दूर हो गया।

'मेरे कपड़ों पर तुम्हारे छुए बिना भी बहुत सी गंदगी लगी है,' ब्लैक ने कहा।

'रीमस!' पेटिग्रू चिंचियाया और अब ल्यूपिन की तरफ़ मुड़कर आग्रह भरी नज़रों से देखने लगा। 'तुम्हें तो इस पर यक़ीन नहीं है ... अगर सिरियस योजना बदलता, तो क्या वह तुम्हें नहीं बताता?'

'नहीं बताता पीटर, अगर उसे यह शक होता कि मैं जासूस हो सकता हूँ,' ल्यूपिन ने कहा। 'मुझे लगता है कि इसीलिए तुमने मुझे नहीं बताया था, सिरियस?'

'मुझे माफ़ कर देना, रीमस,' ब्लैक बोला।

'बिलकुल नहीं पैडफ़ुट, पुराने दोस्त,' ल्यूपिन ने अपनी आस्तीनें चढ़ाते हुए कहा। 'और तुम भी मुझे माफ़ कर दो कि मैंने यह सोचा कि *तुम* जासूस थे?'

'क्यों नहीं,' ब्लैक बोला और उसके दुबले चेहरे पर हल्की सी मुस्कराहट तैरने लगी। वह भी अपनी आस्तीनें चढ़ाने लगा। 'क्या हम उसे एक साथ मारेंगे?'

'हाँ, मुझे लगता है यही ठीक रहेगा,' ल्यूपिन ने गंभीरता से कहा।

'तुम लोग ऐसा नहीं कर सकते... नहीं कर सकते...' पेटिग्रू ने साँस खींची। और वह उछलकर रॉन के पास पहुँच गया।

'रॉन ... क्या मैं अच्छा दोस्त नहीं था ... अच्छा पालतू जानवर नहीं था? तुम उन्हें मुझे मारने नहीं दोगे रॉन, है ना ... तुम मेरा पक्ष लोगे, है ना?'

लेकिन रॉन पेटिग्रू को बहुत नफ़रत से देख रहा था।

उसने कहा, 'मैंने तुम्हें अपने *बिस्तर* पर सोने दिया!'

'दयालु लड़के ... दयालु मालिक ...' पेटिग्रू रॉन की तरफ़ रेंगा, 'तुम उन्हें ऐसा नहीं करने दोगे ... मैं तुम्हारा चूहा था ... मैं एक अच्छा पालतू जानवर था ...'

'अगर तुम इंसान के बजाय चूहे के रूप में ज़्यादा अच्छे हो, तो यह कोई बहुत गर्व करने की बात नहीं है, पीटर,' ब्लैक ने रूखेपन से कहा।

रॉन का चेहरा अब भी दर्द से पीला पड़ा हुआ था। उसने अपना टूटा पैर पेटिग्रू की पहुँच से दूर हटा लिया। पेटिग्रू अपने घुटनों पर पलटा और आगे बढ़कर उसने हर्माइनी के दुशाले को पकड़ लिया।

'अच्छी लड़की ... होशियार लड़की ... तुम – तुम उन्हें ऐसा नहीं करने दोगी ... मेरी मदद करो ...'

हर्माइनी ने अपने दुशाले को पेटिग्रू के हाथ की पकड़ से छुड़ाया और पीछे हटकर दीवार से टिक गई। वह दहशत में लग रही थी।

पेटिग्रू घुटने के बल बैठ गया और बेक़ाबू होकर काँपने लगा। फिर उसने अपना सिर धीरे से हैरी की तरफ़ घुमाया।

'हैरी ... हैरी ... तुम बिलकुल अपने पिता की तरह दिखते हो ... बिलकुल अपने पिता की तरह ...'

'हैरी से बोलने की तुम्हारी हिम्मत कैसे हुई?' ब्लैक गरजा। **'उसका सामना करने की तुम्हारी हिम्मत कैसे हुई? उसके सामने जेम्स के बारे में बात करने की तुम्हारी हिम्मत कैसे हुई?'**

'हैरी,' पेटिग्रू फुसफुसाया और उसके सामने हाथ फैलाकर गिड़गिड़ाने लगा, 'हैरी, जेम्स मुझे मरने नहीं देता ... जेम्स समझ गया होता, हैरी ... वह मुझ पर ज़रूर दया दिखाता ...'

ब्लैक और ल्यूपिन दोनों ने आगे आकर पेटिग्रू के कंधे पकड़े और उसे फ़र्श पर पीछे धकेल दिया। वह दहशत से काँपता हुआ वहीं बैठा-बैठा उनकी तरफ़ घूरता रहा।

ब्लैक ने काँपते हुए कहा, 'क्या तुम इस बात से इंकार करते हो कि तुमने लिली और जेम्स को वोल्डेमॉर्ट के हाथों बेच दिया था।'

पेटिग्रू फूट-फूटकर रोने लगा। उसे देखना भयंकर था। वह बड़े आकार के गंजे बच्चे की तरह दिख रहा था, जो फ़र्श पर दहशत से काँप रहा था।

'सिरियस, सिरियस, मैं और कर भी क्या सकता था? तुम-जानते-हो-कौन बहुत शक्तिशाली था ... तुम जानते नहीं हो ... उसके पास ऐसे हथियार थे, जिनकी तुम कल्पना भी नहीं कर सकते ... मैं डरा हुआ था सिरियस। मैं कभी तुम्हारी, रीमस और जेम्स की तरह बहादुर नहीं था। मैं ऐसा कभी नहीं करना चाहता था ... तुम-जानते-हो-कौन ने मुझे मजबूर कर दिया था -'

'झूठ मत बोलो!' ब्लैक चीख़ा। **'तुम लिली और जेम्स की मौत के एक साल पहले से उसे खुफ़िया जानकारी दे रहे थे! तुम उसके जासूस थे!'**

'वह - वह हर जगह ताक़तवर बन रहा था और जीत रहा था!' पेटिग्रू ने हाँफते हुए कहा। 'उसका विरोध करके क्या फ़ायदा होता?'

'दुनिया के सबसे बुरे जादूगर का विरोध करके क्या फ़ायदा होता?' ब्लैक ने ग़ुस्से से कहा। 'बहुत सी मासूम जानें बच जातीं, पीटर!'

'तुम समझते नहीं हो!' पेटिग्रू घिघियाया। 'वह मुझे मार डालता, सिरियस!'

'तो तुम्हें मर जाना चाहिए था!' ब्लैक गरजा। **'अपने दोस्तों के साथ गद्दारी करने के बजाय मरना ज़्यादा अच्छा होता, जैसा हम तुम्हारे लिए**

करते!'

ब्लैक और ल्यूपिन कंधे से कंधा मिलाकर छड़ियाँ उठाए खड़े थे।

ल्यूपिन ने धीरे से कहा, 'तुम्हें यह एहसास होना चाहिए था कि अगर वोल्डेमॉर्ट तुम्हें नहीं मारेगा, तो हम मार डालेंगे। अलविदा, पीटर।'

हर्माइनी ने अपने हाथ अपने चेहरे पर ढँक लिए और दीवार की तरफ़ मुँह फेर लिया।

'नहीं!' हैरी चीख़ा। वह दौड़ता हुआ आगे आया और पेटिग्रू के सामने खड़ा हो गया। अब छड़ियाँ उसकी तरफ़ तनी थीं। उसने हाँफते हुए कहा, 'आप उसे नहीं मार सकते। आप ऐसा नहीं कर सकते।'

ब्लैक और ल्यूपिन दोनों ही हैरान रह गए।

'हैरी, इस घटिया जानवर के कारण ही आज तुम्हारे माता-पिता ज़िंदा नहीं हैं,' ब्लैक गुर्राया। 'यह गंदा आदमी तुम्हें भी मौत के घाट उतरवा देता और इसके चेहरे पर शिकन भी नहीं आती। तुमने उसकी बात सुन ली है। उसके लिए उसकी बदबूदार चमड़ी तुम्हारे पूरे परिवार से ज़्यादा महत्वपूर्ण थी।'

'मैं जानता हूँ,' हैरी बोला। 'हम उसे महल में ले चलेंगे। हम उसे दमपिशाचों के हवाले कर देंगे। उसे अज़्काबान भेज देंगे ... लेकिन उसे मत मारो।'

'हैरी!' पेटिग्रू हाँफते हुए चिल्लाया और उसने हैरी के घुटने पकड़ लिए। 'धन्यवाद – मैं इस क़ाबिल नहीं था – धन्यवाद –'

'मेरे पास से दूर हटो,' हैरी थूक उड़ाते हुए बोला और उसने पेटिग्रू के हाथ नफ़रत से दूर झटक दिए। 'मैं यह तुम्हारे लिए नहीं कर रहा हूँ। मैं ऐसा सिर्फ़ इसलिए कर रहा हूँ क्योंकि मुझे लगता है, मेरे डैडी यह कभी नहीं चाहते कि उनके सबसे अच्छे दोस्त – सिर्फ़ तुम्हारे कारण ख़ूनी बनें।'

कोई भी नहीं हिला और न ही किसी की भी आवाज़ निकली, सिवाय पेटिग्रू के, जिसकी साँस अब झटकों में आ-जा रही थी। वह अपने सीने को पकड़कर बैठा था। ब्लैक और ल्यूपिन ने एक-दूसरे की तरफ़ देखा और उन्होंने एक झटके से अपनी छड़ियाँ नीचे कर लीं।

'हैरी, तुम्हीं को यह फ़ैसला करने का हक़ है,' ब्लैक ने कहा। 'लेकिन सोचो ... सोचो तो सही कि उसने कितना बड़ा पाप किया था ...'

'उसे अज़्काबान भेज देंगे,' हैरी ने दोहराया। 'वह इसी क़ाबिल है ...'

पेटिग्रू अब भी उसके पीछे घरघराते हुए साँस ले रहा था।

'ठीक है,' ल्यूपिन ने कहा। 'एक तरफ़ हट जाओ, हैरी।'

हैरी झिझका।

'मैं उसे रस्सियों से बाँध रहा हूँ,' ल्यूपिन ने कहा। 'मैं क़सम खाता हूँ कि मैं इससे ज़्यादा कुछ नहीं करूँगा।'

हैरी रास्ते से हट गया। इस बार ल्यूपिन की छड़ी से पतली रस्सियाँ निकलीं और अगले ही पल पेटिग्रू फ़र्श पर बँधा पड़ा था। उसके मुँह पर भी रस्सी बँध गई थी।

'लेकिन पीटर, कान खोलकर सुन लो, अगर तुमने रूप बदलने की कोशिश की,' ब्लैक अपनी छड़ी पेटिग्रू की तरफ़ करते हुए गुर्राया, 'तो हम तुम्हें मार डालेंगे। ठीक है, हैरी?'

हैरी ने फ़र्श पर पड़ी लाचार आकृति को देखा और सिर हिलाया, ताकि पेटिग्रू उसे ऐसा करते देख ले।

'ठीक है,' ल्यूपिन ने अचानक सामान्य अंदाज़ में कहा। 'रॉन, मैं तुम्हारी हड्डियों को उतनी अच्छी तरह नहीं जोड़ सकता, जितनी अच्छी तरह मैडम पॉमफ्री जोड़ सकती हैं, इसलिए मैं समझता हूँ सबसे अच्छा यही रहेगा कि अस्पताल पहुँचने तक मैं तुम्हारे पैर पर पट्टी बाँध दूँ।'

वे रॉन के पैर को अपनी छड़ी से थपथपाकर बुदबुदाए, *'पट्टिकाबंधन।'* पट्टियाँ रॉन के पैर पर कसकर बँध गईं। ल्यूपिन ने खड़े होने में उसकी मदद की। रॉन ने अपने वज़न को उस पैर पर आहिस्ता से रखा और उसके मुँह से आह नहीं निकली।

'यह बहुत अच्छा है,' उसने कहा। 'धन्यवाद।'

'प्रोफ़ेसर स्नेप का क्या करेंगे?' हर्माइनी ने धीमे स्वर में कहा और स्नेप के लेटे हुए शरीर की तरफ़ इशारा किया।

'उनके साथ कोई गंभीर गड़बड़ी नहीं है,' ल्यूपिन ने स्नेप पर झुकते हुए और उनकी नब्ज़ देखते हुए कहा। 'तुम लोग थोड़े ज़्यादा उत्साहित हो गए थे। अब भी उनका शरीर ठंडा है। शायद सबसे अच्छा यही रहेगा कि हम उन्हें तब तक होश में न लाएँ, जब तक कि हम महल में सुरक्षित न पहुँच जाएँ। हम उन्हें इस तरह ले जा सकते हैं ...'

वे बुदबुदाए, *'गतिमान भव।'* ऐसा लगा, जैसे अदृश्य धागे स्नेप की कलाइयों, गर्दन और घुटनों से बँध गए हों। वे खड़ी मुद्रा में आ गए, लेकिन उनका सिर किसी कठपुतली की तरह इधर से उधर हिल रहा था। वे ज़मीन से कुछ इंच ऊपर लटके हुए थे और उनके बेजान पैर लटक रहे थे। ल्यूपिन ने अदृश्य चोगा उठाया और उसे सुरक्षित अपनी जेब में रख लिया।

'और हममें से दो लोगों को इस कमीने के साथ बँधना चाहिए,' ब्लैक ने पेटिग्रू को ठोकर मारते हुए कहा। 'सिर्फ़ इसलिए, ताकि वह भाग न पाए।'

ल्यूपिन बोले, 'मैं इसके साथ बँधूँगा।'

'और मैं भी,' रॉन ने लँगड़ाते हुए आगे बढ़कर आवेश में कहा।

ब्लैक ने हवा में से भारी जंज़ीर उत्पन्न की। जल्दी ही पेटिग्रू एक बार फिर खड़ा हो गया था। उसकी बायाँ हाथ ल्यूपिन के दाएँ हाथ से बँधा था और उसका दायाँ हाथ रॉन के बाएँ हाथ से बँधा था। रॉन के चेहरे पर दृढ़ता का भाव था। ऐसा लग रहा था कि उसने स्कैबर्स की असली पहचान को व्यक्तिगत अपमान के रूप में ले लिया था। क्रुकशैंक्स बिस्तर से उछलकर धीरे से नीचे उतरी और कमरे से बाहर का रास्ता दिखाने लगी। उसकी लंबी पूँछ ख़ुशी से ऊँची उठी थी।

अध्याय बीस

दमपिशाच का चुंबन

हैरी पहले कभी इतने अजीब समूह में कहीं नहीं गया था। क्रुकशैंक्स सीढ़ियों से नीचे जाने वाला रास्ता दिखा रही थी। उसके ठीक पीछे ल्यूपिन, पेटिग्रू और रॉन चल रहे थे। उन्हें देखकर ऐसा लग रहा था, जैसे वे छह पैरों वाली दौड़ में हिस्सा ले रहे हों। उनके पीछे प्रोफ़ेसर स्नेप थे, जो डरावने ढंग से तैर रहे थे। हर सीढ़ी उतरते समय उनके पैर सीढ़ी से टकरा रहे थे। स्नेप की ही छड़ी से सिरियस उन्हें हवा में तैरा रहा था। हैरी और हर्माइनी सबसे पीछे चल रहे थे।

आते समय सुरंग में वे जितनी आसानी से आए थे, लौटना उससे ज़्यादा मुश्किल था। ल्यूपिन, पेटिग्रू और रॉन को तिरछे होकर चलना पड़ रहा था। ल्यूपिन अभी भी पेटिग्रू की तरफ़ छड़ी तानकर चल रहे थे, ताकि वह कहीं भागने की कोशिश न करे। हैरी ने उन्हें सुरंग में अजीब तरीक़े से एक लाइन में चलते देखा। क्रुकशैंक्स अब भी सबसे आगे चल रही थी। हैरी सिरियस के ठीक पीछे चल रहा था, जो अब भी स्नेप को उनके आगे-आगे तैरा रहा था। स्नेप का हिलता हुआ सिर नीची छत से बार-बार टकरा रहा था। हैरी को ऐसा लग रहा था कि सिरियस इसे बचाने की कोई कोशिश नहीं कर रहा था।

जब वे सुरंग में धीमी गति से चल रहे थे, तो सिरियस ने अचानक हैरी से पूछा, 'तुम जानते हो पेटिग्रू का अपराध साबित होने का क्या मतलब है?'

हैरी बोला, 'तुम आज़ाद हो जाओगे।'

'हाँ ...' सिरियस ने कहा। 'लेकिन मैं तुम्हारा - मैं नहीं जानता कि किसी ने तुम्हें बताया है या नहीं - मैं तुम्हारा गॉडफ़ादर हूँ।'

हैरी बोला, 'हाँ, मैं यह बात जानता हूँ।'

सिरियस ने दिल कड़ा करके कहा, 'देखो ... तुम्हारे माता-पिता ने मुझे

तुम्हारा अभिभावक नियुक्त किया था, ताकि अगर उन्हें कुछ हो जाए तो ...'

हैरी ने इंतज़ार किया। क्या सिरियस का मतलब वही था, जो वह समझ रहा था?

'ज़ाहिर है, मैं समझता हूँ कि तुम अपने अंकल-आंटी के साथ रहना चाहते होगे,' सिरियस ने कहा। 'लेकिन ... फिर भी इसके बारे में सोचना। जब मुझ पर लगे आरोप हट जाएँ, उसके बाद ... अगर तुम किसी अलग घर में रहना चाहो ...'

हैरी का दिल उछलने लगा।

'क्या – मैं तुम्हारे साथ रहूँगा?' उसने कहा और हड़बड़ी में उसका सिर छत से बाहर निकले एक पत्थर से टकरा गया। 'डर्स्ली परिवार को छोड़ दूँ?'

'ज़ाहिर है, मुझे लग रहा था कि तुम ऐसा नहीं करना चाहोगे,' सिरियस ने तुरंत कहा। 'मैं समझता हूँ। मैंने तो बस यूँ ही सोचा था कि –'

'क्या तुम पागल हो गए हो?' हैरी ने कहा। उसकी आवाज़ भी सिरियस की आवाज़ की तरह ही काँप रही थी। 'निश्चित रूप से मैं डर्स्ली दंपति को छोड़ना चाहता हूँ! क्या तुम्हारे पास मकान है? मैं कब रहने आ सकता हूँ?'

सिरियस उसकी तरफ़ देखने के लिए पलट गया। स्नेप का सिर अब छत से टकरा रहा था, लेकिन सिरियस को उसकी कोई परवाह नहीं थी।

'तुम मेरे साथ रहना चाहते हो?' उसने कहा। 'सचमुच?'

'हाँ, सचमुच!' हैरी बोला।

हैरी को सिरियस के दुबले चेहरे पर पहली बार सच्ची मुस्कराहट दिखी। इससे जो अंतर पड़ा, उसे देखकर वह हैरान रह गया। मुस्कराता हुआ सिरियस दस साल युवा दिखने लगा। एक पल के लिए तो हैरी को उसमें उसी व्यक्ति की झलक दिखी, जो उसके माता-पिता की शादी में हँस रहा था।

इसके बाद वे फिर कुछ नहीं बोले और सुरंग ख़त्म होने तक ख़ामोशी से चलते रहे। सबसे पहले क्रुकशैंक्स बाहर निकली। यह स्पष्ट था कि उसने बाहर निकलकर अपने पंजे से तने की गाँठ को दबा दिया था, क्योंकि जब उसके बाद ल्यूपिन, पेटिग्रू और रॉन निकले, तो कोई शाखा धड़धड़ाती हुई उनकी तरफ़ नहीं आई।

सिरियस ने स्नेप को छेद में से बाहर निकलते देखा। फिर वह एक तरफ़ हटकर खड़ा हो गया और उसने हर्माइनी तथा हैरी के निकलने का इंतज़ार किया। आख़िरकार, वे सब बाहर निकल आए।

मैदान में अब बहुत अँधेरा था। सिर्फ़ दूर स्थित महल की खिड़कियों से

रोशनी आ रही थी। बिना कुछ कहे वे आगे बढ़ने लगे। पेटिग्रू अब भी ज़ोर-ज़ोर से साँस ले रहा था और बीच-बीच में बिलख रहा था। हैरी का दिमाग़ घूम रहा था। अब वह डर्स्ली दंपति को छोड़कर सिरियस ब्लैक के साथ रहेगा, अपने माता-पिता के सबसे अच्छे दोस्त के साथ ... उसने सोचा ... डर्स्ली दंपति को कैसा लगेगा, जब वह उनसे कहेगा कि वह उसी अपराधी के साथ रहने वाला है, जिसे उन्होंने टेलीविज़न पर देखा था!

'पीटर, अगर तुमने एक भी ग़लत क़दम उठाया,' ल्यूपिन ने धमकी देते हुए कहा। उनकी छड़ी अब भी पेटिग्रू के सीने की तरफ़ तनी हुई थी।

वे ख़ामोशी से मैदान में चलने लगे। महल की रोशनी अब पास आती जा रही थी। स्नेप सिरियस के आगे अजीब तरीक़े से उड़ रहे थे और उनकी ठुड्डी उनके सीने से टकरा रही थी। और तभी -

एक बादल हट गया। अचानक ज़मीन पर धुँधली छायाएँ दिखने लगीं। वे सब चाँदनी में नहा गए।

स्नेप ल्यूपिन, पेटिग्रू और रॉन से टकराया, जो अचानक रुक गए थे। सिरियस अपनी जगह पर मूर्ति की तरह खड़ा रह गया। उसने हैरी और हर्माइनी को रोकने के लिए अपना हाथ आगे किया।

हैरी ने देखा कि ल्यूपिन अकड़ने लगे थे और उनका पूरा शरीर काँपने लगा था।

'अरे नहीं -' हर्माइनी चीख़ी। 'उन्होंने आज रात को काढ़ा नहीं पिया है! वे सुरक्षित नहीं हैं!'

'भागो,' सिरियस फुसफुसाया। 'भागो! तत्काल!'

लेकिन हैरी नहीं भाग सकता था। इसका कारण यह था कि रॉन पेटिग्रू और ल्यूपिन के साथ जंज़ीर से बँधा था। वह रॉन को बचाने के लिए आगे कूदा, परंतु सिरियस ने उसे पकड़कर पीछे की तरफ़ उछाल दिया।

'उसे मुझ पर छोड़ दो! **भागो?**'

अचानक भयंकर गुर्राहट की आवाज़ आई। ल्यूपिन का सिर लंबा हो रहा था। साथ ही उनका शरीर भी। उनके कंधे झुक रहे थे। उनके चेहरे और हाथों पर बाल उग रहे थे तथा हाथ पंजों में बदल रहे थे। अब ल्यूपिन अपने पंजों के बल चल रहे थे। क्रुकशैंक्स के बाल अब एक बार फिर खड़े हो गए। वह दूर हटने लगी -

जब नरभेड़िया अपने लंबे जबड़े को किटकिटाता हुआ पीछे हटा, तो सिरियस हैरी के पास से ग़ायब हो गया। उसने अपना रूप बदल लिया था। किसी

भालू जितना बड़ा कुत्ता लपककर आगे आया। जैसे ही नरभेड़िया जंज़ीर से आज़ाद हुआ, कुत्ते ने उसकी गर्दन पकड़कर उसे पीछे खींचकर रॉन और पेटिग्रू से दूर कर दिया। गुत्थमगुत्था होकर वे एक-दूसरे पर पंजे और जबड़े से प्रहार कर रहे थे –

हैरी खड़ा-खड़ा इस दृश्य को मंत्रमुग्ध होकर देखता रहा। उसका पूरा ध्यान लड़ाई पर था, इसलिए वह और किसी तरफ़ नहीं देख रहा था। हर्माइनी की चीख़ ने उसे सावधान किया –

पेटिग्रू ने ल्यूपिन की गिरी हुई छड़ी की तरफ़ छलाँग लगा दी। इस वजह से रॉन के पट्टी बँधे पैर का संतुलन बिगड़ गया और वह गिर गया। एक धमाका हुआ, रोशनी का एक विस्फोट हुआ – और रॉन ज़मीन पर बेजान होकर गिर पड़ा। एक और धमाका – क्रुकशैंक्स हवा में उड़ी और धप्प से ज़मीन पर गिर पड़ी।

'निरस्त्र भव!' हैरी अपनी छड़ी पेटिग्रू की तरफ़ करते हुए चीख़ा। ल्यूपिन की छड़ी हवा में काफ़ी ऊपर उछली और ओझल हो गई। हैरी आगे भागते हुए चीख़ा, 'जहाँ हो, वहीं रहो!'

लेकिन तब तक देर हो चुकी थी। पेटिग्रू रूप बदल चुका था। हैरी ने देखा कि उसकी गंजी पूँछ रॉन के हाथ में बंधी जंज़ीर से निकल रही थी। फिर उसे हवा में चूहे के सरसराकर भागने की आवाज़ सुनाई दी।

भौंकने और गुर्राने की आवाज़ें आ रही थी। हैरी ने पलटकर देखा कि नरभेड़िया अब भागकर जंगल की तरफ़ जा रहा था –

हैरी चीख़ा, 'सिरियस, पेटिग्रू भाग गया है। उसने अपना रूप बदल लिया है!'

सिरियस के शरीर से ख़ून निकल रहा था। उसके मुँह और पीठ पर घाव थे। लेकिन हैरी की बात सुनकर वह दोबारा खड़ा हुआ और मैदान के पार भागने लगा। एक पल में उसके पंजों की आवाज़ ग़ायब हो गई।

हैरी और हर्माइनी लपककर रॉन के पास गए।

'पेटिग्रू ने उसके साथ क्या किया है ?' हर्माइनी ने फुसफुसाकर पूछा। रॉन की आँखें आधी खुली थीं। उसका मुँह भी खुला हुआ था। वह निश्चित रूप से ज़िंदा था। उन्हें उसके साँस लेने की आवाज़ सुनाई दे रही थी, लेकिन रॉन बेहोश लग रहा था।

'क्या पता।'

हैरी ने हताशा में चारों तरफ़ देखा। ब्लैक और ल्यूपिन दोनों चले गए थे

... उनके साथ सिर्फ़ स्नेप थे, जो अब भी बीच हवा में बेहोशी की हालत में झूल रहे थे।

हैरी ने अपनी आँखों से बाल हटाते हुए समझदारी से सोचने की कोशिश की, 'हम इन्हें महल तक ले चलते हैं और किसी को बता देते हैं। चलो –'

लेकिन तभी उन्हें किसी कुत्ते के दर्द में चिल्लाने की आवाज़ें आईं ...

'सिरियस,' हैरी बुदबुदाया और अँधेरे में देखने लगा।

पल भर तो वह कोई निर्णय नहीं ले पाया, लेकिन फिर उसने सोचा कि उस समय वह रॉन की कोई मदद नहीं कर सकता था और ब्लैक की आवाज़ से ऐसा लग रहा था कि वह मुश्किल में था –

हैरी तत्काल दौड़ पड़ा। हर्माइनी भी उसके पीछे दौड़ रही थी। चीख़ झील के पास से आई थी, इसलिए वे उसी तरफ़ भागे। तेज़ दौड़ने के बावज़ूद हैरी को ठंडक का एहसास हो रहा था, लेकिन वह इसका मतलब नहीं समझ पाया –

चीख़ अचानक रुक गई। जब उन्हें झील का किनारा दिखा, तो उन्हें इसका कारण समझ में आ गया – सिरियस इंसान के रूप में आ गया था। वह कुत्ते की तरह हाथ-पैर के बल बैठा हुआ था और उसके हाथ उसके सिर पर थे।

'नहींहींहीं,' वह कराहा। *'नहींहींहींहींहीं ... रहम करो ...'*

और फिर हैरी को वे दिख गए। कम से कम सौ दमपिशाच झील के चारों तरफ़ से झुंड में उड़ते हुए उनकी तरफ़ आ रहे थे। वह घूमा और उसे अपने भीतर जाना-पहचाना बर्फ़ीला एहसास होने लगा। उसकी आँखों के सामने कोहरा छाने लगा। दमपिशाच अँधेरे में हर तरफ़ से आते जा रहे थे। वे उनके चारों तरफ़ घेरा बना रहे थे ...

'हर्माइनी, किसी सुखद चीज़ के बारे में सोचो!' हैरी चीख़ा और उसने अपनी छड़ी उठाई। वह साफ़ देखने के लिए तेज़ी से पलकें झपका रहा था। वह अपना सिर हिला रहा था, ताकि उसे उस चीख़ से छुटकारा मिल सके, जो उसे अपने अंदर सुनाई देने लगी थी –

मैं अपने गॉडफ़ादर के साथ रहने जा रहा हूँ। मैं डर्स्ली दंपति का घर छोड़ने जा रहा हूँ।

उसने कोशिश की कि वह सिरियस और सिर्फ़ सिरियस के बारे में सोचे। फिर वह मंत्र पढ़ने लगा : 'पितृदेव संरक्षणम्! पितृदेव संरक्षणम्!'

ब्लैक को कँपकँपी छूट गई और वह ज़मीन पर गिरकर स्थिर हो गया। उसका चेहरा किसी मुर्दे की तरह पीला पड़ गया था।

वह बिलकुल ठीक हो जाएगा। मैं उसके साथ रहने जा रहा हूँ।

'पितृदेव संरक्षणम्! हर्माइनी, मेरी मदद करो! पितृदेव संरक्षणम्!'

'पितृदेव –' हर्माइनी फुसफुसाई, 'पितृदेव – पितृदेव –'

लेकिन वह मंत्र पूरा नहीं पढ़ पाई। दमपिशाच पास आते जा रहे थे और अब उनसे मुश्किल से दस क़दम दूर थे। उन्होंने हैरी और हर्माइनी के चारों तरफ़ एक ठोस दीवार बना ली थी और वे पास आते जा रहे थे ...

'पितृदेव संरक्षणम्!' हैरी चीख़ा और अपने कानों से चीख़ को दूर हटाने की कोशिश की। **'पितृदेव संरक्षणम्!'**

उसकी छड़ी से सफ़ेद धुआँ निकला और उसके सामने कोहरे की तरह मँडराने लगा। उसी पल हैरी को महसूस हुआ कि हर्माइनी उसके बग़ल में गिर गई है। वह अकेला था ... बिलकुल अकेला ...

'पितृदेव – पितृदेव संरक्षणम् –'

हैरी के घुटने ठंडी घास से टकराए। कोहरा उसकी आँखों पर बादल की तरह छा गया था। बहुत कोशिश के साथ उसने याद करने के लिए संघर्ष किया – सिरियस बेक़सूर था – बेक़सूर – *वह बिलकुल* **ठीक** *हो जाएगा – मैं उसके साथ रहने जा रहा हूँ –*

उसने हाँफते हुए कहा, 'पितृदेव संरक्षणम्!'

अपने निराकार पितृदेव की हल्की रोशनी में उसने एक दमपिशाच को अपने बहुत पास रुकते देखा। हैरी ने सफ़ेद कोहरे का जो बादल उत्पन्न किया था, वह उसमें से निकलकर नहीं आ सकता था। दमपिशाच ने चोगे के अंदर से एक गिलगिला हाथ बाहर निकालकर पितृदेव को एक तरफ़ हटाने की कोशिश की।

'नहीं – *नहीं* –' हैरी ने हाँफते हुए कहा। 'वह बेक़सूर है ... पितृदेव – पितृदेव संरक्षणम् –'

उसे महसूस हो रहा था कि दमपिशाच उसे घूर रहे थे। जब वे अपनी खरखराती साँस खींचते थे, तो उसे बुरी हवा का प्रबल एहसास होता था। सबसे पास खड़ा दमपिशाच उसके बारे में कुछ सोच रहा था। फिर उसने अपने गिलगिले हाथ उठाए – और अपना नक़ाब ऊपर कर दिया।

जहाँ आँखें होनी चाहिए थीं, वहाँ पर सिर्फ़ पतली, भूरी, पपड़ीदार चमड़ी थी, जो ख़ाली पुतलियों के ऊपर फैली हुई थी। लेकिन उसके चेहरे पर एक मुँह था ... एक खुला, बिना आकार का छेद, जो मौत की खरखराहट जैसी आवाज़ करते हुए साँस चूसता था।

हैरी के मन में लक़वा मारने वाली दहशत भर गई। अब वह हिल या बोल

नहीं सकता था। उसका पितृदेव टिमटिमाया और फिर बुझ गया।

सफ़ेद कोहरे के कारण उसे कुछ दिख नहीं रहा था। उसे संघर्ष करना था ... *पितृदेव संरक्षणम्* ... वह देख नहीं सकता था ... और दूरी पर उसने वही परिचित चीख़ सुनी ... *पितृदेव संरक्षणम्* ... उसने कोहरे में टटोलकर सिरियस का हाथ थाम लिया ... वे उसे नहीं ले जा सकते ...

लेकिन दो ताक़तवर, गिलगिले हाथों ने अचानक हैरी की गर्दन पकड़ ली। वे उसके चेहरे को ऊपर कर रहे थे ... उसे दमपिशाच की साँस महसूस हो रही थी ... वे पहले उससे छुटकारा पाना चाहते थे ... उसे दमपिशाच की बदबूदार साँस महसूस हो रही थी ... उसे अपने कानों में अपनी माँ की चीख़ सुनाई दे रही थी ... उसने सोचा, मरने से पहले वह शायद यही आख़िरी आवाज़ सुनेगा –

और फिर, कोहरे के बीच से उसे एक दूधिया रोशनी दिखी, जो तेज़ होती जा रही थी ... उसने महसूस किया कि दमपिशाच ने उसे छोड़ दिया था, जिस वजह से वह मुँह के बल घास पर गिर गया था –

हैरी का चेहरा नीचे था और वह इतना कमज़ोर था कि हिल भी नहीं सकता था। वह बीमार महसूस कर रहा था और वह बुरी तरह काँप रहा था। फिर भी उसने अपनी आँखें खोलीं। चौंधियाने वाली रोशनी से उसके आस-पास की घास चमक रही थी ... चीख़ रुक गई थी, ठंड दूर भाग रही थी ...

कोई चीज़ दमपिशाचों को पीछे धकेल रही थी ... यह उसके, सिरियस और हर्माइनी के चारों तरफ़ घूम रही थी ... दमपिशाचों की चूसने की आवाज़ें दूर होती जा रही थीं। वे जा रहे थे ... हवा एक बार फिर गर्म हो गई ...

अपनी पूरी ताक़त लगाकर हैरी ने अपना सिर कुछ इंच ऊपर उठाया। उसे रोशनी फैलाता एक जानवर दिखा, जो दौड़ता हुआ झील के उस पार जा रहा था। पसीने से धुंधला गई आँखों से हैरी ने यह पहचानने की कोशिश की कि वह कौन सा जानवर था ... वह किसी यूनिकॉर्न की तरह चमक रहा था। होश में रहने के लिए संघर्ष करते हुए हैरी ने देखा कि वह जानवर दूसरे किनारे पर पहुँचकर रुक गया है। एक पल के लिए हैरी ने उस जानवर की रोशनी में देखा कि कोई उस जानवर का स्वागत कर रहा है ... उसे छूने के लिए अपना हाथ बढ़ा रहा है ... और वह व्यक्ति बहुत जाना-पहचाना लग रहा है ... लेकिन ऐसा नहीं हो सकता ...

हैरी समझ नहीं पाया। वह कुछ और सोच नहीं पाया। उसे महसूस हुआ कि उसकी ताक़त की आख़िरी बूँद भी ख़त्म हो चुकी थी। वह बेहोश हो गया और उसका सिर ज़मीन से टकरा गया।

अध्याय इक्कीस

हर्माइनी का रहस्य

'बहुत सदमे वाली घटना थी ... बहुत ही सदमे वाली ... कमाल हो गया कि उनमें से कोई भी नहीं मरा ... इस तरह की घटना पहले कभी नहीं सुनी ... क़िस्मत अच्छी थी स्नेप कि तुम वहाँ थे...'

'धन्यवाद, मंत्रीजी।'

'तुम्हें ऑर्डर ऑफ़ मर्लिन, सेकंड क्लास तो मिलना तय है। और अगर मेरी बात मान ली गई, तो फ़र्स्ट क्लास भी मिल सकता है!'

'बहुत-बहुत धन्यवाद, मंत्रीजी।'

'तुम्हारे सिर पर बहुत बड़ा घाव है ... शायद यह घाव ब्लैक ने दिया होगा, है ना?'

'सच कहूँ मंत्रीजी, तो यह पॉटर, वीज़्ली और ग्रेंजर की वजह से हुआ है...'

'नहीं!'

'ब्लैक ने उन पर जादू कर दिया था। मैं यह बात तत्काल समझ गया। उनकी हरकतों को देखकर लगता था कि उन पर बुद्धिहरण सम्मोहन का प्रयोग किया गया था। वे सोच रहे थे कि ब्लैक के बेक़सूर होने की संभावना थी। वे अपनी हरकतों के लिए ज़िम्मेदार नहीं थे। दूसरी तरफ़, उनके दख़ल देने के कारण ब्लैक बचकर भाग सकता था ... उन्हें लग रहा था कि वे ब्लैक को अकेले ही पकड़ सकते हैं। उन्हें पहले भी बहुत ढील दी जा चुकी है ... मुझे डर है कि इससे उन्हें ख़ुद पर ज़्यादा ही घमंड हो गया है ... और ज़ाहिर है, हेडमास्टर ने पॉटर को तो हमेशा बहुत ज़्यादा छूट दी है-'

'देखो, स्नेप ... हैरी पॉटर के मामले में ... जहाँ तक उसका सवाल है,

हम सब उसकी ग़लतियों को नज़रअंदाज़ कर देते हैं।'

'लेकिन मैं पूछता हूँ – क्या यह उसके लिए अच्छा है कि उसके साथ इतना ख़ास व्यवहार किया जाए ? व्यक्तिगत रूप से मैं तो यही कोशिश करता हूँ कि उसके साथ भी बाक़ी विद्यार्थियों जैसा ही व्यवहार करूँ। अगर कोई दूसरा विद्यार्थी इतनी बड़ी ग़लती करता, तो उसे कम से कम इस बात के लिए स्कूल से कुछ दिनों के लिए निकाल दिया जाता – क्योंकि वह अपने मित्रों को इतने बड़े जोखिम में डाल रहा था। ज़रा सोचिए, मंत्रीजी : वह स्कूल के सभी नियमों को तोड़कर – उसकी सुरक्षा के लिए रखी गई तमाम सावधानियों को ताक पर रखकर – रात को स्कूल से बाहर एक नरभेड़िए और ख़ूनी के साथ था – और मुझे तो इस बात का भी यक़ीन है कि वह बिना इज़ाज़त के हॉग्समीड में भी गया था –'

'हाँ, हाँ ... हम इस बारे में देखेंगे स्नेप, हम इस बारे में देखेंगे ... वह लड़का निश्चित रूप से थोड़ा बेवकूफ़ तो है ...'

हैरी अपनी आँखें कसकर बंद किए हुए सुन रहा था। वह बहुत कमज़ोरी महसूस कर रहा था। उसके कानों में जाने वाले शब्द उसके दिमाग़ तक बहुत धीमे पहुँच रहे थे। इसी वजह से उसे पूरी बात समझने में मुश्किल हो रही थी। उसे अपने शरीर का हर अंग भारी लग रहा था। पलकें भी इतनी भारी लग रही थीं कि उन्हें उठाना बहुत मुश्किल था ... वह हमेशा इस आरामदेह बिस्तर पर लेटा रहना चाहता था ...

'दमपिशाचों के व्यवहार से मैं सबसे ज़्यादा हैरान हूँ ... स्नेप, तुम्हें सचमुच यह नहीं मालूम कि वे क्यों लौट गए ?'

'नहीं, मंत्रीजी। जब तक मैंने स्थिति सँभाली, तब तक वे प्रवेश द्वार पर अपनी जगह पर वापस पहुँच रहे थे ...'

'बड़ी अजीब बात है। और इसके बावज़ूद ब्लैक, हैरी और वह लड़की –'

'जब मैं उनके पास पहुँचा, तो सब के सब बेहोश थे। मैंने ब्लैक को रस्सियों से बाँधा और उसका मुँह बंद किया। फिर मैंने जादू से स्ट्रेचर उत्पन्न किए और उन सबको सीधे महल में लेकर आ गया।'

एक पल के लिए ख़ामोशी छाई रही। हैरी का दिमाग़ अब पहले से थोड़ा ज़्यादा तेज़ चल रहा था। तत्काल उसे लगा जैसे उसके दिल पर कोई बोझ है...

उसने अपनी आँखें खोलीं।

हर चीज़ थोड़ी धुँधली दिख रही थी। किसी ने उसका चश्मा हटा दिया

था। वह अस्पताल के जिस हिस्से में था, वहाँ अँधेरा था। उसने देखा कि मैडम पॉमफ़्री वार्ड के दूसरे कोने में उसकी तरफ़ पीठ करके एक बिस्तर पर झुक रही हैं। हैरी ने घूरा। मैडम पॉमफ़्री के हाथ के नीचे रॉन के लाल बाल दिख रहे थे।

हैरी ने अपना सिर तकिए पर तिरछा किया। उसके दाईं तरफ़ वाले बिस्तर पर हर्माइनी लेटी थी। चाँद की रोशनी उसके बिस्तर पर पड़ रही थी। उसकी आँखें भी खुली हुई थीं। वह स्थिर लेटी थी, लेकिन जब उसने देखा कि हैरी होश में आ गया है, तो उसने अपने होंठों पर उँगली रखकर वार्ड के दरवाज़े की तरफ़ इशारा किया। आधे खुले दरवाज़े के बाहर वाले गलियारे से कॉर्नेलियस फ़ज और स्नेप की आवाज़ें आ रही थीं।

मैडम पॉमफ़्री तेज़ी से हैरी के बिस्तर तक आईं। उसने पलटकर उनकी तरफ़ देखा। वे चॉकलेट का एक बड़ा टुकड़ा उठाकर ला रही थीं। हैरी ने आज तक चॉकलेट का इससे बड़ा टुकड़ा नहीं देखा था। वह किसी बड़े पत्थर की तरह दिख रहा था।

'अच्छा, तो तुम जाग गए!' उन्होंने तेज़ी से कहा। फिर उन्होंने चॉकलेट हैरी के बिस्तर के पास वाली टेबल पर रख दी और उसे हथौड़ी से तोड़ने लगीं।

'रॉन कैसा है?' हैरी और हर्माइनी ने एक साथ पूछा।

'उसकी जान बच गई है,' मैडम पॉमफ़्री ने गंभीरता से कहा। 'जहाँ तक तुम दोनों का सवाल है ... तुम यहीं पर रहोगे, जब तक कि मुझे यह तसल्ली न हो जाए कि तुम पूरी तरह से – पॉटर, तुम क्या कर रहे हो?'

हैरी बैठकर अपना चश्मा पहन रहा था और अपनी छड़ी उठा रहा था।

उसने कहा, 'मुझे हेडमास्टर से मिलने जाना है।'

'पॉटर,' मैडम पॉमफ़्री ने पुचकारते हुए कहा, 'सब कुछ ठीक है। ब्लैक पकड़ा जा चुका है। उसे ऊपर की मंज़िल पर क़ैद कर दिया गया है। दमपिशाच उसका चुंबन लेने के लिए बस आने ही वाले होंगे –'

'क्या?'

हैरी अपने बिस्तर से कूद गया। हर्माइनी ने भी ऐसा ही किया। लेकिन हैरी की आवाज़ बाहर गलियारे में भी पहुँच गई थी। अगले ही पल कॉर्नेलियस फ़ज और स्नेप वार्ड में दाख़िल हुए।

'हैरी, हैरी, यह क्या?' फ़ज ने विचलित दिखते हुए कहा। 'तुम्हें तो बिस्तर पर होना चाहिए – क्या इसने चॉकलेट खा ली है?' उन्होंने चिंता भरी आवाज़ में मैडम पॉमफ़्री से पूछा।

'मंत्रीजी, मेहरबानी करके सुनें!' हैरी बोला। 'सिरियस ब्लैक बेक़सूर है!

पीटर पेटिग्रू ने अपनी मौत का झूठा नाटक रचा था! हमने उसे आज रात को देखा था! आप दमपिशाचों से सिरियस को चुंबन नहीं दिलवा सकते, वह बेक़सूर है –'

लेकिन फ़ज अपना सिर हिला रहे थे और मुस्करा रहे थे।

'हैरी, हैरी, तुम बहुत बड़ी ग़लतफ़हमी में हो। तुम बहुत भयानक सदमे से उबर रहे हो। लेट जाओ। हमने अब हर चीज़ ठीक कर ली है...'

'नहीं, यह सच नहीं है!' हैरी चीख़ा। **'आपने ग़लत आदमी को पकड़ लिया है!'**

'मंत्रीजी, मेहरबानी करके हमारी बात सुनें,' हर्माइनी ने कहा। वह भी तेज़ी से हैरी के पास आ गई थी और विनती भरी निगाह से फ़ज को देख रही थी। 'मैंने भी उसे देखा था। वह रॉन का चूहा था। पेटिग्रू एक इच्छाधारी नरपशु था, और –'

'देखा, मंत्रीजी ?' स्नेप ने कहा। 'दोनों ही बुद्धिहरण सम्मोहन के शिकार हैं ... ब्लैक ने इन पर काफ़ी अच्छा जादू किया है ...'

हैरी ने गरजते हुए कहा, **'हम लोगों की बुद्धि को कुछ नहीं हुआ है!'**

'मंत्रीजी! प्रोफ़ेसर!' मैडम पॉमफ्री गुस्से से बोलीं। 'मैं आप लोगों से यह आग्रह करती हूँ कि आप यहाँ से चले जाएँ। पॉटर मेरा मरीज़ है, आप उसे परेशान न करें!'

'मैं परेशान नहीं हो रहा हूँ, मैं तो उन्हें यह बताने की कोशिश कर रहा हूँ कि क्या हुआ था!' हैरी ने तैश में आते हुए कहा। 'लेकिन वे सुनते ही नहीं –'

लेकिन मैडम पॉमफ्री ने अचानक हैरी के मुँह में चॉकलेट का एक बड़ा टुकड़ा ठूँस दिया। उसका मुँह बंद हो गया और मैडम पॉमफ्री ने मौक़े का फ़ायदा उठाकर उसे फिर से उसके बिस्तर पर पहुँचा दिया।

'अब *मेहरबानी* करके, मंत्रीजी, इन बच्चों को आराम की ज़रूरत है। मेहरबानी करके चले जाएँ –'

दरवाज़ा एक बार फिर खुला। अब डम्बलडोर अंदर आ गए थे। हैरी ने अपने मुँह में भरी चॉकलेट बड़ी मुश्किल से निगली और दोबारा उठकर खड़ा हो गया।

'प्रोफ़ेसर डम्बलडोर, सिरियस ब्लैक –'

'भगवान के लिए!' मैडम पॉमफ्री ने खीजते हुए कहा। 'यह अस्पताल है या नहीं ? हेडमास्टर, मैं ज़ोर देकर कहती हूँ –'

'माफ़ करना पॉपी, लेकिन मुझे पॉटर और ग्रेंजर से कुछ बातें करना है,' डम्बलडोर ने शांत स्वर में कहा। 'मैं अभी सिरियस ब्लैक से मिलकर आ रहा हूँ-'

'मुझे लगता है उसने आपको भी वही परीकथा सुनाई होगी, जो उसने पॉटर के दिमाग़ में डाली है?' स्नेप ने थूक उड़ाते हुए कहा। 'चूहे वाली कहानी और पेटिग्रू के ज़िंदा होने की बात -'

'ब्लैक ने सचमुच यही कहानी सुनाई थी,' डम्बलडोर बोले और उन्होंने अपने आधे चाँद के आकार वाले चश्मे से स्नेप को ग़ौर से देखा।

'और क्या मेरी गवाही की कोई क़ीमत नहीं है?' स्नेप गरजे। 'पीटर पेटिग्रू चीख़ती हवेली में नहीं था, न ही वह मुझे मैदान में दिखा।'

'ऐसा इसलिए हुआ, क्योंकि आपके होश उड़ गए थे, प्रोफ़ेसर!' हर्माइनी ने गंभीरता से कहा। 'आप सही समय पर नहीं आ पाए थे -'

'मिस ग्रेंजर, **अपना गंदा मुँह बंद रखो!**'

'स्नेप, ज़रा सँभलकर,' फ़ज ने हैरानी से कहा, 'हमें यह नहीं भूलना चाहिए कि इस लड़की का दिमाग़ी संतुलन ठीक नहीं है -'

डम्बलडोर अचानक बोले, 'मैं हैरी और हर्माइनी से अकेले में बात करना चाहता हूँ। कॉर्नेलियस, सीवियरस, पॉपी - मेहरबानी करके हमें अकेला छोड़ दें।'

'हेडमास्टर!' मैडम पॉमफ़्री तुरंत बोलीं। 'इन्हें इलाज की ज़रूरत है, इन्हें आराम की ज़रूरत है -'

डम्बलडोर ने कहा, 'ऐसा करना ज़रूरी है। मैं इस पर ज़ोर देता हूँ।'

मैडम पॉमफ़्री अपने होंठ सिकोड़कर वार्ड के सिरे पर बने ऑफ़िस में चली गईं और जाते समय उन्होंने अपने पीछे दरवाज़ा धड़ाम से बंद कर दिया। फ़ज ने अपने वेस्टकोट से लटकती बड़ी सुनहरी घड़ी को देखा।

'दमपिशाच अब आने ही वाले होंगे,' वे बोले। 'मैं जाकर उनसे मिलता हूँ। डम्बलडोर, मैं तुम्हें ऊपर वाली मंज़िल पर मिलूँगा।'

फ़ज दरवाज़े की तरफ़ बढ़े और स्नेप के लिए दरवाज़ा खोलकर खड़े रहे, लेकिन स्नेप हिले तक नहीं।

'कहीं ऐसा तो नहीं कि आपको भी ब्लैक की कहानी पर यक़ीन हो गया है?' स्नेप फुसफुसाए। उनकी निगाहें डम्बलडोर के चेहरे पर टिकी थीं।

'मैं हैरी और हर्माइनी से अकेले में बात करना चाहता हूँ,' डम्बलडोर ने दोहराया।

स्नेप ने डम्बलडोर की तरफ़ एक क़दम आगे बढ़ाया और कहा, 'सिरियस

ब्लैक ने सोलह साल की उम्र में ही यह दिखा दिया था कि वह ख़ून करने में सक्षम है। आप यह बात तो नहीं भूले हैं, हेडमास्टर ? आप यह तो नहीं भूले हैं कि उसने एक बार *मुझे* मारने की कोशिश की थी ?'

डम्बलडोर ने धीरे से कहा, 'मेरी याददाश्त बहुत अच्छी है, सीवियरस।'

स्नेप पलटकर दरवाज़े से बाहर चले गए, जिसे फ़ज ने अब भी खोल रखा था। दरवाज़ा बंद होते ही डम्बलडोर हैरी और हर्माइनी की तरफ़ मुड़े। दोनों ही उसी समय एक साथ बोलने लगे।

'प्रोफ़ेसर, ब्लैक की बात सच है – हमने पेटिग्रू को *देखा* था –'

'– जब प्रोफ़ेसर ल्यूपिन नरभेड़िया बन गए, तो वह भाग निकला –'

'– वह एक चूहा है –'

'– पेटिग्रू ने अपना अगला पंजा, मेरा मतलब है, उँगली काट ली थी –'

'– पेटिग्रू ने रॉन पर हमला किया था, सिरियस दोषी नहीं था –'

लेकिन डम्बलडोर ने उनकी बातों की बाढ़ को रोकने के लिए अपना हाथ उठाया।

'अब तुम सुनो। और मैं तुमसे आग्रह करता हूँ कि बीच में मत बोलना, क्योंकि समय बहुत कम है,' उन्होंने धीरे से कहा। 'तुम्हारे अलावा ब्लैक की कहानी की सच्चाई का एक भी सबूत नहीं है – और तेरह साल के दो बच्चों की बात पर कोई भी विश्वास नहीं करेगा। सड़क पर मौज़ूद बहुत से गवाहों ने क़सम खाकर कहा था कि उन्होंने सिरियस को पेटिग्रू का ख़ून करते देखा था। मैंने ख़ुद मंत्रालय के सामने गवाही दी थी कि सिरियस पॉटर दंपति का रहस्य-रक्षक था।'

हैरी ख़ुद को रोक नहीं पाया और उसके मुँह से अचानक निकल गया, 'प्रोफ़ेसर ल्यूपिन आपको बता सकते हैं –'

'प्रोफ़ेसर ल्यूपिन इस समय जंगल की गहराइयों में हैं और किसी को कुछ भी नहीं बता सकते। जब तक वे दोबारा इंसान बनेंगे, तब तक बहुत देर हो चुकी होगी और सिरियस की हालत मुर्दे से भी बदतर होगी। मैं यह भी कहना चाहूँगा कि ज़्यादातर जादूगर नरभेड़ियों पर भरोसा नहीं करते हैं, इसलिए उनकी कही बात का कोई ख़ास महत्व नहीं होगा – इसके अलावा, वे और सिरियस पुराने दोस्त भी हैं –'

'लेकिन –'

'मेरी बात सुनो, हैरी। अब इन सब बातों के लिए बहुत देर हो चुकी है, तुम समझ रहे हो ना ? तुम्हें यह समझ लेना चाहिए कि प्रोफ़ेसर स्नेप घटनाओं का जो विश्लेषण बता रहे हैं, वह तुम्हारे मुक़ाबले ज़्यादा विश्वसनीय है।'

'वे सिरियस से नफ़रत करते हैं,' हर्माइनी ने हताशा में कहा। 'सिर्फ़ इसलिए, क्योंकि सिरियस ने उनके साथ एक मूर्खतापूर्ण मज़ाक़ कर दिया था –'

'सिरियस ने भी बेक़सूर आदमी जैसा व्यवहार नहीं किया है। मोटी औरत पर हमला करना – गरुड़द्वार के टॉवर में चाकू लेकर घुसना। जब तक पेटिग्रू ज़िंदा या मुर्दा नहीं मिलता, तब तक सिरियस की सज़ा बदलने की कोई संभावना नहीं है।'

'लेकिन आप तो हम पर यक़ीन करते हैं।'

'हाँ, मैं करता हूँ,' डम्बलडोर ने शांतिपूर्वक कहा। 'लेकिन मुझमें यह शक्ति नहीं है कि मैं दूसरों को सच्चाई मानने पर मजबूर कर दूँ या मंत्री जी के फ़ैसले को उलट दूँ ...'

हैरी ने उनके गंभीर चेहरे को घूरा। उसे लगा, जैसे उसके नीचे की ज़मीन तेज़ी से खिसक रही थी। वह हमेशा यही सोचता था कि डम्बलडोर हर समस्या को सुलझा सकते हैं। उसे आशा थी कि डम्बलडोर हवा में से किसी आश्चर्यजनक समाधान को बाहर निकाल देंगे। लेकिन नहीं ... उनकी आख़िरी उम्मीद भी ख़त्म हो गई थी।

डम्बलडोर की हलकी नीली आँखें अब हैरी के बजाय हर्माइनी पर टिक गई थीं। उन्होंने धीमे से कहा, 'हमें जिस चीज़ की ज़रूरत है, वह है थोड़ा ज़्यादा *समय*।'

'परंतु –' हर्माइनी ने बोलना शुरू किया, लेकिन तभी उसकी आँखें फैल गईं। **'ओह!'**

'अब ध्यान से सुनो,' डम्बलडोर ने बहुत धीमे, लेकिन बहुत साफ़ बोलते हुए कहा। 'सिरियस प्रोफ़ेसर फ़्लिटविक के ऑफ़िस में सातवीं मंज़िल पर एक कमरे में बंद है। पश्चिमी मीनार की दाहिनी तरफ़ से तेरहवीं खिड़की। अगर सब कुछ ठीक हुआ, तो आज रात को तुम एक से ज़्यादा बेक़सूर जानें बचा लोगे। लेकिन तुम दोनों ही यह याद रखना कि *कोई तुम्हें देख न पाए*। मिस ग्रेंजर, तुम नियम जानती हो – तुम जानती हो कि यह काम कैसे करना है ... *कोई – तुम्हें – देख – न – पाए*।'

हैरी को ज़रा भी अंदाज़ा नहीं था कि इन बातों का क्या मतलब था। डम्बलडोर पलटे और दरवाज़े तक पहुँचकर उन्होंने पीछे देखा।

'मैं बाहर से ताला लगाकर जा रहा हूँ। इस समय –' उन्होंने अपनी घड़ी देखी, 'बारह बजने में पाँच मिनट कम हैं। मिस ग्रेंजर, तीन बार चाबी घुमाने से काम हो जाना चाहिए। गुड लक।'

'गुड लक ?' हैरी ने दोहराया, जब डम्बलडोर ने बाहर निकलकर दरवाज़ा बंद किया। 'तीन बार चाबी घुमाना ? वे क्या बोल गए ? हमें आख़िर करना क्या है ?'

लेकिन हर्माइनी अपने दुशाले के नीचे गले में कुछ खोज रही थी। उसने वहाँ से एक बहुत लंबी और सुंदर सोने की चेन निकाली।

'हैरी, यहाँ आओ,' उसने बेचैन होकर कहा। *'जल्दी!'*

पूरी तरह आश्चर्यचकित हैरी उसकी तरफ़ बढ़ा। हर्माइनी चेन को फैलाकर खड़ी थी। हैरी ने देखा कि उस चेन से एक छोटी चमकदार घड़ी लटक रही थी।

'यहाँ –'

हर्माइनी ने चेन उसके गले में भी डाल दी।

'तैयार हो ?' उसने साँस रोककर पूछा।

'हम कर क्या रहे हैं ?' हैरी को कुछ भी समझ में नहीं आ रहा था।

हर्माइनी ने घड़ी की चाबी तीन बार घुमाई।

अँधेरे में डूबा वार्ड घूमने लगा। हैरी को ऐसा महसूस हुआ, जैसे वह बहुत तेज़ी से पीछे की तरफ़ उड़ रहा था। रंगों और आकारों का भँवर उसके पास से गुज़र रहा था। उसके कानों पर हथौड़े पड़ रहे थे। उसने चिल्लाने की कोशिश की, लेकिन वह अपनी ही आवाज़ नहीं सुन पाया –

और फिर उसने अपने पैरों के नीचे ठोस ज़मीन महसूस की। अब हर चीज़ फिर से साफ़ दिखने लगी –

वह ख़ाली प्रवेश हॉल में हर्माइनी के पास खड़ा था और सूरज की सुनहरी रोशनी सामने वाले खुले हुए दरवाज़े से आकर फ़र्श पर पड़ रही थी। उसने हर्माइनी की तरफ़ देखा। घड़ी की चेन उसके गले में चुभ रही थी।

'हर्माइनी, क्या – ?'

'यहाँ अंदर आ जाओ!' हर्माइनी ने हैरी का हाथ पकड़ा और उसे खींचकर हॉल के उस पार झाड़ुओं वाली अलमारी के दरवाज़े तक ले गई। उसने अलमारी खोलकर हैरी को बाल्टियों और झाड़ुओं के बीच में धकेल दिया। फिर वह भी उसके पीछे अंदर आ गई और उसने धड़ाम से दरवाज़ा बंद कर लिया।

'क्या – कैसे – हर्माइनी, क्या हुआ ?'

'हम पीछे अतीत में पहुँच गए हैं,' हर्माइनी ने फुसफुसाकर कहा और हैरी के गले से चेन उतार ली। 'हम तीन घंटे पीछे पहुँच गए हैं ...'

हैरी ने अपने पैर में जमकर चिमटी काटी। उसे बहुत तेज़ दर्द हुआ, इसलिए इस बात की संभावना नहीं थी कि वह बहुत अजीब सपना देख रहा था।

'लेकिन –'

'श्श्श! सुनो! कोई आ रहा है! मुझे लगता है – मुझे लगता है कि हम ही आ रहे होंगे!'

हर्माइनी ने अपने कान अलमारी के दरवाज़े से लगा लिए।

'हॉल के पार क़दमों की आहट ... हाँ, मुझे लगता है हम हैग्रिड के घर की तरफ़ जा रहे हैं!'

'क्या तुम यह कह रही हो,' हैरी फुसफुसाया, 'कि हम इस अलमारी में भी हैं और हम वहाँ बाहर भी हैं?'

'हाँ,' हर्माइनी बोली। उसका कान अब भी दरवाज़े से टिका हुआ था। 'मुझे यक़ीन है कि हम ही हैं... तीन लोगों से ज़्यादा की आवाज़ नहीं लगती है ... और हम इसलिए धीमे चल रहे हैं, क्योंकि हमने अदृश्य चोगा ओढ़ रखा है–'

वह रुक गई और पूरे ध्यान से सुनने लगी।

'हम सामने वाली सीढ़ियों से उतर गए हैं ...'

हर्माइनी एक उलटी बाल्टी पर बैठ गई और बुरी तरह तनाव में दिखने लगी। हैरी कुछ सवालों के जवाब चाहता था।

'तुम्हें यह घड़ी जैसी चीज़ कहाँ से *मिली?*'

'इसे काल परिवर्तक कहते हैं,' हर्माइनी ने फुसफुसाकर कहा, 'और जब मैं इस साल यहाँ आई थी, तो पहले दिन ही प्रोफ़ेसर मैक्गॉनेगल ने मुझे यह दे दी थी। मैंने अपनी सभी क्लासों में जाने के लिए पूरे साल इसका इस्तेमाल किया है। प्रोफ़ेसर मैक्गॉनेगल ने मुझसे यह वादा करा लिया था कि मैं किसी को भी नहीं बताऊँगी। जादू मंत्रालय से इसे मँगवाने के लिए उन्हें बहुत पत्र लिखने पड़े। प्रोफ़ेसर मैक्गॉनेगल ने उन्हें यह आश्वासन दिया था कि मैं आदर्श विद्यार्थी हूँ और मैं इसका इस्तेमाल पढ़ाई के अलावा किसी दूसरी चीज़ के लिए कभी नहीं करूँगी ... मैं इसकी चाबी घुमाकर पिछली क्लासों में चली जाती थी और इस तरह से कई क्लासों में एक साथ पढ़ लेती थी। लेकिन ...

'हैरी, *मुझे यह समझ में नहीं आ रहा है कि डम्बलडोर हमसे क्या करवाना चाहते हैं।* उन्होंने हमें तीन घंटे पीछे जाने के लिए क्यों कहा? इससे सिरियस को कैसे मदद मिलेगी?'

हैरी ने उसके परेशान चेहरे को देखा।

'इस समय कोई ऐसी चीज़ हुई होगी, जो वे बदलवाना चाहते होंगे,' उसने धीमे से कहा। 'क्या हुआ था ? हम तीन घंटे पहले हैग्रिड के घर की तरफ़ जा रहे थे ...'

'हम तीन घंटे पहले के समय में पहुँच चुके हैं और हम हैग्रिड के घर की तरफ़ जा रहे हैं,' हर्माइनी ने कहा। 'हमने अभी अपने जाने की आवाज़ें सुनी हैं ...'

हैरी की भौंहें तन गईं। वह अपने दिमाग़ पर ज़ोर डालकर सोचने की कोशिश कर रहा था।

'डम्बलडोर ने अभी कहा था – अभी कहा था कि हम एक से ज़्यादा बेक़सूर जानें बचा सकते हैं ...' और फिर उसे मतलब समझ में आ गया। 'हर्माइनी, हम बकबीक को बचाने जा रहे हैं!'

'लेकिन – इससे सिरियस को कैसे मदद मिलेगी ?'

'डम्बलडोर ने कहा था – उन्होंने हमें अभी बताया था कि खिड़की कहाँ है – फ़्लिटविक के ऑफ़िस की खिड़की! जहाँ सिरियस बंद है! हमें बकबीक पर सवारी करके उस खिड़की तक उड़कर पहुँचना है और सिरियस को बचाना है! सिरियस बकबीक पर सवार होकर यहाँ से बाहर निकल सकता है – वे एक साथ यहाँ से बचकर निकल सकते हैं!'

हैरी को हर्माइनी का चेहरा जितना दिख रहा था, वह बहुत दहशत में लग रही थी।

'अगर हम बिना किसी को दिखे यह काम कर पाए, तो यह किसी चमत्कार से कम नहीं होगा!'

'हमें कोशिश तो करना ही चाहिए, है ना ?' हैरी ने कहा। वह उठकर खड़ा हुआ और उसने अपना कान अलमारी के दरवाज़े से लगाया।

'कोई आवाज़ नहीं आ रही है। ऐसा लगता है, बाहर कोई नहीं है ... आओ, चलते हैं ...'

हैरी ने धक्का देकर अलमारी का दरवाज़ा खोला। प्रवेश हॉल में कोई नहीं था। वे लोग बिना आवाज़ किए अलमारी से बाहर भागे और पत्थर की सीढ़ियाँ उतर गए। छायाएँ लंबी हो रही थीं। अँधेरे जंगल के पेड़ों के झुरमुट सुनहरी रोशनी में चमक रहे थे।

'अगर कोई खिड़की से बाहर झाँक रहा हो –' हर्माइनी चीख़ी और पीछे महल की तरफ़ देखने लगी।

'हम दौड़ लगाते हैं,' हैरी ने संकल्प के साथ कहा। 'सीधे जंगल में चलते

हैं, ठीक है ? हम किसी पेड़ के पीछे छिपकर नज़र रखेंगे –'

'**ठीक है**, लेकिन हम ग्रीनहाउसों के पास से घूमकर चलेंगे!' हर्माइनी ने हाँफते हुए कहा। 'हमें हैग्रिड के सामने वाले दरवाज़े से नज़र नहीं आना चाहिए, वरना हम ख़ुद को देख लेंगे! हम अब तक हैग्रिड के घर के पास पहुँच गए होंगे!'

हर्माइनी की बात का मतलब समझने की कोशिश करते हुए हैरी ने दौड़ लगा दी। हर्माइनी उसके पीछे भाग रही थी। वे सब्ज़ियों के बगीचों को पार करते हुए ग्रीनहाउसों के पास पहुँचे, एक पल रुके और फिर लड़ाकू पेड़ का चक्कर लगाते हुए जंगल में छिपने के लिए दौड़ पड़े...

पेड़ों की छायाओं में सुरक्षित पहुँचने के बाद हैरी घूमा। कुछ सेकंड बाद हर्माइनी भी हाँफती हुई उसके पास पहुँच गई।

'ठीक है,' हर्माइनी बोली, 'हमें चोरी से हैग्रिड के घर के पास पहुँचना है। दिखाई मत देना, हैरी ...'

वे लोग ख़ामोशी से जंगल के किनारे पर पेड़ों के बीच से चलते रहे। फिर जब उन्हें हैग्रिड के घर का अगला हिस्सा दिखाई दिया, तो उन्होंने उसके दरवाज़े पर किसी के खटखटाने की आवाज़ सुनी। वे तत्काल बलूत के एक चौड़े तने वाले पेड़ के पीछे छिप गए और उसके पीछे से झाँकने लगे। हैग्रिड दरवाज़े पर नज़र आ रहा था। वह काँप रहा था और उसका चेहरा सफ़ेद था। वह चारों तरफ़ देख रहा था कि दरवाज़ा किसने खटखटाया था। और फिर हैरी ने अपनी आवाज़ सुनी।

'हम हैं,' हैरी ने धीमे से कहा। 'हम अदृश्य चोगा पहने हैं। हमें अंदर आने दो, ताकि हम उसे उतार सकें।'

'तुम्हें यहाँ नहीं आना चाहिए था!' हैग्रिड फुसफुसाया, लेकिन वह एक तरफ़ हट गया और उसने तत्काल दरवाज़ा बंद कर दिया।

'हमने आज तक इतना अजीब काम नहीं किया,' हैरी ने उत्साह से कहा।

'हम थोड़ा खिसकते हैं,' हर्माइनी ने फुसफुसाकर कहा। 'हमें बकबीक के पास पहुँचना चाहिए!'

वे लोग पेड़ों के बीच से रेंगते रहे, जब तक कि उन्हें घबराया हुआ गरुड़अश्व नहीं दिख गया, जो हैग्रिड की क़द्दू वाली क्यारी के पास की फ़ेंस से बँधा था।

हैरी ने हर्माइनी से पूछा, 'अभी छुड़ा लें ?'

'नहीं!' हर्माइनी ने कहा। 'अगर हम उसे इस समय चुरा लेंगे, तो ख़तरनाक प्राणी ख़ात्मा समिति के लोग यह सोचेंगे कि हैग्रिड ने उसे आज़ाद कर

दिया है! हमें तब तक इंतज़ार करना होगा, जब तक कि वे उसे बाहर बँधा न देख लें!'

'तब तो हमें इस काम के लिए सिर्फ़ साठ सेकंड मिलेंगे,' हैरी ने कहा। यह काम लगभग असंभव लग रहा था।

उसी समय हैग्रिड के घर में से चीनी मिट्टी की किसी चीज़ के टूटने की आवाज़ आई।

'हैग्रिड ने दूध का जग तोड़ दिया है,' हर्माइनी फुसफुसाकर बोली। 'कुछ ही समय में स्कैबर्स मुझे मिलने वाला है –'

निश्चित रूप से, कुछ समय बाद उन्हें हर्माइनी की हैरान चीख़ सुनाई दी।

'हर्माइनी,' हैरी ने अचानक कहा। 'क्यों न हम – दौड़कर अंदर जाएँ और पेटिग्रू को पकड़ लें –'

'नहीं!' हर्माइनी ने दहशत भरी फुसफुसाहट में कहा। 'क्या तुम समझते नहीं हो ? हम जादूगरी के एक बहुत ही महत्वपूर्ण नियम को तोड़ रहे हैं! समय में किसी को भी परिवर्तन नहीं करना चाहिए, किसी को भी नहीं! तुमने डम्बलडोर की बात सुनी थी ना, अगर किसी ने भी हमें देख लिया –'

'सिर्फ़ हम ही तो देखेंगे और हैग्रिड भी!'

हर्माइनी ने पूछा, 'हैरी, अगर तुम हैग्रिड के घर में ख़ुद को भागकर घुसते देखोगे, तो तुम्हें कैसा लगेगा ?'

'मुझे लगेगा – मुझे लगेगा कि मैं पागल हो गया हूँ,' हैरी ने कहा, 'या फिर मैं यह सोचूँगा कि काला जादू हो रहा है –'

'बिलकुल यही! तुम सही स्थिति को नहीं समझ पाओगे। हो सकता है तुम ख़ुद पर ही हमला कर दो! क्या तुम्हें यह समझ में नहीं आता है ? प्रोफ़ेसर मैक्गॉनेगल ने मुझे बताया था कि जब जादूगरों ने समय के साथ खिलवाड़ किया है, तो कितनी भयंकर घटनाएँ हुई हैं ... बहुत से जादूगरों ने ग़लती से अपने अतीत या भावी स्वरूपों को मार डाला है!'

'ठीक है!' हैरी बोला। 'मैं तो बस सोच रहा था –'

लेकिन हर्माइनी ने उसे छूकर महल की तरफ़ इशारा किया। हैरी ने अपना सिर कुछ इंच हिलाया, ताकि दूर दिख रहे महल के सामने वाले दरवाज़े को साफ़ देख सके। डम्बलडोर, फ़ज, कमेटी का बूढ़ा सदस्य और जल्लाद मैक्नेअर सीढ़ियाँ उतरकर आ रहे थे।

'हम अब बाहर आने वाले हैं!' हर्माइनी ने सांस अंदर खींचते हुए कहा।

और निश्चित रूप से कुछ समय बाद हैग्रिड का पिछला दरवाज़ा खुला।

हैरी ने देखा कि वह, रॉन और हर्माइनी हैग्रिड के साथ बाहर आ रहे हैं। इसमें कोई शक नहीं था कि यह उसकी ज़िंदगी का सबसे अजीब अनुभव था कि वह पेड़ के पीछे खड़े होकर क़द्दू की क्यारी में ख़ुद को देख रहा था।

'सब **ठीक** है बीकी, सब **ठीक** है ...' हैग्रिड ने बकबीक से कहा। फिर वह हैरी, रॉन और हर्माइनी की तरफ़ मुड़ा। 'अब जाओ। चल दो।'

'हैग्रिड, हम ऐसा नहीं कर सकते –'

'हम उन्हें बता देंगे कि दरअसल क्या हुआ था –'

'वे उसे नहीं मार सकते –'

'जाओ! पहले से ही इतना झमेला है कि तुम्हें इस मुश्किल में नहीं फँसना चाहिए!'

हैरी ने देखा कि हर्माइनी क़द्दू की क्यारी में उसके और रॉन के ऊपर अदृश्य चोगा डाल रही थी।

'जल्दी जाओ। सुनना मत ...'

किसी ने हैग्रिड की झोपड़ी का सामने वाला दरवाज़ा खटखटाया। सज़ा देने वाला दल आ गया था। हैग्रिड पलटकर अपनी झोपड़ी के अंदर चला गया। उसने अपना पिछला दरवाज़ा आधा खुला छोड़ दिया था। हैरी ने देखा कि घर के आस-पास की घास चारों तरफ़ समतल है। फिर उसे तीन क़दमों की आहट सुनाई दी। वह, रॉन और हर्माइनी चले गए थे ... लेकिन पेड़ों के पीछे छिपे हैरी और हर्माइनी अब भी पिछले दरवाज़े से आने वाली आवाज़ों को सुनकर यह जान सकते थे कि झोपड़ी में क्या हो रहा था।

मैक्नेअर की ठंडी आवाज़ आई, 'जानवर कहाँ है ?'

'बाहर – बाहर है,' हैग्रिड ने काँपती हुई आवाज़ में कहा।

जब मैक्नेअर का चेहरा हैग्रिड की खिड़की में बकबीक को देखने के लिए नज़र आया, तो हैरी ने अपना सिर छिपा लिया। फिर उन्हें फ़ज की आवाज़ सुनाई दी।

'हमें तुम्हें सज़ा का आधिकारिक आदेश पढ़कर सुनाना होगा, हैग्रिड। मैं इसे जल्दी से पढ़ देता हूँ। और फिर तुम्हें और मैक्नेअर को इस पर साइन करने होंगे। मैक्नेअर, तुम्हें भी यह सुनना होगा, यह नियम है –'

मैक्नेअर का चेहरा खिड़की से ग़ायब हो गया। अब वह काम करने का समय आ गया था।

'यहीं इंतज़ार करो,' हैरी ने हर्माइनी से फुसफुसाकर कहा। 'यह काम मैं करता हूँ।'

जब फ़ज की आवाज़ दोबारा आने लगी, तो हैरी पेड़ के पीछे से भागता हुआ निकला और फ़ेंस लाँघकर कद्दू की क्यारी में बकबीक के पास पहुँच गया।

'ख़तरनाक प्राणी ख़ात्मा विभाग की समिति का यह फ़ैसला है कि बकबीक नामक गरुड़अश्व को, जिसे इसके बाद अपराधी नाम से संबोधित किया जाएगा, छह जून को सूर्यास्त के समय मौत के घाट उतार दिया जाए –'

पलकें न झपकाने की कोशिश करते हुए हैरी ने खूँख़ार नारंगी आँखों वाले बकबीक से एक बार फिर नज़रें मिलाईं और सिर झुकाया। बकबीक अपने पपड़ीदार घुटनों पर बैठ गया और फिर खड़ा हो गया। हैरी बकबीक की फ़ेंस से बँधी रस्सी खोलने लगा।

'... सिर काटकर मौत की सज़ा सुनाई गई है, जिसे समिति द्वारा नियुक्त जल्लाद वाल्डेन मैक्नेअर देंगे ...'

'जल्दी चलो, बकबीक,' हैरी बुदबुदाया, 'जल्दी चलो, हम तुम्हारी मदद कर रहे हैं। चुपचाप ... चुपचाप ...'

'... नीचे गवाहों के साइन होना है। हैग्रिड, तुम यहाँ पर साइन करो...'

हैरी ने रस्सी पर पूरा ज़ोर लगाया, लेकिन बकबीक ने अपने अगले पंजे ज़मीन में गड़ा रखे थे।

'तो अब हम इस मामले को ख़त्म कर देते हैं,' हैग्रिड के घर के अंदर से समिति के सदस्य की भर्राई आवाज़ आई। 'हैग्रिड, तुम अंदर ही रहो तो अच्छा है –'

'नहीं, हम – हम उसके साथ रहना चाहते हैं ... हम नहीं चाहते कि वह अपने आख़िरी समय में अकेला रहे –'

हैग्रिड की झोपड़ी के अंदर से क़दमों की आवाज़ गूँज रही थी।

'बकबीक, चलो!' हैरी ने गुर्राकर कहा।

हैरी ने बकबीक की गर्दन में बँधी रस्सी को और ज़ोर से खींचा। गरुड़अश्व चलने लगा और चिढ़कर अपने पंख हिलाने लगा। वे अब भी जंगल से दस फ़ुट दूर थे और कोई भी उन्हें हैग्रिड के पिछले दरवाज़े से देख सकता था।

'एक मिनट ठहरो, मैक्नेअर,' डम्बलडोर की आवाज़ आई। 'तुम्हें भी तो साइन करना है,' क़दमों की आहट रुक गई। हैरी ने रस्सी खींची। बकबीक ने अपनी चोंच बंद की और थोड़ा तेज़ चलने लगा।

हर्माइनी का सफ़ेद चेहरा एक पेड़ के पीछे से बाहर निकल रहा था।

वह बोली, 'हैरी, जल्दी करो!'

हैरी को अब भी केबिन के अंदर से डम्बलडोर के बोलने की आवाज़ आ रही थी। उसने रस्सी को एक और झटका दिया। बकबीक मन मारकर भागने लगा। वे पेड़ों तक पहुँच गए थे ...

'जल्दी! जल्दी!' हर्माइनी ने आह भरते हुए कहा और पेड़ के पीछे से भाग कर आ गई। उसने भी रस्सी पकड़कर ताक़त लगाई, ताकि बकबीक ज़्यादा तेज़ चल सके। हैरी ने पीछे पलटकर देखा। अब वे पूरी तरह छिप गए थे। उन्हें हैग्रिड का बगीचा दिखाई नहीं दे रहा था।

'रुको!' उसने हर्माइनी से फुसफुसाकर कहा। 'वे हमारे चलने की आवाज़ सुन सकते हैं –'

हैग्रिड का पिछला दरवाज़ा धड़ाक से खुला। हैरी, हर्माइनी और बकबीक बिलकुल ख़ामोश खड़े रहे। यहाँ तक कि गरुड़अश्व भी ध्यान से सुन रहा था।

ख़ामोशी ... फिर –

'वह कहाँ गया?' कमेटी के सदस्य की भर्राई आवाज़ आई। 'जानवर कहाँ गया?'

'अभी तो यहीं बँधा था!' जल्लाद ने ग़ुस्से से कहा। 'मैंने उसे देखा था! यहीं पर!'

'कितनी अजीब बात है,' डम्बलडोर ने कहा। उनकी आवाज़ में दिलचस्पी का भाव था।

'बीकी!' हैग्रिड ने भारी आवाज़ में कहा।

फरसा चलने की आवाज़ आई। लगता था, जल्लाद ने ग़ुस्से में फ़ेंस पर फरसा चला दिया था। इसके बाद किसी के रोने की आवाज़ आई। सुबकियाँ लेते हुए हैग्रिड बोल रहा था।

'चला गया! चला गया! वह *भाग गया!* उसने ख़ुद को खींचकर आज़ाद कर लिया होगा! बीकी, शाबाश बीकी!'

बकबीक ने रस्सी खींचने के लिए ज़ोर लगाया, क्योंकि वह हैग्रिड के पास जाना चाहता था। हैरी और हर्माइनी ने अपनी पकड़ मज़बूत की और उसे रोकने के लिए ज़मीन पर अपने पैर गड़ा दिए।

'किसी ने उसे खोल दिया होगा!' जल्लाद ग़ुस्से से कह रहा था। 'हमें मैदान और जंगल की तलाशी लेना चाहिए –'

डम्बलडोर ने दिलचस्पी से कहा, 'मैक्नेअर, अगर बकबीक को सचमुच चुराया गया है, तो क्या तुम्हें यह लगता है कि चोर उसे उड़ाकर ले जाने के बजाय पैदल ले जाएगा? इससे बेहतर तो यह होगा कि तुम आसमान की तलाशी लो

... हैग्रिड, मैं एक कप चाय पीना चाहूँगा। या ब्रांडी का एक बड़ा पैग।'

'आइए - आइए, प्रोफ़ेसर,' हैग्रिड ने कहा, जिसकी आवाज़ ख़ुशी के मारे सँभल नहीं रही थी। 'अंदर आइए, अंदर आइए ...'

हैरी और हर्माइनी ने ध्यान से सुना। उन्हें क़दमों की आहट आई। जल्लाद गालियाँ दे रहा था। फिर दरवाज़ा धड़ाक से बंद हुआ और एक बार फिर ख़ामोशी छा गई।

हैरी ने चारों तरफ़ देखते हुए पूछा, 'अब क्या करें ?'

'हमें यहीं छिपना होगा,' हर्माइनी ने कहा, जो बहुत विचलित दिख रही थी। 'जब तक वे महल नहीं लौट जाते, तब तक हमें यहीं इंतज़ार करना चाहिए। फिर हमें तब तक इंतज़ार करना होगा, जब तक कि बकबीक को सिरियस की खिड़की तक ले जाने का वक़्त नहीं हो जाता। वह वहाँ दो घंटे बाद पहुँचेगा .. . ओह, यह काम बहुत मुश्किल होगा ...'

उसने घबराकर जंगल को देखा। सूरज अब ढल रहा था।

'हमें यहाँ से हिलना होगा,' हैरी ने दिमाग़ पर ज़ोर डालते हुए कहा। 'हमें लड़ाकू पेड़ पर नज़र रखना चाहिए, वरना हमें यह पता कैसे चलेगा कि हमें कब क्या करना है।'

'ठीक है,' हर्माइनी बकबीक की रस्सी को और कसकर पकड़ते हुए बोली। 'लेकिन याद रखना हैरी, हमें किसी को दिखाई नहीं देना है ...'

वे जंगल के किनारे पर चलते रहे। अँधेरा उनके चारों तरफ़ फैल रहा था। फिर वे पेड़ों के एक झुंड के पीछे छिप गए, जिनके बीच से उन्हें लड़ाकू पेड़ दिख रहा था।

हैरी ने अचानक कहा, 'रॉन वह रहा!'

एक अँधेरी आकृति घास पर दौड़ती हुई आई। इसकी आवाज़ रात की ख़ामोश हवा में गूँज रही थी।

'उससे दूर हटो - दूर हटो - स्कैबर्स, *यहाँ* आओ -'

फिर उन्हें दो और आकृतियाँ नज़र आईं। हैरी ने देखा कि वह और हर्माइनी रॉन के पीछे भाग रहे थे। फिर उसने रॉन को छलाँग लगाते देखा।

'पकड़ लिया! दूर हटो, गंदी बिल्ली -'

'वह रहा सिरियस!' हैरी ने कहा। कुत्ते की विशाल आकृति लड़ाकू पेड़ की जड़ों के बीच से निकलकर आ रही थी। उन्होंने देखा कि उसने हैरी को गिरा दिया था और रॉन को पकड़ लिया था ...

'यहाँ से तो यह और भी बुरा दिखता है, है ना?' हैरी ने कहा, जब कुत्ता रॉन को जड़ों के बीच से घसीटकर अंदर ले जा रहा था। 'आउच - देखो, पेड़ ने मुझ पर हमला कर दिया - और तुम पर भी - यह तो *अजीब है* -'

लड़ाकू पेड़ चरमरा रहा था और अपनी नीचे की शाखाओं को कोड़ों की तरह लहरा रहा था। उन्होंने देखा कि वे इधर-उधर भाग रहे थे और तने तक पहुँचने की कोशिश कर रहे थे। और फिर पेड़ शांत हो गया।

'क्रुकशैंक्स तने की गाँठ को दबा रही है,' हर्माइनी बोली।

'और अब हम अंदर जा रहे हैं ...' हैरी बुदबुदाया। 'हम अंदर जा चुके हैं।'

जिस पल वे ग़ायब हुए, पेड़ एक बार फिर हिलने लगा। कुछ पल बाद उन्हें क़दमों की आवाज़ सुनाई दी। डम्बलडोर, मैक्नेअर, फ़ज और समिति का बूढ़ा सदस्य महल की तरफ़ जा रहे थे।

'हमारे अंदर जाने के ठीक बाद ही वे आए थे!' हर्माइनी बोली। '*काश* डम्बलडोर हमारे साथ अंदर गए होते ...'

'तब तो मैक्नेअर और फ़ज भी अंदर गए होते,' हैरी ने कटुता से कहा। 'मैं दावे से कहता हूँ कि फ़ज ने मैक्नेअर को वहीं पर सिरियस को मारने को कह दिया होता ...'

उन्होंने चारों लोगों को महल की सीढ़ियाँ चढ़कर ओझल होते देखा। कुछ मिनट तक आस-पास कोई भी नहीं था। फिर -

'देखो ल्यूपिन आ रहे हैं!' हैरी ने कहा, जब उसने देखा कि पत्थर की सीढ़ियों से एक आकृति लड़ाकू पेड़ की तरफ़ भागकर आ रही थी। हैरी ने आसमान में देखा। चाँद बादलों में छिपा हुआ था।

उन्होंने देखा कि ल्यूपिन ने ज़मीन से एक टूटी टहनी उठाकर तने की गाँठ को दबाया। लड़ाकू पेड़ ने लहराना बंद कर दिया और ल्यूपिन भी इसकी जड़ों के छेद में ग़ायब हो गए।

'काश वे चोगा उठा लेते,' हैरी बोला। 'वह वहीं पड़ा हुआ है ...'

वह हर्माइनी की तरफ़ पलटा।

'अगर मैं अभी भागकर जाऊँ और चोगा उठा लूँ, तो स्नेप इस तक कभी नहीं पहुँच पाएँगे और -'

'हैरी, *हमें किसी को भी नहीं दिखना है!*'

'तुम इसे कैसे बर्दाश्त कर सकती हो?' उसने तैश में आकर हर्माइनी से कहा। 'यहाँ पर खड़े होकर सब कुछ होते देख रही हो?' वह झिझका। 'मैं चोगा

उठाने जा रहा हूँ!'

'हैरी, *नहीं!*'

हर्माइनी ने हैरी के दुशाले को पीछे से पकड़ लिया और यह अच्छा ही रहा। ठीक उसी समय उन्हें किसी के गाने की आवाज़ सुनाई दी। यह हैग्रिड था, जो महल की तरफ़ जा रहा था। वह ज़ोर-ज़ोर से गाना गा रहा था और चलते समय थोड़ा झूम रहा था। उसके हाथ में एक बड़ी बोतल लहरा रही थी।

'देखा?' हर्माइनी फुसफुसाकर बोली। *'देखा, क्या हो सकता था? हमें* किसी को दिखाई नहीं देना है! *नहीं, बकबीक!'*

गरुड़अश्व हैग्रिड तक फिर पहुँचने की ज़ोरदार कोशिश कर रहा था। हैरी ने भी बकबीक को रोकने के लिए उसकी रस्सी पकड़ ली। उन्होंने देखा कि हैग्रिड महल तक झूमता हुआ गया। फिर वह चला गया। अब बकबीक ने भी रस्सी छुड़ाने की कोशिश छोड़ दी और उसका सिर दुख से लटक गया।

मुश्किल से दो मिनट बाद ही महल का दरवाज़ा एक बार फिर खुला। स्नेप उसमें से धड़धड़ाते हुए बाहर निकले और लड़ाकू पेड़ की तरफ़ भागने लगे।

हैरी ने अपने हाथ भींच लिए, जब उसने देखा कि स्नेप पेड़ के पास रुककर चारों तरफ़ देख रहे थे। उन्हें चोगा दिख गया, जिसे उन्होंने उठा लिया।

हैरी धीरे से गुर्राया, 'इस पर से अपने गंदे हाथ हटाओ।'

'श्श्श!'

स्नेप ने वही टहनी उठा ली, जिससे ल्यूपिन ने पेड़ की गाँठ दबाई थी। उसी टहनी से स्नेप ने भी गाँठ दबाई और चोगा पहनकर अदृश्य हो गए।

'तो यह मामला है,' हर्माइनी ने धीरे से कहा। 'हम सब वहाँ पर नीचे हैं ... और अब हमें अपने लौटने का इंतज़ार करना होगा ...'

उसने बकबीक की रस्सी सबसे पास वाले पेड़ से बाँध दी। फिर वह सूखी ज़मीन पर बैठ गई और उसने अपने हाथ घुटनों पर रख लिए।

'हैरी, मुझे एक बात समझ में नहीं आ रही है ... दमपिशाच सिरियस को क्यों नहीं पकड़ पाए? मुझे याद है कि दमपिशाच पास आ रहे थे। फिर मुझे लगता है, मैं बेहोश हो गई थी ... वहाँ पर इतने सारे दमपिशाच थे ...'

हैरी भी बैठ गया। उसने हर्माइनी को पूरी घटना बताई। उसने बताया कि सबसे पास खड़े दमपिशाच ने किस तरह उसके मुँह की तरफ़ अपना मुँह झुका लिया था, लेकिन तभी झील के पार से कोई बड़ी सी सफ़ेद चीज़ आई और उसने दमपिशाचों को भगा दिया।

हैरी की बात सुनकर हर्माइनी का मुँह थोड़ा खुला रह गया।

'लेकिन वह कौन सी चीज़ थी?'

हैरी ने कहा, 'दमपिशाचों को सिर्फ़ एक ही चीज़ भगा सकती है : असली पितृदेव। शक्तिशाली पितृदेव।'

'लेकिन उसे उत्पन्न किसने किया?'

हैरी कुछ नहीं बोला। वह उस व्यक्ति के बारे में सोच रहा था, जिसे उसने झील के दूसरे किनारे पर देखा था। वह अंदाज़ा लगा रहा था कि वह कौन था ... लेकिन यह कैसे *हो सकता* है?

'तुमने यह नहीं देखा कि वह कैसा दिखता है?' हर्माइनी ने उत्सुकता से पूछा। 'क्या हमारा कोई टीचर था?'

'नहीं,' हैरी बोला, 'वे टीचर नहीं थे।'

'लेकिन इतने सारे दमपिशाचों को तो कोई शक्तिशाली जादूगर ही भगा सकता है ... अगर पितृदेव इतनी तेज़ी से चमक रहा था, तो क्या उसकी रोशनी में तुम्हें वह जादूगर नहीं दिखा? क्या तुम उसे नहीं देख पाए – ?'

'हाँ, मैंने उन्हें देखा था,' हैरी ने धीरे से कहा। 'लेकिन ... शायद यह मेरी कल्पना हो ... मैं उस समय ठीक से सोच-विचार करने की हालत में नहीं था . .. उसके तत्काल बाद मैं बेहोश हो गया था ...'

'तुम्हारे हिसाब से वे कौन थे?'

'मुझे लगता है –' हैरी ने थूक गुटका। वह जानता था कि यह बात सुनने में बहुत अजीब लगेगी। 'मुझे लगता है कि वे मेरे डैडी थे।'

हैरी ने हर्माइनी की तरफ़ देखा, जिसका मुँह अब पूरी तरह से खुल गया था। वह उसकी तरफ़ दहशत और दया के मिले-जुले भाव से देख रही थी।

'हैरी, तुम्हारे डैडी *मर चुके* हैं,' उसने धीरे से कहा।

हैरी तत्काल बोल उठा, 'मैं यह बात जानता हूँ।'

'तुम्हें लगता है, तुमने उनका भूत देखा था?'

'क्या पता ... नहीं ... वे ठोस दिख रहे थे ...'

'लेकिन फिर ... –'

'शायद मैं ठीक से नहीं देख पाया,' हैरी बोला। 'लेकिन ... जितना मैं देख पाया ... वे उन्हीं की तरह दिख रहे थे ... मेरे पास उनकी तस्वीरें हैं ...'

हर्माइनी अब हैरी की तरफ़ ऐसे देख रही थी, जैसे उसकी दिमाग़ी हालत के बारे में चिंतित हो।

'मैं जानता हूँ कि यह पागलपन लगता है,' हैरी ने सपाट अंदाज़ में कह दिया। उसने पलटकर बकबीक को देखा, जो अपनी चोंच से ज़मीन खोद रहा था और शायद कीड़े ढूँढ़ रहा था। लेकिन वह दरअसल बकबीक को नहीं देख रहा था।

वह तो अपने पिता और उनके तीन सबसे पुराने मित्रों के बारे में सोच रहा था ... मूनी, वर्मटेल, पैडफ़ुट और प्रॉन्ग्स ... क्या आज रात को चारों दोस्त मैदान में एक बार फिर इकट्‌ठे हुए थे ? वर्मटेल उस रात को दोबारा नज़र आया था, जबकि सब यही सोच रहे थे कि वह मर चुका है – क्या यह संभव नहीं था कि उसके पिता भी नज़र आए हों ? क्या झील के उस पार उसे कोई काल्पनिक चीज़ दिखी थी ? वह आकृति इतनी दूर थी कि साफ़ नहीं दिख रही थी ... लेकिन बेहोश होने से पहले एक पल के लिए तो उसे यही लगा था ...

हवा में पत्तियाँ धीरे-धीरे सरसरा रही थीं। तैरते बादलों के बीच चाँद कभी छिप जाता था, तो कभी दिखने लगता था। हर्माइनी अपना चेहरा लड़ाकू पेड़ की तरफ़ घुमाकर इंतज़ार कर रही थी।

और फिर, आख़िरकार, एक घंटे से भी ज़्यादा समय बाद ...

'हम वापस आ गए!' हर्माइनी फुसफुसाकर बोली।

वह और हैरी खड़े हो गए। बकबीक ने अपना सिर उठा लिया। उन्होंने देखा कि ल्यूपिन, रॉन और पेटिग्रू जड़ों के बीच वाले छेद से अजीब तरीक़े से बाहर निकल रहे हैं। फिर हर्माइनी आई ... फिर बेहोश स्नेप अजीब ढंग से हवा में तैरते हुए आए। इसके बाद हैरी और ब्लैक बाहर निकले। वे सब महल की तरफ़ चलने लगे।

हैरी का दिल बहुत तेज़ी से धड़कने लगा। उसने आसमान की तरफ़ देखा। अब किसी भी समय बादल हटने वाला था और चाँद दिखने वाला था...

'हैरी,' हर्माइनी बुदबुदाई, जैसे वह जानती हो कि वह क्या सोच रहा है, 'हमें दूर ही रहना है। कोई हमें देख न पाए। हम कुछ नहीं कर सकते हैं ...'

'तो क्या हम पेटिग्रू को एक बार फिर बचकर भाग जाने देंगे ...' हैरी ने धीरे से पूछा।

'अँधेरे में तुम चूहे को पकड़ने की उम्मीद कैसे कर सकते हो ?' हर्माइनी ने पलटकर कहा। 'हम कुछ नहीं कर सकते हैं! हम सिरियस की मदद करने आए हैं। हमें इसके अलावा कुछ नहीं करना चाहिए!'

'ठीक है!'

चाँद बादल के पीछे से बाहर निकल आया। उन्होंने मैदान में जाती

आकृतियों को रुकते देखा। फिर उन्होंने गतिविधि देखी –

'ल्यूपिन वे रहे,' हर्माइनी फुसफुसाई। 'उनका रूप बदल रहा है –'

'हर्माइनी!' हैरी ने अचानक कहा। 'हमें यहाँ से कहीं और चलना चाहिए!'

'हमें ऐसा कुछ नहीं करना चाहिए, मैं तुम्हें कब से बता रही हूँ –'

'हम बीच में नहीं पड़ेंगे! लेकिन ल्यूपिन जंगल की तरफ़ भागेंगे, ठीक हमारी तरफ़!'

हर्माइनी ने आह भरी।

'जल्दी!' वह बकबीक को खोलने के लिए भागी। 'जल्दी! हम कहाँ जाएँ? हम कहाँ छिपें? दमपिशाच किसी भी समय आ सकते हैं –'

हैरी बोला, 'फिर से हैग्रिड के घर में चलते हैं! अब वह ख़ाली है – चलो!'

वे सरपट भागे। बकबीक भी उनके पीछे-पीछे भागा। उन्हें पीछे से नरभेड़िए की गुर्राहट सुनाई दे रही थी ...

हैग्रिड का घर दिखने लगा था। हैरी ने भागकर दरवाज़ा खोला। हर्माइनी और बकबीक उसके पास से निकलकर अंदर गए। उनके जाने के बाद हैरी भी अंदर गया और उसने दरवाज़े की साँकल लगा दी। फ़ैंग ज़ोर से भौंका।

'श्श्श, फ़ैंग, हम हैं!' हर्माइनी बोली और उसे चुप करने के लिए जल्दी से उसके कान खुजाने लगी। 'यह बहुत क़रीबी मामला था!' उसने हैरी से कहा।

'हाँ ...'

हैरी खिड़की से बाहर देख रहा था। यहाँ से बाहर की घटनाओं को देखना मुश्किल था। बकबीक बहुत ख़ुश दिख रहा था कि वह फिर से हैग्रिड के घर में लौट आया है। वह आग के सामने पसर गया, उसने अपने पंख संतुष्टि के साथ बंद कर लिए और अच्छी सी झपकी की तैयारी करने लगा।

'मुझे लगता है कि मुझे एक बार फिर बाहर जाना चाहिए,' हैरी ने धीरे से कहा। 'हमें यहाँ से बाहर की घटनाएँ नहीं दिख सकतीं – हमें यह कैसे पता चलेगा कि जाने का सही समय हो गया है –'

हर्माइनी ने उसकी तरफ़ देखा। उसके चेहरे पर संदेह का भाव था।

'मैं बीच में नहीं पड़ूँगा,' हैरी ने जल्दी से कहा। 'लेकिन अगर हम यह नहीं देख पाएँगे कि क्या हो रहा है, तो हमें यह कैसे पता चलेगा कि सिरियस को बचाने का समय हो गया है?'

'अच्छा... ठीक है ... मैं यहाँ पर बकबीक के साथ इंतज़ार करती हूँ .. . लेकिन हैरी, सावधान रहना – वहाँ एक नरभेड़िया है – और दमपिशाच भी –'

हैरी एक बार फिर बाहर आ गया और हैग्रिड के घर के चारों तरफ़ घूमकर निकला। उसे दूर से सिरियस की चीख़ सुनाई दी। इसका मतलब था कि दमपिशाच सिरियस को घेर रहे थे ... वह और हर्माइनी भी अब किसी भी पल उसके पास पहुँचने वाले होंगे ...

हैरी झील की तरफ़ घूरने लगा। उसका दिल उसके सीने में नाच रहा था। जिसने भी उस पितृदेव को उत्पन्न किया था, वह अब किसी भी पल नज़र आ जाएगा।

एक पल के लिए वह हैग्रिड के घर के दरवाज़े के सामने डावाँडोल हालत में खड़ा रहा। *कोई तुम्हें देख न ले।* लेकिन वह दिखना नहीं चाहता था। वह तो देखना चाहता था ... वह तो जानना चाहता था ...

और फिर दमपिशाच आ गए। वे अँधेरे में हर दिशा से आ रहे थे और झील के कोनों से मंडरा रहे थे ... जहाँ हैरी खड़ा था, वहाँ से वे दूसरे किनारे की तरफ़ जा रहे थे ... वह दमपिशाचों से दूर रहेगा...

हैरी भागने लगा। उसके मन में अपने पिता के अलावा कोई दूसरा विचार नहीं था ... क्या वे ही थे ... क्या सचमुच वे ही थे ... उसे यह जानना ही था, उसे यह पता लगाना ही था ...

झील अब और पास आती जा रही थी, लेकिन वहाँ कोई भी नहीं दिख रहा था। दूसरे किनारे पर उसे छुटपुट सफ़ेद चमक दिख रही थी - वह पितृदेव उत्पन्न करने की कमज़ोर कोशिशें कर रहा था -

पानी के बिलकुल पास एक झाड़ी थी। हैरी उसके पीछे छिपकर पत्तियों के बीच से देखने लगा। दूसरे किनारे पर सफ़ेद चमक अचानक ग़ायब हो गई। उसके भीतर दहशत भरा रोमांच हिलोरें मारने लगा - अब किसी भी पल -

'आ जाओ!' वह बुदबुदाया और घूरने लगा। 'डैडी, आप कहाँ हो? आ जाओ -'

लेकिन कोई नहीं आया। हैरी ने अपना सिर उठाकर झील के उस पार दमपिशाचों के समूह को देखा। उनमें से एक अपने नक़ाब को नीचे कर रहा था। अब बचाने वाले को सामने आना था - लेकिन इस बार कोई भी मदद करने नहीं आ रहा था -

और तभी उसके मन में एक विचार आया - वह समझ गया। उसने अपने पिता को नहीं - बल्कि *ख़ुद* को देखा था -

हैरी झाड़ी के पीछे से कूदकर बाहर आया और उसने अपनी छड़ी बाहर निकाली।

वह चीख़ा, *'पितृदेव संरक्षणम्!'*

इस बार उसकी छड़ी के सिरे से धुएँ का धुँधला बादल नहीं निकला, बल्कि एक आँखें चौंधिया देने वाला चमकदार चाँदी सा सफ़ेद जानवर बाहर निकला। हैरी ने अपनी आँखें सिकोड़ लीं और यह देखने की कोशिश करने लगा कि वह कौन सा जानवर था। वह घोड़े की तरह दिख रहा था। वह जानवर चुपचाप झील की काली सतह पर दौड़ता हुआ उस पार जा रहा था। फिर उस जानवर ने अपना सिर नीचे किया और दमपिशाचों पर हमला करने लगा ... अब वह जानवर इधर-उधर दौड़कर दमपिशाचों को भगा रहा था ... अँधेरे में दमपिशाच पीछे हटते हुए फिर से अपनी जगह पर लौट रहे थे ... वे चले गए थे।

पितृदेव मुड़ा। वह पानी की ख़ामोश सतह पर वापस हैरी की तरफ़ लौटने लगा। वह घोड़ा नहीं था। वह यूनिकॉर्न भी नहीं था। वह तो हिरण था। वह ऊपर चमकने वाले चाँद जितना चमक रहा था ... वह उसकी तरफ़ लौट रहा था ...

वह किनारे पर रुक गया। नर्म ज़मीन पर उसके पंजों के निशान नहीं पड़ रहे थे। उसने अपनी बड़ी, सफ़ेद आँखों से हैरी को देखा और धीरे-धीरे अपना सींगदार सिर झुकाया। और हैरी समझ गया कि वह कौन हो सकता है ...

उसने फुसफुसाकर कहा, *'प्रॉन्गस।'*

लेकिन जब हैरी की काँपती उँगलियाँ हिरण की तरफ़ बढ़ीं, तो वह ग़ायब हो गया।

हैरी अपने हाथ खोले खड़ा रहा। फिर उसे पीछे से खुरों की आवाज़ सुनाई दी, जिससे वह उछल पड़ा - उसने पलटकर देखा कि हर्माइनी उसकी तरफ़ भागती हुई आ रही थी और बकबीक को पीछे खींचकर ला रही थी।

'तुमने क्या किया ?' उसने ग़ुस्से से पूछा। 'तुमने तो कहा था कि तुम सिर्फ़ देखोगे!'

हैरी ने कहा, 'मैं हम सबकी जान बचा रहा था ... इस झाड़ी के पीछे छिप जाओ - मैं तुम्हें सब बताता हूँ।'

हर्माइनी ने एक बार फिर मुँह खोलकर पूरी बात सुनी।

'किसी ने तुम्हें देखा तो नहीं ?'

'तुमने सुना नहीं ? *मैंने* ख़ुद को देखा था, लेकिन मुझे लगा कि मैं अपने पिता को देख रहा हूँ! चिंता करने की कोई बात नहीं है!'

'हैरी, मुझे विश्वास नहीं होता - तुमने एक ऐसा पितृदेव उत्पन्न कर दिया, जिसने इतने सारे दमपिशाचों को भगा दिया! यह बहुत, *बहुत* ही ऊँचे स्तर

का जादू है...'

हैरी ने कहा, 'इस बार मैं जानता था कि मैं पितृदेव उत्पन्न कर सकता हूँ, क्योंकि मैं यह काम पहले भी कर चुका था ... क्या इससे बात कुछ समझ में आती है ?'

'क्या पता – हैरी, स्नेप की तरफ़ देखो!'

एक साथ उन्होंने झाड़ी के पीछे से झाँककर झील के दूसरे किनारे की तरफ़ देखा। स्नेप होश में आ गए थे। वे हवा में से स्ट्रेचर उत्पन्न करके उन पर हैरी, हर्माइनी और ब्लैक के बेजान शरीर लिटा रहे थे। और चौथा स्ट्रेचर, जिस पर रॉन लेटा था, पहले से ही उनके पास तैर रहा था। फिर छड़ी तानकर वे उन सबको महल की तरफ़ ले गए।

'ठीक है, अब समय होने वाला है,' हर्माइनी ने तनाव से अपनी घड़ी देखते हुए कहा। 'डम्बलडोर अस्पताल के दरवाज़े पर पैंतालीस मिनट बाद ताला लगाएँगे। हमारे पास इतना ही समय है। इतने समय में ही हमें सिरियस को बचाना है, अस्पताल में वापस पहुँचना है और इस दौरान किसी को भी पता नहीं चलना चाहिए कि हम वहाँ नहीं हैं ...'

वे इंतज़ार करते रहे और झील में बादलों का प्रतिबिंब देखते रहे। उनके पास वाली झाड़ी हवा में सरसराती रही। बकबीक अब बोर हो गया था और एक बार फिर कीड़ों की खुदाई करने लगा था।

'क्या तुम्हें लगता है, सिरियस अब तक वहाँ पहुँच गया होगा ?' हैरी ने अपनी घड़ी देखते हुए कहा। महल की तरफ़ देखते हुए वह पश्चिमी मीनार की दाईं तरफ़ की खिड़कियाँ गिनने लगा।

'देखो!' हर्माइनी ने फुसफुसाकर कहा। 'वह कौन है ? कोई महल से बाहर आ रहा है!'

हैरी ने अँधेरे में घूरा। एक आदमी तेज़ी से मैदान से होता हुआ हॉगवर्ट्स के बाहरी द्वार की तरफ़ जा रहा था। उसकी बेल्ट में कोई चीज़ चमक रही थी।

हैरी ने कहा, 'वह तो मैक्नेअर जल्लाद है! वह दमपिशाचों को बुलाने जा रहा है! चलो हर्माइनी, समय हो गया है –'

हर्माइनी ने बकबीक की पीठ पर हाथ रखे और हैरी ने उसे सहारा देकर चढ़ाया। फिर हैरी ने अपना पैर झाड़ी की डाल पर रखा और बकबीक पर चढ़कर हर्माइनी के आगे बैठ गया। उसने बकबीक की रस्सी उसकी गर्दन पर पीछे की ओर खींच ली और लगाम की तरह बाँध दी।

'तैयार ?' उसने हर्माइनी से फुसफुसाकर कहा। 'मुझे पकड़ लो –'

उसने बकबीक को दोनों तरफ़ अपने पैरों से दबाया।

बकबीक अँधेरे में उड़ने लगा। हैरी अपने घुटनों से बकबीक को दबा रहा था। उसे घुटनों के नीचे बकबीक के बड़े पंखों का एहसास हो रहा था। हर्माइनी ने हैरी की कमर कसकर पकड़ रखी थी। वह बुदबुदाती जा रही थी, 'ओह, नहीं – मुझे यह अच्छा नहीं लग रहा है – ओह, मुझे यह *सचमुच* अच्छा नहीं लग रहा है –'

हैरी ने बकबीक को आगे बढ़ने के लिए प्रेरित किया। वे अब महल की ऊपरी मंज़िलों की तरफ़ उड़ रहे थे ... हैरी ने बाईं तरफ़ की रस्सी ज़ोर से खींची, जिससे बकबीक मुड़ गया। हैरी तेज़ी से निकलती खिड़कियों को गिनने की कोशिश कर रहा था –

'रुको!' उसने रस्सी को तेज़ी से पीछे खींचते हुए कहा।

बकबीक धीमा हो गया और वे लगभग रुक गए। यह दूसरी बात है कि बकबीक हवा में बने रहने के लिए पंख फड़फड़ा रहा था और इस वजह से कई फ़ुट ऊपर-नीचे हो रहा था।

ऊपर उठते समय हैरी ने खिड़की से सिरियस को देख लिया, 'वह वहाँ है!' जब बकबीक के पंख नीचे आए, तो हैरी ने ज़ोर से खिड़की के काँच पर हाथ मारा।

ब्लैक ने ऊपर देखा। हैरी ने देखा कि उसका जबड़ा लटक गया था। वह अपनी कुर्सी से उछला, तेज़ी से खिड़की तक आया और उसे खोलने की कोशिश करने लगा, लेकिन खिड़की पर ताला लगा था।

हर्माइनी ने अपनी छड़ी निकाली और ब्लैक से चिल्लाकर कहा, 'पीछे हटो!' वह अब भी अपने बाएँ हाथ से हैरी की कमर पकड़े थी।

'अलोहोमोरा!'

खिड़की खुल गई।

ब्लैक ने गरुड़अश्व की तरफ़ घूरते हुए धीमे से कहा, 'कैसे – *कैसे* – ?'

'बैठ जाओ – समय नहीं है,' हैरी ने बकबीक को स्थिर रखने के लिए उसकी गर्दन कसकर पकड़ ली। 'तुम्हें यहाँ से बाहर निकलना है – दमपिशाच आ रहे हैं। मैक्नेअर उन्हें बुलाने गया है।'

ब्लैक ने खिड़की की चौखट पर अपना हाथ रखकर खिड़की में से अपना सिर और कंधे निकाले। यह बहुत अच्छी बात थी कि वह काफ़ी दुबला था। जल्दी ही वह बकबीक की पीठ पर अपना एक पैर डालने में सफल हो गया और उस पर हर्माइनी के पीछे बैठ गया।

'ठीक है, बकबीक, ऊपर उड़ो!' हैरी रस्सी हिलाते हुए बोला। 'मीनार के ऊपर चलो – जल्दी!'

गरुड़अश्व ने अपने शक्तिशाली पंख फड़फड़ाए और वे एक बार फिर ऊपर उड़ने लगे। वे पश्चिमी मीनार के ऊपर पहुँच गए। बकबीक खड़ाक की आवाज़ के साथ छत पर उतर गया। हैरी और हर्माइनी तत्काल उसकी पीठ से नीचे उतर गए।

हैरी ने हाँफते हुए कहा, 'सिरियस, जल्दी जाओ, जल्दी। वे लोग किसी भी समय फ़्लिटविक के ऑफ़िस में पहुँच सकते हैं। उन्हें पता चल जाएगा कि तुम भाग गए हो।'

बकबीक ने छत पर पंजे मारे और अपना नुकीला सिर हिलाया।

सिरियस ने हड़बड़ाकर पूछा, 'दूसरे लड़के का क्या हाल है? रॉन का?'

'वह **ठीक** हो जाएगा – उसे अभी तक होश नहीं आया है, लेकिन मैडम पॉमफ्री कहती हैं कि वह ठीक हो जाएगा। जल्दी से – जाओ!'

लेकिन ब्लैक अब भी हैरी को घूर रहा था।

'मैं किस तरह तुम्हारा शुक्रिया अदा –'

हैरी और हर्माइनी एक साथ चिल्लाए, **'जाओ!'**

ब्लैक ने बकबीक को घुमाया और खुले आसमान को देखा।

'हम फिर मिलेंगे,' उसने कहा। 'हैरी, तुम सचमुच – अपने पिता के बेटे हो ...'

सिरियस ने बकबीक पर दोनों तरफ़ अपने पैरों का दबाव डाला। जब विशाल पंख एक बार फिर उठे, तो हैरी और हर्माइनी उछलकर पीछे हट गए . .. गरुड़अश्व हवा में उड़ रहा था ... हैरी के देखते ही देखते गरुड़अश्व और उस पर सवार सिरियस दोनों ही छोटे और छोटे होते जा रहे थे ... फिर चाँद पर एक बादल आ गया ... वे जा चुके थे।

अध्याय बाईस

एक बार फिर उल्लू ख़त लेकर आया

'हैरी!'

हर्माइनी अपनी घड़ी देखते हुए उसकी आस्तीन खींच रही थी। 'हमारे पास अस्पताल में वापस लौटने के लिए बस दस मिनट का समय बचा है और इस दौरान हमें किसी को दिखाई नहीं देना है – दस मिनट बाद डम्बलडोर दरवाज़े पर ताला लगा देंगे –'

'**ठीक है,**' हैरी ने आसमान से नज़रें हटाते हुए कहा, 'चलो ...'

वे दोनों उनके पीछे बने दरवाज़े से निकले और पत्थर की घुमावदार सीढ़ियों से नीचे उतरे। जैसे ही वे नीचे पहुँचे, उन्हें आवाज़ें सुनाई दीं। वे दीवार से टिककर खड़े हो गए और सुनने लगे। यह आवाज़ें फ़ज और स्नेप की लग रही थीं, जो सीढ़ियों के पास वाले गलियारे में तेज़ी से आ रहे थे।

स्नेप कह रहे थे, '... सिर्फ़ यही आशा है कि डम्बलडोर कोई मुश्किल न खड़ी करें। दमपिशाच ब्लैक को तत्काल चूम लेंगे?'

'जैसे ही मैक्नेअर दमपिशाचों को लेकर आएगा, वैसे ही। ब्लैक के मामले में मुझे बहुत परेशानियाँ झेलना पड़ी हैं। मैं तुम्हें बता नहीं सकता, मैं *दैनिक जादूगर* को यह बताने के लिए कितना उत्सुक हूँ कि आख़िरकार हमने उसे पकड़ लिया है ... मुझे लगता है स्नेप, वे तुम्हारा इंटरव्यू भी लेना चाहेंगे ... और जब हैरी का दिमागी संतुलन सही हो जाएगा, तो मुझे उम्मीद है कि वह भी *दैनिक जादूगर* को बताएगा कि तुमने उसे कैसे बचाया था ...'

हैरी ने अपने दाँत भींच लिए। जब स्नेप और फ़ज छिपे हुए हैरी व हर्माइनी के पास से निकले, तो हैरी को स्नेप की कुटिल मुस्कराहट की झलक दिखी। उन लोगों के क़दमों की आवाज़ आना बंद हो गई। हैरी और हर्माइनी ने

कुछ पल इंतज़ार किया, क्योंकि वे यह तसल्ली कर लेना चाहते थे कि फ़ज और स्नेप सचमुच चले गए हैं। और फिर वे उनकी विपरीत दिशा में भागने लगे। उन्होंने एक सीढ़ी पार की, फिर दूसरी सीढ़ी उतरे, अब वे एक नए गलियारे में थे – तभी उन्हें आगे से किसी के खिलखिलाने की आवाज़ सुनाई दी।

'पीव्ज़ है!' हैरी ने हर्माइनी की कलाई पकड़ते हुए कहा। 'यहाँ अंदर आ जाओ!'

वे लोग सही समय पर बाईं तरफ़ वाले ख़ाली क्लासरूम में घुस गए। पीव्ज़ गलियारे में ख़ुशी से उछल रहा था और जमकर ठहाके लगा रहा था।

'ओह, वह भयानक है,' हर्माइनी ने दरवाज़े पर कान लगाकर कहा। 'मैं शर्त लगाती हूँ, वह इतना ख़ुश इसलिए है, क्योंकि दमपिशाच सिरियस को ख़त्म करने आ रहे हैं ...' उसने अपनी घड़ी देखी। 'तीन मिनट बचे हैं, हैरी!'

उन्होंने पीव्ज़ की हँसी की आवाज़ के दूर जाने का इंतज़ार किया। इसके बाद वे कमरे से बाहर निकले और एक बार फिर भागने लगे।

हैरी ने हाँफते हुए पूछा, 'हर्माइनी – क्या होगा – अगर हम वक़्त पर अंदर नहीं पहुँच पाए – अगर डम्बलडोर ने दरवाज़े पर ताला लगा दिया ?'

'मैं उस बारे में नहीं सोचना चाहती हूँ!' हर्माइनी ने आह भरते हुए अपनी घड़ी दोबारा देखी। 'एक मिनट बचा है!'

जब वे लोग अस्पताल के प्रवेश द्वार तक जाने वाले गलियारे में पहुँचे, तो हर्माइनी तनाव भरी आवाज़ में बोली, '**ठीक है** – मुझे डम्बलडोर की आवाज़ सुनाई दे रही है। चलो, हैरी!'

वे गलियारे में रेंगते हुए आगे बढ़े। दरवाज़ा खुला और उन्हें डम्बलडोर की पीठ दिखी।

'मैं बाहर से ताला लगाकर जा रहा हूँ। इस समय –' उन्होंने अपनी घड़ी देखी, 'बारह बजने में पाँच मिनट कम हैं। मिस ग्रेंजर, तीन बार चाबी घुमाने से काम हो जाना चाहिए। गुड लक।'

डम्बलडोर ने कमरे से बाहर आकर दरवाज़ा बंद किया और फिर उस पर जादू से ताला लगाने के लिए अपनी छड़ी बाहर निकाली। हैरी और हर्माइनी दहशत में आगे भागे। डम्बलडोर ने नज़रें उठाकर देखा। उनकी लंबी, सफ़ेद मूँछ के नीचे एक चौड़ी मुस्कान उभर आई। उन्होंने धीरे से पूछा, 'क्या हुआ ?'

'काम हो गया!' हैरी ने हाँफते हुए कहा। 'सिरियस जा चुका है, बकबीक पर बैठकर ...'

डम्बलडोर उनकी तरफ़ देखकर मुस्कराए।

'शाबाश। मुझे लगता है –' उन्होंने ग़ौर से सुना कि अस्पताल के अंदर से कोई आवाज़ तो नहीं आ रही है। 'हाँ, मुझे लगता है कि तुम्हारे भी जाने का वक़्त आ गया है। अंदर जाओ – मैं ताला लगा देता हूँ –'

हैरी और हर्माइनी फिर से अस्पताल में घुस गए। वहाँ पर रॉन के सिवाय कोई नहीं था, जो आख़िरी पलंग पर बेहोश पड़ा था। ताला बंद होने की आवाज़ के साथ ही हैरी और हर्माइनी अपने-अपने पलंग पर पहुँच गए। हर्माइनी ने अपने काल-परिवर्तक को एक बार फिर अपने दुशाले में छिपा लिया। अगले ही पल मैडम पॉमफ़्री धड़धड़ाती हुई अपने ऑफ़िस से बाहर आईं।

'क्या वह हेडमास्टर के जाने की आवाज़ थी? क्या अब मुझे अपने मरीज़ों की देखभाल करने की इज़ाज़त है?'

वे बहुत बुरे मूड में दिख रही थीं। हैरी और हर्माइनी ने इसी में भलाई समझी कि उनकी दी हुई चॉकलेट चुपचाप खा लें। इस दौरान मैडम पॉमफ़्री उनके सिर पर ही खड़ी रहीं। वे यह तसल्ली कर लेना चाहती थीं कि उन्होंने सचमुच चॉकलेट खा ली है। लेकिन हैरी से चॉकलेट निगली नहीं जा रही थी। वह और हर्माइनी इंतज़ार कर रहे थे। उनसे तनाव बर्दाश्त नहीं हो रहा था ... और फिर जब उन दोनों ने मैडम पॉमफ़्री की दी हुई चौथी चॉकलेट ली, तो उन्हें दूर ऊपर से किसी के ग़ुस्से से गरजने की आवाज़ सुनाई दी ...

'अब क्या हुआ?' मैडम पॉमफ़्री दहशत से बोलीं।

अब उन्हें ग़ुस्से भरी आवाज़ें सुनाई दे रही थीं, जो तेज़ होती जा रही थीं। मैडम पॉमफ़्री दरवाज़े की तरफ़ घूर रही थीं।

'कमाल है – इतनी तेज़ चिल्लाने से तो सब जाग जाएँगे। उन्हें समझ में क्यों नहीं आता कि वे कितना शोर मचा रहे हैं?'

हैरी सुनने की कोशिश कर रहा था कि आवाज़ें क्या कह रही थीं। वे क़रीब आती जा रही थीं –

'वह जादू से ग़ायब हो गया होगा सीवियरस, हमें कमरे में उसकी निगरानी के लिए किसी को छोड़ना चाहिए था। जब यह ख़बर फैलेगी –'

'वह जादू से ग़ायब नहीं हुआ है!' स्नेप गरजे, जिनकी आवाज़ अब बहुत पास आ चुकी थी। **'इस महल में कोई जादू से ग़ायब नहीं हो सकता! इसका – संबंध – ज़रूर – हैरी – पॉटर – से – है!'**

'सीवियरस – होश में आओ – हैरी तो ताले में बंद है –'

धड़ाम।

अस्पताल का दरवाज़ा तेज़ आवाज़ के साथ खुल गया।

फ़ज, स्नेप और डम्बलडोर धड़धड़ाते हुए वार्ड में आ गए। सिर्फ़ डम्बलडोर ही शांत दिख रहे थे। दरअसल वे थोड़े ख़ुश भी दिख रहे थे। फ़ज ग़ुस्से में थे, और स्नेप तो ग़ुस्से से पागल दिख रहे थे।

'सच-सच बताओ, पॉटर!' वे गरजे। **'तुमने क्या किया है?'**

'प्रोफ़ेसर स्नेप!' मैडम पॉमफ़्री चीख़ीं। 'अपने पर क़ाबू रखें!'

'देखो स्नेप, होश में आओ,' फ़ज ने कहा। 'इस दरवाज़े पर ताला लगा था, हमने अपनी आँखों से देखा था -'

'मैंने यह बात अच्छी तरह जानता हूँ कि इन्होंने ही भागने में ब्लैक की मदद की है!' स्नेप ने चिल्लाकर हैरी और हर्माइनी की तरफ़ इशारा किया। उनका चेहरा विकृत था और उनके मुँह से थूक उड़ रहा था।

'शांत हो जाओ,' फ़ज ने कहा। 'तुम बेसिरपैर की बात कर रहे हो!'

स्नेप चीख़े, **'आप पॉटर को नहीं जानते हैं! यह उसी ने किया है। मैं जानता हूँ कि यह सब उसी का किया-धरा है -'**

डम्बलडोर ने शांति से कहा, 'अब बहुत हो गया, सीवियरस। ज़रा सोचो तो सही कि तुम क्या बोल रहे हो। दस मिनट पहले जब मैं वार्ड से गया था, तो इस दरवाज़े पर ताला लगाकर गया था। मैडम पॉमफ़्री, क्या इस दौरान ये बच्चे अपने बिस्तर से उतरकर कहीं गए थे?'

'बिलकुल नहीं!' मैडम पॉमफ़्री ने कहा। 'आपके जाने के बाद से मैं इनके पास हूँ!'

'देखा सीवियरस,' डम्बलडोर शांत लहज़े में बोले, 'जब तक कि तुम यह नहीं सोचते हो कि हैरी और हर्माइनी एक साथ दो जगहों पर रह सकते हैं, तब तक मुझे नहीं लगता कि हमें उन्हें परेशान करना चाहिए।'

स्नेप वहाँ पर आगबबूला खड़े रहे और सबको घूरते रहे। स्नेप के व्यवहार को देखकर फ़ज सदमे में थे। डम्बलडोर की आँखें उनके चश्मे के नीचे चमक रही थीं। स्नेप पलटे और अपना दुशाला लहराते हुए तेज़ी से वार्ड से बाहर निकल गए।

फ़ज ने दरवाज़े को घूरते हुए कहा, 'इस आदमी का दिमागी संतुलन ख़राब हो गया है। डम्बलडोर, अगर मैं तुम्हारी जगह होता, तो उस पर निगाह रखता।'

'अरे नहीं, उसका दिमागी संतुलन ख़राब नहीं हुआ है,' डम्बलडोर ने शांत स्वर में कहा। 'वह तो सिर्फ़ बुरी तरह निराश हुआ है।'

फ़ज बोले, 'वह अकेला ही निराश नहीं हुआ है! *दैनिक जादूगर* को तो ज़ोरदार ख़बर मिल गई! हमने ब्लैक को घेर लिया था, लेकिन एक बार फिर वह हमारी उँगलियों से फिसलकर भाग गया! अब तो बस गरुड़अश्व के भागने की कहानी और पता चल जाए, तो सब मुझ पर हँसने लगेंगे! अच्छा ... मैं चलता हूँ और मंत्रालय को ख़बर देता हूँ ...'

'और दमपिशाच ?' डम्बलडोर ने कहा। 'मुझे लगता है कि उन्हें स्कूल से हटा दिया जाएगा ?'

'ओह हाँ, उन्हें हटाना ही पड़ेगा,' फ़ज ने परेशान होकर अपनी उँगलियाँ अपने बालों में फिराते हुए कहा। 'कभी सपने में भी नहीं सोचा था कि वे एक मासूम लड़के को चूमने की कोशिश करेंगे ... पूरी तरह से नियंत्रण से बाहर हो गए ... नहीं, मैं उन्हें आज रात ही वापस अज़्काबान भेज दूँगा। शायद हमें स्कूल के प्रवेश द्वार पर ड्रैगन नियुक्त करने के बारे में सोचना चाहिए ...'

'हैग्रिड को यह बात पसंद आएगी,' डम्बलडोर ने हैरी और हर्माइनी की तरफ़ देखकर मुस्कराते हुए कहा। जैसे ही डम्बलडोर और फ़ज वार्ड से बाहर निकले, मैडम पॉमफ़्री ने जल्दी से दरवाज़े पर ताला लगा दिया। वे ग़ुस्से से बड़बड़ाती हुई फिर से अपने ऑफ़िस में चली गईं।

वार्ड के दूसरे सिरे से किसी के कराहने की आवाज़ आई। रॉन होश में आ गया था। वह अपना सिर मलते हुए उठ रहा था और चारों तरफ़ देख रहा था।

उसने पूछा, 'क्या – क्या हुआ ? हैरी ? हम यहाँ क्यों हैं ? सिरियस कहाँ है ? ल्यूपिन कहाँ हैं ? हो क्या रहा है ?'

हैरी और हर्माइनी ने एक-दूसरे की तरफ़ देखा।

'तुम्हीं बताओ,' हैरी ने हर्माइनी से कहा और चॉकलेट खाने लगा।

*

जब हैरी, रॉन और हर्माइनी अगले दिन दोपहर को अस्पताल से बाहर निकले, तो उन्हें महल लगभग वीरान मिला। परीक्षा ख़त्म होने और गर्म मौसम का यह मतलब था कि हर विद्यार्थी हॉग्समीड की यात्रा करने गया था। बहरहाल, रॉन या हर्माइनी वहाँ नहीं जाना चाहते थे, इसलिए वे हैरी के साथ मैदान में टहलते रहे। वे अब भी पिछली रात की असाधारण घटनाओं के बारे में बातें कर रहे थे और सोच रहे थे कि सिरियस और बकबीक इस समय कहाँ होंगे। फिर वे झील के किनारे बैठकर विशाल समुद्रफ़ेनी को पानी के ऊपर तंतु लहराते हुए देखते रहे। तभी हैरी को झील के पार वाला किनारा नज़र आया। हिरण पिछली रात को वहीं से आया था ...

उन पर किसी की परछाईं पड़ी। उन्होंने नज़रें उठाकर देखा कि हैग्रिड अपने पसीने भरे चेहरे को टेबलक्लॉथ जितने बड़े रूमाल से पोंछ रहा था और अपनी धुँधली आँखों से उनकी तरफ़ देखकर मुस्करा रहा था।

उसने कहा, 'जानते हैं कि पिछली रात की घटना के बाद हमें इतना ख़ुश नहीं होना चाहिए। हमारा मतलब है, ब्लैक फिर से भाग गया – लेकिन ज़रा सोचो तो सही, क्या हुआ ?'

'क्या ?' उन्होंने उत्सुकता का नाटक करते हुए कहा।

'बीकी भाग गया! वह आज़ाद हो गया! हम सारी रात जश्न मनाते रहे!'

'यह तो बहुत बढ़िया रहा!' हर्माइनी बोली और उसने रॉन की तरफ़ आँखें तरेरकर देखा, जो हँसने ही वाला था।

हैग्रिड ने मैदान की तरफ़ ख़ुशी से देखते हुए कहा, 'हाँ ... शायद हमने उसे ठीक से नहीं बाँधा होगा। आज सुबह हमें चिंता हो रही थी ... हम सोच रहे थे कि उसे मैदान में प्रोफ़ेसर ल्यूपिन न मिलें हों, लेकिन ल्यूपिन कहते हैं कि उन्होंने कल रात किसी को भी नहीं खाया था ...'

'क्या ?' हैरी ने जल्दी से कहा।

'अरे, तुमने नहीं सुना ?' हैग्रिड बोला। अब उसकी मुस्कान थोड़ी कम हो गई थी। हालाँकि आस-पास कोई भी नहीं था, फिर भी उसने अपनी आवाज़ धीमी कर ली। 'अर – स्नेप ने आज सुबह नागशक्ति के सभी विद्यार्थियों को बता दिया ... उन्होंने सोचा कि अब यह बात सबको बता देना चाहिए ... प्रोफ़ेसर ल्यूपिन नरभेड़िए हैं। और वे कल रात को मैदान में खुले घूम रहे थे। ज़ाहिर है, ल्यूपिन अब अपना सामान बाँध रहे हैं।'

'सामान बाँध रहे हैं ?' हैरी ने दहशत से कहा। 'क्यों ?'

'स्कूल छोड़कर जा रहे हैं, और क्या ?' हैग्रिड ने कहा। वह हैरान था कि हैरी ने यह सवाल क्यों पूछा। 'आज सुबह ही उन्होंने इस्तीफ़ा दे दिया। वे कहते हैं कि वे दोबारा इस तरह की घटना होने का जोखिम नहीं लेना चाहते हैं।'

हैरी उछलकर खड़ा हो गया।

उसने रॉन और हर्माइनी से कहा, 'मैं उनसे मिलकर आता हूँ।'

'लेकिन अगर उन्होंने इस्तीफ़ा दे दिया है –'

'– मुझे नहीं लगता कि हम कुछ कर सकते हैं –'

'मुझे परवाह नहीं है। मैं इसके बाद भी उनसे मिलना चाहता हूँ। मैं लौटकर तुमसे यहीं मिलता हूँ।'

*

ल्यूपिन के ऑफ़िस का दरवाज़ा खुला था। वे अपना ज़्यादातर सामान पैक कर चुके थे। ग्रिंडिलो का ख़ाली टैंक उनके पुराने सूटकेस के पास रखा था, जो खुला हुआ था और लगभग पूरा भर चुका था। ल्यूपिन अपनी डेस्क पर रखी किसी चीज़ पर झुके हुए थे और उन्होंने तभी ऊपर देखा, जब हैरी ने दरवाज़े पर दस्तक दी।

'मैंने तुम्हें आते देख लिया था,' ल्यूपिन ने मुस्कराते हुए कहा। उन्होंने उस चर्मपत्र की तरफ़ इशारा किया, जिसे वे देख रहे थे। वह नक़्शा था।

हैरी बोला, 'अभी-अभी मुझे हैग्रिड ने बताया कि आपने इस्तीफ़ा दे दिया है। यह सच नहीं है, है ना?'

'अफ़सोस कि यह सच है,' ल्यूपिन ने कहा। उन्होंने अपनी डेस्क के ड्रॉअर्स खोलकर उनमें रखा सामान बाहर निकाला।

हैरी ने पूछा, *'क्यों?* जादू मंत्रालय को कहीं यह तो नहीं लग रहा है कि आप सिरियस की मदद कर रहे थे?'

ल्यूपिन ने दरवाज़ा बंद कर दिया।

'नहीं! प्रोफ़ेसर डम्बलडोर ने फ़ज को यह विश्वास दिला दिया है कि मैं तुम लोगों की जान बचाने की कोशिश कर रहा था।' उन्होंने आह भरी। 'सीवियरस के लिए यह आख़िरी झटका था और इससे उसने अपना संयम खो दिया। मुझे लगता है कि उसे ऑर्डर ऑफ़ मर्लिन न मिलने का बहुत बुरा सदमा लगा है। इसलिए उसने - अर - *संयोग से* आज सुबह नाश्ते की मेज़ पर विद्यार्थियों को यह बता दिया कि मैं नरभेड़िया हूँ।'

हैरी ने पूछा, 'कहीं आप सिर्फ़ इसी कारण तो स्कूल छोड़कर नहीं जा रहे हैं?'

ल्यूपिन मुस्कराए।

'कल इस समय तक माता-पिताओं के उल्लू आने लगेंगे - हैरी, वे नहीं चाहेंगे कि कोई नरभेड़िया उनके बच्चों को पढ़ाए। और कल रात की घटना के बाद मैं उनकी बात को ज़्यादा अच्छी तरह से समझ गया हूँ। मैं तुममें से किसी को भी काट सकता था ... ऐसा दोबारा नहीं होना चाहिए।'

हैरी ने कहा, 'हमें गुप्त कलाओं से रक्षा के जितने भी टीचर्स मिले हैं, उनमें आप सबसे अच्छे थे! रुक जाइए!'

ल्यूपिन ने अपना सिर हिलाया, लेकिन कुछ बोले नहीं। वे अपने ड्रॉअर ख़ाली करते रहे। फिर जब हैरी उन्हें रोकने के लिए कोई अच्छा सा तर्क सोचने की कोशिश कर रहा था, तभी ल्यूपिन ने कहा, 'आज सुबह हेडमास्टर ने मुझे

बताया कि कल रात को तुमने बहुत सी जानें बचाई हैं, हैरी। मुझे इस बात पर गर्व है कि तुमने इतने कम समय में कितना कुछ सीख लिया है। मुझे अपने पितृदेव के बारे में बताओ।'

हैरी का ध्यान भटक गया, 'आप उसके बारे में कैसे जानते हैं?'

'दमपिशाचों को और कौन पीछे धकेल सकता था?'

हैरी ने ल्यूपिन को बताया कि क्या हुआ था। जब उसने अपनी बात पूरी की, तो ल्यूपिन एक बार फिर मुस्करा रहे थे।

उन्होंने कहा, 'हाँ, तुम्हारे पिता जब अपना रूप बदलते थे, तो वे हिरण बन जाते थे। तुम्हारा अंदाज़ा सही था ... इसीलिए हम उन्हें प्रॉन्ग्स कहते थे।'

ल्यूपिन ने अपने सूटकेस में अपनी आख़िरी पुस्तकें रखकर डेस्क के ड्रॉअर्स बंद किए और फिर हैरी की तरफ़ घूमे।

उन्होंने हैरी को अदृश्य चोगा देते हुए कहा, 'यह लो – मैं इसे कल रात को चीख़ती हवेली से उठा लाया था। और ...' उन्होंने झिझकते हुए नक़्शा भी उसकी तरफ़ बढ़ा दिया। 'अब मैं तुम्हारा टीचर नहीं हूँ, इसलिए इसे तुम्हें लौटाते समय मुझे यह नहीं लग रहा है कि मैं कोई ग़लत काम कर रहा हूँ। यह मेरे किसी काम का नहीं है और मुझे लगता है कि यह रॉन या हर्माइनी के काम आ सकता है।'

हैरी नक़्शा लेते समय मुस्कराया।

'आपने मुझसे कहा था कि मूनी, वर्मटेल, पैडफ़ुट और प्रॉन्ग्स मुझे स्कूल से बाहर निकलने का लालच देना चाहते थे ... आपने कहा था कि उन्हें यह मज़ेदार लगता।'

'निश्चित रूप से,' ल्यूपिन ने कहा, जो अब अपना सूटकेस बंद करने के लिए नीचे झुक रहे थे। 'मुझे यह कहने में कोई हिचक नहीं है कि जेम्स बहुत निराश हुआ होता, अगर उसका बेटा महल से बाहर जाने वाले एक भी ख़ुफ़िया रास्ते का पता नहीं लगा पाता।'

दरवाज़े पर दस्तक हुई। हैरी ने जल्दी से नक़्शे और अदृश्य चोगे को अपनी जेब में रख लिया।

प्रोफ़ेसर डम्बलडोर आ गए थे। वे हैरी को वहाँ देखकर हैरान नहीं हुए। वे बोले, 'रीमस, तुम्हारी गाड़ी दरवाज़े पर आ चुकी है।'

'धन्यवाद, हेडमास्टर।'

ल्यूपिन ने अपना पुराना सूटकेस और ग्रिंडिलो का ख़ाली टैंक उठाया।

'अच्छा – अलविदा, हैरी,' उन्होंने मुस्कराते हुए कहा। 'तुम्हें सिखाने में सचमुच बहुत मज़ा आया। मुझे विश्वास है कि कभी न कभी हम फिर मिलेंगे। हेडमास्टर, मुझे दरवाज़े तक छोड़ने जाने की ज़रूरत नहीं है, मैं ख़ुद चला जाऊँगा ...'

हैरी को लगा कि ल्यूपिन जल्दी से जल्दी जाना चाहते थे।

डम्बलडोर धीमे से बोले, 'अलविदा, रीमस।' डम्बलडोर से हाथ मिलाने के लिए ल्यूपिन ने अपने ग्रिंडिलो के टैंक को थोड़ा सा खिसकाया। फिर उन्होंने हैरी की तरफ़ मुस्कराते हुए हल्के से सिर झुकाया और ऑफ़िस से बाहर निकल गए।

हैरी उनकी ख़ाली कुर्सी पर बैठ गया और उदासी से फ़र्श को देखता रहा। दरवाज़ा बंद होने की आवाज़ सुनकर उसने ऊपर देखा। डम्बलडोर अब भी वहीं खड़े थे।

उन्होंने धीरे से पूछा, 'इतने दुखी क्यों हो, हैरी ? कल रात की घटनाओं के बाद तो तुम्हें ख़ुद पर गर्व होना चाहिए।'

'कोई फ़र्क़ नहीं पड़ा ?' हैरी ने कटुता से कहा। 'पेटिग्रू भाग गया।'

'कोई फ़र्क़ नहीं पड़ा ?' डम्बलडोर ने शांत स्वर में कहा। 'इससे बहुत फ़र्क़ पड़ा है, हैरी। तुमने सच्चाई पर से पर्दा हटा दिया। तुमने एक बेक़सूर इंसान को बहुत भयंकर सज़ा से बचा लिया।'

'भयंकर। यह शब्द सुनकर हैरी को कोई चीज़ याद आ गई। *पहले से भी ज़्यादा ताक़तवर और भयंकर* ... प्रोफ़ेसर ट्रिलोनी की भविष्यवाणी!

'प्रोफ़ेसर डम्बलडोर – कल जब मैं ज्योतिष की परीक्षा दे रहा था, तो प्रोफ़ेसर ट्रिलोनी बहुत अजीब दिखने लगीं।'

'अच्छा ?' डम्बलडोर ने कहा। 'अर – तुम्हारा मतलब है, जितनी अजीब वे आम तौर पर दिखती हैं, उससे भी ज़्यादा अजीब ?'

'हाँ ... उनकी आवाज़ बहुत भारी हो गई और उनकी आँखें पलट गईं और उन्होंने कहा ... उन्होंने कहा कि आधी रात से पहले वोल्डेमॉर्ट का सेवक उसके पास चला जाएगा ... उन्होंने कहा कि सेवक शक्तिशाली बनने में उसकी मदद करेगा।' हैरी ने डम्बलडोर को घूरा। 'और फिर वे दोबारा सामान्य हो गईं, लेकिन उन्हें यह याद नहीं था कि उन्होंने क्या कहा था। क्या वे – क्या वे सचमुच भविष्यवाणी कर रही थीं ?'

डम्बलडोर थोड़े प्रभावित दिखे।

'तुम जानते हो हैरी, मुझे लगता है कि वे भविष्यवाणी कर रही होंगी,'

उन्होंने सोचते हुए कहा। 'ऐसा कौन सोच सकता था? इसके बाद उनकी सच्ची भविष्यवाणियों की संख्या दो हो गई है। मुझे उनकी तनख़्वाह बढ़ाना पड़ेगी..'

'लेकिन -' हैरी ने हैरानी से उनकी तरफ़ देखा। डम्बलडोर इस बात को इतनी शांति से कैसे ले सकते थे?

'लेकिन - मैंने सिरियस और प्रोफ़ेसर ल्यूपिन को पेटिग्रू को मारने से रोका! अगर वोल्डेमॉर्ट दोबारा ताक़तवर बन जाता है, तो यह मेरी ग़लती है!'

'नहीं,' डम्बलडोर ने शांति से कहा। 'हैरी, काल-परिवर्तक के साथ तुम्हें जो अनुभव हुए हैं, क्या उनसे तुमने कुछ नहीं सीखा? हमारे कामों के परिणाम हमेशा इतने जटिल होते हैं, इतने सारे होते हैं कि भविष्य के बारे में सटीक अनुमान लगाना हमेशा बहुत मुश्किल होता है ... प्रोफ़ेसर ट्रिलोनी इस बात का जीता-जागता सबूत हैं। पेटिग्रू की जान बचाकर तुमने एक बहुत ही नेक काम किया है।'

'लेकिन अगर इसकी वजह से वोल्डेमॉर्ट दोबारा शक्तिशाली बन जाता है -!'

'पेटिग्रू पर तुम्हारे जीवनदान का कर्ज़ चढ़ा हुआ है। तुमने वोल्डेमॉर्ट के पास ऐसा सेवक भेजा है, जो तुम्हारा कर्ज़दार है। जब कोई जादूगर किसी दूसरे जादूगर की जान बचाता है, तो इससे उनके बीच एक विशेष बंधन जुड़ जाता है ... और मुझे नहीं लगता है, वोल्डेमॉर्ट यह चाहेगा कि उसका सेवक हैरी पॉटर का कर्ज़दार रहे।'

हैरी बोला, 'मैं पेटिग्रू के साथ किसी तरह का कोई बंधन नहीं चाहता हूँ! उसने मेरे माता-पिता के साथ गद्दारी की थी!'

'हैरी, यह जादू इतना गहरा है कि आसानी से समझ में नहीं आता है। लेकिन मेरा विश्वास करो ... एक समय आएगा, जब तुम्हें ख़ुशी होगी कि तुमने पेटिग्रू की जान बचाई।'

हैरी कल्पना नहीं कर पा रहा था कि ऐसा कब होगा। डम्बलडोर को देखकर लग रहा था, जैसे वे जानते थे कि हैरी क्या सोच रहा है।

'हैरी, मैं तुम्हारे पिता को बहुत अच्छी तरह जानता था, हॉगवर्ट्स में भी और उसके बाद भी,' उन्होंने नर्मी से कहा। 'मुझे विश्वास है कि उन्होंने भी पेटिग्रू को बचाया होता।'

हैरी ने उनकी तरफ़ देखा। अगर वह डम्बलडोर को बता दे - तो वे नहीं हँसेंगे ...

'कल रात को ... मुझे यह लगा कि मेरे डैडी ने पितृदेव उत्पन्न किया था।

मेरा मतलब है, जब मैंने झील के उस पार ख़ुद को देखा ... तो मुझे लगा कि मैं उन्हें देख रहा था।'

'इस ग़लती का कारण समझना बहुत आसान है,' डम्बलडोर ने धीमे से कहा। 'मुझे लगता है तुम यह सुनते-सुनते थक गए होगे, लेकिन तुम बहुत हद तक जेम्स की तरह दिखते हो। सिवाय तुम्हारी आँखों के ... तुम्हारी आँखें तुम्हारी माँ जैसी हैं।'

हैरी ने अपना सिर हिलाया।

उसने बुदबुदाकर कहा, 'यह सोचना मूर्खता थी कि वे डैडी हो सकते हैं! मेरा मतलब है, मैं जानता था कि वे मर चुके हैं।'

'तुम्हें ऐसा लगता है कि हम जिनसे प्रेम करते हैं, वे मरने के बाद सचमुच हमें छोड़कर चले जाते हैं? तुम्हें लगता है कि बहुत मुश्किल के समय को छोड़कर हम उन्हें बहुत स्पष्टता से याद नहीं करते हैं? हैरी, तुम्हारे पिता तुम्हारे अंदर जीवित हैं और जब तुम्हें उनकी ज़रूरत थी, तो वे तुम्हें स्पष्ट रूप से नज़र आए। वरना तुम वह *विशिष्ट* पितृदेव उत्पन्न ही नहीं कर सकते थे? प्रॉन्ग्स कल रात को एक बार फिर मैदान में घूम रहा था।'

हैरी को डम्बलडोर की बात समझने में थोड़ा समय लगा।

'सिरियस ने मुझे कल रात को बता दिया था कि वे लोग इच्छाधारी नरपशु कैसे बने,' डम्बलडोर ने मुस्कराते हुए कहा। 'बहुत बड़ी बात है। मुझसे यह छिपाकर रखना भी कोई कम बड़ी बात नहीं थी। और फिर मुझे याद आया कि चीलघात वाले मैच में जब तुम्हारे पितृदेव ने मैल्फ़ॉय पर हमला किया था, तो उसका रूप कितना असाधारण था। तो हैरी, तुमने कल रात को अपने पिता को देखा था ... वे तुम्हारे भीतर ही थे।'

यह कहकर डम्बलडोर वहाँ से चले गए और हैरी को दुविधाजनक विचारों में उलझा हुआ छोड़ गए।

*

जिस रात को सिरियस, बकबीक और पेटिग्रू ग़ायब हुए थे, उस रात को क्या हुआ था, इसकी सच्चाई हॉगवर्ट्स में कोई नहीं जानता था। सिर्फ़ हैरी, रॉन, हर्माइनी और प्रोफ़ेसर डम्बलडोर ही सच्चाई जानते थे। जब छुट्टियों का समय क़रीब आने लगा, तो हैरी ने उस रात की घटनाओं के बारे में कई अनुमान सुने, लेकिन उनमें से कोई भी सच के क़रीब नहीं था।

मैल्फ़ॉय बकबीक के कारण ग़ुस्सा था। उसे विश्वास था कि हैग्रिड ने गरुड़अश्व को बचाने का कोई तरीक़ा निकाल लिया था। उसे इस बात पर

ग़ुस्सा आ रहा था कि एक गेमकीपर ने उसे और उसके पिता को हरा दिया था। इस दौरान पर्सी वीज़्ली सिरियस के भागने के बारे में बहुत कुछ कहना चाहता था।

'अगर मैं मंत्रालय में पहुँच गया, तो मैं जादुई क़ानून परिपालन में बहुत से संशोधन करना चाहूँगा!' उसने उस एकमात्र व्यक्ति को बताया, जो उसकी बात सुनने के लिए तैयार थी – उसकी गर्लफ्रेंड पेनीलोप।

हालाँकि मौसम आदर्श था और माहौल ख़ुशनुमा था और हालाँकि हैरी जानता था कि सिरियस को आज़ाद कराकर उसने असंभव सा काम कर दिया था, लेकिन फिर भी उसका मन बहुत उदास था।

प्रोफ़ेसर ल्यूपिन के जाने से सिर्फ़ उसी को दुख नहीं हुआ था। गुप्त कलाओं से रक्षा की हैरी की पूरी क्लास उनके इस्तीफ़े से दुखी थी।

'क्या पता अगले साल हमें कौन पढ़ाएगा?' सीमस फिनिगन ने उदासी से कहा।

डीन थॉमस उत्साह से बोला, 'शायद कोई ख़ून पीने वाला पिशाच।'

हैरी सिर्फ़ प्रोफ़ेसर ल्यूपिन के जाने के कारण ही उदास नहीं था। वह प्रोफ़ेसर ट्रिलोनी की भविष्यवाणी के बारे में भी काफ़ी सोच रहा था। वह सोच रहा था कि पेटिग्रू इस वक़्त कहाँ होगा। क्या वह वोल्डेमॉर्ट के पास पहुँच गया होगा? लेकिन हैरी को जो चीज़ सबसे ज़्यादा उदास कर रही थी, वह यह थी कि उसे एक बार फिर डर्स्ली दंपति के साथ रहना पड़ेगा। शायद आधे घंटे के लिए, जो उसकी ज़िंदगी का सबसे अच्छा समय था, उसे यह विश्वास हो गया था कि वह अब सिरियस के साथ रहेगा ... जो उसके माता-पिता का सबसे अच्छा दोस्त था ... अपने पिता के साथ रहने के बाद शायद यही सबसे अच्छी बात होती। हालाँकि सिरियस की कोई ख़बर न मिलना अच्छी बात थी, क्योंकि इसका मतलब यह था कि वह सफलतापूर्वक छिप गया है, लेकिन हैरी इस बात पर दुखी था कि उसे एक घर मिल सकता था और अब यह असंभव है।

टर्म के आख़िरी दिन परीक्षा के परिणाम आ गए। हैरी, रॉन और हर्माइनी हर विषय में पास हो गए थे। हैरी इस बात पर हैरान था कि वह जादुई काढ़े में कैसे पास हो गया। उसे लगा कि डम्बलडोर ने बीच में पड़कर स्नेप को उसे जान-बूझकर फ़ेल करने से रोक दिया होगा। पिछले हफ़्ते से स्नेप हैरी से बहुत बुरा व्यवहार करने लगे थे। हैरी को यह संभव नहीं लगता था कि उसके प्रति स्नेप की नफ़रत बढ़ सकती थी, लेकिन निश्चित रूप से यह बढ़ गई थी। हैरी की तरफ़ देखते समय स्नेप के पतले मुँह के कोने पर एक मांसपेशी ग़ुस्से से फड़कने लगती थी और वे लगातार अपनी उँगलियाँ मलते थे, जैसे वे उनसे

हैरी का गला दबाना चाहते हों।

पर्सी को एन.ई.डब्ल्यू.टी में सबसे ऊँचा ग्रेड मिला था। फ़्रेड और जॉर्ज को भी कुछ ओ.डब्ल्यू.एल मिल गए थे। इस दौरान गरुड़द्वार हाउस लगातार तीसरे साल हाउस चैंपियनशिप जीत गया। इसमें क्विडिच कप की जीत का काफ़ी बड़ा योगदान था। इसका मतलब था कि साल के अंत में होने वाले जश्न की सजावट लाल-सुनहरे रंगों से हुई और जश्न के दौरान गरुड़द्वार की टेबल पर सबसे ज़्यादा शोर-शराबा हुआ। यहाँ तक कि जश्न के दिन हैरी ने भी हँसते हुए खाया-पिया और बातें कीं। ख़ुशी के इस माहौल में वह भूल गया कि उसे अगले दिन डर्स्ली दंपति के पास रहने जाना है।

*

अगले दिन सुबह जैसे ही हॉगवर्ट्स एक्सप्रेस स्टेशन से बाहर निकली, हर्माइनी ने हैरी और रॉन को एक आश्चर्यजनक ख़बर दी।

'आज सुबह नाश्ते के ठीक पहले मैं प्रोफ़ेसर मैक्गॉनेगल से मिलने गई थी। मैंने मगलुओं का अध्ययन विषय छोड़ने का फ़ैसला किया है।'

रॉन बोला, 'लेकिन तुम्हें तो परीक्षा में तीन सौ बीस प्रतिशत अंक मिले हैं!'

हर्माइनी ने गहरी साँस लेते हुए कहा, 'मैं जानती हूँ, लेकिन मैं अब इतना तनाव नहीं झेल सकती हूँ। काल-परिवर्तक मुझे पागल कर रहा था। मैंने उसे लौटा दिया है। मगलुओं का अध्ययन और ज्योतिष के बिना मेरा टाइमटेबल फिर से सामान्य हो जाएगा।'

रॉन ने शिकायत करते हुए कहा, 'मुझे अब भी *यक़ीन* नहीं होता है कि तुमने हमें इस बारे में नहीं बताया। हम तुम्हारे *दोस्त* हैं।'

'मैंने वादा किया था कि मैं *किसी को भी* नहीं बताऊँगी,' हर्माइनी ने गंभीरता से कहा। उसने हैरी की तरफ़ देखा, जो हॉगवर्ट्स को पहाड़ के पीछे ओझल होते देख रहा था। अब दो महीने बाद ही वह हॉगवर्ट्स को देख पाएगा...

'ओह हैरी, ख़ुश हो जाओ!' हर्माइनी दुखी स्वर में बोली।

'मैं **ठीक** हूँ,' हैरी ने तत्काल कहा। 'बस छुट्टियों के बारे में सोच रहा था।'

'हाँ, मैं भी उन्हीं के बारे में सोच रहा था,' रॉन ने कहा। 'हैरी, तुम हमारे घर आकर रह सकते हो। मैं मम्मी-डैडी से तय करने के बाद तुम्हें बता दूँगा। अब

मैं जानता हूँ कि फ़ेलीटोन का इस्तेमाल कैसे किया जाता है –'

'*टेलीफ़ोन*, रॉन,' हर्माइनी ने कहा। 'सच्ची, *तुम्हें* अगले साल मगलुओं का अध्ययन विषय लेना चाहिए ...'

रॉन ने उसकी बात अनसुनी कर दी।

'गर्मी में क्विडिच वर्ल्ड कप होने वाला है! उसे देखने के बारे में क्या विचार है, हैरी ? तुम हमारे यहाँ रहना। हम वर्ल्ड कप देखने चलेंगे! डैडी को आम तौर पर ऑफ़िस से टिकट मिल जाते हैं।'

इस प्रस्ताव ने हैरी को ख़ुश कर दिया।

'हाँ ... मैं शर्त लगा सकता हूँ कि डर्स्ली दंपति मुझे वहाँ से भगाकर ख़ुश होंगे ... ख़ास तौर पर मार्ज आंटी वाली घटना के बाद ...'

काफ़ी ख़ुशी महसूस करते हुए हैरी ने रॉन और हर्माइनी के साथ एक्सप्लोडिंग स्नैप खेला। जब चाय की ट्रॉली वाली जादूगरनी आई, तो उसने बहुत सारी चीज़ें ख़रीदीं, लेकिन एक भी चॉकलेट नहीं ली।

लेकिन दोपहर बाद एक ऐसी घटना हुई, जिससे वह सचमुच ख़ुश हो गया...

'हैरी,' हर्माइनी अचानक उसके कंधे के पीछे झाँकते हुए बोली। 'तुम्हारी खिड़की के बाहर क्या है ?'

हैरी बाहर देखने के लिए पलटा। खिड़की के काँच के बाहर कोई बहुत छोटी और भूरी चीज़ मंडरा रही थी। उसे अच्छी तरह देखने के लिए वह उठा। बाहर एक बहुत छोटा उल्लू था, जिसकी चोंच में चिट्ठी थी, जो उसके हिसाब से बहुत बड़ी थी। दरअसल उल्लू इतना छोटा था कि वह हवा में हिचकोले खा रहा था और ट्रेन के धुएँ से इधर-उधर डगमगा रहा था। हैरी ने तत्काल खिड़की खोलकर अपना हाथ बढ़ाया और उसे पकड़ लिया। उसे लगा जैसे उसने रोएँदार सुनहरी गेंद को पकड़ लिया हो। उसने सावधानी से उल्लू को खिड़की के अंदर किया। उल्लू ने अपनी चिट्ठी हैरी की सीट पर टपका दी और कम्पार्टमेंट में चारों तरफ़ उड़ने लगा। अपना काम पूरा करने के बाद वह बहुत ख़ुश नज़र आ रहा था। हेडविग ने गरिमापूर्ण अप्रसन्नता से अपनी चोंच कटकटाई। क्रुकशैंक्स अपनी सीट पर बैठकर अपनी बड़ी पीली आँखों से उल्लू को देखती रही। रॉन ने जब यह देखा, तो उसने उल्लू को क्रुकशैंक्स की पहुँच से दूर करते हुए अपने हाथ में ले लिया।

हैरी ने चिट्ठी उठाई। उस पर उसी का नाम लिखा था। उसने लिफ़ाफ़ा फाड़ा और चिल्लाया, 'सिरियस की चिट्ठी है!'

'क्या ?' रॉन और हर्माइनी ने रोमांचित होकर पूछा। 'ज़ोर से पढ़ो!'

प्रिय हैरी,

मुझे आशा है कि तुम्हें यह चिट्ठी अपने अंकल-आंटी के घर पहुँचने से पहले ही मिल जाएगी। मुझे नहीं मालूम कि उन्हें उल्लुओं की डाक की जानकारी है या नहीं।

बकबीक और मैं छिप गए हैं। हम कहाँ छिपे हैं, यह मैं तुम्हें इसलिए नहीं बताऊँगा, क्योंकि यह चिट्ठी ग़लत हाथों में पड़ सकती है। मुझे इस उल्लू पर पूरा भरोसा नहीं है, लेकिन आस-पास के उल्लुओं में यही सबसे अच्छा था और वह यह काम करने के लिए बहुत उत्सुक भी दिख रहा था।

मुझे विश्वास है कि दमपिशाच अब भी मुझे ढूँढ़ रहे हैं, लेकिन वे मुझे यहाँ नहीं पकड़ सकते। मैं यह योजना बना रहा हूँ कि मैं हॉगवर्ट्स से बहुत दूर कुछ मगलुओं को दिख जाऊँ, ताकि महल की सुरक्षा हटा ली जाए।

एक ऐसी बात है, जो मैं तुम्हें अपनी छोटी सी मुलाक़ात के दौरान नहीं बता पाया था। मैंने ही तुम्हें फ़ायरबोल्ट भेजी थी –

'ओहो!' हर्माइनी ने विजय के अंदाज़ में कहा। 'देखा! मैंने तुमसे *कहा था ना* कि उसी ने भेजी थी!'

'हाँ, लेकिन उसने उस पर जादू-टोना नहीं किया था, है ना ?' रॉन बोला। 'आउच!'

छोटा उल्लू अब उसके हाथ पर बैठा-बैठा ख़ुशी से चीख़ रहा था। वह उल्लू प्यार का इज़हार करने की कोशिश में अपनी चोंच से रॉन की एक उँगली भी काट चुका था।

क्रुकशैंक्स उल्लू ऑफ़िस तक ऑर्डर लेकर गई थी। मैंने ग्राहक की जगह पर तुम्हारा नाम लिखा था, लेकिन ग्रिनगॉट की तिजोरी नंबर सात सौ ग्यारह से गैलियन निकालने का निर्देश दिया था – जो मेरी तिजोरी है। इसे अपने गॉडफ़ादर की तरफ़ से अपने तेरह जन्मदिनों का इकट्ठा तोहफ़ा मान लेना।

मुझे उस बात के लिए भी माफ़ी माँगना है कि मैंने तुम्हें पिछले साल उस रात को डरा दिया था, जब तुमने अपने अंकल

का घर छोड़ा था। मैं तो उत्तर दिशा में यात्रा शुरू करने से पहले सिर्फ़ तुम्हारी झलक देखना चाहता था, लेकिन मुझे लगता है कि मुझे देखकर तुम दहशत में आ गए।

मैं इस पत्र में तुम्हारे लिए कुछ और भेज रहा हूँ, जिससे मुझे लगता है कि हॉगवर्ट्स में तुम्हारा अगला साल ज़्यादा सुखद हो जाएगा।

अगर तुम्हें कभी मेरी ज़रूरत हो, तो चिट्ठी भेज देना। तुम्हारा उल्लू मुझ तक पहुँच जाएगा।

मैं जल्दी ही दूसरी चिट्ठी लिखूँगा।

सिरियस

हैरी ने उत्सुकता से लिफ़ाफ़े के अंदर देखा। उसमें एक और चर्मपत्र था। उसने उसे जल्दी से पढ़ा। उसे पढ़ते ही उसके शरीर में अचानक इतनी गर्मी और सुख की लहर दौड़ गई, जैसे उसने गर्म बटरबियर की पूरी बोतल एक ही घूँट में पी ली हो।

मैं, सिरियस ब्लैक, हैरी पॉटर का गॉडफ़ादर, उसे सप्ताहांतों में हॉग्समीड जाने की अनुमति देता हूँ।

'डम्बलडोर के लिए यह काफ़ी होगा!' हैरी ने सिरियस की चिट्ठी की तरफ़ देखते हुए ख़ुशी-ख़ुशी कहा।

'रुको, कुछ और भी लिखा है ...

मुझे लगता है कि तुम्हारा दोस्त रॉन इस उल्लू को रखना चाहेगा, क्योंकि मेरे कारण ही उसका चूहा चला गया है।

रॉन की आँखें चौड़ी हो गईं। छोटा उल्लू अब भी रोमांचित होकर चीख़ रहा था।

उसने अनिश्चितता से कहा, 'इसे रख लूँ ?' उसने एक पल के लिए उल्लू को ग़ौर से देखा। फिर हैरी और हर्माइनी को यह देखकर बहुत हैरानी हुई कि उसने उल्लू को क्रुकशैंक्स की तरफ़ सूँघने के लिए बढ़ा दिया।

'तुम्हें क्या लगता है ?' रॉन ने बिल्ली से पूछा। 'उल्लू ही है ना ?'

क्रुकशैंक्स ने पूँछ हिलाई।

'तब तो यह उल्लू मेरे लिए सही है,' रॉन ने ख़ुशी से कहा। 'यह मेरा है।'

हैरी ने किंग्स क्रॉस स्टेशन पहुँचने तक सिरियस की चिट्ठी बार-बार पढ़ी। जब वह, रॉन और हर्माइनी प्लेटफ़ॉर्म नंबर पौने दस के बैरियर से बाहर निकल रहे थे, तब भी उसने चिट्ठी अपने हाथ में कसकर पकड़ रखी थी। हैरी ने तत्काल वरनॉन अंकल को देख लिया। वे मिस्टर और मिसेज़ वीज़्ली से काफ़ी दूर खड़े होकर उन्हें शक भरी निगाह से देख रहे थे। जब मिसेज़ वीज़्ली ने हैरी को गले लगाया, तो उनका शक यक़ीन में बदल गया।

जब हैरी ने रॉन और हर्माइनी से विदा ली, तो रॉन चिल्लाकर बोला, 'मैं वर्ल्ड कप के बारे में फ़ोन करूँगा!' फिर हैरी ने वरनॉन अंकल की तरफ़ ट्रॉली धकाई, जिस पर उसका संदूक और हेडविग का पिंजरा रखा था। वरनॉन अंकल ने हमेशा की तरह इस बार भी गुर्राकर उसका स्वागत किया।

'वह क्या है ?' उन्होंने गुर्राकर उस लिफ़ाफ़े को देखा, जिसे हैरी अब भी अपनी मुट्ठी में पकड़े था। 'अगर तुम मुझसे किसी फ़ॉर्म पर साइन कराना चाहते हो, तो भूल जाओ -'

'ऐसी बात नहीं है,' हैरी ने ख़ुशी से कहा। 'यह तो मेरे गॉडफ़ादर की चिट्ठी है।'

'गॉडफ़ादर ?' वरनॉन अंकल के होश उड़ गए। 'तुम्हारा कोई गॉडफ़ादर नहीं है!'

'है, बिलकुल है,' हैरी ने उत्साह से कहा। 'वे मेरी मम्मी-डैडी के सबसे अच्छे दोस्त हैं। वे एक ख़ूनी हैं, जिन्हें जादूगरों की जेल में डाल दिया गया था, लेकिन वे जेल से भाग निकले हैं और इस समय छिपे हुए हैं। वे मुझे चिट्ठी लिखते रहते हैं ... मेरी ख़बर लेते रहते हैं ... यह पता करते रहते हैं कि मैं ख़ुश तो हूँ ...'

वरनॉन अंकल के चेहरे पर दहशत देखकर हैरी के चेहरे पर बड़ी सी मुस्कराहट आ गई। फिर वह अपने सामने हेडविग के पिंजरे को खड़खड़ाते हुए स्टेशन के दरवाज़े की तरफ़ चलने लगा। वह सोच रहा था कि इस बार की गर्मी की छुट्टियाँ पिछली बार से अच्छी रहेंगी।